Månpocket

Håkan Nesser

EN HELT ANNAN HISTORIA

Kriminalroman

Månpocket

Denna Månpocket är utgiven enligt överenskommelse med
Albert Bonniers Förlag, Stockholm

Omslag av Jan Biberg
Omslagsbild © Getty Images

Tryckt i Danmark hos Nørhaven Paperback A/S 2008
FSC Certificate Registration Code: SW-CODC-002296

ISBN 978-91-7001-589-2

Inledande anmärkning

Staden Kymlinge existerar inte på kartan och Bahcos skiftnyckel med typnummer 08072 har aldrig saluförts i Frankrike. I övrigt överensstämmer stora delar av denna boks innehåll med kända förhållanden.

I.

Anteckningar från Mousterlin

Den 29 juni 2002

Jag är inte som andra människor.

Och vill inte vara det. Om jag någon gång i mitt liv hittar en grupp där jag känner att jag hör hemma, kommer det bara att betyda att jag blivit avtrubbad. Att även jag slipats ner till sedvänjornas och dumhetens urberg. Det är så det är, ingenting förmår ändra på dessa grundläggande villkor. Jag vet att jag är utvald.

Kanske var det ett misstag att stanna här. Kanske borde jag ha lytt min första impuls och sagt nej. Men minsta motståndets lag är stark och Erik intresserade mig de första dagarna, han är i varje fall ingen dussinmänniska. Jag hade heller inga uttänkta planer, inga strategier för mitt resande. Söderut, det enda viktiga var att komma söderut.

Fast nu ikväll känner jag mig alltså mera tveksam. Det finns ingenting som håller mig kvar här, närsomhelst kan jag packa min ryggsäck och dra vidare, om inte annat så känns denna omständighet som en god försäkring inför framtiden. Det slår mig att jag faktiskt skulle kunna ge mig av just nu, i denna stund; klockan är två, havets monotona röst hörs i mörkret några hundra meter från terrassen där jag sitter och skriver. Jag förstår att högvattnet är på väg in; jag skulle kunna gå ner till stranden och börja vandra österut, ingenting kunde vara enklare.

En viss tröghet, i förening med tröttheten och alkoholen i mina ådror, lägger dock band på mig. Åtminstone tills imorgon. Förmodligen några dagar ytterligare. Minst av allt har jag någon brådska, och kanske kommer jag att låta mig lockas av observatörens roll. Kanske kommer det att finnas saker att skriva om. När jag berättade för doktor L om mina planer på en längre resa, såg han först inte särskilt entusiastisk ut, men när jag förklarade att jag behövde tid för att tänka och skriva om det som varit i en främmande miljö – att det var detta som var själva syftet – nickade han bifall; så småningom önskade han mig också lycka till och jag uppfattade det som någonting som verkligen kom ifrån hjärtat. Jag hade ju varit i hans vård i mer än ett år, det måste naturligtvis kännas som en triumf när man någon enstaka gång faktiskt kan släppa en klient ut i det fria.

Angående Erik, så var det förstås generöst av honom att låta mig bo här alldeles gratis. Han påstod att han hyrt huset tillsammans med en flickvän, men att de gjort slut när det var för sent att avboka. Jag trodde från första stund att han ljög; gissade att han var bög och ville ha mig att leka med, men så är det tydligen inte. Jag tror inte han är homosexuell, men jag är långtifrån säker. Möjligen är han bi-, han är ingen okomplicerad natur, Erik. Det är antagligen därför jag står ut med honom, där finns mörka vrår som tilltalar mig, åtminstone medan de ännu är outforskade.

Och han har gott om pengar, huset är tillräckligt stort för att vi inte skall behöva nöta på varandra. Vi har kommit överens om att dela på matkontot så länge jag stannar här, men vi delar också någonting annat. En sorts respekt kanske; det har nu gått nästan fyra dygn sedan han plockade upp mig utanför Lille, tre sedan vi kom hit. I vanliga fall brukar jag tröttna på människor på bråkdelen av den tiden.

Men inatt – i skrivande stund – drabbas jag alltså av de första starka dubierna. Det började med den utdragna lunchen i hamnen i Bénodet nu i eftermiddags, jag förstod tidigt att det var en spelöppning till en påfrestande kväll. Man märker sådant så tydligt. Det flög till och med en tanke genom huvudet på mig – när vi äntligen kommit på plats på den stökiga restaurangen, och äntligen lyckats få kyparen att begripa våra beställningar:

Ta livet av hela bordssällskapet och gå därifrån.

Det hade varit enklast för alla inblandade, och det skulle inte ha rört mig i ryggen.

Om jag bara haft en metod. Ett vapen åtminstone, och en flyktväg.

Kanske var det bara en idé som föddes ur det faktum att det var så varmt. Avståndet mellan stark hetta och galenskap är kort. Vi hade flyttat om borden, dragit parasoll hit och dit för att skapa skugga, men jag hamnade ändå i solen – i synnerhet när jag lutade mig tillbaka mot stolens ryggstöd – och det var allt annat än bekvämt. Hela tillvaron kändes som en klåda. En vibrerande irritation som tickade mot en sorts obönhörlighetens punkt.

Överhuvudtaget var förstås tilltaget en infam dumhet. Kanske skedde det heller inte på någons direkta initiativ, kanske var det bara fråga om allmän och missriktad hänsyn. En grupp landsmän som stöter på varandra på en lördagsmarknad i en liten bretagnsk stad. Det är fullt möjligt att konvenansen kräver vissa beteenden i ett sådant läge. Vissa riter. Jag avskyr konvenansen lika mycket som jag avskyr folk som lever efter den.

Det är också möjligt att jag inte skulle se på samma sätt på en grupp ungrare runt ett restaurangbord i Stockholm eller Malmö; det är gruppens insida jag har så svårt att fördra, utsidan kommer mig inte vid. Att veta om och genomskåda är oftast värre än att vara ignorant. Eller låtsas vara ignorant. Det är lättare att leva i ett land där man inte till fullo förstår språket.

Franskan, det språk som omger oss för tillfället, framstår ju till exempel som allra mest pregnant när man inte riktigt begriper vad som egentligen sägs.

Men mina tankar syns aldrig på mig, jag släpper ingen djävul över bron. Jag svär invärtes men ler och smilar, ler och smilar. Så har jag lärt mig att ta mig fram här i tillvaron. Navigare necesse est. Det kan rentav vara så att de andra tycker att jag är trevlig. Tankar är inte farliga så länge de förblir just tankar, det är naturligtvis en sanning så god som någon.

Och jag har som princip att aldrig säga någonting otrevligt.

Det rörde sig om två par, således. Till en början utgick jag ifrån att de redan kände varandra, kanske att de semestrade tillsammans – men så var det alltså inte. Vi råkades helt enkelt alla sex bland de där marknadsstånden på torget; hemlagade ostar, hemlagad sylt och marmelad, hemlagad muscadet, cider och virkade sjalar; möjligen var det någon av de två kvinnorna som Erik tände till på. De är båda unga och förhållandevis vackra, kanske var det båda två, förresten, han utvecklade onekligen en hel del charm medan vi satt där och petade i oss skaldjuren och tömde den ena vinflaskan efter den andra.

Det gjorde möjligen jag också.

Och så detta märkliga samband med Kymlinge. Erik har bott i den staden i hela sitt liv, tydligen, kvinnan i det ena paret är uppväxt där, men avflyttad till Göteborg, den andra kvinnan bor i Kymlinge sedan tioårsåldern. Ingen av de tre kände på något sätt någon av de andra, men de fann alla denna geografiska omständighet oemotståndligt intressant. Till och med Erik.

För egen del fann jag det kväljande i motsvarande grad. Som om de tagit sig hit i en charterbuss och nu kunde sitta i den lilla franska byn och gotta sig åt infödingarnas seder och egendomligheter och jämföra med hur folk betedde sig hemmavid. I Kymlinge och annorstädes. Jag drack tre glas kallt, vitt vin innan huvudrätten, medan en sorts mycket välbekant desperation höll på att ta mig i besittning där jag satt och svettades i solen. En klåda, som sagt.

Och beträffande mitt eget förhållande till Kymlinge valde jag att hålla tyst. Jag är också säker på att ingen av de andra vet vem jag är, i så fall vore det inte möjligt att stanna kvar här.

Henrik och Katarina Malmgren heter det ena paret. Det är hon som är uppväxt i Kymlinge, men de bor numera i Mölndal. De är i trettioårsåldern bägge två, hon arbetar på Sahlgrenska sjukhuset, han är någon sorts akademiker. De är uppenbarligen gifta men har inga barn. Hon ser annars ut som en kvinna som både kan och vill bli gravid, om det är så att det finns något medicinskt hinder ligger det säkerligen hos honom. Torr och spänd, rödlätt i hyn, har förmodligen lätt för att bränna sig i solen; kanske vantrivdes han lika mycket som jag under de där lunchtimmarna, jag fick nästan det intrycket. Känner sig förmodligen bättre till mods framför en dataskärm eller bland dammiga böcker än ute bland människor, man kan undra hur de fått ihop det överhuvudtaget.

Det andra paret heter Gunnar och Anna. De är inte gifta, bor inte ens tillsammans, tydligen. De kämpade en del med sin naturliga ytlighet, bägge två, försökte ge sken av att de tänkt över saker och ting och kommit fram till en sorts livshållning. Det gick naturligtvis inget vidare, de skulle på det hela taget vara mycket betjänta av att inta en konsekvent stum attityd, särskilt hon. Han är lärare av något slag, jag fick inte detaljerna klara för mig, hon arbetar på reklambyrå. Antagligen i någon sorts kundnära funktion, hennes ansikte och övre halva är utan tvekan hennes största tillgångar. Det framgick också att de just skaffat sig en travhäst tillsammans, eller åtminstone står i begrepp att göra det.

Av någon outgrundlig anledning talar Katarina Malmgren nästan flytande franska, en egenhet som ingen av oss andra runt bordet kom i närheten av, och under lunchen fick hon en oförtjänt status av att vara något slags orakel. Vi åt åtminstone åtta olika sorters skaldjur och hon hade ingående samtal med kyparen om vart och ett av dem. Korkar med nålar i för att få ut de motsträviga innevånarna ur skalen; när man till slut sitter med de små musklerna i munnen vet man aldrig om de är levande eller döda. Såvitt jag förstår går det ut på att bita ihjäl dem innan man sväljer.

Men Erik skötte dryckesfrågan; vi började med vanligt torrt vitt, men övergick efter tre flaskor till traktens cider, ett starkt och sött rävgift som tvingade oss till en två timmar lång tupplur under eftermiddagen.

Sedan tillbringade vi kvällen hos Gunnar och Anna, således. De bor bara några hundra meter härifrån, utefter stranden åt Beg-Meil-hållet, ett annat litet pittoreskt hus inbakat i dynerna. Vi satt på deras terrass alla sex, åt ytterligare skaldjur, hällde i oss vin och calvados. Gunnar sjöng till gitarr också. Taube, Beatles och Olle Adolphson. Vi andra fyllde väl i där orden kom till oss, det var lätt att få för sig att det var en lite förtrollad kväll. Någon gång runt midnatt hade vi blivit så pass berusade att det blev tal om nakenbad i havet. En entusiastisk kvartett bestående av de bägge damerna, samt Erik och Gunnar, gav sig iväg med en flaska mousserande vin och armarna om varandras axlar.

Själv satt jag kvar med Henrik den torre; borde förstås ha tagit reda på vad han sysslar med egentligen, exakt vilken sorts forskning det är han ägnar sig åt, men jag kände inte för att prata med honom. Det var skönare att bara sitta och smutta på calvan, röka och stirra ut i mörkret. Han gjorde ett par trevande försök att få igång ett samtal om den ena eller andra egenheten hos folket här i Finistère, men jag uppmuntrade honom inte. Han tystnade också rätt snart, antagligen är han lika ointresserad av mina åsikter om ditten och datten som jag är av hans. Han förefaller ha en sorts integritet inbakad i torrheten, trots allt. Det kändes som om vi båda satt och lyssnade efter våra badande vänner därute i mörkret; han hade förstås bättre skäl än jag att vara lyhörd, det var ändå hans hustru, inte min, som klätt av sig naken tillsammans med tre främmande människor.

Det är över fem år sedan jag hade en hustru, jag saknar henne ibland men oftast inte.

När sällskapet återvände var de i alla händelser sedesamt draperade i badlakan, de var överhuvudtaget mer dämpade än när de gav sig av, och jag kunde inte undgå att göra reflektionen att de delade en hemlighet.

Att någonting hade hänt och att de dolde något.

Men kanske var de bara berusade och trötta. Och avkylda, Atlanten i juni ligger långt under tjugostrecket. Vi stannade inte kvar mer än en halvtimme efter att de återvänt. När Erik och jag vandrade tillbaka utefter stranden bort mot vägen till vårt hus, hade han uppenbara svårigheter att hålla sig på benen och han tuppade av så fort vi kommit inomhus utan att få av sig mer än sandalerna.

För egen del känner jag mig förvånansvärt klar i huvudet. Analytisk närmast. Orden och tankarna har en tydlighet som de bara kan äga om natten. Vissa nätter. Havet känns i mörkret därute, säkert är det tjugofem grader i luften. Insekter studsar mot lampan, jag tänder en Gauloise och smuttar på dagens sista glas. Erik sover för öppet fönster, jag kan höra hans snarkningar, han har gott och väl två liter vin i ådrorna. Klockan är några minuter över två, det är skönt att äntligen vara ensam.

Paret Malmgren har sitt hus åt andra hållet, på andra sidan av Mousterlinudden. Totalt, utefter hela kustremsan, finns säkert ett femtiotal kåkar för uthyrning; de flesta någon kilometer inåt land förstås, och kanske är det ingen märkvärdighet att tre av dem hyrs av svenskar. Enligt vad jag förstod av Erik har det inte gått genom samma förmedling, men de andra är i stort sett lika nyanlända som vi.

Tre veckor av möjlig samvaro ligger framför oss. Jag inser plötsligt att jag sitter och tänker på Anna. Det är mot min vilja, men det var någonting med hennes nakna ansikte och hennes våta hår när de kom tillbaka från badet. Och det där skuldmedvetandet, som sagt. I Katarinas ögon fanns någonting annat, en sorts längtan.

Jag borde ha iakttagit Henriks ansikte också förstås, för att få en kontrapunkt, men så blev det nu inte. Observatörens roll är inte alltid enkel att upprätthålla.

Leva eller dö spelar ingen roll, tänker jag. Jag vet inte varför jag tänker just det.

Men fnas, vi är bara fnas i evigheten.

Kommentar, juli 2007

Det har gått fem år.

Kan kännas både som femton år och som fem månader. Tidens elasticitet är påfallande, allt beror på vilken utgångspunkt jag väljer att betrakta ifrån. Jag kan ibland se Annas ansikte alldeles tydligt för mig, som om hon satt mittemot mig här i rummet, och i nästa ögonblick kan jag se dessa sex människor, mig själv också, från hög höjd; myror på stranden irrande omkring i fåfänga och meningslösa piruetter. I evighetens kalla ljus – och i havets, jordens och himlens treenighet – framstår vår försumbarhet som närmast skrattretande.

Som om de egentligen skulle ha kunnat få leva vidare. Som om inte ens deras död skulle ha tillräcklig vikt och betydelse. Men jag har beslutat mig och kommer att genomföra det som blivit bestämt. Handlingar måste få konsekvenser annars spårar skapelsen ur. Beslut måste följas, när de en gång har fattats behöver de inte längre ifrågasättas. Att rista dessa tunna streck av ordning i kaos är allt vi förmår, hela vår plikt som moraliska individer ligger här.

Och de förtjänar det. Gudarna ska veta att de förtjänar det.

Det första som slår mig är annars aningslösheten. Så lite jag förstod denna första kväll. Dessa sex människor i sina hus på stranden; jag skulle ha kunnat packa min ryggsäck och lämnat denna flacka kustremsa redan följande dag; hade jag gjort det skulle allt ha varit så annorlunda.

Eller också hade jag aldrig något val. Det är ju intressant att jag faktiskt tänkte den där tanken på restaurangen i Bénodet. *Ta livet av hela bordssällskapet och gå därifrån.* Redan då, redan i detta ögonblick fanns det någonting i mig som förstod vad som skulle komma så här många år senare.

Jag har bestämt mig för vem som måste bli den förste. Själva turordningen är inte oväsentlig.

24 juli – 1 augusti 2007

1

Kriminalinspektör Gunnar Barbarotti tvekade en sekund. Sedan låste han sjutillhållarlåset.

Det hörde inte till vanligheten. Ibland brydde han sig inte ens om att låsa dörren överhuvudtaget. Om dom vill ta sig in så gör dom det ändå, brukade han tänka, det är bara onödigt att dom ska behöva göra en massa åverkan också.

Möjligen vittnade sådana tankar om en sorts defaitism, möjligen vittnade de om bristande tilltro till den yrkeskår han själv representerade; han inbillade sig att ingetdera var särskilt oförenligt med hans världsbild. Hellre realist än fundamentalist i alla händelser, men några indicier som pekade åt det ena eller andra hållet fanns inte att tillgå.

Tänkte han – och undrade samtidigt hur frågan om att låsa en dörr kunde ge upphov till så mycket porös teori.

Men det skadade kanske inte att hjärnan var igång redan på morgonen? Sedan han flyttade in i sin påvra trerumslägenhet på Baldersgatan i Kymlinge i samband med sin skilsmässa för fem och ett halvt år sedan hade han hursomhelst aldrig haft objuden påhälsning – mer än möjligen av en och annan tvivelaktig skolkamrat som hans dotter Sara släpat hem. Man ska tro sina medmänniskor om gott tills de bevisar motsatsen; denna princip hade hans optimistiska moder försökt tuta i honom ända sedan han blev itutningsbar, och det var förstås en levnadsregel så god som någon.

För övrigt måste det röra sig om en sällsynt korkad inbrottstjuv, som inbillade sig att det skulle dölja sig något stjäl- och säljbart gods bakom en trivial mahognylaminatdörr som den här. Det var också en sorts realism.

Men nu låste han alltså med dubbla lås. Det hade sina skäl. Lägenheten skulle stå tom i tio dagar. Varken han själv eller hans dotter skulle sätta sin fot i den. Sara hade för övrigt inte gjort det på över en månad; direkt efter sin studentexamen i början av juni hade hon begivit sig av till London och börjat arbeta i en boutique – eller om det möjligen var en pub, vilket hon i så fall mörkade för att inte oroa sin fader i onödan – och på den vägen var det.

Hon var nitton år och känslan av att ha blivit amputerad när hon åkte började långsamt lämna honom. Mycket långsamt. Tanken på att de nog aldrig mer skulle bo under samma tak borrade sig in i hans fadershjärta i ungefärligen samma takt.

Men allt har sin tid, tänkte Gunnar Barbarotti stoiskt och tryckte ner nyckelknippan i jeansfickan. Och vart företag under himlen har sin stund.

Leva samman, skiljas och dö.

Han hade börjat läsa bibeln för ett halvår sedan, det var på inrådan av Gud Fader själv, och det var märkligt hur ofta ord och verser dök upp i huvudet på honom. Även om du faktiskt inte existerar, käre Herre, brukade han tänka, måste man erkänna att Den Heliga Skrift är en förbaskat bra bok. Åtminstone bitvis.

Det brukade Vår Herre hålla med om.

Han tog sin mjuka resväska i ena handen, den fullproppade soppåsen i den andra och började gå nerför trapporna. Kände en spirande glädje i kroppen med ens. Det var någonting med att gå nerför trappor, han hade tänkt på det många gånger; att med någotsånär god hastighet ta sig ner längs en behagligt rundad trappa – på väg ut i världens myllrande mångfald. Var det inte så att livets verkliga kärna var rörelsen? Just en sådan här svängande, ansträngningslös rörelse? Äventyret som väntade bakom hörnet? Just idag stod fönstren i trapphuset gavlade dessutom, högsommaren vällde in, doften av nyklippt gräs stack i näsborrarna och glada barnskratt hördes nerifrån gården.

En flicka som skrek som en stucken gris också, men man behöver inte lyssna på allt man hör.

Brevbäraren var antagligen tangodansare på fritiden, för det var genom ett mycket elegant bakåtsteg som han undgick att mejas ner av resväskan.

"Hoppsan. Ut och resa?"

"Förlåt", sa Gunnar Barbarotti. "Fick lite för hög fart... ja, just det."

"Utomlands?"

"Nej, det får räcka med Gotland den här gången."

"Finns ingen anledning att lämna Sverige den här årstiden", utvecklade den oväntat pratglade brevbäraren och tecknade menande utåt gården. "Vill du ha dagens skörd eller ska jag stoppa det i lådan så du slipper se den på ett tag?"

Gunnar Barbarotti funderade ett ögonblick.

"Ta hit det. Men ingen reklam."

Brevbäraren nickade, bläddrade i sin bunt och räckte över tre kuvert. Barbarotti tog emot dem och stoppade ner dem i ytterfacket på resväskan. Önskade skön sommar och fortsatte i något lugnare tempo ner till markplanet.

"Gotland är en pärla", ropade brevbäraren efter honom. "Flest soltimmar i hela Sverige."

Soltimmar? tänkte Gunnar Barbarotti när han lämnat Kymlinge bakom sig och fått ner temperaturen i bilen till tjugofem grader. Ja, inte har jag något emot soltimmar, men om det regnar i tio dagar, så kommer jag inte att vara ledsen för det heller.

Det var en annan sorts värme som var ställd i utsikt, nämligen, men det kunde ju inte brevbäraren veta någonting om... *om två ligga tillsammans, så hava de det varmt; men huru skall den ensamme bliva varm?*

Mycket Predikaren idag, konstaterade Gunnar Barbarotti och såg på klockan. Den var inte mer än tjugo minuter i elva; brevbäraren hade varit ovanligt tidig, kanske hade han planer på att åka och bada någonstans under eftermiddagen. Barbarotti tänkte att han unnade honom det. Kymmen eller Borgasjön. Han unnade alla människor att göra vad de ville idag. Noga taget. En suck av välbehag undslapp honom. Sådana skola suckarna vara, insåg han plötsligt. Man skall icke behöva dra dem, de skola bara undslippas en. Borde stå i Predikaren det också.

Han betraktade sitt ansikte i backspegeln och märkte att han satt och log. Orakad och lite tilltufsad såg han ut, men leendet klöv ansiktet från örsnibb till örsnibb nästan.

Och varför skulle han inte göra det? Färjan från Nynäshamn skulle avgå klockan fem, vägen verkade lika bilfri som himlen var molnfri, det var den första dagen av en länge emotsedd resa. Han ökade farten, tryckte in en skiva med Lucilia do Carmo i CD-spelaren och tänkte att det var en fröjd att leva.

Sedan började han tänka på Marianne.

Sedan tänkte han att det egentligen rörde sig om samma tanke.

De hade känt varandra i snart ett år. Med en vag aning om att tiden måste vara ur led insåg han att det faktiskt inte var längre än så. De hade träffats på den grekiska ön Thasos förra sommaren under optimalt gynnsamma omständigheter – frihet, ansvarslöshet, främmande miljö, sammetsnätter, ägglossning och varmt medelhav – men det hade inte stannat vid en semesterromans. Jag är inte den typen som håller på med semesterromanser, hade Marianne deklarerat efter den första kvällen. Inte jag heller, hade han tillstått. Vet inte hur sånt går till ens, om jag ser en kvinna i ögonen brukar jag som regel gifta mig med henne också.

Det hade Marianne tyckt låtit särdeles rekorderligt. Så de hade fortsatt att umgås på hemmaplan också. Med jämna mellanrum; två medelålders ensamma föräldraplaneter, brukade han tänka, som långsamt och obevekligt graviterade mot varandra. Kanske var det så det måste se ut. Så man måste bära sig åt; ett delikat men målmedvetet brobygge av lika delar mod och försiktighet. Marianne bodde i Helsingborg och hade två tonåringar, han själv hörde hemma tjugofem mil norrut – i Kymlinge – med en just avflyttad dotter och två söner i förskingringen. Så det kunde hävdas att det var en rätt lång bro.

Ett stråk av dysterhet kom över honom när han tänkte på Lars och Martin. Hans pojkar. De bodde med sin mor utanför Köpenhamn numera, han hade tillbringat två veckor tillsammans med dem i början av sommaren och hade eventuellt en till att se fram emot i augusti – men känslan av att han höll på att förlora dem gick inte att komma undan. Deras nya plastpappa hette Torben eller någonting liknande och drev ett yogainstitut på Vesterbro; Barbarotti hade aldrig träffat honom, men det fanns tecken som tydde på att han var ett par snäpp bättre än sin föregångare. Denne hade varit ett underverk till man ända fram till den dag då han drabbades av svårartad sinnesförvirring och rymde med ett magdansande bombnedslag från Elfenbenskusten.

Vad var det jag sa? hade Barbarotti tänkt den gången, men redan då hade det känts som en utsliten tillfredsställelse med bästföredatumet passerat sedan länge.

Och Lars och Martin hade inte förefallit särskilt olyckliga över att behöva bo i Danmark, det kunde han inte påstå med bästa vilja i världen. Frågan var snarare varför han då och då – i ett av själens allra unknaste skrymslen – *ville* att de skulle vantrivas. Skulle det kalla kriget mot Helena aldrig upphöra? Skulle han fortsätta att sätta upp bleka, mentalsjuka vadvardetjagsa?-skyltar i all evighet?

Det är mitt ansvar att göra *dem* lyckliga, brukade hon understryka, inte *dig*. Det gjorde jag förr i tiden.

I ett annat skrymsle av själen visste han att hon hade rätt. Efter skilsmässan hade Sara valt att bo med honom, och det var henne han nu satt och saknade. Inte sin förra hustru och inte sina söner heller. Om man skulle vara ärlig. Sara hade räddat honom från ensamhetens demoner i fem år; så mycket värre nu, när hon lämnat honom och kastat sig ut i världen.

Istället hade Marianne kommit. Gunnar Barbarotti förstod att han hade sin lyckliga stjärna att tacka för henne – eller möjligtvis den möjligtvis existerande guden, som han ibland brukade inlåta sig på gentlemannamässig köpslagan med.

Hoppas hon förstår vilket hål hon har att fylla, tänkte han. Eller kanske var det bäst om hon inte insåg det, korrigerade han efter en stund. Inte alla kvinnor var överdrivet förtjusta i att ta hand om hjälpbehövande medelålders män. Åtminstone inte i längden.

Han insåg att modet höll på att sjunka i honom – att det skulle vara så förbannat svårt att hålla näsan över vattenytan – och eftersom en röd lampa i samma ögonblick blinkade till på instrumentpanelen, svängde han in på den passligt uppdykande Statoilmacken.

Bensin och kaffe. Allt har sin tid.

Gotlandsfärjan var inte så knökfull som han hade befarat.

Kanske berodde det på att det var tisdag. Mitt i veckan. Anstormningen av baddjävlar från huvudstaden var koncentrerad till helgerna, fick man förmoda. Gunnar Barbarotti kände en viss tacksamhet över att det inte var inne i Visby han skulle tillbringa de tio dagarna med Marianne. Han mindes med vämjelse en vecka i slutet av sitt förra äktenskap, då han och Helena hyrt en svindyr lägenhet innanför ringmuren vid ungefär den här årstiden. Det hade känts som att bo mitt i ett havererat nöjesfält. Vrålande och spyende och kopulerande ungdomar i varenda gränd, omöjligt att få en blund i ögonen före klockan tre på natten, nej, fy fan, hade Gunnar Barbarotti tänkt den gången, om det här kallas livsviktig turistnäring kan de lika gärna bygga om kungliga slottet till ölhall och bordell. Så slipper dom ta båten.

Känslan av vanmakt hade naturligtvis förstärkts av att de hade tre barn att ta hand om, och att själva äktenskapet befann sig i själatåget. Han mindes att de gett varandra var sin kväll att gå ut och slå sig lös; Helena hade inlett och kommit hem klockan fyra på morgonen och sett rätt nöjd ut; eftersom han inte ville vara sämre hade han följande natt suttit i sin ensamhet nere på Norderstrand med en kasse öl till halv fem.

Men föralldel, när han vandrat hem genom ruinerna och rosorna den morgonen, hade stan varit vacker, det hade till och med han begripit. Helvetes vacker.

När Marianne frågat efter hans Gotlandserfarenheter hade han nöjt sig med att berätta om ett par besök i sin ungdom – Fårö och Katthammarsvik – men inte tagit upp den bedrövliga Visbyveckan.

Och nu var det alltså Hogrän som gällde. Namnet betydde stor gran, hade hon berättat; det rörde sig om en liten by mitt inne på ön, inte mycket mer än en vägkorsning och en kyrka, men det var här Marianne och hennes syster hade sitt hus. Arvegods sedan förra generationen; en lite svårartad broder var utköpt och det var garanterat befriat från alla slag av besvärande turism.

Eftersom det låg mer än en mil från havet, hade hon förklarat; Tofta var närmaste badstrand, barnen brukade cykla dit ett par gånger i veckan, för egen del lät hon oftast bli. Och de närmaste åtta dagarna fanns det överhuvudtaget inga barn med i bilden.

Fridfullt är ett så slitet uttryck, hade hon också sagt. Det är synd, för fridfullhet är själva essensen av Gustabo.

Gustaf, som gett sitt namn åt bostället, hade byggt det vitkalkade huset någon gång i mitten av artonhundratalet – och när Mariannes far köpte det i början av femtiotalet, hade han enligt uppgift fallit för det i första hand tack vare namnet. Han hade också hetat Gustaf, och de sista fem åren av sitt liv – efter att hans hustru dött – hade han tillbringat i stort sett all sin tid här.

Gustaf i Gustabo.

Så här fanns livets nödtorft. Både vatten och el och radio. Men ingen teve och ingen telefon. Du får inte ta med mobilen, hade Marianne instruerat honom. Ge grannbondens nummer till dina barn, det räcker. Det är inte meningen att man skall ha hela världen brusande omkring sig när man befinner sig i Gustabo. Det har till och med mina barn lärt sig att acceptera.

Vi brukar faktiskt lyssna på sjörapporten och Dagens dikt,

hade hon lagt till, dom tycker om det. Johan har till och med ritat en egen karta med alla Sveriges fyrar utsatta.

Han hade gjort henne till viljes. Stängt av mobiltelefonen och lämnat den under några papper i handskfacket. Skulle dom stjäla bilen kunde dom lika gärna få mobilen på köpet, tänkte han, och det fanns inget sjutillhållarlås på vare sig den ena eller den andra.

När färjan började närma sig ön, gick han upp på däck och betraktade den välkända stadssilhuetten som glödde i den nedgående solens sista strålar. Tak, tinnar och torn. Det var nästan smärtsamt vackert. Han tänkte på vad en god vän sagt en gång: Gotland är inte bara en ö, det är ett annat land.

Hoppas hon står och väntar som hon lovade, tänkte han sedan. Skulle inte vara kul att behöva leta upp en telefonhytt och ringa till den där bonden.

Fanns det fortfarande telefonhytter?

Hon stod där.

Solbränd och sommarvacker. Det är inte möjligt att en sådan kvinna kan vänta på en man som mig, tänkte han. Det måste vara ett missförstånd.

Men hon slog armarna om hans hals och kysste honom, så antagligen ingick han i planen, trots allt.

”Du är så himla vacker”, sa han. ”Du får inte kyssa mig en gång till för då svimmar jag.”

”Jag får se om jag kan hålla mig”, svarade hon och skrattade. ”Det känns…”

”Ja?”

”Det känns storslaget på något vis. Att få möta en man som man älskar en vacker sommarkväll. När han kommer med båten.”

”Mhm”, mumlade Gunnar Barbarotti. ”Fast jag vet nånting som är ännu bättre.”

”Vad då?”

”Att få komma med båten och bli mottagen av en älskad kvinna. Ja, du har rätt, det är ganska storslaget. Man borde göra det varenda kväll.”

”Det är skönt att vara så gammal att man har tid att stanna upp och inse det också.”

”Precis.”

Gunnar Barbarotti skrattade. Marianne skrattade. Sedan stod de tysta och såg på varandra en stund, han kände hur någonting vått och varmt började växa bakom struphuvudet på honom. Han harklade bort det och blinkade ett par gånger.

”Fy fan, vad tacksam jag är att jag träffat dig. Här, jag har en present till dig.”

Han fick upp den lilla asken med smycket han köpt. Ingenting märkvärdigt, en liten rödgul sten i en guldkedja, bara, men hon öppnade genast med ivriga fingrar och hängde den om halsen.

”Tack. Jag har nånting till dig också men det får vänta tills vi kommer hem.”

Hem? tänkte Gunnar Barbarotti. Och det lät som om hon menade det.

”Ska vi åka då?”

”Var har du bilen?”

”Härute på parkeringen förstås.”

”Då så. Ta mig till världens ände.”

Och låt mig stanna där till tidens ände, lade han till tyst för sig själv. Sådana här kvällar kunde göra poeter av grishandlare.

Gustabo låg mitt i ingenstans. Åtminstone kändes det så när man anlände sent i skymningen. Gunnar Barbarotti insåg att han inte skulle ha klarat av att hitta vägen på egen hand. Kanske tillbaka till Visby, men inte det omvända. När Marianne svängde in genom öppningen i en stenmur efter knappt en halvtimmes körning, hade han en behaglig känsla av att inte ha en aning om var i världen han befann sig. Hon stannade invid ett syrenbuskage och de klev ur bilen. En knutlampa lyste upp gaveln på det vita stenhuset, ett genomskinligt sommarmörker hade börjat sänka sig över grästunet med ett par knotiga fruktträd och en skock vinbärsbuskar, tystnaden kändes nästan som ett levande väsen.

”Välkommen till Gustabo”, sa Marianne. ”Ja, så här ser det ut.”

I samma ögonblick slog en kyrkklocka två slag. Gunnar Barbarotti tittade på sitt armbandsur. Halv tio. Sedan vred han på huvudet i den riktning Marianne pekade.

”Kyrkan mitt i byn. Och vi bor granne med kyrkogården. Jag hoppas du inte har någonting emot det.”

Gunnar Barbarotti lade armen över hennes axlar.

”Och där har vi korna.”

Hon pekade på nytt och han blev varse dem på bara några meters håll. Tunga, idisslande silhuetter på andra sidan stenmuren.

”Går ute hela dygnet så här års. Bonden går ut på åkern och mjölkar dem istället för att ta in dem. Jo, det finns liksom fyra väderstreck på den här platsen också. Kyrkan ligger i öster och korna betar i norr. Åt väster har vi världens gulaste rapsåker, det kommer du att se imorgon, och åt söder har vi skogen.”

”Skogen?” sa Gunnar Barbarotti och såg sig om. ”Kallar du det där skog?”

”Sextioåtta lövträd”, förklarade Marianne. ”Ek och bok och blodlönn. Det ena ädlare än det andra och de flesta mer än hundra år gamla. Nej, nu går vi in. Jag hoppas du höll vad du lovade.”

”Vad då?”

”Att inte sitta och stoppa i dig en massa mat på färjan. Jag har någonting i ugnen och jag har en flaska vin på luftning.”

”Jag har inte ätit så mycket som en geléråtta”, försäkrade Gunnar Barbarotti.

Han vaknade och såg ett milt gryningsljus sila in genom de tunna gardinerna. Dessa rördes en smula av en svag vind, och en mättad doft av sommarmorgon smög in genom det öppna fönstret. Han vred på huvudet och betraktade Marianne, som sov tungt på mage vid hans sida, hennes nakna rygg bar ner till svanken och det stora kastanjebruna håret utsläppt som en malträterad solfjäder över kudden. Han trevade över sängbordet och hittade sitt armbandsur.

Halv fem.

Han mindes att han kastat en blick på klockan när de älskat färdigt. Kvart över tre.

Knappast dags att stiga upp och ge sig i kast med en ny dag, således.

Men heller inte ett ögonblick man utan vidare blundade bort, tänkte han. Vek lakanet åt sidan, steg försiktigt upp och tog sig ut i köket. Drack ett par klunkar vatten direkt från kranen.

Lika bra att pinka när man ändå är i farten, kom han snart fram till och fortsatte ut på gården. Blev stående ett slag och vickade lyckligt på tårna i det daggvåta gräset. Här står jag just nu, tänkte han. Alldeles naken, här och nu. I sommarnatten i Gustabo. Bättre än så här blir det aldrig.

Det kändes storslaget. Nästan ännu mer storslaget än att anlända med båten och han bestämde sig för att aldrig glömma just den här stunden. Betraktade morgonrodnaden över kyrkogården ett slag, sedan gick han bort till den ädla skogen och kastade vatten. Duckade för en fladdermus som kom vinande förbi. Tänkte att det var förvånande; var det inte så att fladdermössen bara flög i skymningen?

Fortsatte längs stenmuren och stannade en stund i de andra väderstrecken.

Korna. Rapsfältet.

Huttrade till och återvände inomhus. Såg sig om i den stilrena enkelheten. Vitkalkat och brunt trä, bara. Upptäckte sin resväska, som stod invid kökssoffan, fortfarande ouppackad. Någonting vitt stack upp ur ytterfickan. Han rundade köksbordet och insåg att det var de tre breven han tagit emot av den pratglade brevbäraren när han åkte hemifrån igår. Han tog upp dem och betraktade dem. Två var räkningar av allt att döma, den ena från Telia, den andra från hans försäkringsbolag. Han stoppade tillbaka dem.

Det tredje brevet var handskrivet. Hans namn och adress textat i svart med kantiga, lite klumpiga versaler. Ingen avsändare. Frimärke med segelbåt.

Han tvekade en sekund. Sedan tog han en kökskniv ur ett ställ på diskbänken och sprättade upp kuvertet. Plockade ut ett dubbelvikt pappersark och läste.

TÄNKER TA LIVET AV ERIK BERGMAN.
FÅ SE OM DU KAN STOPPA MIG.

Han hörde Marianne mumla något i sömnen inifrån sovrummet. Stirrade på texten.

Ormen i paradiset, tänkte han.

2

”Vad menar du?” sa Marianne.

”Bara vad jag säger”, sa Gunnar Barbarotti. ”Jag fick ett brev.”

”Här? Hit?”

Det var förmiddag den andra dagen. De satt i var sin vilstol under ett parasoll åt rapssidan. Himlen var blå. Svalor pilade och humlor surrade; frukosten var just avslutad, det som möjligen pågick var påtår och matsmältning.

Och samtalet. Han undrade varför han hade tagit upp det. Ångrade sig redan.

”Nej, jag fick det just när jag åkte hemifrån igår. Stoppade ner det i väskan. Men så öppnade jag det nu imorse, alltså.”

”Hotelse säger du?”

”På sätt och vis.”

”Får jag se.”

Han funderade ett ögonblick över fingeravtrycksaspekten. Bestämde sig för att han hade semester och gick in och hämtade brevet.

Hon läste det med ena ögonbrynet höjt, det andra sänkt; han hade aldrig sett den minen hos henne förr, men förstod att den var ett uttryck för överraskning i kombination med koncentration. Det såg rätt elegant ut, han kunde inte låta bli att notera det. Hela hon var elegant när han tänkte närmare på saken; frånsett en gammal medfaren och storbrättad halmhatt var hon bara klädd i ett tunt, nästan genomskinligt skynke, som inte dolde mycket mer än glaset till ett akvarium.

Linne om han inte tog fel.

”Brukar du få sådana här brev?”

”Aldrig.”

”Så det hör inte till polismannens vardagsmat?”

”Inte i min erfarenhet i varje fall.”

Hon funderade ett ögonblick.

”Och vem är Erik Bergman?”

”Ingen aning.”

”Säkert?”

Han ryckte på axlarna. ”Ingen som jag kan erinra mig åtminstone. Men det är ju inget särskilt ovanligt namn.”

”Och du vet inte vem som kan ha skickat det?”

”Nej.”

Hon tog upp kuvertet och skärskådade det. ”Det syns inte vad som står på poststämpeln.”

”Nej. Jag tror det slutar på – org, men det är rätt otydligt.”

Hon nickade. ”Varför har du fått det, då? Jag menar, det måste väl röra sig om en galning, men varför skickar han det just till dig?”

Gunnar Barbarotti suckade. ”Marianne, det är som jag säger. Jag har faktiskt ingen aning.”

Han viftade undan en fluga och ångrade på nytt att han nämnt brevet. Det var idiotiskt att behöva sitta här i den fullkomliga morgonen och diskutera polisärenden.

Fast det var ju inget polisärende, var det inte det han nyss bestämt sig för? Bara ett irritationsmoment… borde inte få stjäla mer uppmärksamhet än den där flugan han just viftat bort.

”Men du måste väl ha något slags... vad heter det?... intuition? Hur länge har du jobbat som polis? Tjugo år?”

”Nitton.”

”Javisst ja, lika länge som jag har varit barnmorska, det har vi ju talat om. Men visst får man lite fingertoppskänsla med åren? Det har jag fått i alla fall.”

Gunnar Barbarotti drack en klunk kaffe och tänkte efter. ”Ibland kanske. Men inte när det gäller det här, tyvärr. Jag har haft det i skallen hela morgonen och det dyker inte upp minsta lilla idé.”

”Men det är ju adresserat till dig. Till din adress.”

”Ja.”

”Inte till polisstationen. Det måste ju betyda att han... eller hon... har en speciell relation till dig.”

”Relation är nog mycket sagt. Det räcker med att han vet vem jag är... eller hon. Nu tycker jag vi talar om någonting annat, jag är ledsen att jag tog upp det.”

Marianne lade ifrån sig kuvertet på bordet och lutade sig tillbaka i stolen. ”Vad tror du, då?”

Det var tydligt att hon inte gav upp så lätt.

”Om vad då?”

”Brevet förstås. Hotet. Är det allvar?”

”Antagligen inte.”

Nu sköt hon halmhatten i nacken och höjde båda ögonbrynen. ”Hur kan du säga det?”

Han suckade igen. ”Därför att vi får rätt många anonyma hotelser. Nästan alla är falska.”

”Jag trodde ni var skyldiga att ta allting på allvar. Om någon bombhotar en skola till exempel, så måste ni väl...?”

”Vi *tar* allting på allvar. Det är faktiskt inte mycket vi lämnar åt slumpen. Men du frågade om jag trodde det här var allvarligt menat. Det är en annan sak.”

”Okay, sheriff. See your point. Och du tror alltså att det här bara är en bluff?”

”Ja.”

”Varför då?”

Bra fråga, tänkte Gunnar Barbarotti. Förbaskat bra fråga. Därför att… därför att jag vill att det ska vara en bluff, förstås. Därför att jag sitter i paradiset Gustabo med en kvinna som jag är rätt säker på att jag älskar, och jag vill inte bli störd av någon idiot som tänker ta livet av någon annan idiot. Och om det ändå skulle visa sig vara på allvar, vill jag… ja, då vill jag kunna säga att jag öppnade brevet först när jag kom hem efter min vistelse i paradiset.

”Du svarar inte”, konstaterade Marianne.

”Ähum”, sa Gunnar Barbarotti. ”Nja, jag vet inte riktigt. Man ska ju aldrig säga aldrig förstås. Vi låter det här vara nu.”

Hon lutade sig framåt och blängde på honom. ”Vad är det för trams? Låta det vara? Du måste väl ändå åtgärda det på något sätt. Är det inte kriminalinspektör du är?”

”Jag är på semester i sjunde himlen”, påpekade Gunnar Barbarotti.

”Jag också”, kontrade Marianne. ”Men om det kom in en havande kvinna i sjunde himlen och ville föda sitt barn, så skulle jag förlösa henne. Är du med?”

”Smart”, sa Gunnar Barbarotti.

”Ett-noll till barnmorskan”, sa Marianne och log brett. ”Tack för inatt, förresten, jag älskar att älska med dig.”

”Jag befann mig faktiskt i ett läge där jag kunde flyga under några sekunder”, erkände Gunnar Barbarotti. ”Men jag var en idiot som öppnade det här brevet. Kan vi inte säga att vi glömmer det, och så låtsas jag att jag hittar det när jag kommer hem?”

”Aldrig i livet”, utbrast Marianne. ”Tänk om Erik Bergman är mördad när du kommer tillbaka till Kymlinge, hur ska du kunna leva med det? Jag trodde jag hade mött en man med moral och hjärta."

Gunnar Barbarotti gav upp. Tog av sig solglasögonen och betraktade henne allvarligt. "Allright", sa han. "Vad föreslår du, alltså?"

"Ska *jag* föreslå någonting?"

"Varför inte? Lite arbetsbyte kan man väl ägna sig åt när man har semester?"

Hon skrattade. "Så du tar hand om alla gravida i sjunde himlen, då?"

"Självklart."

"Har du varit med på dina barns förlossningar?"

"Alla tre."

Hon nickade. "Då så. Vill bara veta att inga bebisar går till spillo. Jag ser två alternativ framför mig."

"Vilka då?"

"Antingen åker vi in med det här till polisen i Visby?"

"Jag vill inte åka till Visby. Vilket är det andra alternativet?"

"Vi ringer till dina kolleger i Kymlinge."

"Ingen dum idé", sa Gunnar Barbarotti. "Men det finns en hake."

"Jaså?"

"Vi har ingen telefon."

"Det löser vi. Jag följer med och presenterar dig för bonden. Han heter Jonsson, förresten. Hagmund Jonsson."

"Hagmund?"

"Ja. Hans pappa hette också Hagmund. Och hans farfar."

Gunnar Barbarotti nickade och kliade sig i skäggstubben. "Får jag föreslå en sak i så fall?" sa han.

"Vad då?"

”Att du sätter på dig lite mer kläder än den där genomskinliga näsduken, annars kommer Hagmund den tredje att tuppa av.”

Hon skrattade. ”Men *du* tycker om den?”

”Jag tycker mycket om den. Du lyckas faktiskt se mer än naken ut.”

”Grrr”, sa Marianne, 42-årig barnmorska från Helsingborg. ”Jag tror vi går in ett slag först, jag har en känsla av att Hagmund inte är hemma än på en timme.”

”Grrr”, sa Gunnar Barbarotti, 47-årig kriminalinspektör från Kymlinge. ”Jag tror det här rapsfältet är afro… vad heter det? …afrodisiakt på nåt vis.”

”Så heter det”, bekräftade barnmorskan. ”Men det är inte rapsen, dumskalle, det är jag.”

”Det har du nog rätt i”, sa Gunnar Barbarotti.

Trots att det dröjde en och en halv timme innan de tog sig över vägen till Jonssons, visade det sig att Hagmund inte var tillstädes. Det var däremot hans hustru. Hon var i 65-årsåldern, en liten kraftig kvinna vid namn Jolanda. Gunnar Barbarotti undrade om hennes mor och mormor möjligen också hetat Jolanda, men han vågade inte fråga.

I alla händelser vägrade den muntra kvinnan låna ut telefonen om hon inte först fick bjuda dem på kaffe med saffranspannkaka och elva sorters kakor – så det var inte förrän strax efter klockan två som Barbarotti äntligen fick kontakt med polisstationen i Kymlinge.

Till all lycka satt kriminalinspektör Eva Backman och häckade med ett ton papper på sitt rum. Han blev kopplad till henne och beskrev sitt ärende på lite drygt en halv minut.

”Det var som själva fan”, sa Eva Backman. ”Jag ska genast

gå in till kommissarien och föreslå att du avbryter din semester och går i tjänst. Det här verkar allvarligt."

"Du kan betrakta vår vänskap som avslutad", sa Barbarotti. "Man skämtar inte om semestern."

Eva Backman gapskrattade. "Allright. Vad vill du jag ska göra då?"

"Har ingen aning", sa Gunnar Barbarotti. "Jag är inte i tjänst. Ville bara rapportera om ett hotfullt anonymt brev som den ansvarskännande medborgare jag är."

"Bravo, inspektörn", sa Eva Backman. "Jag faller till föga. Kan du läsa upp vad det stod en gång till?"

"Tänker ta livet av Erik Bergman", sa Barbarotti lydigt. "Få se om du kan stoppa mig."

"Det står 'du'?"

"Ja."

"Handskrivet?"

"Ja."

"Adresserat till dig personligen?"

"Ja."

"Hm. Kan du faxa över det?"

"Jag befinner mig i Gustabo", sa Gunnar Barbarotti. "Här finns ingen fax."

"Åk in till Visby, då."

Gunnar Barbarotti överlade hastigt med sig själv. "Imorgon kanske."

"Allright", sa Eva Backman. "Hur är det, är det någon speciell Erik Bergman som avses?"

"Jag vet inte. Jag känner ingen Erik Bergman. Gör du?"

"Tror inte det", sa Eva Backman. "Nåja, jag kan väl kolla upp hur många det finns i Kymlinge åtminstone. Står det nåt om att det förmodade liket skulle bo här i stan?"

"Det står ingenting mer än det jag läste upp."

”Jag förstår”, sa Eva Backman. ”Nå, om du faxar över det imorgon... adressen på kuvertet också... så får vi se.”

”Då säger vi så.”

”Du kan väl lägga originalet i en plastpåse och skicka hit det också, förresten... så ska jag ordna upp den här lilla tråkigheten åt medborgaren. Hur mår Marianne?”

”Alldeles utmärkt. Hon är med mig.”

Eva Backman skrattade igen. ”Det är bra att ni har det gott. Här regnar det, får man fråga hur...?”

”Inte en molntott”, sa Gunnar Barbarotti. ”Då lämnar jag det här i dina händer och så ses vi om två veckor.”

”Icke sa Nicke”, sa Eva Backman. ”För då har jag semester.”

”Aj då.”

”Så kan det vara. Förresten, om jag nu hittar ett helt gäng som heter Erik Bergman, så kanske det vore en idé om du fick titta på dom i alla fall. Utifall du känner någon av dem... trots allt... är du med?”

”Om det inte är en alltför lång lista.”

”Tack, konstapeln. Så vart ska jag skicka den?”

”Ett ögonblick.”’

Han lade ifrån sig luren på en byrå med inramade fotografier och silverpottor och återvände ut till Jolanda och Marianne på altanen. ”Ursäkta, vad är det för adress till Gustabo?”

”Gustabo, Hogrän, Gotland brukar gå bra”, sa Marianne. Barbarotti tackade och återvände till telefonen.

”Du kan faxa listan till polisen i Visby”, sa han. ”Så sköter jag mitt faxande hos dom också. Jag kommer att räkna det här som åtta övertimmar.”

”Gör det”, sa Eva Backman. ”Puss på dig, inspektörn, och hälsa Marianne.”

Såja, tänkte Gunnar Barbarotti och kände att småkakorna börjat ge honom halsbränna. Då var vi av med den saken, då.

På vägen ut mötte de Hagmund Jonsson. Han var en man i sjuttioårsåldern, lika lång och senig som hans fru var liten och trind.

”Se Marianne har skaffat en karl”, sa han. ”Det var inte en dag för tidigt. Så nu är det till att leva i de ännu inte infriade förväntningarnas tid?”

Den sista meningen, uttalad på lödig gotländska, klingade som ett bibelspråk, tyckte Gunnar Barbarotti. *De ännu inte infriade förväntningarnas tid*? De tog i hand och hälsade.

”Det är som att gå i barndom, är det inte så?” fortsatte Hagmund utan att vänta på svar. ”Världen och livet är fyllda av oprecisa löften, av dofter och aningar vi ännu inte genomskådat. När vi genomskådar blir det tomt. Omne animal post coitum trist est. Då gäller det att uppfinna nya förväntningar. Och dröja med att infria dem.”

”Så sant som det var sagt”, sa Marianne och drog med sig Gunnar Barbarotti ut genom grinden.

”Hagmund är filosof”, förklarade hon när de kommit ut på vägen. ”Blir man fast i ett samtal kan det ta flera timmar att komma loss. Vad betydde det där på latin?”

”Jag är inte säker”, tillstod Gunnar Barbarotti. ”Nånting om att man känner sig melankolisk efter att ha älskat, tror jag.”

Marianne rynkade pannan. ”Det gäller nog mest män”, sa hon. ”Men de är lyckliga människor, Hagmund och Jolanda Jonsson. De har anmält sig som deltagare till den första charterresan ut i rymden.”

Gunnar Barbarotti nickade.

”För att förlänga förväntningstiden?”

”Antagligen. Han har byggt ett eget teleskop ute i lagårn också. Det lär vara i världsklass, men ingen har sett det sedan tidningen var där för några år sedan. Han släpper inte in någon.”

”Och hur vet du att de är lyckliga?”

Hon suckade. ”Du har rätt”, sa hon. ”Det vet jag förstås inte. Men det är viktigt att jag får inbilla mig det.”

”Då är jag med”, sa Gunnar Barbarotti. ”Vad ska vi göra nu?”

”Du är redan trött på att sitta stilla i paradiset?”

”Vi kan inte älska mer än två-tre gånger om dagen. Inte i vår ålder.”

Hon skrattade. ”Nej, det är riktigt. Jag vill inte att du blir övermelankolisk. Vad säger du om att cykla ett par mil?”

Gunnar Barbarotti kisade upp mot den klarblå himlen och sniffade i vinden. ”Varför inte?” sa han. ”Hellre det än en rymdresa i alla fall.”

3

”Varför blev du polis? Det har du faktiskt aldrig berättat.”

”Det beror på att du aldrig frågat.”

”Allright. Men nu frågar jag. Varför blev du polis?”

”Jag vet inte riktigt.”

”Tack. Det var väl det jag tänkte.”

”Varför säger du så?”

”Därför att män liksom aldrig brukar veta varför saker och ting inträffar i deras liv.”

”Det var det jävligaste. Hur många män har du undersökt?”

”Du är nummer två. Eller möjligen två och en halv, fast den där fysikläraren fick jag aldrig riktigt korn på. Men medge att jag har rätt.”

De låg på rygg under en ek utanför en gammal kalkstenskyrka. Klockan var fyra på eftermiddagen. Det var åtminstone tjugofem grader i luften och de hade cyklat i två timmar. Kors och tvärs genom det grönskande, pastorala högsommarlandskapet. Stengärdesgårdar och blåklint och vallmo. Låga, vitkalkade hus överväxta av klängrosor och vildvin. Svartvita kor, lärkor i skyn, slöa sommargotlänningar som låg i hängmattor och snarkade och små bodar som sålde saffransglass och kaffe till kringfarande cyklister. Gunnar Barbarotti hade ingen aning om var de befann sig i förhållande till Gustabo. Och ingenting kunde bekymra honom mindre.

”Det var ungefär samma läge som nu”, sa han.

”Va?”

”När jag bestämde mig för att bli polis.”

”Hur menar du?”

”Jag hade ont i häcken. Fast jag hade inte cyklat sönder den. Jag hade suttit på den och pluggat i fem år.”

”Juridik i Lund?”

”Ja. Insåg att jag skulle få sitta på samma häck i fyrtio år till om jag blev jurist. Polisjobbet lät lite rörligare.”

”Frisk luft och gott kamratskap?”

”Precis. Goda pensionsförmåner om man inte blir skjuten i förtid.”

”Stämmer det då? Jag menar med motionen.”

Gunnar Barbarotti drack en klunk Loka och funderade.

”Man går en del mellan stolarna.”

Hon skrattade och sträckte fötterna upp mot ekens lummiga krona. Vickade njutningsfullt på tårna. ”Du skulle kunna göra som jag”, sa hon.

”Hur då?”

”Ta bort stolarna. Jag står upp nästan hela dagarna.”

”Hm”, sa Gunnar Barbarotti. ”Och att du skulle bli barnmorska visste du förstås redan i gymnasiet?”

”Högstadiet”, korrigerade Marianne. ”Det kom en barnmorska från sjukhuset och berättade om sitt yrke. Jag bestämde mig samma dag.”

”Och du har aldrig ångrat dig?”

”Ibland, när det går galet. När barnet är dött eller riktigt illa skadat. Men det går över, man förstår att det ingår i villkoren. Nej, jag har aldrig ångrat mig på riktigt. Det känns som en förmån att få vara med när livet börjar, det blir liksom aldrig riktig rutin. Och aborterna låter dom mig oftast slippa, faktiskt. Annars är det det, som är det svåra.”

Gunnar Barbarotti knäppte händerna bakom nacken. ”Om det hade kommit en polis och berättat om jobbet när jag gick i skolan hade jag nog blivit nånting annat istället”, konstaterade han. ”Fast det är nog bra om frågor om liv och död aldrig blir rutin, det har du rätt i.”

”Vad skulle du vilja göra, då? Egentligen.”

Han låg tyst en lång stund och lyssnade till hummelsurret. Tänkte faktiskt efter.

”Vet inte. Misstänker att jag är för gammal för att utbilda mig till nånting nytt. Så dom får nog dras med mig. Fast jag skulle kunna tänka mig att köra landsortsbuss i de här trakterna.”

”Buss?”

”Ja. En egen gul landsvägsbuss med i genomsnitt elva passagerare om dagen. En tur på morgonen och en om eftermiddagen. Termoskaffe vid vändplatsen i ett blommande dike… ja, nånting sånt.”

Marianne strök honom med fingrarna över kinden. ”Du stackars uttröttade medelålders man”, sa hon. ”Du borde kanske gå i skola hos Hagmund några dagar?”

”Ingen dum idé”, mumlade Gunnar Barbarotti. ”Vet du om dom behöver en dräng?”

Plötsligt kände han att han verkligen var trött. Med ens var det nästan omöjligt att hålla ögonen öppna; den stora ekens djupa grönska som viskade i den svaga vinden var uppenbarligen ute efter att vagga honom till sömns.

Och Mariannes hand, som nu lagt sig till rätta på hans bröstkorg, föste honom varligt men obönhörligt åt samma håll. Det hade inte blivit många timmars sömn under natten, insåg han, så det hade… det hade faktiskt inte med medelåldern att göra, bara så att detta blev klarlagt innan han somnade.

”Det där brevet”, var det sista han hörde henne säga. ”Håll med om att det är lite otäckt i alla fall? Sover du?”

Han drömde om kommissarie Asunander.

Såvitt han kunde minnas hade han aldrig gjort det förr, och han förstod inte riktigt poängen med det nu heller. Asunander såg ut precis som vanligt. Ögonen satt tätt, han var liten, prydlig och illvillig, det enda en smula märkliga var att han hade ett ridspö i ena handen och en ficklampa i den andra. Han var arg också, gick omkring i ett stort hus, som ömsom föreföll Barbarotti alldeles obekant, ömsom desto mer välbekant – i det senare fallet påminde det inte så lite om polishuset i Kymlinge. Uppenbart var i alla händelser att Asunander letade efter någonting, där fanns gott om prång och mörka vrår, det var därför han utrustat sig med ficklampan. Den kastade skeva knippen av ljus i korridorer som ekade av hans fotsteg och uppför groteskt vridna spiraltrappor och genom fuktdrypande källarkulvertar. Låg jag inte alldeles nyss under en ek på Gotland? for det genom Barbarottis huvud, och i samma ögonblick förstod han att han visserligen låg på rygg också i drömmen, men inte under någon ek på en fridfull lantkyrkogård, utan under en säng i ett mörkt rum, en gammal gnisslig järnrörssäng med tagelmadrass var det, och det var... det var honom själv kommissarien var på jakt efter. När han höll andan, spetsade öronen och lyssnade, kunde han höra det karaktäristiska klickandet från Asunanders löständer, han var alldeles i närheten nu och Barbarotti visste också att skälet till att han låg här under sängen och tryckte var att han gjort sig skyldig till en svår försummelse, hade smitit undan sitt ansvar, helt enkelt, och nu var det dags för räfst och rättarting. Fan också, tänkte Gunnar Barbarotti, måtte gubben få en propp och brinna i... men sedan ändrade han taktik och bad en hastig existensbön till den andra makthavaren istället.

Han brukade göra det, fast oftast i vaket tillstånd. Hade en så kallad deal med Vår Herre, där Vår Herre hade att bevisa sin existens genom att tillgodose åtminstone ett rimligt antal av de böner som hans ringa tjänare, kriminalinspektör Barbarotti, sände upp till honom. Sedan sattes det poäng: plus för Vår Herre om Barbarotti blev bönhörd, minus om han inte blev det. För tillfället, just i denna dröm, i denna stund under en ek på en gotländsk kyrkogård i juli månad 2007 hade Gud sin existens tryggad med elva poäng, och det var därför och härför som han nu hastigt fick emotta ett tvåpoängserbjudande om att för allt i världen inte låta kommissarien upptäcka den darrande inspektören under sängen eller under eken eller var verkligheten nu för tillfället utspelades.

Gode Gud, det var ju bara ett litet brev och jag har faktiskt semester, formulerade han hastigt. Det kan väl ändå inte vara så allvarligt...

”Jag kände faktiskt en pojke som hette Erik Bergman en gång. Jag kommer ihåg det nu.”

”Va?”

Han vaknade. Slog upp ögonen och stirrade förvånat – och lättat – upp i det grönskimrande bladverket. Här fanns ingen kommissarie Asunander. Bara en barnmorska Marianne som låg med huvudet på hans bröst. Och en ek, som sagt, det var en avgjord förbättring. Hur länge hade han sovit? Tio minuter? Eller bara en? Hade hon ens märkt att han somnat? Det verkade inte så, hon pratade fortfarande om det där brevet, nej, han kanske bara inbillade sig att han hade drömt?

”Jag sa att jag kände en pojke som hette Erik Bergman en gång. Tänk om det är han som ska dö?”

Gunnar Barbarotti harklade sömnen ur strupen och sträckte armarna över huvudet.

”Klart att det inte är. Var han din pojkvän?”

”Nej, men vi gick i samma klass i gymnasiet. Fast han bor säkert inte i Kymlinge. Det var väl så det var... att den här som ska mista livet bor i Kymlinge?”

”Herregud Marianne, hur ska jag veta det? Och det är ingen som ska mista livet överhuvudtaget. Nu struntar vi i det där.”

Hon svarade inte.

”Det rör sig ju bara om en knäppskalle. Jag åker in till Visby imorgon och gör min plikt, nu känner jag att min rumpa är lite sugen på en cykelsadel igen. Hur är det med din?”

”Har aldrig mått bättre. Vill du känna efter?”

Han kastade en hastig blick runt kyrkogården, sedan gjorde han som han blivit ombedd. Det var precis som hon sagt, den verkade vara i fin form. Fenomenalt fin form, om man ville vara noggrann, det var nästan så att han förirrade sig.

”Då så”, sa hon och föste varligt undan hans hand. ”Då trampar vi hemåt och lagar kvällsmat.”

Det fanns fem personer i Kymlinge som hette Erik Bergman.

Detta framgick av den lista som Gunnar Barbarotti hämtade ut från polisstationen i Visby på torsdagens förmiddag. Den äldste var sjuttiosju år gammal, den yngste var tre och ett halvt.

Ett gångbart namn i alla möjliga generationer, således.

Medan han satt på en bänk vid Söderport och väntade på att Marianne skulle bli klar med grönsaksprovianteringen, skärskådade han de tänkbara mordoffren.

Sjuttiosjuåringen var änkling och hemmahörande på Linderödsvägen 6. Hade varit järnvägstjänsteman i hela sitt yrkesverksamma liv och hade bott på samma adress de senaste fyrtio åren. Det fanns inga anteckningar om honom i polisregistret.

Den näst äldste var femtiofyra år gammal och relativt nyinflyttad till Kymlinge. Arbetade som marknadsanalytiker på Handelsbanken, bodde på Grenadjärsgatan 10 tillsammans med sin fru i andra äktenskapet sedan två år tillbaka. Hade heller inget kriminellt förflutet.

Barbarotti undrade om det var äktenskapet eller adressen som hade två år på nacken. Det framgick inte riktigt, men kanske var det bägge delarna.

Nummer tre var en trettiosexåring boende på Hedeniusvägen 11. Ensamstående egen företagare i databranschen med rent mjöl i påsen såvitt man visste. Infödd Kymlingebo, hade varit aktiv i Kymlinge Badmintonklubb under några säsonger, men avslutat karriären i samband med en knäskada för ganska precis tio år sedan.

Vem tusan är det som har upprättat listan? tänkte Barbarotti. En tio år gammal knäskada? Det måste vara Backman som driver med mig.

Erik Bergman nummer fyra var trettiotvå år gammal. Liksom nummer två var han nyinflyttad. Trebarnspappa med adress på Lyckebogatan och arbete på Kymlingeviksskolan som fritidspedagog. Fanns faktiskt med i polisregistret, en enda notering – förseelsen gällde våld mot tjänsteman i samband med en fotbollslandskamp på Råsunda 1996. Han hade varit höggradigt berusad, tryckt in en korv med bröd, senap, ketchup och bostongurka i ansiktet på en polisman. Hade dömts till dagsböter. Det var naturligtvis inte mer än rätt.

Och så Erik Bergman, tre och ett halvt, alltså. Ännu inget yrke och inget brottsregister, men en adress hos sin ensamstående mamma på Molngatan 15.

Jaha, ja, tänkte Gunnar Barbarotti och gäspade. Och en av er skall dö, alltså?

Han hade samtalat i fem minuter med inspektör Backman när han var inne på polisstationen också. Frågat om de vidtagit några åtgärder.

Naturligtvis hade de gjort det, hade Backman förklarat. Asunander hade fattat beslut om att en radiopatrull skulle passera de olika adresserna två gånger per dygn för att se till att inget fuffens förekom. Såvitt det gått att utröna var åtminstone två av erikarna bortresta på semester, för övrigt. Nummer två och nummer fem.

Men inga varningar till de utpekade? hade Barbarotti frågat.

Nej, Asunander hade inte gjort den bedömningen. Bara för att man hade med en brevskrivande tokskalle att göra, behövde inte polisen bete sig som tokskallar, hade han poängterat. Det var väl bekant vad ett polisskydd dygnet runt kostade?

Men när man väl fick själva brevet i sin hand skulle man naturligtvis titta närmare på det. Och kanske göra andra bedömningar, Barbarotti hade väl plastat in det och skickat iväg det som han lovat?

Gunnar Barbarotti intygade att han hade gjort det, sedan önskade han Backman sköna arbetsdagar och lade på luren.

Han vek ihop listan. Stoppade den i bakfickan och tänkte

att han skulle ha resonerat likadant. Han skulle heller inte ha vidtagit några mer omfattande åtgärder om han suttit i beslutsfattande ställning.

Att man var tvungen att betrakta alla hot som reella var en sak. Men det betydde inte att man satte in en massa resurser ständigt och jämt. Naturligtvis inte. Det var betydligt billigare i längden att *se allvarligt på utvecklingen*, precis som politiker och diplomater gjort i alla tider. Internt, men aldrig officiellt, brukade man motivera det med att tjugo av tjugo hot var falska. Problemet var när man kom till det tjugoförsta.

Nu kom Marianne, det minsta och det vackraste av alla problem; han sköt hastigt undan de polisiära frågeställningarna ur huvudet och gick henne till mötes; det var inte riktigt samma sak att se henne komma ut med matkassar från ICA som att bli mött av henne nere i hamnen i solnedgången – men det var gott nog. Han märkte hur hjärtat klappade lite fortare i bröstet på honom bara för att hon kom in i hans synfält.

Jag hoppas jag är gift med henne om två år, tänkte han plötsligt och han undrade om det verkligen var en tanke eller om det bara var en sådan där ordkonstellation som hjärnan producerade när den ändå var i gång och det var vackert väder.

”Hur gick det?” frågade hon.

”Det gick alldeles utmärkt”, sa han. ”Ansvaret är delegerat, nu är jag bara din.”

”Tss”, sa Marianne. ”Vill du ha båda kassarna eller bara en.”

”Båda förstås”, sa Gunnar Barbarotti. ”Vem tar du mig för?”

4

”Läser du bibeln?”

”Hoppsan. Jag trodde du sov.”

”Gjorde jag också. Men när jag märkte att sängen var tom vaknade jag.”

”Jag förstår. Jo, jag brukar läsa litegrann emellanåt.”

Hon slog igen den vinröda bibeln och placerade den bredvid tekoppen på bordet. Lutade sig tillbaka i vilstolen och kisade mot honom. Det var tisdag, det var den åttonde dagens morgon – om man nu verkligen skulle räkna tisdagen i föregående vecka som den första trots att de mötts först på kvällen. Men det var en akademisk oväsentlighet. Att mäta tiden i Gustabo föreföll inte särskilt viktigt, tänkte Gunnar Barbarotti och gäspade, i varje fall inte den som gått.

Hursomhelst var det morgon. Himlen hade åter börjat spricka upp efter ett nattligt regn- och åskväder som de stått och beundrat genom vardagsrumsfönstret. Det hade pågått från strax efter midnatt fram till kvart över ett, dryga timmen, och blixtarna över rapsfältet hade varit magnifika.

”Så du… jag menar, du tror att det finns en gud?”

Hon nickade.

”Det har du inte nämnt.”

Hon skrattade. Lite generat, tyckte han.

”Jag betraktar mig faktiskt som troende”, sa hon. ”Men jag brukar liksom inte gå till torgs med det.”

”Varför då?”

”Därför att... därför att folk blir så besvärade. Och jag går aldrig i kyrkan. Jag tycker rätt illa om kyrkor... ja, inte själva byggnaderna alltså, jag menar det där organiserade. För mig är det en privatsak, om du förstår. En relation.”

Han satte sig i stolen mittemot henne.

”Jag förstår. Och jag tycker inte det är speciellt besvärande.”

”Är du riktigt säker på det?”

Han funderade.

”Ja, faktiskt.”

”Men du tror väl inte på någon gud?”

”Säg inte det.”

För ett ögonblick hade han på tungan att berätta om den exakta naturen av hans eget förhållande till Gud, men han bestämde sig för att hålla inne med det. De hade känt varandra i snart ett år – han och Marianne, alltså, med Vår Herre hade han ett lite längre gemensamt förflutet – men tiden verkade ändå inte mogen för den typen av avslöjanden. Han var rätt säker på att Gud tyckte likadant. De hade en sorts... ja, en sorts gentlemen's agreement, helt enkelt. Privatsak, som sagt.

”Vad betyder det?”

”Vilket då?”

”Du sa: 'Säg inte det.' Vad menade du med det?”

”Bara att jag inte vet. Men jag tänker på det då och då.”

Hon tog av solglasögonen och betraktade honom lite bekymrat.

”Du tänker på det då och då?”

”Hrrm, ja, det låter kanske inte riktigt... skitsamma förresten. Men hur är det med din tro, då? Är det från barnsben eller?”

Hon skakade på huvudet.

”Nejdå. Och jag skulle förmodligen ha blivit utkastad hemifrån om jag kommit dragande med en massa fromleri. Dom var nån sorts marxister, mina föräldrar, långt in på åttiotalet, faktiskt. Min mor är ju död, men vete fasen om inte farsan röstar på V fortfarande. Särskilt sen Schyman slutade, henne brukar han skälla på som en bandhund varje gång jag träffar honom.”

”Din tro?” påminde Barbarotti.

”Ja, det har kommit smygande på, kan man nog säga. Det finns en gammal persisk dikt där det står ’Den segrande guden går sakta i mjuka sandaler av åsneskinn’, det stämmer rätt bra med min bild av honom.”

”Mjuka sandaler av åsneskinn...?” sa Barbarotti.

”Ja. Och så har det med mitt jobb att göra, förstås... det behövs lite tyngd. Men det är en historia mellan mig och honom, bara, du ska veta det. Jag bryr mig inte om utanverket, ibland tror jag...”

”Ja?”

”Ibland tror jag att det är Djävulen som uppfunnit religionen för att den ska stå mellan människan och Gud.”

”Har du kommit på det själv?”

”Nej, jag har nog läst det någonstans. Men det gör väl ingen skillnad?”

”Nej. Och Koranen och Buddha och Kabbalan?”

”Kärt barn har många namn. Säkert att du inte är besvärad?”

”Inte ett dugg”, försäkrade Gunnar Barbarotti. ”Jag tror du har fördomar om den svenska poliskårens andliga kvalifikationer. Du behöver i alla fall inte läsa bibeln i smyg, jag brukar faktiskt flukta lite i den för egen del också.”

Hon skrattade och sträckte upp händerna i luften. Handflatorna uppåt. ”Flukta i bibeln! Hörde du det, O, Herre? Vad ger du mig för det?”

”En sak är jag i alla fall säker på”, fortsatte Barbarotti inspirerat. ”Och det är att om han finns, Vår Herre, så är han en gentleman med humor. Allt annat är otänkbart. Och han är inte allsmäktig.”

Marianne blev allvarlig igen. Såg på honom med en blick som oscillerade lätt och som plötsligt gav honom andnöd av någon anledning. Är jag fjorton år igen eller vad är det frågan om? tänkte han.

”Vet du”, sa hon. ”När du säger sådana där saker, så tror jag nästan att jag älskar dig.”

”Det... det är tur jag sitter ner”, fick han ur sig med tungan klibbande mot gommen. ”Annars... ja, annars skulle jag nog svimma.”

I det ögonblicket hörde de en hostning och sedan såg de Hagmund Jonsson komma släntrande över gräsmattan. Han hade en lie över axeln och en död kanin i handen.

”Aldrig föll det mig in att det var en kriminalpolis du hade fått i håven, Marianne. Jag ber att få gratulera. Att de inte har förstånd att hoppa undan när man kommer med lien. Vill ni ha den till middagsmat?”

Han viftade med den blodiga kaninen.

”Tack, men jag tror inte det”, sa Marianne och vände bort blicken.

”Det var inte mitt huvudsakliga ärende”, fortsatte Hagmund. ”Mitt huvudsakliga ärende gäller kriminalaren. Han har telefon. Det lät som om det var angeläget.”

”Telefon?” sa Gunnar Barbarotti.

Hagmund nickade och kliade sig i nacken. ”Herrskapet har tydligen valt att lämna mobilapparaterna på fastlandet.

Det länder er otvivelaktigt till heder. Men som sagt, det sitter en angelägen kvinnlig inspektör i luren hemma i köket, det kanske vore idé om han följde med och talade med henne. Säkert att ni inte vill ha den här lilla parveln?"

Han dinglade med kaninen framför ögonen på dem igen. Marianne skakade på huvudet och Barbarotti kom på fötter.

"Jag kommer", sa han. "Sa dom vad saken gällde?"

"Sekretess", förklarade Hagmund Jonsson. "Det troligaste är väl att det gäller rikets säkerhet. Jag förstår inte vad det annars skulle vara för att de skulle våga störa den här idyllen."

Han blinkade menande med ena ögat. Marianne svepte morgonrocken tätare om sig och Gunnar Barbarotti följde efter bonden ut på vägen.

"Det verkar som om din brevkompis var seriös, trots allt."

Han svarade inte omedelbart. Helvete också, tänkte han, jag visste det.

Han tecknade med handen åt Jolanda Jonsson att lämna honom ensam och stänga dörren till köket. Väntade också tills hon gjort honom till viljes. Ville de tjuvlyssna kunde de åtminstone få göra sig omaket att lyfta en lur i ett annat rum i huset, tänkte Barbarotti.

"Är du kvar?" undrade Eva Backman.

"Jag är kvar", bekräftade Barbarotti. "Vad sa du?"

"Du har väl inte glömt brevet du fick innan du begav dig till paradiset?"

"Nej", sa Gunnar Barbarotti. "Hur skulle jag kunna glömma det? Vad är det som har hänt, alltså?"

Hon sa någonting avsides åt någon kollega, han kunde inte uppfatta vad.

”Ursäkta. Jo, en joggare hittade Erik Bergman mördad ute vid Brönnsvik för ett par timmar sedan. Joggingspåret längs ån och upp över åsen, du vet. Ja, han hade också varit ute och sprungit, tydligen… Bergman, alltså.”

”Det är inte så att du driver med mig?” frågade Barbarotti.

”Nej”, sa Eva Backman. ”Det ligger till på det viset, tyvärr. Det råder en viss uppståndelse här för tillfället, faktiskt. Upptäckaren råkar vara journalist till professionen, för övrigt. Johannes Virtanen, om han är bekant?”

”Jag vet vem det är. Men pressen vet väl ingenting om brevet?”

”Nej, vi har lyckats hålla inne med den detaljen än så länge.”

”Bra. Och vilken Erik Bergman rör det sig om alltså? Jag menar…”

”Javisst ja”, sa Eva Backman. ”Nummer tre. Han med knäskadan och dataföretaget.”

”Jag förstår”, sa Gunnar Barbarotti.

Vilket var en sanning med modifikation. Han kände tydligt hur det surrade i hjärnan på honom, men det påminde mer om motorn på en gammal bil som just förbereder sig för sin sista suck, än om någon sorts tankeverksamhet.

”Berätta”, bad han och sjönk ner på kökssoffan under en bonad med den konstfullt broderade devisen *Var dag har nog av sin egen plåga.* Exakt, tänkte Gunnar Barbarotti. Så är det. Och den här dagen har inte mer än börjat.

”Hittades klockan 06.55”, sa Eva Backman. ”Han var ju ensamstående, men vi har pratat med en kille som känner honom rätt väl, tydligen. Andreas Grimle, han jobbar på Bergmans firma. En smula delägare också, verkar det som. Han påstår att Bergman brukar springa den där banan två eller tre mornar i veckan, hursomhelst. Sommartid alltså, före frukost, mellan sex och sju sådär.”

”Metoden?” frågade Barbarotti.

”Knivhuggen”, sa Eva Backman. ”Förlåt, sa jag inte det? Ett i ryggen, ett par i buken plus ett snitt i halsen. Han lär inte ha levt särskilt länge. Låg och badade i sitt eget blod mer eller mindre.”

”Låter trevligt.”

”Ja, visst gör det.”

”Har du varit där och tittat?”

”Naturligtvis. Vi får väl se vad teknikerna hittar, men vi ska nog inte hoppas på för mycket. Det var torrt på marken och sådär. Inga fotspår, inga tecken på kamp, mördaren kom antagligen över honom plötsligt och bakifrån.”

”Men jag trodde han sprang. Är det inte svårt att...?”

”Jag vet inte”, sa Eva Backman. ”Vi får fundera på det där. Men han kan ju ha hejdat honom först... bett om hjälp med något eller så.”

”Kanske det”, sa Gunnar Barbarotti. ”Och vem är det som får hand om utredningen?”

”Sylvenius är förundersökningsledare.”

”Jag menar spaningsledningen.”

”Vad tror du?”

Han svarade inte. Det kändes inte som om det behövdes.

”Allright”, sa Eva Backman. ”Så ser det ut, alltså. Asunander har lagt det i mina kompetenta händer tills vidare. Fast alla är förstås inblandade för tillfället. Maximal kraftsamling. Och jag fick en rätt tydlig uppfattning om att han förväntar sig att du rycker in imorgon.”

”Jag har semester.”

”Om du går i tjänst imorgon istället för på måndag har du en vecka kvar till älgjakten.”

”Jag jagar inte.”

”Det var bildligt talat.”

”Jag förstår. Var det Asunander som uttryckte sig så?”

”Nej, det var bara jag som tolkade andemeningen.”

”Tack ska du ha”, suckade Gunnar Barbarotti.

Eva Backman harklade sig. ”Jag brukar inte alltid hålla med vår käre kommissarie”, sa hon. ”Det vet du. Men i det här fallet gör jag faktiskt det. Det var du personligen som fick det där brevet. Inte jag eller Sorgsen eller någon annan. Det var inte adresserat till polishuset ens. Så nog… ja, nog verkar det som om det ligger på ditt bord alltid. Fast det blir förstås hela gruppen i realiteten. Som sagt.”

Gunnar Barbarotti tänkte efter.

”Det kanske är det han vill?”

”Vad då?”

”Mördaren? Att just jag ska ansvara för utredningen?”

”Har tänkt på det”, sa Backman. ”Skulle kunna vara någon du är bekant med, alltså.”

”Jamen varför?” sa Barbarotti. ”Varför skulle man vara så inihelvete korkad att man… att man utsätter sig för den risken?”

”Korkad?” sa Backman. ”Jag vet inte det. Styv i korken är kanske en bättre beskrivning. Hursomhelst är det nog lika bra att du antar utmaningen.”

Barbarotti funderade i tre sekunder. Det kändes inte som om han hade något val.

”Allright”, sa han. ”Du kan hälsa Asunander att jag är på plats imorgon bitti. Jag tror det går en färja klockan fem i eftermiddag, men om någon har dykt upp och erkänt innan dess vill jag att du meddelar mig.”

”Jag har på känn att det inte blir så”, sa Eva Backman. ”Tyvärr. Och jag är ledsen att jag blev tvungen att avbryta din kärlekssommar på det här viset."

"Jag kommer att ta ut de återstående dagarna vid ett senare tillfälle", förklarade inspektör Barbarotti och lade på luren.

Runt älgjakten kanske, kompletterade han tyst för sig själv.

Vilken morgon, tänkte han sedan, när han lämnat den jonssonska gården och kommit upp på vägen. Det börjar med bibelstudium och frågor om Guds egentliga väsen, sedan säger hon att hon nästan älskar mig och så avrundas det med lite mord och lite älgjakt.

Marianne hade inte mycket att förebrå honom. Det hade han heller inte trott.

"Vi fick ändå åtta dagar av tio", sa hon när hon stängt av bilen på parkeringen utanför färjeterminalen. "Man kanske inte kan begära mer än så, när man fallit för en kriminalpolis?"

"Jag skulle inte ha öppnat det där brevet", sa Gunnar Barbarotti. "Om jag hade hittat det nu på fredag istället skulle de inte ha kopplat in mig."

Han visste inte om han menade det. Det kändes paradoxalt på något vis; tanken att han spelade gärningsmannen i händerna gick inte att skaka av sig. Detta att han öppnat brevet, läst varningen och vidarebefordrat den. Samt att han nu omedelbart hoppade in i utredningen? Var det inte just så han – eller hon – ville ha det?

Varför skickade man överhuvudtaget ett brev och talade om att man tänkte döda någon? Innan man verkligen utförde dådet? Fanns det någon poäng? Eller rörde det sig bara om en knäppskalle som det inte lönade sig att försöka förstå i rationella termer?

Omöjligt att veta, tänkte Gunnar Barbarotti. Ännu så länge ingen idé att spekulera.

En sak var dock säker: han hade aldrig varit med om ett sådant här fall tidigare. När han tänkte efter trodde han inte att han läst om någonting liknande heller. Att gärningsmän överhuvudtaget planerade sina dåd var en ovanlighet bara det, det vanligaste var att den ena fyllskallen blev förbannad och slog ihjäl den andra fyllskallen.

Eller sin hustru eller någon annan som råkat misshaga honom. Men så var det alltså inte i det här fallet, den slutsatsen kunde man i varje fall kosta på sig att dra.

”Det har varit underbara dagar med dig hursomhelst”, avbröt Marianne hans tankar. ”Synd att du inte fick en dag med mina ohängda barn också.”

Det hade varit uppgjort att de skulle komma på torsdagen, de skulle ha haft en eftermiddag, en kväll och en morgon tillsammans alla fyra. Han hade träffat dem ett par gånger tidigare och det hade flutit förvånansvärt friktionsfritt. Han gillade både Johan och Jenny, och om det inte hade känts så förmätet, skulle han nog vilja påstå att de verkade stå ut med honom också.

”Det är som det är”, sa han. ”Du får förklara att farbror polisen måste dra hem för att fånga en läskig mördare, det är i alla fall den bistra sanningen.”

”Jag tror de köper en sån ursäkt”, konstaterade Marianne.

Sedan kysste hon honom och puttade ut honom ur bilen.

Känslan av att stå på däck och vinka farväl när båten lämnade land var ingen riktig höjdare, noterade Gunnar Barbarotti. I synnerhet inte som han hade sin ankomst för en vecka sedan i mycket gott minne. Han kom på sig med att önska att han hade varit en fjortonårig flicka istället för en 47-årig kriminalpolis – så att han kunnat få gråta en skvätt utan att skämma ögonen ur sig.

Men så förhöll det sig alltså inte. Och att vara en kvinnlig fjortis kunde nog i längden vara lite besvärligt, det också.

Jag hoppas det kommer fler veckor av det här slaget i mitt roderlösa liv, tänkte han när han inte längre kunde urskilja hennes vinkande gestalt på kajen utanför terminalbyggnaden. Men skilsmässorna kan jag ta mig tusan vara utan.

Därefter gick han in till restaurangen och köpte en stor pyttipanna med rödbetor och en öl.

5

Klockan var kvart över nio och solen hade gått ner, när han kröp in i sin Citroën på långtidsparkeringen i Nynäshamn. Av någon anledning, som han inte uppfattat, hade färjan gått med reducerad hastighet, och överfarten hade tagit fyrtiofem minuter längre än normalt.

Hemresa i mörker, tänkte han och startade bilen. Tre och en halv timmes splendid isolation. Han var inte ovan vid ensamheten, men nu kändes den plötsligt som ett rovdjur, en raggig best som efter att ha gått och hungrat en hel vecka med förtjusning var beredd att hugga tänderna i honom.

En stund senare hade han dock via mobiltelefonen fått kontakt med inspektör Backman. Alltid något.

”Du är min röst i natten”, förklarade han. ”Örnen har landat och begär uppdatering.”

”Tyckte jag inte att marken darrade till”, sa Eva Backman. ”Måste vara den där skälvningen i den undre världen. Ja, själv är man kvar på jobbet, faktiskt.”

”Gratulerar”, sa Gunnar Barbarotti. ”Hur många misstänkta har ni? Jag kanske ringer mitt i det avgörande förhöret? I så fall...”

”Vi har inte riktigt kommit dit än”, erkände inspektör Backman. ”Men vi har börjat ringa in honom. Vi tror att vi har att göra med en högerhänt man mellan sjutton och sjuttio.”

”Bra”, sa Gunnar Barbarotti. ”Då har vi honom snart. Är det säkert att det inte kan vara en kvinna?”

”Kan vara en kvinna”, tillstod Backman. ”Men det var rätt kraftiga hugg, så i så fall är hon antagligen vältränad.”

”Och inte riktigt sjuttio?” föreslog Barbarotti.

”Femtiofem på sin höjd.”

”Berätta mera”, bad Barbarotti.

Eva Backman suckade och satte igång. ”Om vi börjar med själva vetenskapen, så har teknikerna dammsugit av en fotbollsplan runt brottsplatsen i stort sett. Blir nog klara med analysen mellan jul och nyår någon gång. Rättsläkaren kommer med sin rapport imorgon förmiddag. Men det kommer inte att innebära några sensationer. Han dog av de där knivhuggen, förmodligen inom någon minut. DNA verkar uteslutet. Ja, sedan har vi börjat kartlägga släkten och vänskapskretsen, förstås. Har ett femtiotal personer att samtala med, det är det jag sitter med nu… prioriteringen alltså. Vilka vi ska snacka med i tur och ordning, han var ute en del i svängen, tydligen, Erik Bergman…”

”Vad menar du med det?”

”Ingenting anmärkningsvärt. Ungkarl och rätt gott om pengar, bara. Gick på krogen då och då. Kände mycket folk… ingen datanörd, om du inbillade dig det.”

”Jag förstår. Mera då?”

”Vi får hit en expert på gärningsmannaprofiler från Göteborg också. Det finns en viss brevskrivningstradition i Staterna tydligen. Och en del litteratur om den sortens mördare. Det är ju rätt ovanligt här hemma, men den här killen har kanske en del att berätta. Vi får väl lyssna på vad han har att säga åtminstone. Han kommer imorgon eftermiddag, så du får träffa honom.”

”Finns det någonting om att Bergman känt sig hotad eller så? Fiender?”

”Nej, ingenting som har framkommit så här långt. Vi har

ju mest snackat med den här Grimle, hans kompanjon som jag nämnde... plus ett par andra goda vänner och offrets syster. Hon bor i Lysekil, jag pratade en timme med henne, de verkar inte ha haft så god kontakt. Hon är fem år äldre."

"Barn?"

"Nix."

"Föräldrar?"

"På semester i Kroatien. Men de är underrättade. Bor i Göteborg, Långedrag, noga räknat. Kommer till Landvetter imorgon eftermiddag. Gott ställt, det har du redan räknat ut, annars bor man inte i Långedrag. Sålde ett stort företag i teknikbranschen för två år sedan och drog sig tillbaka."

"På så vis", sa Gunnar Barbarotti. "Flickvänner, då? Han måste väl ha haft några långvariga förbindelser? Hur gammal var han egentligen? Trettiosex?"

"Stämmer", sa Eva Backman. "Åldern, alltså. Men när det gäller förhållanden är det ganska skralt, tydligen. Han bodde ihop med en tjej några månader för tio år sedan, men det tycks vara allt. Ärligt talat..."

"Ja?"

"Ärligt talat undrar jag om han inte var en rätt osympatisk typ. Raggade brudar och strödde pengar omkring sig. Bodde ensam i en sjurumsvilla, äkta konst på väggarna, biljard och jacuzzi... vinkällare och två bilar."

"Snuskigt", sa Gunnar Barbarotti. "Han var en typ som man kunde reta sig på med andra ord?"

"Kanske det, ja."

"Så pass mycket att man blev sugen på att sticka en kniv i honom några gånger."

"Inte omöjligt", sa Eva Backman. "Det kan vara så enkelt."

"Den här Grimle, är han likadan?"

"Tack och lov inte", sa Eva Backman. "Riktigt trevlig, faktiskt. Men så har han fru och två barn också.”

Någon kom in i Backmans rum, hon bad honom hänga kvar i luren och han fick tid att fundera en minut. Men det enda som dök upp i huvudet på honom var en sångtitel han mindes från slutet av åttiotalet eller början av nittiotalet... och som han ändå inte fick fatt i riktigt. *A man without a woman is like a...* ja, vad då? Det kom han inte på. Men visst hette gruppen Vaya Con Dios? Och titeln hängde väl ihop med det där sista inspektör Backman sagt.

Gå med Gud? Det var en annan sorts synapsiskt samband, förstås – med krokar i morgonens samtal i Gustabo. Ibland, tänkte Gunnar Barbarotti, ibland tror jag att den mänskliga hjärnan bara är spelplatsen för en högre makt som sitter och lägger patiens. Åtminstone har dom gett mig en sån hjärna.

Vilket i och för sig var en ny och lite överraskande bild. Men det fanns ju många möjliga kombinationer i en kortlek, så teorin var så att säga självbekräftande. Ibland får jag till det riktigt klyftigt, konstaterade han förvånat.

Och ibland händer det att en patiens går ut.

”Mobiltrafiken?” frågade han när Backman var tillbaka. ”Har Sorgsen börjat titta på den?”

”Sorgsen har semester”, förklarade Backman. ”Men han kommer på måndag. Fredriksson och Toivonen har hand om mobillistan så länge. Han hade visst tre stycken, men jag vet inte vad de har fått fram så här långt. Inget uppseendeväckande i alla fall, då skulle de ha rapporterat det.”

Tre mobiltelefoner? tänkte Barbarotti. Det var annat än i paradiset, det.

”Brevet?” frågade han. ”Vad finns det att säga om det, då?”

”Inga fingeravtryck”, sa Backman och suckade. ”Bara

dina och Mariannes... ja, vi antar att det är hennes. Vanligt kuvert, vanligt papper, sånt där som används till varenda skrivare. Pennan troligtvis en Pilot... svart gel... 0,7 millimeter. Finns i hundrafyrtiofemtusen olika butiker i Europa ungefär."

"Texten, då? Hur han skrev och så?"

"Jag vet inte riktigt", sa Eva Backman. "Jag tror det var någon som påstod att det verkade vara en högerhänt person som textat med vänster hand, men jag är inte säker. Vi har skickat det på ny analys idag... när läget blev skarpt, så att säga."

"Allright", sa Barbarotti och funderade ett ögonblick.

"Jag är lite trött", sa Backman. "Kanske vi kan spara resten tills imorgon?"

"En god idé", instämde Barbarotti. "Jag lär väl sitta på min häck och läsa papper hela förmiddagen, antar jag. Men..."

"Ja?"

"Men om du nu inte kan ge mig namnet på mördaren, så kan du väl kasta till mig ett litet köttben åtminstone. Vad tror du? Vad i hela friden är det för typ vi har att göra med? Jag har tre timmar kvar i bilen."

Det blev tyst i luren några sekunder.

"Sorry", sa Backman sedan. "Jag skulle verkligen inte undanhålla dig så mycket som en aning, det vet du, men faktum är att jag inte har någon."

"Inte en enda liten en?"

"Nej, det är det jag försöker säga. Jag har arbetat i... ja, vad blir det nu?... tretton timmar i sträck i runda slängar... och summan av kardemumman är i stort sett att jag vet att Erik Bergman blivit mördad."

"Bra", sa Gunnar Barbarotti. "Fint jobbat, gumman."

Då stängde kriminalinspektör Eva Backman av samtalet.

Regnet började strax före klockan tio. Mjukt och envetet föll det och vindrutetorkarnas monotona arbete gjorde honom sömnig. Han stannade och tankade och drack kaffe när han kommit ut till Vättern, och när han krupit in i bilen igen lyckades han med nöd och näppe hålla tillbaka impulsen att ringa till Gotland. Men att be Hagmund eller Jolanda Jonsson gå ut i mörkret och knacka på hos Marianne, föreföll på goda grunder ogörligt. Han hade ju inget ärende. Ville bara höra hennes röst. Hade hon haft egen telefon, skulle han ha haft henne med sig hela kvällen i bilen, det visste han, men nu var det ju som det var.

Nåja, hennes barn skulle åtminstone ha en nödtelefon i packningen när de kom på torsdag, det hade hon lovat; vissa regler var man tvungen att rucka på ibland och han fick väl lov att ge sig till tåls tills dess.

Fick lov att ägna tankarna åt den uppseglande mordutredningen istället.

Åt den brevskrivande mördaren.

Det kändes märkligt. Minst sagt. Mordutredningar förekom i och för sig då och då i Kymlinge. Några gånger om året. De flesta var relativt okomplicerade, som sagt; man hade oftast gärningsmannen/fyllskallen inringad efter bara någon eller några få dagar. Spaningsmord var ovanliga. Droger eller alkohol fanns med som en tung faktor i nio av tio fall, de inblandade var redan kända av polisen lika ofta. Utfallet av utredningsarbetet var så gott som alltid resultatet av målmedvetet polisarbete enligt rutinerna. Kände man bara till dessa behövde man egentligen inte tänka. I varje fall brukade inspektör Backman påstå det. Det krävs mer intelligens att köpa en biobiljett via Internet än att sätta fast en mördare, hade hon hävdat vid något tillfälle.

Den här gången hade hon sagt att hon inte hade en aning.

Det bådar inte gott, tänkte Barbarotti. Inte alls gott.

Ändå hade mördaren skrivit och meddelat dem vem hans offer skulle bli. I god tid. De hade haft en vecka på sig att skydda Erik Bergman från hans baneman. De hade inte lyckats.

De hade inte ens försökt.

Gunnar Barbarotti hoppades att just den vinkeln inte skulle slippa ut till pressen. Det var inte svårt att föreställa sig vilka rubriker de skulle kunna få till.

Det var Asunander som fattat beslutet, kanske i samråd med åklagare Sylvenius, men, som sagt, Barbarotti förebrådde dem inte. Han skulle ha gjort samma bedömning själv. Hade man vetat exakt vilken Erik Bergman det var frågan om, kunde man kanske ha handlat annorlunda. Förmodligen hade man i ett sådant läge tagit kontakt med honom och försökt göra en uppskattning av hotbilden tillsammans med honom. I efterhand var det lätt att säga att man borde ha gjort det i det här fallet också, men det var alltid lätt att konstatera saker och ting i efterhand.

Det var heller inte polisens agerande hittills som så småningom tog överhanden om Barbarottis tankar denna regniga natt. Tvärtom. Det var gärningsmannens agerande.

Visst var det bisarrt. Varför? Varför i helvete skriva ett brev och tala om namnet på sitt tilltänkta offer?

Och varför skicka det till honom? Kriminalinspektör Gunnar Barbarotti? På hans hemadress?

Var det bara för att retas? Betydde det överhuvudtaget någonting? Var det så att han kände Barbarotti?

Och – till syvende och sist – var det så att Barbarotti kände mördaren?

På ingen av dessa frågor hade han kommit fram till något godtagbart svar när han äntligen parkerade på Baldersgatan utanför sin bostad. Inte i närheten av godtagbart ens; klockan var tjugo minuter i ett, regnet hade upphört för en halvtimme sedan men gatorna blänkte våta i Kymlinge också.

Eftersom klockan passerat midnatt var det den 1 augusti; det var hans förra hustrus födelsedag och hela stan tycktes mörklagd som inför ett förväntat luftanfall. Varför just dessa två reflektioner stötte samman i huvudet på honom kunde han inte riktigt förstå, men när han satte nyckeln i låset drog han sig till minnes metaforen om den patiensläggande makthavaren. Han kände också att han var intill döden trött – men tog sig ändå tid att sortera den ackumulerade drivan av tidningar, post och reklam som täckte halva golvytan i hans trånga hall.

Han separerade allt i tre prydliga högar på köksbordet, och det var när han hastigt bläddrade igenom de brevförsändelser som influtit under hans veckolånga frånvaro, som tröttheten försvann. Förflyktigades på bara bråkdelen av en sekund.

Han hade sinnesnärvaro nog att trä en plastpåse över vänsterhanden innan han sprättade upp kuvertet med en kökskniv.

Handstilen var densamma, och budskapet lika entydigt som förra gången.

JAG TÄNKER FORTSÄTTA MED ANNA ERIKSSON. DU KOMMER VÄL INTE ATT HINDRA MIG DENNA GÅNGEN HELLER?

Gunnar Barbarotti tvekade och överlade med sig själv i en halv minut. Funderade på om han inte möjligen låg i en vilstol i Hogrän och drömde, men kom till slutsatsen att så inte var fallet.

Därefter ringde han och väckte kriminalinspektör Backman.

II.

Anteckningar från Mousterlin

Den 30 juni 2002

Flickan dök upp från ingenstans. Plötsligt stod hon bara där och betraktade oss med ett snett, lite fräckt leende i sitt kantiga ansikte.

Vi befann oss på stranden. Alla sex; det var på förmiddagen, jag vet inte om där funnits någon överenskommelse sedan igår om att vi skulle träffas, men Erik och jag hade knappt kommit över strandbrinken och slagit oss ner i våra vilstolar förrän paret Malmgren kom vandrande från Bénodet-hållet och bredde ut sina brokiga badlakan. Anna och Gunnar anslöt bara tio-femton minuter senare och, ja, när jag tänker på det förstår jag att det hela måste ha varit mer eller mindre avtalat. Snart hade också alla funnit sig väl tillrätta och börjat konversera på det flegmatiska sätt folk gör på en badstrand; en förnumstig replik i taget och långa eftertänksamheter. Förmenta djupsinnigheter och inget ansvar för vad de egentligen säger; jag drog ner min tyghatt över ögonen och låtsades sova, var i visst behov av det också, eftersom jag inte kommit i säng förrän efter halv tre och inte hade särskilt många timmars sömn i kroppen. Erik verkar vara tidigt uppe oavsett hur kvällen innan sett ut; den här morgonen hade han väckt mig med kaffe, bacon och äggröra före nio, vad man än vill säga om honom så är han i alla fall en omtänksam värd.

Möjligen lyckades jag också slumra en kort stund där i stolen, det var varmt förstås, men en behaglig vind drog in från havet; måsarnas avlägsna ropanden blandades med replikerna i samtalet och efter en stund kunde jag inte skilja det ena uttryckssättet från det andra. Men kanske sov jag verkligen, som sagt; i så fall var det antagligen flickans röst som väckte mig, den hade en på samma gång barnslig och lite sträv ton.

Som en gammal själ i en ung kropp, jag vet att jag faktiskt tänkte den tanken.

"Bonjour. Ça va?"

De andra tystnade. Katarina Malmgren skrattade till. "Ça va! Bonjour, petite."

Jag vek upp hattbrättet och betraktade henne. En mörkhårig flicka på tolv-tretton år. Röd hel baddräkt, blå halmhatt med tygblommor. En tröja knuten runt magen och en liten ryggsäck på ryggen.

Glittrande ögon, någonting lite spefullt i uttrycket.

"Vous n'êtes pas français, hein?"

Nej, Katarina Malmgren förklarade att vi inte var fransmän. Vi var svenskar. På semester här i det vackra Bretagne. Flickan log sitt sneda leende igen, det fanns någonting omedelbart intagande hos henne, en sorts oblyg naturlighet, som kunde ha varit besvärande om hon bara varit något eller ett par år äldre.

Men hon var fortfarande ett barn, även om ett par knoppande bröst syntes tydligt under baddräktens tunna tyg. Katarina Malmgren frågade vad hon hette.

"Troaë", sa flickan. "Je m'appelle Troaë."

Det gick åt en del tid att få detta egendomliga namn stavat. Och korrekt uttalat – ungefär som det franska ordet för tåg, *train*, men med ett litet *o* instoppat före det nasala ä-ljudet, fick vi veta. Vi försökte uttala det allihop, flickan hjälpte till, rättade oss och uppmuntrade oss. I synnerhet

Gunnar och Anna hade oerhört roligt åt denna övning.

Troaë förklarade också att det inte var något vanligt franskt namn. Var det kom ifrån visste hon inte, det var hennes pappa som hade givit det åt henne, han var konstnär och bodde i Paris.

Efter dessa inledande piruetter ställde hon ifrån sig sin lilla ryggsäck i sanden och frågade om hon fick måla av oss. Jag lade märke till att det stack upp ett par bruna träpinnar ur ryggsäcken och förstod att det var ett staffli.

”Måla av oss?” frågade Katarina Malmgren och skrattade tillgjort. ”Varför då?”

Flickan förklarade att hon tänkte bli målare, precis som sin pappa. Men eftersom hon gick i skola hela året i en tråkig Parisförort var hon tvungen att ta sommarlovet i anspråk för att öva sig. Hon ansåg att vi var en intressant samling individer och hon hade kommit ner till stranden med just den avsikten. Att hitta en bra grupp människor att måla av.

Hon började sätta upp staffliet. ”Så du är på semester här med din pappa och...?” frågade Katarina.

Inte alls, visade det sig. Troaë berättade – om jag förstod henne rätt – att hon på somrarna bodde hos sin farmor som hade ett hus utanför Fouesnant. Bara några kilometer ner till stranden; föräldrarna var kvar i Paris, både mamman och pappan, de var skilda sedan länge, hon bodde hos pappan, i varje fall för det mesta.

Medan hon pratade gjorde hon i ordning sina målargrejor; satte upp en pannå på staffliet, backade tillbaka till ett avstånd av ungefär tio meter ifrån oss, plockade upp ett akvarellskrin, vätte olika penslar med tungspetsen, det såg verkligen mycket professionellt ut alltihop. Gunnar frågade på knagglig franska om vi var tvungna att hålla oss orörliga hela tiden, flickan sa att det inte alls var nödvändigt, men det var bra om vi inte flyttade omkring för mycket. Jag började tycka att någon borde ha vett att stoppa spektaklet, men ingen annan i gruppen verkade ha några invändningar mot att bli avmålade på stranden. Möjligen Henrik, men antagligen hölls han tillbaka av de andras munterhet. Jag sjönk djupare ner i stolen och försökte hitta tillbaka till mitt halvsovande tillstånd.

Det blev också tyst en lång stund, säkert uppemot en halvtimme, medan Troaë med allvarlig min stod bakom sitt staffli och målade sin grupp semestrande svenskar på stranden. Av någon anledning tycktes det tidigare, lättflytande samtalet hämmas av flickans närvaro, till och med kvinnorna sparade på orden. Jag skulle tro att jag lyckades slumra till under några minuter, nästa gång var det Anna som bröt tystnaden.

"Lunch", sa hon. "Först ett dopp och sedan en matbit. Vad tycker ni om det?"

"Måste vi inte be konstnärinnan om lov först?" frågade Erik och jag kunde inte på hans röst avgöra om han var trött på själva situationen eller om han fortfarande var en smula road av den.

Katarina ropade till flickan. Frågade hur det gick för henne och meddelade att vi stod i begrepp att bryta upp för att bada och äta lunch.

Hon svarade någonting som jag inte kunde uppfatta; Katarina förklarade att hon bad om två minuter till, bara, sedan var hon också beredd att göra en paus.

"Fräcka unge", muttrade Henrik och blev raskt tillrättavisad både av sin hustru och av Gunnar.

"Jag tycker hon är charmerande", deklarerade den senare. "Ett riktigt litet charmtroll. Kan ni inte se hur vacker hon kommer att vara om fem år?"

”Ditt perversa svin”, sa Anna, kastade huvudet bakåt och skrattade. Högt och konstlat. Jag bestämde mig halvt om halvt för att återvända till huset efter lunchen; för att hitta lite skugga om inte annat, vara i fred och planera inför framtiden.

Vi höll oss kvar i våra positioner tills Troaë neg djupt och tackade oss för vår uthållighet.

”Får man titta?” undrade Katarina.

Hon skakade på huvudet. ”Inte förrän det är klart. I eftermiddag eller imorgon kanske.”

”Hon menar väl inte att vi ska sitta modell i flera dagar?” sa Gunnar.

Katarina översatte detta för flickan, och vi fick reda på att det skulle räcka med en stund till efter lunchen.

Hon gjorde oss inte sällskap ut i vattnet, men hon följde med oss till restaurangen. Jag vet inte om någon inviterade henne, i så fall var det antagligen Katarina eller Gunnar; hursomhelst tog Troaë genast fatt i Eriks arm och gick armkrok med honom ända bort till Le Grand Large, en liten restaurang några hundra meter öster om Mousterlinspetsen. Hon tryckte sig intill honom också, tog små skuttande danssteg emellanåt, visade klassiska balettpositioner och pladdrade hela tiden. Erik verkade förtjust över uppvaktningen, gav sken av att förstå allt hon sa och skämtade med henne; vid ett tillfälle hoppade hon upp i famnen på honom och gav honom en puss på munnen.

”Passa dig”, sa Anna med ett ansträngt skratt. ”Den där ungen är kanske äldre än vad du inbillar dig.”

Sedan försökte hon hoppa upp i famnen på Gunnar på samma sätt som flickan gjort på Erik; Gunnar var uppenbarligen inte beredd på tilltaget och de tumlade omkull i sanden. Troaë skrek av förtjusning, kastade sig över dem och det uppstod en stunds okontrollerad brottning. Till och med Henrik deltog i tumultet, bara jag själv höll mig på lite distanserat avstånd.

När alla sedan stod och skrattade och pustade ut och borstade bort den finkorniga sanden, förklarade flickan att svenskarna måste vara världens roligaste folk och att vi gärna fick adoptera henne.

”Vi måste nog få din farmor att skriva på ett papper först i så fall”, påpekade Katarina. ”Nej, ingen mer brottning, nu ska vi äta och dricka vin.”

Hon sa det första på franska, det andra på svenska och blev tvungen att översätta åt båda hållen.

”Det skulle min farmor säkert gå med på”, sa Troaë och såg plötsligt allvarlig ut för en sekund. ”Hon tycker att jag är ouppfostrad och alldeles för högljudd.”

Hon klängde sig fast vid Eriks arm igen och vi fortsatte bort till Le Grand Large.

Under två timmar åt vi sedan skaldjur och drack vitt vin. Det kändes märkligt att sitta där under de ljusblå parasollerna i denna stora bullrande grupp – nu dessutom utökad med en yrhätta till flicka – som om det rörde sig om något slags alldeles naturlig gemenskap. Jag konstaterade att jag varit bekant med Erik i ungefär fem dagar, med de övriga svenskarna i ett dygn och flickan under några timmar. Ändå satt vi där och åt och drack och glammade som om vi känt varandra i evigheter. Jag vet att doktor L uppmanade mig att inte vara så ifrågasättande när vi avslutat behandlingen och stod i begrepp att ta farväl av varandra, och jag kan hålla med om att detta varit en faktor i min problembild – men just här på Le Grand Large den här lite blåsiga eftermiddagen kändes det ändå en smula berättigat att känna tvekan. Vilka var dessa människor egentligen?

Vilka *är* dessa människor egentligen? borde jag förstås skriva. Hur har jag hamnat i detta kluster? Vad hade vi egentligen att tala om medan vi satt där och petade bland snäckor och kräftor och musslor och hällde i oss kallt vitt vin? Vad inbillade vi oss? I skrivande stund är det sent om kvällen, jag sitter med penna och min tjocka anteckningsbok ute på terrassen precis som igår. Erik sover inne i huset, eller ligger och läser, nej, jag tror han har druckit för mycket vin för att kunna läsa. Överhuvudtaget är han ingen bokmänniska. Han är inte ointelligent, men han läser inte. På nytt funderar jag över om jag borde ge mig av härifrån, men en sorts tröghet i själva situationen håller mig kvar. Landskapet tilltalar mig och håller mig också kvar på sätt och vis. Hettan och flackheten. Dynerna, de låga, halvt undangömda stenhusen och havet, här finns så mycket rymd. Kanske också ett moment av spänning, någonting oförutsägbart som jag inte riktigt kan få grepp om; det känns som om det vilar någonting under ytan hos de här människorna, någonting som väntar på att få komma i dagen, jag kan inte låta bli att göra den reflektionen. Som om de på något sätt behöver varandra, som om parsamheten inte räcker till; i synnerhet märks det hos Gunnar och Anna, förstås, de riktar sällan sin uppmärksamhet mot varandra, är på jakt efter samförstånd och bekräftelse hos oss andra hela tiden, tycks det som – till och med hos flickan Troaë. Jag är naturligtvis inte säker på vad dessa observationer egentligen är värda, jag är inte van att vistas bland människor på det här viset och det finns antagligen en bortre gräns, en dag när jag inte kommer att stå ut längre. Helt enkelt.

Troaë satt med vid bordet hela tiden i alla händelser,

drack cocacola men också ett glas vin utspätt med vatten, påstod att det var hennes vanliga måltidsdryck både i Paris och hos farmor i Fouesnant. Hon gjorde verkligen sitt yttersta för att underhålla oss allihop, fick oss till och med att sjunga allsång, något jag trodde var förbehållet svenska förhållanden och en annan sorts bordssällskap. Flickan satt mellan Erik och Gunnar och såg noga till att fördela sina gracer mellan dem så rättvist som möjligt. Om hon pussade den ene på örat, gjorde hon omedelbart detsamma med den andre, och när vi äntligen fått in notan insisterade hon på att få betala sin del, vilket självfallet inte beviljades.

Vi kom tillbaka till vårt läger på stranden vid halvfyratiden och medan vi allihop satt eller halvlåg och slumrade efter maten i den behagliga havsbrisen, fortsatte flickan att måla av oss. Stod där på tio meters avstånd med fötterna brett isär och halvt nersjunkna i sanden; halmhatten i nacken, ett uttryck av beslöjad koncentration i sitt söta ansikte. Katarina Malmgren förbannade sig själv för att hon glömt kameran hemma i huset, och jag förstår henne. Det finns någonting oemotståndligt intagande hos flickan, en sorts obändighet och en knoppande charm som det är svårt att värja sig mot. Jag vet inte om det var en riktig iakttagelse, men jag fick också för mig att Anna blivit allt tystare under eftermiddagen, som om där börjat växa fram en sorts rivalitet mellan henne och flickan; den vuxna kvinnan och barnet. Kanske överdriver jag, jag är inte van att veckla in mig i främmande människors motiv och bevekelsegrunder, men när Gunnar vid ett tillfälle försökte smyga in handen under Annas rumpa, blev han i varje fall diskret men bestämt avvisad. Hon morrade till och med; Erik lade också märke till incidenten och vi utbytte en blick av konspiratoriskt samförstånd, som det brukar heta. Av någon anledning irriterade den mig. Blicken alltså, handen som försökte treva sig in mellan Anna Erikssons lår bryr jag mig inte om.

Efter någon timme, när alla verkade ha slumrat färdigt – men medan Troaë fortfarande stod och målade envetet bakom sitt staffli – kom frågan om en båtresa ut till Les Glénan upp igen. Det är en liten ögrupp femton-tjugo distansminuter ut från Beg-Meil; Henrik och Gunnar hade pratat om en sådan tripp under lunchen, det går båtar några gånger om dagen från någon liten hamn öster om udden. Men det går också att hyra egna farkoster, tydligen har de en viss sjövana båda två, och det saken nu gällde var att ta reda på vad det kostar och vilka andra villkor som gäller. Vi ska åka alla tillsammans någon av de närmaste dagarna, såvitt jag förstår, Anna och Katarina lade sig genast i med entusiastiska synpunkter, en exklusiv heldag med matkorgar och vinflaskor och fiskedon och en egen ö utan en massa andra turister; plötsligt lät det som om vi vore utvalda, en tilltagande vämjelse kröp över mig inför denna plötsligt friväxande elitism, men jag noterade att Erik inte lade sig i samtalet med några synpunkter. Kanske har han börjat tröttna på de här bägge paren, men det är svårt att veta riktigt med Erik.

Glénandiskussionen avbröts i och med att flickan Troaë hade målat färdigt. Ja, tavlan var inte färdig, men hon behövde inte ha oss i position längre, förklarade hon. Katarina frågade på nytt om vi kunde få titta på resultatet, men det gick inte för sig. Kanske imorgon eller i övermorgon, men under inga förhållanden förrän konstverket var färdigt och färgen hade torkat. Flickan plockade ihop sina saker och stuvade ner dem i ryggsäcken; sedan gjorde hon något lite häpnadsväckande. Kungjorde att hon tänkte ta ett dopp, slängde av sig hatten, drog av baddräkten och sprintade naken ner över stranden och rakt ut i vattnet. Den enda i sällskapet som fick ur sig en kommentar var Erik. ”Det var som fan”, sa han. ”Det var som självaste fan.” Hans röst var lite tjock.

Hon kom upp efter fem minuter, ställde sig ogenerat och torkade sig med en röd handduk, hennes små bröst putade, hennes sköte hade fått en ynka liten tuss av mörkt hår, kunde man se, inte mer än en antydan; jag tänkte att det var en uppvisning som verkligen balanserade på en tunn egg mellan barnslig oskuld och raffinerat skådespeleri. Vi betraktade henne allesammans, mer eller mindre förstulet och jag noterade att ingen i gruppen hittade ord för att punktera den konstlade tystnaden.

Så drog hon på sig baddräkten. Tog fatt i ryggsäck och hatt och vinkade farväl. Traskade iväg över brinken och var försvunnen.

”Det var som fan”, upprepade Erik och skrattade högt och en smula tillgjort. ”Vilken liten ungrackare!”

Gunnar stämde in i skrattet och snart de andra också. Tio minuter efteråt bröt vi upp, paret Malmgren gav sig av västerut, deras hus ligger en kilometer inåt land, tydligen, halvvägs till Bénodet, vi andra begav oss österut över dynerna. Ingen tog upp tanken på någon gemensam kvällsmåltid, jag märkte hur en trötthet och en sorts dåsig mättnad fanns hos hela sällskapet, och när vi skildes från Gunnar och Anna nedanför deras hus på Cleut-Rouz-stranden gjorde vi det utan några utfästelser i den ena eller andra riktningen. Erik var tyst och dämpad, som om han gick och grubblade på någonting; vi sa inte många ord under promenaden bort till vårt hus, jag fick för mig att han börjat få nog av mitt sällskap och när vi var framme frågade jag honom rent ut.

Om han inte tyckte det var dags att jag drog vidare och lämnade honom.

”Nej, för fan”, svarade han. ”Men vi är inget äktenskap, kom ihåg det. Vi måste låta varandra vara i fred också, den dan jag tycker att du ska sticka kommer jag att tala om det för dig.”

”Okej”, sa jag. ”Jag stannar väl ett par dagar till, då.”

”Är det så att du känner att du måste göra lite nytta, kan du alltid laga middag åt oss”, lade han till. ”Vi har en massa ägg, en omelett och lite grönsaker räcker för min del, vad säger du?”

Jag nickade. Vi hängde våra badgrejor över räcket på altanen, jag gick in och började rota omkring i köket.

Medan vi åt och drack ett par öl vardera pratade vi lite om de andra. Framförallt om kvinnorna. ”Om du var tvungen att tillbringa en natt med någon av dem, vem skulle du välja?” undrade Erik.

Han såg oväntat allvarlig ut när han sa det och jag funderade en stund innan jag svarade. ”Svår fråga”, sa jag. ”Skulle nog behöva prova båda innan jag kan uttala mig.”

Det tyckte han tydligen var ett fullödigt svar, han gapskrattade och höll på att spruta öl över bordet. ”Ja, jävlar i mig”, sa han. ”Menar du båda på en gång eller en i taget?”

”En i taget”, svarade jag. ”Man tappar lätt fokus annars.”

Erik nickade, men slutade att skratta. Det är så med honom, jag har tänkt på det under de få dagar vi umgåtts; han kan stänga av sitt skratt på tiondelen av en sekund. Sätta på det lika hastigt också för den delen, hans sinnesstämningar har skarpa kanter men de verkar heller inte särskilt djupt grundade. ”Det är riktigt”, sa han nu. ”Vad man än gör så gäller det att hålla fokus. Vad säger du om Anna och Gunnar? Tycker du de verkar vara rätt fokuserade?"

"Jag vet inte", sa jag. "Ska jag vara ärlig så tycker jag de verkar ganska banala. Åtminstone hon."

Han lutade sig tillbaka, la upp sina sandiga fötter på det blåmålade, lite avskavda träräcket som löper runt vår altan och halsade ur ölflaskan. "Folk binder sig i onödan", fortsatte han och försökte slå an ett filosofiskt tonläge. "Det är det som är felet. De tror att man måste vara två, Gunnar och Anna skulle trivas mycket bättre med varandra om de inte behövde låtsas att de är tillsammans hela tiden. Eller vad säger du?"

Jag ryckte på axlarna. "Var länge sedan jag bodde tillsammans med en kvinna", sa jag. "Så jag är nog inte rätt man att avgöra sådana här saker."

Erik satt tyst en stund. "Vet du", sa han, "jag har god lust att lägga beslag på Anna, bara för att få se reaktionen. Vad säger du om det? Kunde liva upp läget lite?"

"Och du är säker på att hon skulle vara villig?" frågade jag, mest för att det var den frågan han förväntade sig.

"Jag fick den uppfattningen när vi badade igår kväll", sa Erik. "Och hon blev nästan svartsjuk på den där jäntungen, det märkte du väl?"

"Hon var ganska utmanande."

"Medges", sa Erik och skrattade till. "Men Anna tyckte inte om att Gunnar glodde på henne, det var rätt tydligt. Hon tycker nog det är henne man ska glo på, de flesta kvinnor har ju det draget."

Jag svarade inte. Det är just den här typen av samtal som jag har så svårt att stå ut med. Det där kvasifilosoferandet, de där billiga generaliseringarna och summeringarna av fattiga livserfarenheter som så gärna inställer sig efter ett par glas. Ditt korkade kräk, tänkte jag. Du vet tamejfan ingenting om livet, om jag stack en kniv i magen på dig och vred om lite – och samtidigt höll upp en spegel, så skulle du upptäcka okunnigheten i dina egna ögon. Det skulle lära dig nånting.

Jag blev förvånad över denna plötsliga och välformulerade ilska som vällde upp inom mig. Hittills hade jag ju ändå känt ett slags frändskap med Erik, men nu ingav han mig bara äckelkänslor.

"Fast egentligen tycker jag Katarina är intressantare", sa han. "Finns en helt annan sorts kvinnlighet där."

"Varför lägger du inte an på henne istället, då?" frågade jag.

Han satt tyst och rullade ölflaskan över pannan en stund.

"Det skulle kosta för mycket", sa han till slut. "Stor insats och kanske ingen utdelning alls. Nej, jag överlåter henne åt dig."

"Nej tack", sa jag.

Skymningen hade börjat sänka sig, en igelkott kom fridfullt spatserande över gräsmattan och försvann under redskapsskjulet, jag tänkte att nu vore det läge för honom att ställa en och annan fråga om mig och mina omständigheter. Men han gjorde inte det, inte den här gången heller; vi har umgåtts i snart fem dygn och han vet fortfarande ingenting om mig. Jag uppgav ett namn och en bostadsort redan den där första dagen i bilen, sedan har det inte blivit mer. Jag tror aldrig jag träffat någon som varit så genuint ointresserad av sina medmänniskor som Erik Bergman, det tog ett par dagar för mig att förstå att det är så det ligger till, men nu ser jag det tydligt. Samtidigt känner jag en viss lättnad över att det är på det viset. Hade han börjat rota och ansätta mig med frågor om min bakgrund, skulle det knappast ha varit möjligt att bo tillsammans med honom på de här lösa villkoren. Å andra sidan måste man ju fråga sig varför han överhuvudtaget låter mig vistas här. Jag måste erkänna att jag inte får det att gå ihop på den punkten. Om han har några homosexuella förhoppningar, så har han i varje fall lyckats dölja dem väl.

Han tömde i sig ölflaskan och tände en cigarrett.

”Jag tror vi hänger med på den där utflykten till öarna i alla fall”, sa han. ”Om de nu fixar med båt och allting.”

”Kanske det”, sa jag och sedan pratade vi inte mycket mer. Satt och glodde ut i det tilltagande mörkret bara, efter en kvart eller tjugo minuter sa Erik att han var trött och skulle gå och knyta sig. Jag sa att jag skulle ta hand om disken och kanske sitta uppe en stund till, han nickade och försvann in på sitt rum. Jag hörde honom välja mellan olika radiostationer en stund, men han tröttnade snart. Jag dukade undan som jag lovat, tog med mig anteckningsboken och en ny öl och slog mig ner ute på altanen igen. Började summera dagen; om doktor L visste hur noggrann jag är med mitt skrivande, skulle han ge mig beröm. Vi har alla våra individuella vägar till läkedom, brukade han säga. I ditt fall är skrivandet, nedtecknandet av vad som förevarit, en av de viktigaste komponenterna, kanske den allra viktigaste.

Jag är inte ense med doktor L i alla frågor, men i det här fallet förstår jag mer och mer att han gjort en riktig bedömning. Det är orden i sig som tvingar en att välja väg.

Klockan är halv elva. Havet hörs som andningen från ett ofantligt djur ute i mörkret. Insekterna fladdrar runt lampan. Jag känner mig hel och stark, de här människorna jag tillfälligtvis umgås med berör mig inte. De når inte in till kärnan, och så länge de stannar i periferin kan jag hantera dem lika enkelt som jag hanterar pennan i min hand.

Mina sista tankar på terrassen ikväll går till Troaë. Jag skrev i början att hon måste vara en gammal kvinna i en ung flickas kropp; det var egentligen bara en formulering som dök upp i huvudet på mig, men när jag tänker på den inser jag att den nog ligger sanningen rätt nära. Kanske är det också så med de där reflektionerna som presenterar sig oombedda, de bär ofta på en tyngd och en pregnans som det genomtänkta och det utstuderade saknar. En omedelbarhet.

För det fanns någonting i det där leendet, i de flinka händerna som drog baddräkten av den unga kroppen. Erfarenhetens rörelser som dansade över jungfruliga marker; jag önskar att sådana uttryck inte vore så lättillgängliga, att de hade vett att hålla sig borta från mitt medvetande. Omedelbarheten jag nyss talade om har inget självklart värde i sig, och jag hoppas att jag inte kommer att drömma om flickan.

Hursomhelst går jag nu till sängs. Det lugn jag känner inom mig ligger bara på ytan och möjligen förebådar det både storm och mörker, men ännu några dagar kommer jag sannolikt att stanna kvar här på denna soldränkta kustremsa.

Kommentar, juli 2007

Så riktigt att jag började med honom. När jag på nytt läser vad jag skrev om detta meningslösa samtal med denna fullständigt känsloförlamade individ, kan jag inte annat än lyckönska mig själv. Även om jag den kvällen inte hade en aning om vad som skulle komma att hända, har jag ju ändå satt fingret på Eriks karaktär; världens sammantagna goda har inte blivit mindre genom hans död, tvärtom. Det är inte sådana etiska överväganden som driver mig, på intet vis – men det skadar förstås inte att påminna sig om dem. Ingen kommer att sakna Erik Bergman, det har tagit fem år att återupprätta den balans som rubbades i Mousterlin, att *börja* återupprätta den, och det har varit fruktansvärda år. Oräkneliga är de nätter då jag vaknat upp kallsvettig efter att ha drömt om flickans kropp i min famn, oräkneliga är de stunder då jag stått på förtvivlans yttersta brant, beredd att ta mitt eget liv.

Men det är inte min död som skall sona det som hände, det är deras. Handlingar måste få konsekvenser, det är bara som ett redskap för en sådan rättvisa jag verkar. Det hela är mycket enkelt och jag tänker inte låta mig fångas in; när jag äntligen körde kniven i magen på Erik Bergman den där vackra morgonen, kunde jag tydligt känna hur frisk luft strömmade in i min egen kropp.

Behöver jag säga mer?

1–7 augusti 2007

6

Christina Lind Bergman var en mörkhårig kvinna i fyrtioårsåldern.

Hans omedelbara intryck av henne var att hon föreföll oväntat samlad med tanke på att hennes ende bror just blivit knivmördad. Men det hade ju gått ett dygn, kanske hade hon fått i sig någonting lugnande. Han erinrade sig också att hon var läkare och att hon borde vara förtrogen med den sortens hjälpmedel.

Det första hon yttrade efter att formaliteterna var avklarade – och efter att hon avböjt såväl kaffe, som te, som vatten – gav annars vid handen att han gjort en riktig bedömning. Hon *var* samlad.

"Min bror och jag stod inte varandra särskilt nära", sa hon. "Det är lika bra att du har det klart för dig. Jag förstår att du måste förhöra mig, men jag lovar att jag inte kommer att ha någonting att bidra med. Inte det minsta."

Utmärkt, tänkte Gunnar Barbarotti. Då går vi inte in i det här med för höga förväntningar i alla fall.

"Jaså minsann", sa han. "Tror du att du kan utveckla lite?"

Det kunde hon. Pillade bort något litet fnas ur ögonvrån med lillfingerknogen och satte igång.

"Jag är fem år äldre än min bror. Vi har inga andra syskon. Det är ett litet för stort glapp för att man ska ha utbyte av varandra när man är barn. När jag var yngre trodde jag att vi skulle komma att stå på bättre fot med varandra bara vi blev vuxna, ja, jag inbillar mig att jag hade den förhoppningen i alla fall. Men det blev inte så. Erik blev aldrig vuxen."

Hon gjorde en kort paus, som om hon förväntade sig någon sorts kommentar till det sista påståendet, men Barbarotti tecknade åt henne att fortsätta.

"Nej, han blev aldrig vuxen", upprepade hon. "Mognade aldrig, han hör till den typen av män som behåller sin världsbild från tonåren hela sitt liv. Allting är en sorts spel, människor är leksaker man kan kasta bort när man tröttnat på dem. Särskilt kvinnor. De har liksom stannat kvar i omklädningsrummet efter pojklagsmatchen i fotboll, de här männen... det låter hårt och jag tycker inte om att säga det, men varför skulle jag sitta här och hymla?"

Ja, varför? tänkte Gunnar Barbarotti och ryckte på axlarna i en halvhjärtad gest som han inte själv kunde tolka.

"Tyvärr har han alltid haft pengar så att han kunnat glida omkring i tillvaron på sitt eget vis", fortsatte hon innan han hunnit skjuta in en ny fråga. "Våra föräldrar har alltid hållit honom om ryggen."

"Men hans företag gick väl bra?" frågade Barbarotti.

"Numera, ja", sa Christina Lind Bergman och gjorde en grimas. "Men jag vet inte hur många miljoner mamma och pappa pytsat in i det."

"Jag förstår", sa Barbarotti. "Det du säger är alltså att din bror var en sorts bortskämd yuppie?"

"Ungefär", sa Christina Lind Bergman. "Men han hade ingen empati heller, man behöver inte sakna den detaljen bara för att man seglar omkring på en räkmacka i tillvaron. Nej, jag gav upp hoppet om honom för många år sedan."

"Hur pass mycket kontakt hade du med honom?"

"Ingen alls. Vi har till och med slutat träffas till jularna.

Mamma och pappa kommer inte hem längre, de har hus i Spanien. Och jag känner inte till några av hans vänner, jag kommer helt enkelt inte att kunna hjälpa er på minsta vis."

"När träffade du honom senast?"

Hon tänkte efter. "Förra sommaren. Fast det var en slump. Det var på ett café i Lysekil, jag bor ju där... och jobbar på sjukhuset. Han hade kommit seglande med ett par kompisar. Vi hejade bara."

"Men du blev presenterad för kompisarna?"

"Bara förnamnen. Två killar av samma sort som Erik, såvitt jag kunde bedöma. Solbrända och bredkäftade och lite bakis. Jag minns inte vad de hette. Micke och Patrik eller nånting sånt, antagligen."

Gunnar Barbarotti nickade. Trevlig familj, tänkte han. Starka band och så. "Vad har du för förhållande till dina föräldrar?" frågade han.

Hon höjde ett ögonbryn. "Jag förstår inte vad mina relationer till mamma och pappa har med mordet på min bror att göra."

"Kanske du kan svara på frågan i alla fall", bad Barbarotti.

"Inget vidare", tillstod Christina Lind Bergman. "Nej, om jag ska vara ärlig så brukar jag betrakta mig som den här familjens vita får."

"På det viset?" sa Gunnar Barbarotti. "Ja, jag måste i alla fall fråga dig om du har någon som helst idé om vem det kan ha varit som dödade din bror."

"Ingen som helst."

"Och varför?"

"Du menar varför någon skulle ha gjort det?"

"Ja."

"Lika illa där. Ingen aning. Jag har i och för sig inte särskilt svårt att föreställa mig att han burit sig åt som ett svin mot någon. Och att denne någon fick nog och stack ihjäl honom. Men det är ju bara spekulationer som ni knappast har någon nytta av.”

”Det låter nästan som om du inte ens är förvånad?” sa Barbarotti.

”Naturligtvis är jag förvånad”, sa hon. ”Det är man väl alltid när någon man känner råkar ut för en olycka?”

Nej, tänkte Gunnar Barbarotti när han eskorterat Christina Lind Bergman bort till hissen tio minuter senare. Någon lugnande medicinering behövdes nog inte i det här fallet.

”Gissa”, sa Eva Backman.

”Tjugofem”, sa Gunnar Barbarotti.

”Inte riktigt”, sa Backman. ”Rätt svar är nitton. Men det är illa nog, kan man tycka.”

”Säkerligen”, sa Barbarotti. ”Får jag se.”

Hon räckte över listan. Han ögnade hastigt igenom raderna med Anna Eriksson. ”Några stavar annorlunda”, påpekade han.

”Tre med – c, en med bara ett – s. Om vi antar att mördaren är säker på stavningen, kommer vi ner i femton. Tycker du vi ska utgå ifrån att han kan stava?”

Gunnar Barbarotti slängde ifrån sig papperet på skrivbordet. ”Hur ska jag veta det?” sa han irriterat. ”Hur kan vi förresten vara säkra på att det är Kymlinge som gäller?”

”Jag har aldrig påstått att vi är säkra på det”, sa Eva Backman och placerade armarna i kors över bröstet. ”Det statistiska underlaget ännu så länge är bara ett offer och det är förstås lite tunt... fast det kanske jag inte behöver påpeka? Hur var systern?”

”Präktig”, sa Barbarotti. ”Men hon vet mindre om sin bror

än vad jag vet om snytbaggarnas parningsritualer.”

”Snytbaggarnas...?”

”Det var bara ett exempel.”

”Var får du allt ifrån?”

Gunnar Barbarotti ryckte på axlarna. ”Det är den kreativa processen”, sa han. ”Vad som helst kan dyka upp. Nå, vad säger Asunander om alla Annorna, då? Ska vi sätta allihop under bevakning?”

”Han har inte bestämt sig än”, förklarade Backman. ”Sitter i samtal med Sylvenius och Göteborg. De kommer nog att skicka hit ett par man i alla händelser. Plus den där profileraren, alltså.”

Inspektör Barbarotti såg på klockan. ”Jag ska prata med Grimle om fem minuter. Kan vi ses en stund efteråt och gå igenom det här i lugn och ro?”

”Vi kan alltid försöka”, sa Eva Backman. ”Om inte föräldrarna tar för lång tid. De sitter nog redan inne hos mig och väntar.”

Hon ställde sig upp och tycktes tveka en sekund. Sedan lämnade hon rummet.

Han samtalade med Andreas Grimle i en halvtimme. När han var klar lyssnade han omedelbart igenom bandet för att vara säker på att inte ha missat något.

Det föreföll inte så. Han höll med Backman om att Grimle verkade vara en rätt så sympatisk ung man. Och normal. Det kanske behövdes en sån i firman också, tänkte Barbarotti. Om nu Erik Bergman verkligen var den skitstövel som systern påstått.

Grimle gav också en något ljusare bild av sin döde kompanjon. Tillstod för all del att de nästan aldrig umgicks på fritiden; Erik hade ju varit ungkarl, själv hade Andreas

Grimle fru, hund och två barn under fem år. De befann sig liksom i olika skeden av livet. Förlåt, *hade befunnit sig.*

Sista gången han sett Erik i levande livet var dagen innan han dog. De hade bägge två suttit kvar på kontoret på Järnvägsgatan och jobbat fram till klockan fem. Det hade varit ungefär som vanligt. Grimle hade inte lagt märke till någonting särskilt med Erik Bergman, han hade inte sagt något eller på minsta sätt betett sig som om han anade att någon var ute efter honom.

Vad händer med firman nu? hade inspektör Barbarotti velat veta.

Andreas Grimle hade erkänt att han inte visste. Ett par skattejurister från Öhrlings var inkopplade och hade börjat undersöka saken, kanske skulle det bli en del problem, det skulle förmodligen bli en sak mellan Grimle och Eriks föräldrar. Men förhoppningsvis skulle det vara möjligt att fortsätta verksamheten. Man hade varit tämligen framgångsrika de senaste tre åren.

Chockad?

Naturligtvis var Grimle chockad. Och om det var någonting, vad som helst, som han kunde göra för att hjälpa polisen att få fast den här galningen, så var han beredd att göra det.

Det var väl bara en slump att det blev just Erik? hade han också undrat. Mördaren stod väl bara där, beredd att sticka kniven i första bästa människa som kom förbi?

Inspektör Barbarotti hade nickat vagt och förklarat att det var en möjlighet. Utredningen befann sig ännu så länge i inledningsskedet, det var för tidigt att uttala sig om motivet bakom brottet.

Kände Grimle till om Erik Bergman hade några fiender?

Nej.

Några konkurrenter? Kunde mordet vara relaterat till deras affärsverksamhet på något vis?

Aldrig i livet, menade Andreas Grimle. Visst hade de konkurrenter, men det var fair play i deras bransch. Hans kompanjon hade råkat ut för en drogad galning, allt annat var otänkbart.

Varför då? hade Barbarotti tänkt. Om Grimle enbart såg Bergman i ljuset av deras datafirma, så kunde han väl heller inte veta något om de demoner som möjligen lurade i kompanjonens privatliv? Borde han inte själv inse att hans synvinkel var en smula begränsad?

Men det fanns redan ett tolvsidigt utskrivet protokoll från gårdagens förhör med Grimle, så Barbarotti bestämde sig för att det kunde räcka för den här gången.

”Minns du om Erik någon gång nämnt något om anonyma brev?” frågade han när de redan tagit i hand och Andreas Grimle stod i begrepp att lämna rummet.

”Anonyma brev?” undrade Grimle med stor förvåning skriven i sitt öppna, ärliga ansikte. ”Nej, varför i hela friden skulle han ha gjort det? Varför frågar du?”

Det hade inspektör Barbarotti inte svarat på. Istället uppmanat Grimle att omedelbart sätta sig i förbindelse med polisen om han kom på någonting som han trodde kunde ha minsta betydelse för utredningen.

Det lovade Grimle, tog farväl och önskade polisen lycka till i jakten på mördaren.

Profileraren från Göteborg dök upp just som han tänkte ringa Backman och föreslå en arbetslunch på Kungsgrillen.

Så det blev en arbetslunch med profileraren istället. Denne hette Curt Lillieskog, Barbarotti trodde att de hade mötts tidigare i något sammanhang – det trodde Lillieskog också, men de kom aldrig till klarhet om när och var det skulle ha varit i så fall.

Lillieskog var i sextioårsåldern, tunn men spänstig – och med en sorts livfull entusiasm för sitt yrke som verkade nästan tonårsaktig. Eller som om det var han själv som uppfunnit själva begreppet gärningsmannaprofil och nu var ute på turné för att missionera och sälja in idén. Han tycker det är kul med mördare, tänkte Barbarotti. Och han skäms inte för det.

”Det är högst ovanligt med sådana här brevskrivare”, förklarade Lillieskog inledningsvis. ”I varje fall med sådana som fullföljer sina intentioner. Trevligt ställe, går du ofta hit och lunchar?”

Barbarotti tillstod att både han och en och annan kollega brukade frekventera Kungsgrillen när det blev för torftigt nere i polishusets egen kantin – och att deras husmanskost sällan lämnade något övrigt att önska. De beställde dagens – wallenbergare med potatismos och rårörda lingon – slog sig ner vid ett fönsterbord och satte igång med profilerandet.

”Jag tror vi har att göra med en person som till varje pris vill bli bekräftad”, sa Lillieskog.

Just det där har jag hört hundra gånger förr, tänkte Barbarotti. Fast det kan ju vara riktigt i alla fall. ”Utveckla”, bad han.

”Gärna”, sa Lillieskog. ”Det säger i och för sig inte så mycket om vår man, eftersom det gäller i stort sett alla typer av våldsverkare. Det ligger ett försummat bekräftelsebehov i botten hos de flesta. De upplever att de inte blivit sedda, det har ofta grundlagts långt nere i barndomen och det har förstärkts genom olika typer av tillkortakommanden och misslyckanden högre upp i livet. Det är helt enkelt själva den kriminella grundbulten, kan man säga.”

”Jag förstår”, sa Gunnar Barbarotti. ”Och varför skriver man brev, alltså?”

”Jag ser två tänkbara alternativ”, förklarade Lillieskog och klöv sin wallenbergare mitt itu med gaffeln. ”Antingen är det ett tecken på att han vill bli fast. Att han innerst inne inte är tillfreds med vad han håller på med, och att han vill hjälpa polisen på traven för att sätta stopp för honom.”

”Vänta lite”, sa Barbarotti. ”Du förutsätter att han tänker ta livet av flera människor. Att det är allvar med den här Anna Eriksson, till exempel?”

”Jag håller det för ganska troligt”, sa Lillieskog. ”Möjligen har han en lista med personer han är ute efter. Tre eller sju eller tolv stycken, som varit taskiga mot honom på något vis. Men det kan också vara så att han bara plockar namnen slumpmässigt ur telefonkatalogen. Ni har inte hittat något samband mellan Erik Bergman och Anna Eriksson än?”

”Inte så här långt”, konstaterade Barbarotti. ”Men vi har en grupp som sitter och jobbar med det. Det finns ingen Anna Eriksson i Bergmans närmaste umgängeskrets, det tror jag vi kan säga med säkerhet. Vi håller på med bekantas bekanta så att säga, det är ju en smula kinkigt, eftersom...”

”Eftersom ni inte vill gå ut med de här breven offentligt”, fyllde Lillieskog i, och såg för ett ögonblick nästan upphetsad ut, tyckte Barbarotti. ”Nej, det är nog en riktig bedömning.”

”Ursäkta”, sa Gunnar Barbarotti. ”Du sa att det ena alternativet är att offren är slumpmässigt utvalda, mer eller mindre, och att mördaren skriver brev till mig för att han egentligen vill att jag ska sätta fast honom. Men varför skriver han just till mig? Och vilket är det andra alternativet? Du sa att du såg två.”

Lillieskog tuggade skyndsamt och svalde med hjälp av en klunk lingondricka. ”Varför han skriver just till dig är en svår fråga. Han kan ha något slags relation till dig... en före detta brottsling som du sytt in, till exempel, ni måste hålla ögonen på den möjligheten... men det kan också räcka med att han känner till ditt namn. Du kan ha förekommit i tidningar eller teve... står du i telefonkatalogen?”

Gunnar Barbarotti nickade.

”Kan vara tillräckligt. Det är inte alls säkert att du har en aning om vem det rör sig om, tvärtom, jag håller det för troligt att du inte gör det. Men ditt andra spörsmål – vilket är alternativ nummer två? – ja, svaret på den frågan är förstås att vi skulle kunna ha att göra med en finurligare figur.”

Finurligare figur? tänkte Barbarotti. Det lät som om han satt och pratade om Karlsson på taket eller någon liknande storhet. ”Du menar...?” sa han.

”Jag menar att det kan finnas ett mycket mer rationellt skäl till att han... låt oss för resonemangets skull förutsätta att det rör sig om en man... till att han skriver brev, alltså. Att det på något sätt försvårar polisens arbete med att få honom fast.”

Han tystnade och betraktade Barbarotti med något som närmast liknade förtjusning. Barbarotti lade ifrån sig gaffel och kniv. Torkade sig om munnen med servetten medan han försökte begripa vad Lillieskog talade om.

”Försvårar polisens arbete?” sa han. ”Nu är jag inte med. På vilket vis skulle det kunna försvåra vårt arbete att han...”

Lillieskog höjde ett pekfinger. ”Det är inte gott att veta. Och kanske lyckas han heller inte göra det. Det jag säger är att hans *syfte* är att röra till det för er. Breven kan tänkas skymma någonting. Ni måste lägga ner en massa kraft på att begripa varför i helsefyr han skriver och tipsar er... och den kraften skulle behövas på annat håll."

Gunnar Barbarotti funderade. Tyckte att det lät på samma gång bestickande och fullkomligt orimligt.

"Det kan också vara så att han egentligen bara varit ute efter att mörda den här Bergman", fortsatte Lillieskog entusiastiskt. "Och att han vill splittra er uppmärksamhet, så att säga. Åt alla möjliga håll. Och det måste man väl tillstå att han lyckats ganska bra med i så fall, hrrm."

"Om det är det här alternativet som gäller", sa Barbarotti efter att ha suttit tyst några sekunder, "så förutsätter det en rätt så planerande gärningsman. Eller hur?"

Lillieskog böjde sig fram över bordet och sänkte rösten. "Det förutsätter en utomordentligt planerande gärningsman", preciserade han. "Jag behöver kanske inte tillägga att vi i så fall har en oerhört komplicerad historia att brottas med. *Oerhört* komplicerad."

"Hur var han?" ville Eva Backman veta en halvtimme senare. "Profileraren."

"Inte riktigt klok", svarade Barbarotti. "Men det värsta är att han nog hade en och annan poäng."

"Vad menar du med det?"

"Att han hade en och annan poäng, förstås. Han sa en del saker som kanske stämmer."

"Tack, jag har förstått det. Vad då, till exempel?"

"Till exempel att vi kanske har att göra med en snubbe som är lite smart. Som har... ja, som har tänkt igenom vad han håller på med både en och två gånger."

"Håller på med?" utbrast Eva Backman. "Han har knivat ihjäl en kille och han har skrivit två brev. Du får det att låta som om... ja, som om det här bara är början. Vad har du på fötterna när du påstår nånting sånt?"

"Inte mycket", sa Gunnar Barbarotti. "Jag hoppas att jag har fel. Vad tror du själv?"

Eva Backman ruskade på huvudet och svor till. "Fan, jag hinner inte tro vare sig det ena eller det andra när jag måste förhöra folk och jobba hela tiden."

"Aj då", sa Barbarotti.

"Jag snackade med hans föräldrar hela morgonen, nu ska jag ta mig an fyra av herr Bergmans ungkarlskumpaner. Om Asunander och farbror Sylvenius bestämmer sig för bevakning av Annorna kan vi förmodligen glömma familjelivet de närmaste dagarna."

"Jag har inget familjeliv", påpekade Barbarotti. "Men strunt samma. Finns det inte några Annor som är lite mer intressanta än de andra?"

Eva Backman ryckte på axlarna. "Två av dem är under tolv år. Låt oss i varje fall hoppas att de inte är de intressantaste. Men det är ändå sjutton kvar... om vi nu håller oss till Kymlinge."

"Och om vi inte håller oss till Kymlinge?"

"Ja, vad tror du?" sa Eva Backman.

Fy fan, tänkte Gunnar Barbarotti och gick in på sitt rum. Jag mår illa, det här är sjukt.

Han hann sitta i sin stol i fem sekunder. Sedan ringde kommissarie Asunander och kallade honom till överläggning.

7

”Astor Nilsson från Göteborgspolisen”, förklarade kommissarie Asunander. ”Du och Backman håller i utredningen så länge, tar hjälp av Nilsson. Klart?”

”Klart”, sa Barbarotti.

Asunander hade som vanligt problem med löständerna. De halkade snett och ur sina hålor när han talade, vilket fick honom att alltid uttrycka sig så kortfattat som möjligt. Löständerna i sin tur hade sin rot i ett välriktat slag med ett baseballträ, utdelat av en drogad buse ett decennium tillbaka i tiden. Sedan den händelsen föredrog kommissarien att sköta sitt jobb från skrivbordet. Han deltog aldrig i det operativa arbetet, genomförde sällan några förhör och hade en liten biinkomst som korsordskonstruktör åt tre eller fyra veckotidningar. Men han var chef för kriminalavdelningen vid Kymlingepolisen och han hade åtminstone två år kvar till pensioneringen.

Barbarotti hälsade på Astor Nilsson, en kraftig man i 55-årsåldern med ett handslag som en mangel. Det var tydligen inte fråga om mer än en Göteborgstopp. De satte sig i var sin av Asunanders besöksstolar. Asunander själv tog plats bakom skrivbordet och stängde av fyra telefoner.

”Tekniska hittat noll”, sa han. ”Inga spår. Komplicerat.”

”Vittnen?” frågade Barbarotti. ”Som såg Bergman sticka iväg hemifrån eller mötte honom på banan?”

”Ingenting så här långt”, sa Astor Nilsson och befriade

Asunander från talsvårigheterna. ”Men det kommer kanske, vi har ju folk ute och pratar med grannar och alla möjliga. Jo, förresten, en kvinna såg honom jogga förbi hennes köksfönster. Strax efter klockan sex, hon är åttiotvå och vaknar alltid tidigt... men att han var ute och joggade visste vi ju redan.”

”Blev inte hela rundan den här gången”, sa Barbarotti.

”Nej, just det”, sa Astor Nilsson.

”Lägger mig inte i operationerna”, deklarerade Asunander och blängde irriterat på Barbarotti. Det var tydligen inte för att diskutera det allmänna spaningsläget han kallats in. Han bytte en blick med Göteborgskollegan och nickade.

”Anna Eriksson”, sa Asunander. ”Måste bestämma oss.”

Astor Nilsson harklade sig och tog ordet igen. Uppenbarligen var han insatt i den problematik som stod på dagordningen, han hade också suttit i rummet redan när Barbarotti kom in. Kanske hade han varit på plats ända sedan imorse.

”Vi har nitton presumtiva offer”, inledde han. ”Vi har ringt runt till alla, först hemnummer, sedan mobil. Vi har fått svar hos sexton och...”

”Vänta lite”, bad Barbarotti. ”Vilka har gjort det här? Vad har man sagt?”

”Ingenting”, sa Asunander och såg ilsken ut.

”Två man har skött alltihop”, sa Astor Nilsson. ”Borgsen och Killander... är det riktigt?”

”Riktigt”, sa Asunander.

”Borgsen och Killander har alltså ringt upp, men lagt på när de fått respektive Anna i luren. Utan att säga ett ord, alltså. Fem svarade på hemnumret, resten på mobil... de är förmodligen på jobbet eller ute i det vackra vädret.”

Han gjorde en gest mot fönstret, där dock inte så mycket

som en solstråle trängde in genom de sorgfälligt nedfällda persiennerna. ”Det kan ju också tänkas att några av dem är långt härifrån, det var bara fråga om en första preliminär rundringning...”

”Ursäkta mig”, avbröt Barbarotti. ”Vad har vi för strategi egentligen? Är det meningen att vi ska varna de här kvinnorna, eller...?”

”Avgör!” sa Asunander.

”Det är det vi måste avgöra”, förtydligade Astor Nilsson.

Stackars fan, tänkte Gunnar Barbarotti. Har han suttit här och tuggat med Asunander hela förmiddagen? ”Ja, jag förstår det”, sa han. ”Vi kan ju knappast börja skydda dem utan att informera dem först. Men ni menar alltså att vi... att vi kanske bör låta bli att säga någonting överhuvudtaget?”

Det klickade oroväckande i Asunanders tänder, men inga ord kom ut.

”Vad anser du?” frågade Astor Nilsson.

”Hm”, sa Barbarotti. ”Ska vi rösta om saken? Jag anser att vi omedelbart bör se till att de får veta läget, naturligtvis.”

”Varför?” röt Asunander.

Astor Nilsson drog någonting som antagligen var en lättnadens suck. Aha? tänkte Gunnar Barbarotti. Där ställde jag mig på rätt sida, tydligen.

”Därför att”, sa inspektör Barbarotti långsamt medan han försökte fiska fram en vettig motivering. ”Ja, det finns förstås flera skäl, förresten... skyddsaspekten är väl det mest uppenbara. Vore bra om vi kunde förhindra att han dödar en till, helt enkelt. Det hör till polisens grundläggande uppgifter, vill jag minnas... att skydda medborgarna. Men rätta mig om jag har fel.”

”Krrms”, sa Asunander och bröt av en blyertspenna.

"Det finns andra aspekter också", fortsatte Barbarotti. "Om det till exempel existerar ett samband mellan Erik Bergman och Anna Eriksson, så kanske Anna Eriksson kan upplysa oss om det."

"Exakt", utropade Astor Nilsson.

Asunander morrade och muttrade någonting som antagligen betydde *resurser*, sedan reste han sig.

"Ni ansvarar", sa han. "Rapportera till mig. Utgå."

Barbarotti och Astor Nilsson lämnade kommissarie Asunanders rum.

"Fy fan", sa Astor Nilsson när de kommit ut i korridoren. "Jag längtar redan hem. Det var den jävligaste förmiddag jag har upplevt sedan min Leonberger fick valpar. Är han alltid sån där?"

"Du skulle se när han är på dåligt humör", sa Barbarotti. "Ska vi gå till mitt rum och hålla rådslag? Om jag fattade det rätt är det vi som är spaningsledningen."

"Du milde tid", sa Astor Nilsson och la in en portionssnus.

"Betyder att vi måste gå ut med namnet på offret, antar jag?" undrade Eva Backman. "Erik Bergman, menar jag."

"Finns det fler offer?" frågade Barbarotti.

"Märk inte ord", sa Backman.

"Om det ska vara någon poäng med det måste vi åtminstone berätta att det är han för alla Annorna", konstaterade Astor Nilsson. "Fast det är säkert redan känt på byn, det brukar vara så. Och så får vi fråga om de har någon sorts förbindelse med honom. Vet vem han var åtminstone... ja, sedan lär vi omedelbart råka ut för skyddsfrågan, men om jag fattade det rätt, så...?"

"Sorgsen håller redan på och organiserar det där", intygade Eva Backman. ”Bara i teorin än så länge. Det är förstås som Asunander säger, en sån här historia kan innebära hur mycket jobb som helst.”

”Det finns en liten fuskväg”, påpekade Astor Nilsson.

”Jaså?” sa Backman.

”Ja, vi kan ju prata med de här kvinnorna utan att avslöja riktigt allt. Det kan vara en poäng med att inte skrämma upp dom också. Bara fråga ut dom om Erik Bergman, alltså... utan att tala om hur det hänger ihop med dom själva. Jag vet inte vad ni säger?”

Han vandrade med blicken mellan Backman och Barbarotti. Eva Backman betraktade sina skor. Barbarotti såg ut genom fönstret. Det gick fem sekunder.

”Allright”, sa Barbarotti. ”Varför inte pröva den vägen i första skedet? Jag föreslår i så fall att vi tre tar på oss alla samtal. Vi sköter det på telefon i första vändan och bestämmer tid så snart som möjligt med var och en... öga mot öga... en del av dem är nog borta på semester, för övrigt.”

”Sexton av nitton verkar nåbara, det vet vi ju redan”, sa Eva Backman. ”Men vi ska kalla hit dom för samtal, alltså... imorgon, antar jag?”

”Ja”, sa Barbarotti. ”Vi kör enligt den linjen. Åtminstone med dom som finns i närheten, jag tycker det verkar onödigt att kalla hem någon från Mallorca eller Thailand.”

”Och det enda vi frågar är om de känner någon Erik Bergman”, sa Astor Nilsson. ”Eller?”

”Ja”, sa Barbarotti. ”På telefonen bara det, ja... om det är någon som har något intressant att komma med, plockar vi naturligtvis in vederbörande med en gång. Sen får vi se hur vi gör imorgon. Är vi överens om det här?”

Eva Backman nickade. Astor Nilsson nickade.

”Då så”, sa Gunnar Barbarotti. ”Här har vi listan. Nitton

damer som lystrar till namnet Anna Eriksson. Ni får sex var, jag tar sju. Klockan är två, ska vi säga att vi ses här om två timmar och rapporterar?”

”Jag behöver ett rum”, sa Astor Nilsson. ”En telefon åtminstone.”

”Följ med mig”, sa Eva Backman. ”Det är inget problem. Halva huset är på semester.”

När de lämnat honom ensam insåg kriminalinspektör Barbarotti att det ännu inte gått ett dygn sedan han åkte från Visby. Det kändes som en månad.

Och någonstans därute fanns en mördare som hade ett visst övertag.

Det gav ingenting.

Det var summan av kardemumman.

Klockan var över åtta på kvällen när Barbarotti lämnade polishuset. Av de sexton Annor de fått tag på – och som alla samtliga redan tidigare blivit uppringda av polisen en gång fast de inte visste om det – var det ingen som hade något samband med den mördade Erik Bergman. Bara två visste vem han var, den ena eftersom hennes man arbetade på ett företag med lokaler vägg i vägg med Bergmans datafirma på Järnvägsgatan, den andra eftersom hon hade gått i en parallellklass på högstadiet. Åtta av Annorna befann sig hemma i Kymlinge, av dessa hade fem stycken hört talas om mordet. Fyra Annor uppehöll sig på andra platser i Sverige, fyra var utomlands på semester.

Och tre hade man helt enkelt inte lyckats etablera kontakt med, alltså. Gustabosyndromet, tänkte Barbarotti dystert när han sneddade över Norra torg. Och henne går det heller inte att nå.

Överhuvudtaget gnagde otillfredsställelsen i honom.

Vad fan håller vi på med? tänkte han. Vi fjantar runt som pajaser utan publik. Det var visserligen en regel att man skulle arbeta förutsättningslöst, men det här kändes som rena kaoset. Vad var det Backman sagt imorse? *Vi spelar mördaren i händerna*?

Nog kändes det som om hon hade en poäng där? För om det var Lillieskogs alternativ två som gällde – den noggrant planerande gärningsmannen – så måste ju varenda åtgärd de hittills vidtagit vara precis vad denne förväntat sig. Vad vem som helst kunde förvänta sig. Eller hur?

Det hade gått ett och ett halvt dygn sedan mordet på Erik Bergman. De hade inte fått upp minsta spår. För egen del hade han nästan hela dagen haft uppmärksamheten riktad åt ett annat håll – mot ett brott som ännu inte ägt rum. Så enkelt var det att styra om polisens resurser i vilken riktning man önskade. Han erinrade sig en gammal postslogan från annu dazumal. *Ett brev betyder så mycket.* Var det inte en schlager som hette så också?

Och han erinrade sig ett bankrån han läst om för något år sedan. Tyskland, om han inte mindes fel. Gärningsmännen hade bombhotat tre olika banker i samma stad, polisen hade satt in alla tänkbara resurser, och så hade de rånat en fjärde.

Tänk om det kom ett nytt brev imorgon med ett nytt namn? Vad skulle de göra då?

Tänk om någon av Annorna de pratat med började ana vad det var frågan om?

Och det värsta scenariot av dem alla: Tänk om en av Annorna verkligen blev mördad och det blev känt att polisen fått förhandsinformation om dådet – men underlåtit att vidta några skyddsåtgärder?

Nej, tänkte Gunnar Barbarotti. När vi börjar samtalen

med dem imorgon måste vi köra med öppna kort. Det får kosta vad det kosta vill.

Man kanske kunde ringa upp Säpo och be dom skicka ner trettioåtta man, förresten? Var det inte så det brukade se ut när de skyddade toppolitiker och sådant folk? Två per bevakningsobjekt? Men det var förstås skillnad på en minister och en vanlig Anna Eriksson.

Eller varför inte erbjuda alla Annorna att få bli inlåsta i polishuset? Det vore utan tvekan både det smidigaste och det billigaste alternativet.

Det var när den sistnämnda tanken dök upp i huvudet på honom som han förstod att det var dags att komma hem och få några timmars sömn i kroppen.

Var dag har nog av sin egen plåga. Så sant som det var sagt.

8

Men det var lögn att få en blund i ögonen.

Naturligtvis, det var som det brukade. Han orkade visserligen inte hålla dem öppna så pass länge att det gick att läsa, men så fort han stängde dem och försökte sova, kändes hela huvudet som en bikupa. När klockan blivit halv ett steg han upp, tog fram en öl ur kylskåpet och slog sig ner vid skrivbordet. Blev sittande en stund i mörkret och såg ut genom fönstret mot Kymlingeån. Det syntes att det hade varit en torr sommar. Gatlyktornas blekgula ovaler reflekterades i vattnet, men filtrerades också, mattades; ytnivån stod så lågt att islängda cyklar och all möjlig gammal bråte stack upp ur leran. Det såg inte vackert ut. Skulle inte ens gå att dränka någon i den där kleten, tänkte inspektör Barbarotti och tog en klunk öl.

Och varför just en sådan tanke rann upp i skallen på honom kunde man förstås också fundera över.

Han tände lampan och slog upp ett nytt kollegieblock. Lika bra att försöka sätta lite struktur på tankarna, det brukade vara ett sätt att få tyst på bikupan. Han plockade upp en penna ur den gamla teburken och funderade; sedan skrev han hastigt upp namnen på fyra personer:

Erik Bergman
Anna Eriksson
Gunnar Barbarotti
Mördaren

Det fjärde var visserligen inget namn, det insåg han, men det var liksom det hela spelet gick ut på. Att hitta detta namn. Han gjorde en ring runt var och en av de fyra deltagarna. Det hjälpte inte. Han satte ett kryss efter *Mördaren* och stirrade på det en halv minut, det hjälpte inte heller. Han rev ut papperet, kastade det i papperskorgen och började om. Ritade upp en kvadrat med ett namn i varje hörn istället. Strök under namnen och ritade ut diagonalerna. Stirrade på resultatet en stund. Rev ut papperet och kastade det i papperskorgen. Trams, tänkte han.

Började skriva frågor istället. Efter tio minuter hade han fått ihop tjugo stycken. Han avbröt sig och funderade. Bestämde sig för att se vilka han kunde skriva svar på, bet i pennan och koncentrerade sig.

Efter ytterligare tio minuter stod han fortfarande kvar på noll. Fy fan, tänkte Gunnar Barbarotti, det här går inget vidare. Tjugo frågor och inte ett enda svar. Man kunde inte gärna påstå att utredningen kommit särskilt långt.

Fast i och för sig – han hade bara arbetat en dag. För att kunna hitta de viktiga svaren var det nödvändigt att först ställa de viktiga frågorna, det var en gammal god regel. Han funderade hastigt på att ta ett samtal med Vår Herre, men hade svårt att hitta de rätta orden. Det kändes inte rätt heller. I den deal de hade ingått för fem år sedan förutsattes det – om han mindes rätt, det fanns tyvärr ingen skriftlig dokumentation i ärendet – att han inte fick begära omedelbar hjälp i pågående utredningar. Vår Herre var som sagt inte allsmäktig och framförallt inte polis, men efter en stunds grubblande fann Barbarotti på en kompromiss.

O Herre, bad han. Sänd en stråle av ljus in i en omtöcknad och förmörkad snuthjärna. Jag sitter fast och vet mig ingen råd. Släng ner ett halmstrå i din stora nåd, det är knappast någon riktig poängfråga, det här, men strunt i det. Om jag åtminstone kan känna att jag håller på att ta ett steg i rätt riktning när jag går på lunch imorgon, skriver jag upp en poäng på ditt pluskonto, okej? Du ligger förresten redan på elva över strecket, grattis, grattis.

Han lyssnade efter svar men det enda som hördes var en motorcykel som smattrade förbi under kastanjerna på andra sidan ån. Förbannade huligan, tänkte Gunnar Barbarotti, han väcker ju halva stan, man borde ringa polisen.

Sedan tömde han i sig återstoden av ölen och stirrade på frågorna igen. Fem minuter, tänkte han, jag ger det fem minuter till.

Om det hade med något slags gudomlig vägledning att göra eller inte, kunde han inte riktigt bestämma sig för, men långsamt märkte han hur en synpunkt höll på att utkristalliseras ur kolgruvan i hans inre – eller också var det bara hans simultankapacitet som höll på att kollapsa totalt... ett svart hål, ytterligare ett trist bevis på att män bara kan hålla en sak i taget i huvudet.

Men det var något med Annorna... och med mördarens eventuella relation till sina offer.

För om... tänkte inspektör Barbarotti, i samma stund som han hörde Karlskyrkan därute i det tunna sommarmörkret slå halv två... för *om* man utgick ifrån att där faktiskt fanns relationer både mellan mördaren och hans offer och mellan offren – att det inte bara rörde sig om en galning som plockade namn ur telefonkatalogen, således – så måste det väl innebära en vansinnigt stor risk för mördaren att släppa ifrån sig namnet på sitt tilltänkta offer nummer två på det här viset?

Eftersom det kunde tänkas att offer nummer två var bekant med offer nummer ett – eller bekant var kanske mycket sagt, korrigerade sig inspektör Barbarotti, samtidigt som han försiktigt tassade ut i köket och hämtade öl nummer två, varligt och smidigt som en panter så att tanketråden inte skulle brista – men att det fanns ett samband åtminstone, och vidare att offer nummer två skulle kunna tänkas upplysa polisen om detta samband, och...

... och till syvende och sist också ge en vink om det som var deras minsta gemensamma nämnare, nämligen mördaren.

Nämligen mördaren, upprepade han tyst inuti huvudet.

Och om nu denne mördare verkligen var en sådan där minutiöst planerande otäck typ som profilerare Lillieskog hade föreslagit, så vore det väl...?

... ja, så vore det väl förbannat konstigt om han gav polisen chansen att tala med Anna Eriksson innan han dödade henne! Just det.

Just det. Gunnar Barbarotti drack en klunk öl och stirrade ut genom fönstret. Var det något fel på detta resonemang? Han kunde inte se det. Vad innebar det för deras fortsatta arbete, då?

Det dröjde några sekunder innan han hittade svaret: Jo, det innebar helt enkelt att de inte skulle få ut ett skvatt av att sitta och samtala med de sexton Annorna under morgondagen – nej, så många var det förstås inte frågan om, flera befann sig ju på annan ort, långt borta från Kymlinge, men ändå – eftersom...?

... eftersom den rätta Anna Eriksson med största sannolikhet måste finnas i den lilla grupp på tre som de inte lyckats etablera kontakt med.

Och om det verkligen var meningen att hon skulle dö, så hade hon sannolikt inte långt kvar att leva.

Eller också var hon redan död.

Han satt kvar och skärskådade denna slutsats i lugn och ro, medan han avslutade också den andra ölen och började inse att det var just den sortens slutsatser som man hade så lätt att dra den här tiden på dygnet. Mitt i natten, ensam vid sitt skrivbord med en öl, en måne i nedan och en dyig å.

Men insikten om att resonemanget var alldeles korrekt vägde minst lika tungt. Och sedan dök den där bilden av den högre makthavaren och kortleken upp igen.

Ser man på, tänkte kriminalinspektör Barbarotti. Det gick ut en patiens idag också. Till slut.

Kanske.

På morgonen stötte han ihop med Eva Backman redan ute på cykelparkeringen.

"Jag kom på en sak inatt", tillkännagav han återhållsamt.

Eva Backman nickade. "Jag också", sa hon. "Jag tar min först. Jag tror det är en av de tre andra Annorna vi ska inrikta oss på."

"Vad i helvete?" sa Barbarotti.

"Jo, låt mig förklara", sa Backman. "Om det nu är så att..."

"Stopp och belägg!" avbröt Barbarotti. "Det är ju precis samma sak som jag kom fram till. Du behöver inte förklara. Vi kan avblåsa alla de här samtalen, om det är några vi ska försöka beskydda är det dom vi inte hittade igår."

"Nej", sa Eva Backman. "Det går inte. Vi kan faktiskt inte ringa en tredje gång till de här stackars kvinnorna. Larsson och Killander får prata med dom, vi gör i ordning ett formulär med frågor, det skadar ändå inte. Det är ju bara åtta stycken, förresten. Men inte ett ord om breven. Dom får inte ana vad det rör sig om."

Barbarotti funderade. ”Allright”, sa han. ”Det kanske är riktigt. Men du och jag ska välja rätt bland de resterande tre.”

Precis när de gick in genom entrén la hon handen på hans arm ett ögonblick. ”Gunnar”, sa hon. ”Jag har en så olustig känsla i kroppen. Jag tror... jag tror det är en sällsynt vidrig typ vi har att göra med den här gången.”

Han stannade upp och betraktade henne. Insåg plötsligt två saker.

Dels hade han aldrig hört henne säga någonting liknande förr.

Dels hade hon antagligen alldeles rätt.

”Mycket möjligt”, sa han. ”Men vi ska nog lösa det i alla fall.”

De gäckande Annorna krympte från tre till två redan klockan kvart i nio. Kriminalassistent Molin knackade försynt på Barbarottis dörr och meddelade att man fått kontakt med en viss Anna Eriksson, 42, som befann sig på semester i Lofoten med sin make och sina barn. Det var lite si och så med mobiltäckningen däruppe, tydligen, men nu satt hon på ett café i huvudorten Svolvær och där hade alltså signalen gått fram. Vad var det man ville?

Det hade Molin inte gått närmare in på, polisen letade efter någon med hennes namn, men eftersom hon uppenbarligen inte var hemma i Kymlinge för tillfället, så kunde det inte vara hon som var den aktuella.

Det kunde man väl i varje fall förutsätta? undrade Molin. Att det inte var den Annan saken gällde. Barbarotti sa att han trodde det och tackade. Assistenten försvann ut i korridoren.

Återstod två.

Den ena var en Anna Eriksson på Grimstalundsvägen 32. Hon var 56 år gammal, frånskild med två vuxna barn, bodde ensam, arbetade normalt som biomedicinsk analytiker på sjukhuset men var inne på sin tredje semestervecka och hade en kvar. Hon hade mobil, men hade inte svarat på två dagar.

Anna Eriksson nummer två var 34 år gammal och hade sin adress på Skolgatan 15. Enligt uppgifterna de fått fram arbetade hon på en reklambyrå som hette Sfinx, men de hade stängt fram till början av augusti. Hon var inte gift och eftersom hennes lägenhet var en etta på knappt 40 kvadratmeter, kunde man anta att hon bodde ensam.

”Skolgatan 15 är ju bara tre minuter härifrån”, konstaterade Eva Backman, som suttit och häckat på hans rum den senaste halvtimmen. ”Jag sticker över och kollar med grannarna. Lika bra att passa på innan de hinner ut på landet.”

Gunnar Barbarotti nickade och kastade en blick ut genom fönstret.

Hon hade rätt. Högtrycket gassade.

”Gör så”, sa han. ”Men jag antar att det är lite för tidigt för husundersökning?”

”Hon kanske är hemma?” sa Eva Backman optimistiskt. ”Vi kanske bara har fått ett gammalt telefonnummer. Jag fortsätter med Grimstalundsvägen i vilket fall som helst, eller hur?”

”Gör så”, upprepade Barbarotti och började kavla upp skjortärmarna. ”Jag sköter hemmafronten så länge.”

Hemmafronten visade sig denna förmiddag bestå av genomgångar och rapporter under tre timmar. Både Astor Nilsson och profilerare Lillieskog satt med, tydligen bodde de över på Kymlinge Hotell, bägge två. Kommissarie Asunander fanns också på plats i genomgångsrummet större delen av tiden, men han yttrade sig aldrig. Stod bara i ett hörn, sög på tänderna och bevakade tillställningen, såg det ut som, med ett bistert och ogenomträngligt uttryck i ansiktet.

Ungefär som man ser ut på sin svärmors begravning, tänkte Barbarotti vid något tillfälle.

Först på plan var rättsläkare Kallwrangel. Han hade hetat Karlsson fram till för ett år sedan, och hur Patent- och registreringsverket kunnat godkänna hans nya namn var någonting som stötts och blötts en del i polishuset. Det hade till och med förekommit en insändare i personaltidningen under pseudonymen Ballwinckel.

Men det var inte namnfrågan som stod på agendan den här gången. Kallwrangel förklarade omständligt under tjugofem minuter vad alla i stort sett redan visste; nämligen att den 36-årige Erik Bergman dött tidigt på tisdagens morgon nere vid Kymlingeån i höjd med Tillgrens handelsträdgård som en följd av fem stycken knivhugg, åtminstone två av dem var för sig dödande, och att han förmodligen varit medvetslös redan när det sista hugget utdelades. Det gick inte att dra några säkra slutsatser angående gärningsmannen utifrån de sår som uppkommit på den dödes kropp, men det föreföll tämligen sannolikt att vederbörande besatt en viss kroppsstyrka och minst lika sannolikt att han (eller möjligen men inte troligen *hon*) var högerhänt. Inga tecken på strid hade kunnat noteras, mördaren hade inte lämnat någonting efter sig på offrets kropp som på sikt skulle kunna innebära identifiering via DNA. Tidpunkten för dådet uppskattades till mellan 06.40 och 06.50, kroppen upptäcktes som bekant klockan 06.55.

Den senare delen av Kallwrangels framställning ägnades

åt hur kniven penetrerat Bergmans kropp på olika ställen och åt en ungefärlig uppskattning av denna knivs utseende. Enkeleggat, rakt blad, skarpslipat, mellan femton och arton centimeter långt, knappt tre och en halv centimeter brett på det bredaste stället.

”Typ kökskniv?” undrade Astor Nilsson.

”Typ”, sa Kallwrangel och eftersom ingen hade några fler frågor, lämnade han över ordet till teknikergruppens chef, som fortfarande hette Carlsson, fast med C.

Carlsson inledde genom att berätta om mordplatsen. Resultatet var mycket negativt, förklarade han. Ingenting som kunde ge en fingervisning om gärningsmannens identitet hade tillvaratagits, det otuktade buskage som växte alldeles intill brottsplatsen visade på några ställen tecken på att ha blivit nedtrampat, möjligen hade mördaren stått gömd därinne i väntan på sitt offer, men mer än så gick inte att säga i dagsläget. Inte heller hade några främmande partiklar på Bergmans kläder – ett par kortbyxor och en T-shirt med reklam för hans datafirma Informatex – tillvaratagits, det kunde nästan antas att den som bragt Erik Bergman om livet inte ens behövt beröra honom. Mer än med sitt knivblad, vill säga. Fem gånger.

Därefter gick Carlsson över till de bägge breven. De befann sig visserligen för noggrannare analys på Statens Kriminaltekniska Laboratorium i Linköping för tillfället, men det fanns ändå en del att säga om dem. Inga fingeravtryck hade säkrats, vare sig på kuvertet eller på själva brevet, ej heller hade brevskrivaren behövt nyttja sin egen saliv för att klistra fast frimärket, eftersom detta varit av den moderna självhäftande typen. Inne i kuvertet hade återfunnits en mycket liten partikel som möjligen skulle kunna vara ett hårstrå från en katt. Eller snarare en liten del av ett katthår, men närmare uppgifter om detta skulle förhoppningsvis komma i samband med rapporten från Linköping.

”Katt?” sa Gunnar Barbarotti.

”Hrrm, ja”, sa Lillieskog. ”Det är inte ovanligt att den här typen av gärningsmän håller sig med husdjur.”

”Tack”, sa Barbarotti. ”Gå vidare.”

Intendent Carlsson gick vidare. De papper och de kuvert som mördaren använt sig av var av vanligaste sort, åtminstone i Sverige. Pennan var förmodligen en Pilot av kaliber 0,7, precis som man gissat tidigare. Angående var breven postats hölls det som inte alltför osannolikt att det kunde röra sig om Göteborg. I bägge fallen.

”Inte alltför osannolikt?” undrade Astor Nilsson.

”Exakt”, sa Carlsson. ”Linköping kommer att uttala sig i den frågan också.”

”Då så”, konstaterade Barbarotti. ”Någonting annat från teknikerna?”

Det var det inte. Istället gick man över till vad samtalen med Erik Bergmans bekanta och släktingar och grannar hade givit för handen. Det hade genomförts trettiosex sådana samtal, och för att bibringa alla en någotsånär begriplig översikt hade inspektör Gerald Borgsen, alias Sorgsen, tagit på sig uppgiften att lyssna igenom alla band och läsa de protokoll som blivit utskrivna. Hur han hunnit med detta var en gåta, men Sorgsen hade rykte om sig att vara något av en gåta hela han. Lågmäld och tystlåten och lite svåråtkomlig, och – som sagt – en smula sorgsen.

Det tog nästan en timme och bilden av Erik Bergman klarnade möjligen en del. Till och med i den närmaste vänkretsen – tre-fyra andra ungkarlar som han brukade gå på krogen med – ansågs han som svår att komma in på livet. Lite av en enstöring, hade det framkastats, trots att han levt en rätt stor del av sitt liv på lokal. Inte ens när han blev berusad, och det hände emellanåt, hade han haft för vana att öppna sig. För att belysa detta citerade Sorgsen en viss Rasmus Palmgren, som hade känt Bergman ända sedan de började i första klass: "Man visste liksom aldrig riktigt var man hade honom. Det var nästan alltid som om han hellre skulle ha velat vara nån annanstans. Man visste aldrig riktigt vad han tänkte." Erik Bergman hade inte varit snål, och skulle Sorgsen våga sig på en gissning, var det nog just den egenskapen som gjort honom mest gångbar i sällskapslivet. Han hade alltid gott om pengar och han bjöd ofta, därom vittnade många. Beträffande tänkbara fiender – folk som skulle kunna få för sig att sticka en kniv i honom sisådär fem gånger – hade ingen haft minsta tips att komma med. Erik hade aldrig varit känd för att mucka gräl; kom det till handgemäng eller höjdes röster, drog han sig hellre undan. Något vidare kvinnotycke verkade han heller inte ha haft. Han var inte intresserad av kvinnor, hade samme Palmgren förklarat, och kvinnor var inte intresserade av honom. Var han homosexuell? Flera av de intervjuade hade fått frågan, men ingen hade besvarat den entydigt jakande. Å andra sidan hade heller ingen hållit det för hundraprocentigt omöjligt. Slutsatsen blev att Erik Bergman varit lika diskret om sitt sexualliv – om han överhuvudtaget haft något – som han varit om allting annat.

"Mannen utan egenskaper?" frågade Astor Nilsson.

"På sätt och vis", sa Sorgsen och Gunnar Barbarotti kunde ha svurit på att en svag rodnad drog över ansiktet på inspektören. Det var ett epitet som i mångt och mycket kunde appliceras på honom själv. Och tydligt var att han insåg det.

Den kvinna som Erik Bergman bott tillsammans med

under några månader för tio år sedan hade man inte fått tag på, förklarade Sorgsen. Hennes namn var Ulrika Sigridsdotter, och några av de utfrågade visste att berätta att hon flyttat utomlands rätt så snart efter att hon och Erik separerat.

Sorgsen fortsatte sin sammanställning i ytterligare tjugo minuter, men det var i det här skedet som Gunnar Barbarotti började tappa koncentrationen.

Tänk om mördaren plockat honom på slump i alla fall, tänkte han. Lillieskog menade ju att det var ett tänkbart alternativ. Vad tjänar det då till att vi sitter här och vänder ut och in på den döde?

Om det inte fanns någon logisk länk mellan mördaren och offret.

Om det lika gärna kunde ha varit någon annan som blivit nerstucken.

Blotta tanken på en sådan godtycklighet förde med sig en sorts obehag, märkte Barbarotti, någonting han av någon anledning hade svårt att stå ut med. Eftersom den lösningen innehöll... ja, vad då? En ovedersäglig sanning om livet och dess inneboende bräcklighet? Att vem som helst kunde drabbas när som helst. Idag röd imorgon död, avståndet mellan att leva och att inte längre leva kunde mätas i millimetrar och bråkdelar av sekunder; man kunde göra prognoser och upprätta i det närmaste hundraprocentiga sannolikhetskalkyler, men när man en dag låg där i skymningslandet, så måste det rimligen innebära att någon av beräkningarna hade gått snett. Var det inte så? Även om antalet mordoffer i landet låg tämligen konstant från år till år, så betydde det inte att det enskilda offret, Erik Bergman till exempel, var frukten av någon sorts verkande princip. Döden var det enda säkra och ändå kom den alltid som en överraskning. Nästan alltid i varje fall.

Jag kan exempelvis inte med säkerhet veta att Marianne är i livet i denna stund, tänkte han med en plötslig, krypande panik – och så kom han på att det var torsdag, och att det var idag som hennes barn skulle komma till Gotland med en mobiltelefon. Nästan i samma sekund blev han medveten om att han inte visste vilket nummer det var som gällde. Kanske var det någon av tonåringarnas apparat, inte Mariannes egen? Fast han skulle pröva med hennes nummer, det skulle han förstås, det skadade inte att försöka; hursomhelst skulle han se till att ha sin telefon påslagen och åtkomlig hela dagen, så att han inte gick miste om hennes första samtal. Han skulle förresten ha haft god lust att lämna samlingsrummet just nu och göra ett försök, kanske hade de kommit redan med tidiga morgonbåten? Om där nu fanns någon sådan.

Jag undrar hur mitt liv ser ut om precis fem år? tänkte han sedan utan förvarning. Är jag gift med Marianne då? Var bor jag då i så fall? Inte kan jag väl få henne att flytta till Kymlinge? Fast å andra sidan, vad är det som håller mig kvar här egentligen? Ingenting. Mina barn är utflugna, jag är fri såsom fågeln att bosätta mig var i världen jag vill.

Och sedan – medan Sorgsen pratade på – fortsatte tankarna som en snöboll i utförsbacke.

Kommer jag överhuvudtaget att vara polis om fem år? Varför inte böka vidare lite med juridiken istället, nu har jag ju sett tillräckligt av baksidan… fast åklagare verkar sannerligen inte särskilt kul, det heller. Titta bara på Dum-Ramundsen eller Sylvenius, dystrare typer får man leta efter, förresten är det ju inget som säger att jag är i livet om fem år… som sagt, var det inte det jag funderade på för en liten stund sedan? Undrar om jag inte fick en liten stroke under Carlssons genomgång, de kan visst vara hur små som helst och man ska inte tro att man går säker bara för att man inte fyllt femtio...

När Sorgsen äntligen avslutade sin genomgång med att förklara att flera viktiga förhör fortfarande återstod att genomföra och att alla rapporter skulle finnas tillgängliga i de vanliga pärmarna, låg tankeverksamheten i Gunnar Barbarottis hjärna och hovrade strax över nollpunkten. Eller möjligen strax under; han hade all möda i världen med att hålla ögonen öppna och det enda han till fullo förstod var att han måste ha fått någon sorts jetlag i samband med hemresan från Gotland.

Samt att han förmodligen inte var världens effektivaste kriminalpolis för tillfället.

9

”Det är något fel i huvudet på mig. Jag klarar inte av genomgångar längre.”

Eva Backman tittade på honom med ett dystert leende. ”Jag håller med om att det är något fel i huvudet på dig. Men att du inte klarar av en tre timmars genomgång är inte ett tecken på det.”

”Jaså?” sa Barbarotti. ”Ja, om inspektören säger det, så. Hur gick det med Annorna?”

”Jag kanske får korn på den ena nu i eftermiddag”, förklarade Backman. ”Hon på Grimstalundsvägen. Det är inte omöjligt att hon ligger och trycker i Värmland med en hemlig älskare. Trakten av Grums.”

”Vänta nu”, sa Barbarotti. ”Var hon inte 56 år och ensamstående? Varför skulle hon behöva en hemlig...?”

”Du har fördomar”, sa Backman. ”Dessutom är förstås själva hemligheten en krydda, det borde man begripa till och med om man har något fel i huvudet. Fast i det här fallet kan det alltså vara så att älskaren är gift på sitt håll.”

”Långt borta från Grums?”

”Långt borta från Grums.”

Gunnar Barbarotti lutade sig tillbaka i stolen och funderade. ”Intressant”, sa han. ”Tänk att folk lever så intressanta liv, det skulle man inte tro... jag menar så långt upp i åldrarna. Man får en liten inblick tack vare det här jobbet i alla fall.”

Inspektör Backman suckade.

"Om vi nu skulle försöka koncentrera oss en smula", föreslog hon, "så är det alltså så att jag kommer att få det här bekräftat om ett par timmar. Möjligen också tala med henne. Med den andra Annan har det däremot gått sämre."

"Sämre?" sa Barbarotti.

"Rättare sagt inte alls. Jag har pratat med ett par grannar, hon bor ju på Skolgatan i ett av borgarhusen, de har rätt så god kontakt med varandra i de där kåkarna... och med en väninna till henne, det är det som gör mig oroad."

"Varför då?" sa Barbarotti, fick fram en penna och ett block och började anteckna. "Varför är du oroad?"

"Därför att väninnan och Anna halvt om halvt hade bestämt sig för att åka till Gotland nu på fredag... ja, imorgon, alltså... och hon har inte hört av sig på hela veckan. Inte sedan i söndags."

"Gotland?" sa Barbarotti.

"Det är inte bara du som åker till Gotland på somrarna, om du trodde det", informerade Backman tålmodigt. "Hursomhelst så tyckte den här väninnan att det var konstigt att hon inte fått kontakt med henne. När jag frågade henne vad hon trodde om orsaken, så svarade hon att det var väl den där jävla Conny förstås."

"Conny?"

"Du upprepar ett ord av vad jag har sagt hela tiden och sätter frågetecken efter det, har du tänkt på det?"

"Det gör jag inte alls", sa Barbarotti. "Men jag är lite trött. Vem är Conny, alltså?"

"En karl som hon hängt ihop med till och från, tydligen. Eller pojkvän eller vad du vill kalla det. De har... ja, de har strulat en del på sista tiden Det var en gåta att Anna ville vara ihop med ett sånt arsel, påstod väninnan."

”Jag förstår. Och vad säger arslet Conny själv, då?”

”Har inte fått tag på honom”, konstaterade Eva Backman med en ny suck. ”Heter Conny Härnlind. Egen företagare i VVS-branschen. Firman har stängt för semester, han har tre telefoner, jag har talat in meddelanden på alla tre.”

”Finns det något samband mellan Härnlind och Bergman?”

”Inget som jag har hittat så här långt.”

”Nåja”, sa Barbarotti. ”Då behöver vi bara sitta ner och vänta på att det ringer med andra ord.”

”Precis”, sa Backman. ”Du råkar inte ha något trevligt sällskapsspel vi kan ägna oss åt under tiden?”

Efter att Backman lämnat honom – om det nu var för att han inte ens hade en kortlek på sitt tjänsterum eller om det fanns andra skäl – dröjde det bara en minut innan Astor Nilsson kom in med ett papper.

”Ursäkta, ärade herr kollega”, sa han. ”Men här kommer lite viktig information i fallet.”

”Utmärkt”, sa Barbarotti. ”Låt höra.”

Astor Nilsson harklade sig. ”Inte mindre än två av varandra oberoende vittnen har iakttagit Erik Bergman under hans joggingtur den ödesdigra morgonen.”

”Ser man på”, sa Barbarotti.

”Det ena vittnet är en joggare som mötte honom uppskattningsvis klockan 06.20 i höjd med vindbron, det andra är en joggare som mötte honom i höjd med vattentornet klockan 06.25. Ingen av dem lade märke till någonting hos Bergman som tydde på att han snart stod i begrepp att bli mördad.”

”För hög fart sänker iakttagelseförmågan”, sa Barbarotti. ”Det vet jag av egen erfarenhet. Sa de nånting mer?”

”Tyvärr inte. Det hade ju varit intressant om de sett någon

annan typ ute på banan i närheten av mordplatsen, men det hade de alltså inte. Ingen av dem.”

”Men de hade alltså båda passerat den?”

”Ja, en kvart respektive tio minuter tidigare.”

”Så då kan mördaren redan ha stått och tryckt där?”

”Om inte bör han i varje fall ha varit på väg dit”, sa Astor Nilsson. ”Men dom såg alltså inte ett skit, dom här morgonhurtarna. Synd, eller vad tycker du?”

”Sätt dig”, sa Barbarotti. ”Hur kommer det sig att du blev utlånad till oss? Jag menar...?”

”Jag blir alltid utlånad”, förklarade Astor Nilsson vänligt och satte sig. ”Det har varit så de senaste två åren. Jag gick emot min chef i ett fall, och han kan inte tåla att jag fick rätt. Han kan förstås inte ge mig sparken, men så fort det behövs förstärkning inom tvåtusen mil från Göteborg, så rycker jag ut. Ska jag vara ärlig så har jag ingenting emot det. Man får se sig omkring.”

”Men du är kommissarie?”

”Javisst.”

Gunnar Barbarotti betraktade honom. Den frustration han gett uttryck för efter gårdagens förmiddag med Asunander tycktes nu ha runnit av Astor Nilsson. Han gjorde närmast ett godmodigt intryck, där han satt i besöksfåtöljen med ena benet slängt över det andra och med den nakna foten i sandalen vippande upp och ner. Solbränd, kortklippt uttunnat hår och en kroppshydda som måste ligga runt hundra. Utan att för den skull vara fet. En harmonisk murbräcka, bestämde sig Barbarotti för. En femtiofemåring som kommit fram till det ena och det andra här i livet.

”Vad tror du om det här egentligen?”

Astor Nilsson slog ut med händerna.

”Vete fasen” sa han. ”Men jag gillar det inte. Har inte varit med om nån sån här typ tidigare, faktiskt. Och man har ju ändå sett en del.”

Barbarotti nickade. ”Och hur tycker du vi beter oss? Är det nånting vi missar?”

Astor Nilsson ryckte på sina kraftiga axlar. ”Tror inte det. Tycker inte om att erkänna det, men man går ju liksom och väntar på offer nummer två. Det borde finnas ett samband mellan den här Bergman och en av alla dessa Annor.”

”Precis”, sa Barbarotti. ”Och om jag förstått inspektör Backman rätt, så håller hon just på och ringar in den rätta.”

”Den rätta Annan?”

”Ja. Men hon har inte synts till på några dagar, så man kan ju ha sina aningar.”

”Det var som fan”, sa Astor Nilsson. ”Det tycks gå effektivt till här i huset i alla fall.”

”Nåja”, sa Barbarotti. ”Ibland kanske. Men vi är ju långt ifrån säkra på att vi är på rätt väg här. Kan lika gärna visa sig vara någon av de andra.”

”Eller någon från Edsbyn eller Kuala Lumpur?”

”Till exempel. Jag tror inte vi har så stor anledning att känna oss optimistiska.”

Det hade man inte fem timmar senare heller, kunde Gunnar Barbarotti konstatera när han tog ut sin cykel från cykelstället på polishusets innergård. Klockan var kvart i åtta, det var en oerhört vacker sommarkväll och någon Anna Eriksson på Skolgatan hade inte dykt upp under hela eftermiddagen. Inte heller hade VVS-arslet Conny hörsammat polisens uppmaning att sätta sig i förbindelse med dem, men det var inte det som bekymrade inspektör Barbarotti mest.

Det hade inte hörts någonting från Gotland.

”Du ser dyster ut”, påpekade Eva Backman.

”Livet är ett dåligt skämt”, sa Barbarotti.

”Trampa hem och ring till Marianne nu”, föreslog Backman muntert, ”så ska inspektören se att han får tillbaka livsandarna.”

”Tack för tipset”, sa Gunnar Barbarotti. ”Men du går inte på semester på måndag, alltså?”

Hon ruskade på huvudet. ”Sköt upp det en vecka. Ville får ta med ungarna ner till stugan, så kommer jag efter nästa fredag.”

De började cykla, sida vid sida. Hon lät inte alldeles missnöjd över arrangemanget, noterade Barbarotti lite förvånat och sedan tänkte han att deras respektive livssituation skilde sig rätt så markant åt. Hans och Eva Backmans. Ändå var de i stort sett jämngamla, de var båda kriminalinspektörer och de hade tre barn vardera.

Det var bara det att hans egna barn befann sig så långt utanför hans räckvidd en sådan här ljuvlig kväll. En i London, två i Köpenhamn. Det kändes plötsligt smärtsamt långt borta. Eva Backman skulle kliva in i sitt radhus om mindre än tio minuter och träffa alla sina tre. Sin man dessutom. Ja, nog var det annorlunda.

”Vad tänker du på?” frågade hon.

”Ingenting särskilt”, sa han. ”Jag svänger här framme, vi ses imorgon.”

”Sov gott och dröm vackra drömmar”, sa inspektör Backman och kastade iväg en slängkyss åt honom.

Precis, tänkte han. Ensamma människor borde ha rätt till det. Ett rikt drömliv i brist på annat.

Klockan var kvart över tio när hon ringde. När han hörde hennes röst förstod Gunnar Barbarotti plötsligt hur det måste kännas att bli räddad från att drunkna i sista sekunden. Samtidigt blev han nästan rädd för känslosvallet som sköljde över honom; blodet bultade i tinningarna och tungan fastnade i gommen. Marianne – å sin sida – lät alldeles lugn och normal.

Vad är det med mig? tänkte han förfärat. Titta på den här handen som håller luren, den darrar ju!

Marianne förklarade att det tyvärr var något vajsing på den mobil som barnen haft med sig, det var därför hon dröjt så länge med att höra av sig.

”Så du står i Hagmunds och Jolandas kök?” frågade Barbarotti.

”Just det”, sa Marianne. ”Det blev lite sent, men de hade inte gått och lagt sig som tur var. Hur har du det?”

”Jag… jag längtar efter dig”, sa Gunnar Barbarotti och lyckades svälja.

”Bra. Det är därför man ska skiljas åt ibland. För att lära sig att längta. Har ni fått tag på brevskrivaren än?”

”Nej”, erkände Barbarotti, och kände att han minst av allt hade lust att tala med Marianne om jobbet. Men det var förstås ganska naturligt att hon frågade. Det var ju för brevskrivarens skull han lämnat Gustabo i förtid. Det var därför de satt i var sin ände av en telefonförbindelse istället för kropp mot kropp. ”Fast vi jobbar på det”, sa han. ”Hur har du det? Kom barnen lyckligt fram?”

Hon skrattade. ”Jadå. Fast dom blev nog lite besvikna när dom inte fick träffa kriminalaren. Du ligger rätt bra till där, min älskade.”

Jag har fört dom bakom ljuset, tänkte Gunnar Barbarotti. Slagit blå dunster i ögonen på dem alla tre. Vad var det det kallades? Groucho Marx-syndromet? Det där speciella fenomenet att man inte kan tänka sig att vara med i en klubb som accepterar en sådan som en själv som medlem.

”Äsch”, sa han. ”Du vet väl hur tonåringar är, dom byter åsikt oftare än dom byter strumpor.”

De utväxlade ett dussintal repliker av ungefärligen samma finess, sedan sänkte Marianne rösten och avslöjade att hon hade ägglossning och att hon var lite trött på att sova ensam i en säng där det rymdes två. Gunnar Barbarotti förklarade att han för sin del inte hade ägglossning, men att han var beredd att sova med henne alla sina resterande dagar – eller nätter, rättare sagt – i en säng där det bara rymdes en ganska liten hund eller nånting, och därefter kom uppenbarligen Jolanda ut i köket i något ärende. Det hördes ända till Kymlinge. Marianne drog ett djupt andetag, önskade god natt och lovade att bege sig in till Visby någon av de närmaste dagarna och införskaffa en ny mobiltelefon. Utan barnens vetskap helst, hon ville inte rucka på Gustaboreglerna alltför mycket.

När de lagt på gick Gunnar Barbarotti ut och satte sig på balkongen med en öl. Herregud, tänkte han. Jag förstod inte att hon betydde så mycket. Om jag mister henne skjuter jag mig en kula för pannan.

Han blev sittande en stund, medan han drack ur ölen och betraktade resterna av solnedgången – den hängde som en utsmetad, gulblek hägring över Pampas och bakom höghusen borta på Ångermanland. Och kajorna, som kom drivande i skränande horder för att inta sina sovplatser på stadens tak och i almarna i stadsparken, dem betraktade han också. De var tidiga i år, var de inte? Han hade alltid förknippat kajinvasionen med lite svalare höstkvällar. Slutet av augusti och september. Men naturligtvis fanns de väl till hela året, de också, liksom alla andra levande varelser. *A man without a woman*, tänkte han sedan, men inte heller den här kvällen ville resten av texten träda fram... *is like a...*?

När han avslutat ölen lyckades han äntligen slita sig loss ur sina självömkande betraktelser och kunde ägna några tankar åt den pågående utredningen också. Mördaren. *Den brevskrivande mördaren.* Det var förstås breven som gjorde alltihop så speciellt. Som gjorde att det kändes unikt på något vis. Om fallet enbart bestått i att de hittat en man nedstucken och dödad, så hade det visserligen inneburit fullt pådrag, men det skulle inte ha fått den här digniteten. Ännu hade tidningarna inte gått ut med namnet på den döde, men han visste att det skulle komma under morgondagen. Det var förmodligen ett riktigt beslut.

Kanske skulle det också ha varit ett riktigt beslut att gå ut med breven och med Anna Erikssons namn? Kanske kunde man på så vis ha fått fatt i någon som visste något?

Å andra sidan var det lätt att skapa panik. Och om det fanns någonting som i synnerhet kvällstidningarna älskade att göra, så var det ju detta. Projicera alla människors inneboende rädslor och frustration och ilska, och få det riktat mot en punkt, en syndabock. Förr var det folkgrupper, judar eller zigenare eller kommunister, nuförtiden var det individer. Till exempel en minister. Eller en skådespelare med alkoholproblem. Eller varför inte en aningslös kriminalinspektör i Kymlinge? Det var det som var det s.k. drevets inneboende motor. Det hade fungerat så länge det funnits tidningar, och det fungerade i högsta grad idag, när vulgaritet och snaskighet blivit de tonarter som allt skulle sjungas i.

Och där en falskbystad teveblondins nya silikonläppar var en viktigare nyhet än folkmord i en annan del av världen än Stureplan. Fy fan, tänkte Gunnar Barbarotti. Har det här landet någonsin varit ytligare? Har vi någonsin haft en sämre kvällspress?

Han undrade hur pass medveten mördaren var om detta. Om han avsiktligt skrev sina brev för att han visste att det i mångt och mycket skulle försvåra polisens arbete. I synnerhet den dag det kom ut i pressen. För det är så det är, tänkte Barbarotti, medan han iakttog en ny kajsvärm som efter en elegant aviatisk rundtur slog sig ner på Katedralskolans taknock, att två ledtrådar inte alltid är bättre än en. I synnerhet inte om den ena är utplacerad av mördaren själv i avsikt att...

Ja, i avsikt att vad då?

Det var en irriterande fråga. Utomordentligt irriterande.

Och hur skulle det gå för Anna Eriksson?

Ännu mer irriterande.

Samma sak här, konstaterade Barbarotti och lämnade balkongen. Hellre en irriterande fråga än två.

Dessutom var bägge en smula skrämmande, och det gjorde knappast saken bättre. Han mindes Eva Backmans hand på hans arm imorse. Och det faktum att brevens adressat var han själv – kriminalinspektör Gunnar Barbarotti på Baldersgatan i Kymlinge – var förstås ännu en oroande omständighet.

För vad betydde det? Betydde det att han kände gärningsmannen på något vis? Att hans namn – när de väl fick korn på det – skulle visa sig vara bekant? Det omvända, att mördaren visste vem det var han skickade breven till, föreföll i varje fall ganska uppenbart. Eller?

Satan också, tänkte Gunnar Barbarotti och såg på klockan, om jag inte tagit emot posten av brevbäraren den där morgonen – eller om han kommit en minut senare, bara – så skulle jag ha krupit ner hos Marianne i Gustabo vid ungefär det här laget. Jag tror knappast det skulle ha varit till men för utredningen.

Rapsfält, kor, kyrkogård, ädelskog. Här i Kymlinge rådde det en skriande brist på alltihop. Jo, en kyrkogård fanns det förstås.

Med liknande dystra funderingar i huvudet gick han och ställde sig i duschen.

10

”VVS-arslet är lokaliserat.”

Barbarotti såg upp från rapporterna.

”Va?”

Det var fredag morgon. Han hade läst åtta rapporter, den han höll i handen var hans nionde. Den var författad av en viss assistent Wennergren-Olofsson. Han tyckte om att uttrycka sig, använde gärna tjugo ord där det behövdes tre. Han var också känd för att vara den ende i polishuset som behövde mer än tio sekunder för att skriva sin namnteckning: Claes-Henrik Wennergren-Olofsson.

”Conny Härnlind”, förtydligade Eva Backman och stängde dörren bakom sig. ”Den där eventuelle pojkvännen till Anna Eriksson på Skolgatan.”

”Jag minns”, sa Barbarotti och blundade hastigt för att komma undan den plötsliga svärmen av namn. ”Lokaliserad, sa du?”

”Just det. Han befinner sig i Thailand, dock inte i sällskap med fröken Eriksson. Eller med någon annan kvinna heller för den delen – jag syftar nu på kvinnor från Kymlinge med omnejd. Han åkte dit med ett gäng unga män för en vecka sedan, det är väl inte svårt att gissa vad de har för sig.”

”Vem är det nu som har fördomar?” undrade Barbarotti.

”Ursäkta”, sa Backman. ”Ja, det var kanske lite förhastat, de är säkert där för att prata filateli och ekumeniska frågor. Hursomhelst är vår Anna fortfarande försvunnen. Jag har talat med hennes mamma, hon vet heller ingenting, och de brukar faktiskt ringa till varandra ett par gånger i veckan. Hon bor i Jönköping. Det oroväckande är..."

"Ja?"

"Det som är lite oroväckande är att hon tydligen sagt åt mamman också att hon skulle åka till Gotland. Idag, alltså."

"Och när var det som hon berättade det?"

"I söndags kväll. Mamman har ringt tre eller fyra gånger under veckan men inte fått kontakt, så... ja, jag vet inte."

"Helvete också", sa Gunnar Barbarotti. "Det låter inte bra. Hon har en mobil, eller hur?"

"Ja."

"Vi får kolla om hon använt den nånting under veckan. Jag tror..."

"Jag har just varit inne och pratat med Sorgsen om det. Han är nog redan i kontakt med operatören, skulle jag tro."

"Bra", sa Barbarotti. "Då får vi besked i eftermiddag om vi har tur. Om en ensamstående kvinna inte använt sin mobil under fyra dagar på sin semester, så betyder det att någonting är ur lag."

Han förväntade sig att Eva Backman skulle säga något om fördomar – hade nästan hoppats på det – men det gjorde hon inte. Synd, tänkte han. Hon förstår vartåt det här lutar, hon också.

"Det är lika bra vi förbereder en husundersökning, eller hur?" föreslog hon istället. "Om vi nu... ja, om vi nu får den typen av besked från operatören."

Den typen av besked? tänkte Gunnar Barbarotti när hon lämnat rummet. Ja, så kunde man förstås uttrycka saken.

Ett litet lager av språkligt balsam över en sårig verklighet. Fast det hörde inte till vanligheten att Eva Backman pratade på det viset.

Vilket väl också hade sin betydelse, fick man förmoda. Han erinrade sig på nytt den där handen hon lagt på hans arm.

Suckade och återgick till assistent Wennergren-Olofssons betydligt yvigare prosa.

Vid tvåtiden på fredagseftermiddagen lämnade både Astor Nilsson och profilerare Lillieskog polishuset i Kymlinge. Astor Nilsson för att återkomma efter helgen, Lillieskog den dag man kallade på honom.

”Har haft fördjupade samtal med fyra av Bergmans bekanta under förmiddagen”, förklarade Astor Nilsson när de tog avsked nere i kantinen över fyra koppar kaffe och fyra hyperkonserverade mazariner. ”Som vi sa. Och jag kan lova på min moders grav att ingen av dem har minsta aning om vad som ligger bakom mordet. Ingen av dem är väl guds bästa barn, men när man skrapar bort tjafset återstår faktum. Erik Bergmans baneman finns inte att söka i hans bekantskapskrets. Vi kan sluta leta där.”

”Vi har några stycken som är bortresta också, eller hur?” sa Backman.

”Stämmer”, sa Astor Nilsson. ”Jag köper den reservationen. Fast om man är bortrest kan man inte samtidigt vara hemma och sticka ihjäl folk.”

”Allright”, sa Barbarotti. ”Låt oss ponera att du har rätt. Var ska vi leta, då?”

”Jag har inget svar på den frågan för tillfället”, sa Astor Nilsson. ”Men jag åker hem till Hisingen och funderar över helgen. Kommer jag på nåt före måndag, så hör jag av mig.”

”Utmärkt”, sa Eva Backman.

”Ni vet var ni kan nå mig om jag kan bistå på något vis”, förklarade Lillieskog å sin sida. ”Man kan undra vad den här mazarinen hade för bäst-före-datum.”

”Den tillhör ett parti som tillverkades innan man införde datummärkning”, upplyste Backman tjänstvilligt. ”Någon gång på sextiotalet. Ni är alltid välkomna med andra godsaker när ni dyker upp igen.”

De skakade hand, önskade god helg och skildes åt.

”Då så”, sa Backman när de blivit ensamma. ”Då var vi av med expertisen.”

”Precis”, sa Barbarotti. ”Ingenting från den där mobiloperatören än?”

Backman skakade på huvudet. ”Lovade att mejla över listorna före tre, vi får väl ge oss till tåls till dess åtminstone. Har du gått igenom alla rapporter?”

Gunnar Barbarotti ryckte på axlarna.

”Trettioåtta av fyrtiotvå åtminstone.”

”Och?”

”Tja, det är väl tyvärr ungefär som Astor Nilsson säger. Finns just ingenting som verkar leda någonstans. Jag håller med honom, mördaren kände antagligen inte Erik Bergman särskilt väl. Inte nu för tiden i alla fall... kan naturligtvis ligga en gammal historia i botten, det brukar ju ta tid innan sådant flyter upp.”

”Ja, och man brukar ju ha någon sorts anledning om man dödar någon. Jag är kanske lite omodern, men...?”

”Vi kan alltid hoppas”, sa Barbarotti. ”Ingen koppling till någon enda Anna Eriksson heller, hursomhelst. Det går inte framåt precis.”

Eva Backman drack ur sitt kaffe och bet sig i läppen. ”Nej, det gör väl inte det”, sa hon. ”Men mördaren måste ha haft ett litet hum om Bergmans vanor åtminstone, eller hur? Visste om att han skulle ut och springa den där morgonen. Han kan ju inte bara ha gått och ställt sig i buskaget och väntat. Vad tyder det här på?”

”Att han haft honom under bevakning några dagar, kanske”, föreslog Barbarotti. ”Suttit i en bil och kollat hans rutiner, till exempel.”

”Och vi har förstås frågat grannarna om de sett någon misstänkt bil i kvarteret?”

Gunnar Barbarotti betraktade en fluga som kröp över hans bara underarm. ”Har inte sett nånting av den arten i rapporterna.”

”Fint”, sa Eva Backman och reste sig. ”Bra att vi tänker efter innan vi vidtar våra åtgärder. Jag kommer in till dig när jag fått besked av mobiloperatören.”

”Gör det”, sa Gunnar Barbarotti.

Det dröjde i själva verket inte mer än tjugo minuter och resultatet var lika entydigt negativt som både han och Backman fruktat. Anna Eriksson – med adress på Skolgatan i centrala Kymlinge och kund hos Telenor – hade inte använt sin mobiltelefon sedan klockan fem minuter över elva på tisdagens förmiddag. Under de drygt tre dygn som gått sedan dess hade hon fått tjugonio samtal men inte svarat på ett enda av dem. Sex SMS dessutom, huruvida de var lästa gick inte att få fram, men inget av dem var i varje fall besvarat.

Backman räckte över listan med samtal till Barbarotti. ”Tisdag klockan elva”, sa hon. ”Det första obesvarade samtalet är registrerat till 12.26. Vad tror du?”

”Det är samma dag som Erik Bergman mördades”, sa Barbarotti. ”Jag fick brevet om Anna Eriksson med onsdagens post. Han kan... han måste ha postat det under tisdagen...

i Göteborg kanske? Du tror väl inte att han rentav kan ha... tagit hand om bägge två samma dag?"

Han stirrade på Eva Backman, som om han faktiskt hade förväntat sig att hon skulle komma med ett korrekt svar – men hon betraktade honom bara med tom blick och munnen ihoptuggad till ett rakbladstunt streck. Satt på det viset, absolut orörlig med axlarna uppdragna och händerna mellan knäna en god stund innan hon svarade.

"Hur ska jag veta det?" sa hon till slut. "Vad jag däremot vet är att det är dags att genomföra ett litet besök på Skolgatan. Vi fick tillståndet från Sylvenius för en timme sen."

Gunnar Barbarotti såg på klockan. "Kan vara en lagom avrundning på arbetsveckan", sa han.

Lägenheten var inte stor och de hittade henne med en gång.

Under den första bråkdelen av den första sekunden kände Barbarotti en sorts perverterad triumf. *Vi hade rätt! Det var hon! Vi var på rätt spår!*

Sedan kände han bara äckel och vanmakt. Anna Eriksson, 34 år fyllda, ensamstående och anställd hos reklambyrån Sfinx på Fabriksgatan, hade inte begivit sig av på någon semestertripp till Gotland. Och ingen annanstans heller. Hon låg under sin egen säng i sitt hem på Skolgatan 15, hon var paketerad i två svarta sopsäckar, den ena påträdd uppifrån, den andra nerifrån, och hon luktade inte gott. Den sötaktiga stanken som emanerade från hennes döda kropp var omisskännlig i den instängda, varma lägenheten; de hade känt den i samma stund som de öppnade dörren, och när Barbarotti gick ner på knä bredvid den oklanderligt bäddade stålrörssängen inne i alkoven och konstaterade faktum – och sedan rätade på ryggen – kände han ett hastigt stråk av yrsel, som inte i första hand kom sig av den anblick som mött honom, utan av att han omedvetet hållit andan i över en halv minut.

”Gå och öppna balkongdörren”, instruerade han inspektör Backman.

Visserligen dröjde det sedan uppemot en timme innan de bägge plastsäckarna vederbörligen avlägsnats av läkaren och brottsplatsgruppens tekniker – och ytterligare en halvtimme innan den första preliminära identifikationen hade gjorts (med hjälp av ett ungt, chockat par i lägenheten mittemot) – men något tvivel om vem det var som låg där kände i varje fall aldrig inspektör Barbarotti under dessa långa nittio minuter.

Inte Eva Backman heller.

Och inte rådde det mycket tvivel om hur Anna Eriksson bragts om livet. Hennes lätt uppsvällda, bleka ansikte var relativt intakt, men inramades av en oval av mörkt, intorkat blod, utsmetat längs tinningarna och ned utefter bägge kinderna, och när de försiktigt vände henne runt syntes krosskadorna på hjässan och över vänster öra tydligt. Trubbigt föremål, tänkte Gunnar Barbarotti automatiskt och tryckte tillbaka illamåendet som sköt upp i honom. Typ järnrör. Typ baseballträ. Typ vad fan som helst.

Han bytte en blick med Backman och såg att hon tänkte på samma sak som han själv.

Metoden. Mördaren hade inte använt samma metod.

Det var ovanligt. Varje gärningsman brukade bestämma sig för ett tillvägagångssätt och sedan hålla sig till det. Skjutvapen eller kniv eller bara händerna, allt efter läggning och smak. Men i det här fallet hade han bytt, således. Varför? tänkte Barbarotti. Eller... eller kunde man verkligen vara säker på att det var fråga om samma mördare?

Han förstod också att dessa tekniska frågor, som bubblade upp i huvudet på honom, gjorde det för att erbjuda en sorts skydd mot den groteska anblicken av kvinnan på golvet.

För det hade väl sällan förekommit en utredning där man kunde känna sig så säker. Men frågan måste ändå ställas. Två mördare eller en? Förhastade slutsatser var den farligaste av fällor.

Trams, tänkte han och vände bort blicken från offret. Klart som fan att det är samma en. Skulle vi ha att göra med två separata brevskrivare med samma handstil eller vad då? Eller en helt separat brevskrivare och två olika gärningsmän? Glöm det.

"Hur länge?" passade han på att fråga rättsläkare Santesson, medan denne tillfälligt rätade på ryggen och justerade glasögonen. "Mellan tummen och pekfingret."

Santesson blängde på honom. "Åtminstone ett dygn. Förmodligen fler. Jag antar att du känner lukten?"

"Jodå", intygade Barbarotti. "Så det är ingen omöjlighet att hon legat här sedan i tisdags, till exempel?"

"Vill jag inte uttala mig om", sa Santesson. "Men ingenting är omöjligt."

Stropp, tänkte Gunnar Barbarotti och kastade en frågande blick på Backman. Hade hon inte sett tillräckligt, hon också?

Det hade hon uppenbarligen. De lämnade lägenheten tillsammans, och när de kom ut på trottoaren blev de stående ett ögonblick i solskenet och blinkade yrvaket – som om det behövdes ett par sekunder för att kunna orientera sig rätt igen i verkligheten. Sedan kom Backman ihåg var de parkerat bilen och tecknade åt Barbarotti att röra på påkarna.

Det fanns en del att ta itu med.

Avrundningen av arbetsveckan hade förvandlats till inledningen av en lång arbetshelg.

Klockan var kvart över tio när Barbarotti lämnade polishuset. I över tre timmar hade han suttit och diskuterat insatser och fördelning av arbetsuppgifter – i en timme hade han pratat med pressen. Nyheten om mordet på Skolgatan hade på okända vägar letat sig fram till journalisterna utan att polisen behövt göra dem uppmärksamma på det, det var som det oftast brukade vara, och den provisoriska presskonferensen hade varit välbesökt. Efter ett hastigt rådslag hade de bestämt att ännu inte offentliggöra mördarens brevskrivande; Barbarotti kände sig långt ifrån säker på att det var ett riktigt beslut, men var man tveksam var det som regel lika bra att också vara försiktig. Såväl Sorgsen som åklagare Sylvenius som Astor Nilsson – på telefon från Göteborg – hade varit av samma mening, och om man kom fram till ett annat beslut under morgondagen, så skulle det gå bra att ta upp saken i den nya presskommuniké som var utlovad till klockan femton.

Under allt detta förhandlande hade kommissarie Asunander intagit sin vanliga tillbakadragna, rådgivande roll, men eftersom ingen bett honom om något råd, hade han heller aldrig behövt fresta på löständerna.

När Barbarotti kommit hem slog han sig ner i samma stol på samma balkong som under gårdagskvällen, och blickade ut över resterna av samma solnedgång.

Eller en ett dygn äldre solnedgång om man ville vara petig, hela universum hade förstås blivit ett dygn äldre, men Barbarotti kände sig för egen del mer åldrad än så. Ett par årtionden ungefär. Kajorna hade redan kommit till ro, kunde han konstatera; det skränande som nådde upp till honom på fjärde våningen kom snarare från fredagsglada ungdomar, som passade på att utnyttja det vackra vädret i parker och på uteserveringar.

Han öppnade en öl, han också, hällde upp och drack ur den i fyra-fem klunkar. Kände nästan omedelbart hur en stark anspänning släppte och hur en stor trötthet långsamt bredde ut sig inuti honom.

Vad är det här frågan om? tänkte han.

Vad är det för galning vi har att göra med?

Slappa, sterila frågor födda ur vanmakten, det visste han. Och farliga. Att demonisera fienden hörde till de vanligaste, de allra billigaste misstagen. Det var grundbulten i all rasism, till exempel, all främlingsfientlighet. Mot slutet av kvällen hade Asunander kommit in på hans rum och antytt att det kunde bli tal om förstärkningar; frågan skulle avgöras under lördagen, och Barbarotti kände att han välkomnade en sådan utveckling. Annars var det vanligt att man ville sköta saker och ting själva, om det var någonting man brukade måna om inom kåren så var det revirgränserna.

Men inte i det här fallet, tänkte Barbarotti. Kalla in folk från både Göteborg och Rikskrim, inte mig emot. Jag säljer min prestige för en spottstyver.

Han förstod att det var trötthetens lakejer som spökade i honom, men efter tre tolvtimmars arbetsdagar, som egentligen skulle ha varit hans tre sista semesterdagar, tyckte han att känslorna på sätt och vis var legitima.

Han hade knappt hunnit med att tänka på Marianne på hela dagen, och inte förrän nu, när klockan blivit nästan elva, erinrade han sig vad hon sagt om att åka in till Visby och skaffa sig en telefon.

Gode Gud, tänkte han. Låt henne ringa. En poäng, okej?

Men Vår Herre hade inte för avsikt att förbättra sina positioner denna kväll, och kriminalinspektör Barbarotti somnade in – otröstad, oälskad, bortglömd, förskjuten av Gud och utan att ha borstat tänderna – någon gång strax efter midnatt.

11

I samma stund som han satte sig i bilen på lördagsmorgonen började han grubbla över detta med föräldraskap. Möjligen var det de där funderingarna om Eva Backmans respektive hans eget förhållande till tre barn som hängde kvar, men det var annat också.

Att det kunde te sig så olika, till exempel. Att det var så förbannat stor skillnad på människa och människa, och att i stort sett vem som helst kunde bli förälder. Anna Erikssons mor brukade enligt uppgift stå i kontakt med sin dotter per telefon åtminstone en gång i veckan, men hon hade inte tid att komma och identifiera hennes döda kropp förrän på söndagen. Eftersom hon hade så mycket att stå i under lördagen.

Däremot var det möjligt att pressa in en timmes samtal med inspektör Barbarotti, det hade hon lovat.

Han undrade om han varit med om det tidigare. Att man prioriterade bort identifieringen av sitt mördade barn. Eller sköt upp det för hinna med viktigare uppgifter först, åtminstone.

Ändå hade hon inte låtit särskilt märklig på telefon, tänkte Barbarotti. Hade både gråtit och uttryckt sin förtvivlan. Lite oväntat högljudd möjligen, annars hade hon förefallit ganska normal. Anna hade varit något av en favoritdotter, hade hon förklarat, och när han frågat hur många hon hade, hade hon berättat att hon hade fem. Plus fyra söner.

Kanske var det där det låg. Hade man nio barn fick man räkna med att något av dem strök med. Han hade inte försökt ta reda på hur många olika fäder som var inblandade, men hade ändå mellan raderna förstått att de var fler än två.

Färre än nio? Förhoppningsvis, tänkte Gunnar Barbarotti.

För egen del hade han haft en far och en mor. Fadern hette Giuseppe Barbarotti, det enda han fått av honom var efternamnet; han hade aldrig träffat honom och visste inte om han levde eller var död. Under hans uppväxt hade hans mor inpräntat i honom att Giuseppe varit en snygg skithög, och att man gjorde bäst i att hålla sig borta från honom. Av någon anledning hade han lytt denna rekommendation. När modern dog för tolv år sedan hade han lekt med tanken på att göra en resa till Italien för att leta upp sin far, men projektet hade fallit. Han hade varit så upptagen av sin egen familj den gången, med två barn och ett tredje på gång, att det liksom inte funnits utrymme att söka sig nedåt i generationsträdet.

Men nu fanns det inga sådana skäl längre, tänkte Gunnar Barbarotti. Vad var det egentligen som hindrade att han åkte till Italien och letade rätt på sin far? Eller sin fars grav om det nu skulle vara på det viset.

Han visste att det ännu så länge bara rörde sig om en tanke som man kunde leka med medan man satt och körde bil en solig lördagsförmiddag – men också att frågan mycket väl kunde stanna kvar och djupna.

Tiden fick utvisa, bestämde han. Men att barn betydde olika mycket för olika föräldrar verkade rätt uppenbart i alla händelser. Och vice versa. Han lade på minnet att han skulle ringa till Sara under kvällen, eller kanske under hemvägen. Han hade tagit för vana att göra det; slå en signal under helgen och höra sig för hur hans älskade dotter hade det i den myllrande och livsfarliga storstaden London.

Och hon brukade alltid lugna honom. Hon visste att det var det samtalen gick ut på, och det var det som störde honom. Sara skulle kunna ligga för döden och hålla inne med det bara för att han inte skulle bli orolig.

Så det gällde att kunna lyssna mellan raderna. Han visste inte hur pass väl han egentligen behärskade den konsten, det hade gått sju veckor sedan hon gav sig av nu, och hittills hade han inte klarat av att upptäcka några mörka tecken. Mer än att han möjligen misstänkte att hon arbetade på en pub, inte i en boutique, som hon påstod, alltså. Hon bodde uppe i Camden Town, han planerade att hälsa på henne över en helg i slutet av augusti eller början av september, och då skulle han förstås få en klarare uppfattning om hur det stod till i själva verket.

Och sedan drog den där isande bilden av att hon låg mördad under en säng genom hans medvetande, och han knöt händerna hårdare om ratten. Han hade drömt om just det. Att det inte var Anna Eriksson som dolde sig inuti de där plastsäckarna, utan hans egen dotter.

Livet är så förbannat bräckligt, tänkte Gunnar Barbarotti. Och så förbannat normalt ända fram till den där sekunden då allt brister.

Så är det. Som en vandring över nattgammal is, sådana är villkoren. Och nu ringde telefonen.

”Den fungerar! Godmorgon, min älskade.”

Bara att höra hennes röst fick honom nästan att köra in i en framförvarande tysk långtradare. Det är något allvarligt fel på min själ de här dagarna, tänkte han. Den är uppluckrad som en fjortonårings.

”Hej”, sa han. ”Har du...?”

”Javisst. Jag kommer just ut ur butiken. Den är gul, jag fick den nästan gratis bara för att det är en gammal modell.”

Under en förvirrad sekund förstod han inte vad hon talade om, men så insåg han. ”Jag struntar i vilken färg den har”, sa han. ”Men jag vill ha numret.”

Hon upprepade det två gånger och lovade att för säkerhets skull SMS:a det till honom också, förresten fanns det väl redan lagrat i hans apparat eftersom hon ringt upp? Sedan frågade hon vad han höll på med. Han förklarade att han var på väg till Jönköping för att träffa modern till en kvinna som just blivit mördad. Det blev tyst i luren några ögonblick och han förstod att han varit onödigt realistisk.

”Brevskrivaren?” frågade hon.

”Jag är rädd för det.”

”Herregud”, sa hon. ”Han har gjort av med två stycken, alltså?”

”Tyvärr”, sa Gunnar Barbarotti, som om det på något vis var hans fel – som kriminalpolis och som mottagare av breven – att Erik Bergman och Anna Eriksson mist livet, och att han ville be Marianne om ursäkt för det. Det var naturligtvis en skev tanke, men på något vis kände han att han bort hålla inne med sanningen.

Fast det skulle förstås komma till hennes kännedom förr eller senare ändå. Hon läste väl tidningar och hörde på radio. Lika bra att hon fick det genom honom.

”Det är lite mycket just nu”, sa han. ”Jag önskar verkligen att jag aldrig hade åkt från Gotland.”

”Vi ska kasta varpa på gräsmattan i eftermiddag”, sa hon. ”Du är välkommen... förlåt mig, det är ju förfärligt.

Står det nånting i tidningarna idag?”

”Det skulle jag tro”, sa Barbarotti. ”Jag har faktiskt inte tittat efter.”

”Jag köper en kvällstidning”, förklarade Marianne. ”Jag vill ju gärna veta vad du håller på med. Men den här utredningen, är det... ja, det är väl inte vardagsmat i alla fall?”

Varför frågar hon det? tänkte Gunnar Barbarotti hastigt. Gör hon det för att hon inte kan tänka sig att leva med en man som arbetar i en sådan här bransch?

”Nej”, sa han. ”Det är inte vardagsmat. Jag tror aldrig att jag varit med om nånting liknande. Funderar på att byta jobb, faktiskt.”

Det sista sa han utan att orden passerat hjärnan först – ett hugskott för att låta henne förstå att han inte var rädd för förändringar, antagligen – men när de avbrutit samtalet tio minuter senare kunde han konstatera att de hängde kvar i hans medvetande. Orden, alltså. Och de lyste med ett sådant där klarrött, ilsket sken som varningssignalerna på instrumentbrädans display i bilen brukade göra. *Tanka inom 50 kilometer! Fyll på olja!*

Byt jobb!

Måste fundera över det här i lugn och ro någon dag, tänkte inspektör Barbarotti. Mitt liv befinner sig i en rondell.

Viveka Hall Eriksson tog emot i sitt kök i en vackert belägen villa i stadsdelen Bymarken i Jönköping. Vättern låg spegelblank några hundra meter nedanför det generösa panoramafönstret, och Barbarotti förstod att även om hon levt ett varierat liv med många olika förhållanden, så hade hon i varje fall inte gått ekonomiskt lottlös ur det hela.

Och alla barnen verkade utflugna ur boet. Männen också.

Hon var sextiofyra år gammal, det hade han kontrollerat, och hon gjorde sitt bästa för att se ut som fyrtiofyra. Klockan var några minuter i elva när de slog sig ner vid det uppdukade kaffebordet och han gissade att hon tillbringat en god del av morgonen med att få upp sitt utseende till en anständig nivå. Möjligen hade hon hunnit med frissan och skönhetssalongen också; håret var välondulerat och blont som en mogen rågåker, kinderna pudrade och rougade, naglarna nylackerade; på intet vis såg hon ut som en kvinna som fött nio barn.

Inte heller som en mor som föregående dag fått reda på att hennes dotter blivit mördad.

”Kära kommissarien, jag har inte sovit en blund på hela natten”, deklarerade hon ändå med hög röst och strök några gånger över sin blanka, lila blus för att göra den ännu slätare och blankare. ”Jag är så förtvivlad att jag inte vet vad jag ska ta mig till. Har ni fått fast honom?”

”Nej”, sa Barbarotti. ”Tyvärr inte. Vi vet inte vem det kan vara som har gjort det. Det är därför jag skulle vilja prata lite med dig.”

”Med mig?” utbrast Viveka Hall Eriksson. ”Herregud, jag vet väl ingenting om det här... jag förstår inte vad... herregud?”

Hon talade som om den som lyssnade befann sig tjugotrettio meter bort; Barbarotti undrade om det var hennes normala tonläge eller om det var någon sorts akut hysteri som ändå spökade i henne. I telefon hade hon inte låtit riktigt på det här viset.

”Vi ska bara ha ett litet samtal”, sa han så långsamt och så lågmält han förmådde. ”Naturligtvis kan du inte veta någonting om bakgrunden till den här tragiska händelsen, men vi måste gå noggrant till väga, det förstår du säkert.

Vi vill gärna få fatt i den som dödade Anna.”

”Ja, ja”, sa hon. ”Det måste ni. Den jäveln ska inte få gå fri. Hon var god som guld, min Anna, det var hon.”

”Det var hon säkert”, sa Barbarotti. ”Hur är det, känner du till om hon sällskapade med någon man den senaste tiden?”

”Sällskapade?” sa Viveka Hall Eriksson, som om hon inte riktigt förstod vad ordet betydde. ”Hon hade ingen karl, om det är det du menar.”

”Hade hon något förhållande som just tagit slut?”

”Ja, herregud, det hade hon säkert”, intygade Viveka Hall Eriksson. ”Den flickan hade minsann lätt att få tag på karlar. De var som iglar efter henne, men hon kunde hålla på sig, det har jag sett till att lära alla mina döttrar.”

”Conny Härnlind?” försökte Barbarotti och började känna en viss desperation. ”Är det ett namn du är bekant med?”

Hon fnös. ”Inte håller jag reda på vad de heter. Men jag vet att Anna kunde ta vara på sig, den här som slog ihjäl henne kan inte ha varit nån som hon hade ihop det med, det ska ni ha klart för er. Hon såg till att ha rejäla karlar, inga såna här våldstyper.”

”Erik Bergman?”

”Va?”

”Är det namnet bekant?”

”Erik Bergman? Nej, det har jag aldrig hört.”

Barbarotti drack lite kaffe och bytte spår.

”Du talade med henne sista gången i söndags, var det så?”

”Stämmer”, sa Viveka Hall Eriksson. ”Vi pratas vid en gång i veckan. Om smått och gott. Vill hon ha ett råd så får hon det, vill hon inte ha nåt, så slipper hon. Det gäller henne och det gäller dom andra också.”

”Kommer du ihåg vad ni pratade om?”

”Klart jag gör. Vi pratade om att hon skulle åka till Gotland som igår. Jag gav henne några tips, jag har varit i Visby sjutton gånger i mitt liv, det är ett riktigt sommarparadis och det är klart att man vill dela med sig av det man lärt sig.”

Naturligtvis, tänkte Barbarotti. Goda seder ska gå i arv. ”Skulle hon åka ensam eller med någon vän?” frågade han.

”En väninna, jag kommer inte ihåg vad hon hette. Lisbeth eller nåt. Ja, dom var två stycken. Jag sa åt henne att de skulle försöka få tag på en stuga ute vid Gustavsvik, det är billigast och bäst. Nära till stan och nära till Snäck, kan inte bli bättre, har du varit på Gotland?”

Barbarotti nickade. ”Ett par gånger faktiskt. Ja, det är en fin ö.”

”Man ska vara i Visby”, sa Viveka Hall Eriksson. ”Resten är bara bondvischa och skit. Och på sommaren förstås, fy fan för att bo där året om.”

”Hon sa inget om att hon kände sig hotad eller så, då, när ni pratade?” frågade Barbarotti.

”Hotad? Nej, hon kände sig inte hotad. Varför skulle hon göra det?”

Barbarotti drack ytterligare kaffe och tog ett Singoallakex, medan han funderade på hur han skulle bära sig åt för att komma någonstans. ”Därför att hon blev mördad ett par dagar senare, till exempel”, sa han. ”Har du glömt det?”

”Glömt?” skrek hon och spärrade upp ögonen. ”Hur skulle jag kunna glömma att min dotter blivit mördad? Är du inte riktigt klok? Se till att sätta fast han som har gjort det istället för att sitta här och insi... insu... vad fan heter det?”

”Insinuera?” föreslog Barbarotti.

”Just det. Sitt inte här och inseminera! Sätt fast han som

har dödat min Anna, det är det vi betalar skatter för, kommissarien.”

”Hrrm”, sa Barbarotti. ”Det är just därför jag har kommit hit. För att se om du har någon liten ledtråd att hjälpa oss med. Mina kolleger i Kymlinge håller just nu på och pratar med din dotters bekanta, alla vi har kunnat få tag på, och...”

”Jag ska säga er vad det är för typ ni ska leta efter”, avbröt hon ilsket och slamrade mot bordsskivan med det tjocka lager av armband som hängde runt hennes vänstra handled. ”Ni ska leta reda på en sån där invandrare. En utlänning. Dom kan inte få tag på kvinnor och då tar dom till vilka medel som helst. Det är alla gånger nån jävla arabneger som har gjort av med min Anna, det är bara att gå ut och leta rätt på honom. Dom är inte som oss, dom luktar inte som oss och jag förstår inte vad dom har i vårat land att göra.”

”Nu drar du väl ändå...”

”Jag säger vad jag vill”, skrek Viveka Hall Eriksson. ”Det här är mitt hem.”

När han kom ut ur huset fick han en impuls att plocka upp en sten från gatan och kasta in den genom köksfönstret. Han behärskade sig och svor en lång ramsa bakom sammanbitna tänder istället.

Att det finns sådana här människor, tänkte han. Hur var det möjligt att bli så vulgär? En sextiofyra år gammal niobarnsmamma?

Visserligen var han van att stöta på både det ena och det andra i sitt arbete, men idag – den här soliga förmiddagen mitt i högsommaren – hade han inte varit beredd på det. Inte i det här prydliga huset i det här välskötta villaområdet.

En mor som just förlorat sin dotter.

Korkad smygrasism, tänkte Gunnar Barbarotti. Hand i hand med en enastående dumdryghet. Fy fan, vilket våp.

Smyg, förresten? Inte hade hon smugit med sina åsikter, det kunde man faktiskt inte beskylla henne för.

Men hon har spritt sina enfaldiga gener niofalt, tänkte han dystert och kröp in i bilen. Om alla hennes ungar också skaffade...

Nåja, åttafalt, kom han på. Som det hade utvecklat sig. Anna Eriksson på Skolgatan i Kymlinge hade såvitt bekant inte hunnit sätta några barn till världen, trots att hon var en bit över trettio, så...

Nej, nu är jag ute och trampar i farliga tassemarker, avbröt han sig och vred om tändningsnyckeln. Lugna ner dig, inspektörn. Demokrati är den bästa lösningen i det långa loppet och alla människor i det här landet heter inte Viveka Hall Eriksson.

Han beslöt att skjuta upp samtalet med Sara till kvällen eller morgondagen. Upprördheten inom honom låg visserligen under lock, men den fanns där. När han pratade med sin dotter ville han vara lugn och lyhörd, inte upprörd och misantropisk.

Istället knappade han in numret till inspektör Backman, för att fråga hur förmiddagens insatser på hemmaplan hade artat sig.

Backman lät irriterad.

”Det är kaos här”, sa hon.

”Varför då?” sa Barbarotti.

”Bland annat för att det står flera sidor i tidningen idag. Verkar pågå nån sorts folkvandring till mordplatserna. Bägge två. En granne påstår att han sett en okänd man i trapphuset hos Anna Eriksson på tisdagskvällen, det skojiga är att han lät sig intervjuas av en journalist innan vi hann förhöra honom. Och Asunander går omkring och ser ut som en bäver med tarmvred. Han tjatar om att vi måste kalla in mer folk, jag antar att han menar Rikskrim. Vi ska ha ett möte med honom och åklagaren klockan två, du är väl tillbaka då?”

Gunnar Barbarotti sänkte automatiskt hastigheten och tittade på klockan. ”Jag vet inte riktigt. Jag hoppar väl in när jag kommer... Har rättsläkaren uttalat sig om tidpunkten, alltså?”

”Han säger att tisdag eftermiddag inte är någon omöjlighet.”

”Men det kan vara onsdag?”

”Kan vara onsdag. Fast tisdag är troligare.”

”Några spår i lägenheten?”

”Det vet vi om en vecka. Men det borde ju finnas nånting. Han måste ju ha dödat henne därinne.”

”Men ingenting uppenbart?”

”Om konstapeln menar mordvapnet, så, nej, han tycks ha kommit ihåg att ta det med sig.”

”Jag förstår”, sa Gunnar Barbarotti. ”Och det här vittnet, han som såg någon främmande... är han tillförlitlig?”

”I och för sig. Fast beskrivningen han lämnat är så vag att den stämmer in på halva Sveriges befolkning. Såg honom bara bakifrån i trappan. Mansperson mellan 25 och 50, ljus skjorta, mellanblont hår... finns absolut ingenting som säger att det var gärningsmannen heller. Fast det kommer att stå att det var det i tidningarna imorgon, det kan du vara säker på.”

”Och ingen annan som dykt upp och sett något?”

”Nej, men vi har tio ton folk kvar att prata med. Hur var mamman?”

Han letade ett tag efter ett enkelt uttryck.

”White trash”, sa han. ”Fast hon bodde rätt ståndsmässigt.”

”White trash?” sa Eva Backman. ”Trodde jag bara fanns i Amerika, men det är… ja, det är förstås en missuppfattning. Nej, nu har jag ett par väninnor som sitter och väntar på att få uttala sig. Vi ses klockan två, då?”

”Om jag hinner”, sa Gunnar Barbarotti.

När han anlände till polishuset i Kymlinge var klockan redan kvart i tre, och mötet med Asunander och åklagare Sylvenius var över. Inspektör Backman brydde sig inte om att kommentera hans ovanligt långsamma körning från Jönköping, och han såg på henne att hon förmodligen skulle ha gjort likadant.

”Det blir sannolikt en ny spaningledning från och med imorgon”, konstaterade hon istället lakoniskt. ”Asunander sitter i förhandlingar med Rikskrim och Göteborg. Skönt att det kommer hit lite folk med stake i som kan tala om för oss vad vi ska göra.”

”Precis”, sa Barbarotti. ”Men Astor Nilsson är väl redan här?”

Hon nickade. ”Sitter och pratar med en intressant kille. Julius Bengtsson. Hur fan kan man heta Julius Bengtsson i våra dagar? Låter ju som en solochvårare i en gammal pilsnerfilm.”

”Vem är han?”

”Före detta fästman till vårt senaste offer. Han har en del spännande uppgifter, tydligen. Vill du lyssna?”

Barbarotti ryckte på axlarna. ”Varför inte?”

De slog sig ner vid bordet utanför förhörsrummet med det enkelriktade, tonade fönstret och Backman drog upp ljudet. Barbarotti betraktade de två aktörerna som satt mittemot varandra vid bordet inne i det kala rummet. Han såg profilerna på dem bägge två, Astor Nilssons vänstra, Julius Bengtssons högra. En man i trettiofemårsåldern, såg det ut som, med blonderat Tintinhår och ett litet pipskägg i samma kulör. Orange t-tröja som avslöjade en tatuerad orm på den kraftiga överarmen. Liten guldring i örsnibben. Lite överviktig.

”Vad menar du?” sa Astor Nilsson.

”Och då kastade hon ut alla mina kläder på gården”, sa Julius Bengtsson upprört. ”Jag blev tvungen att ranta ut utan så mycket som en tråd på kroppen. Helt puckad jänta om du vill höra min analys.”

”Jag förstår”, sa Astor Nilsson.

”En annan gång knuffade hon ner mig i ån. Vi hade varit och klämt några öl utåt Rimminge, det var på sommaren och vi lullade hemåt i godan ro. Och så stannade jag för att slå en drill och då fick jag mig en tackling så jag trillade i spat. Gapskrattade gjorde hon också, bängbruden.”

”Hur länge var ni tillsammans?” frågade Astor Nilsson.

”Det var länge”, sa Julius Bengtsson. ”Åtminstone tre månader, nej, fan, mer ändå... kanske ett halvår tillochmed, tamejfan. Fast det var ju lite till och ifrån.”

Astor Nilsson räckte över ett fotografi.

”Vet du vem det här är?”

Julius Bengtsson studerade fotot länge och väl. Räckte tillbaka det.

”Inte en susning.”

”Erik Bergman. Säger dig det namnet någonting?”

”Det var han som blev knivad i veckan?”

”Stämmer. Kände du honom?”

”Nej, för fan.”

”Allright. Hur länge sedan är det du och Anna Eriksson gjorde slut?”

Julius Bengtsson tänkte efter.

”Två år kanske... två och ett halvt.”

”Bodde ni tillsammans?”

”Nej, för satan. Man aktar sig noga för sånt.”

”Jaså? Och när såg du henne senast?”

”Förra veckan. Eller förrförra kanske?”

”I vilket sammanhang?”

”Va?”

”Var?”

”På stan, bara. Morsade på henne, men surbruden tittade bara bort som om man var gjord av luft. Sån är hon... sån var hon, kanske man skulle säga.”

Gunnar Barbarotti tecknade åt Eva Backman att stänga av det utgående ljudet. Hon gjorde så.

”Tror det räcker för mig”, sa han. ”Han verkar inte vara ett kronvittne precis.”

”Förhoppningsvis inte”, sa Eva Backman. ”Vi har två gamla pojkvänner till på lager, för övrigt. Och en kvartett väninnor.”

”Hon har åtta syskon också”, påminde Barbarotti. ”Finns det verkligen ingenting lite mer substantiellt?”

Eva Backman funderade ett ögonblick.

”Gotlandsväninnan gav inte mycket. Åtminstone inte på telefon. Vi får väl se hur hon verkar öga mot öga, hon kommer hit imorgon. Det blev bara en dag för henne i Visby den här gången.”

Barbarotti nickade men sa ingenting.

”Jag tror faktiskt mer på den här barndomsbästisen i Torremolinos som du pratade med igår”, fortsatte Backman. ”Vi får snacka med henne också imorgon... hon lär åtminstone känna offret lite bättre än de andra, men vi kanske inte ska dra för stora växlar på henne heller.”

”Mera?” sa Barbarotti.

”Inte mycket”, sa Backman. ”Sorgsen sitter och försöker kartlägga tisdagen. Vad hon gjorde fram till dess hon träffade mördaren och så vidare. Om vi nu vågar anta att det var då hon dog. Man kan ju fråga sig... ja, man kan fråga sig hur mycket tid han gav oss egentligen, mördaren.”

”Vad menar du?”

”Bara att du kanske fick brevet samma dag som han dödade Anna Eriksson. Fast du kan ju ha fått det dagen innan förstås? På måndagen. Eller i veckan innan. Du minns inte om det låg högst upp på posthögen eller så?”

Barbarotti tänkte efter. ”Tror det var mer utspritt liksom. Jag är nästan säker på att det inte låg dolt under nånting annat i alla fall.”

”Kan ha kommit på tisdagen, alltså?”

”Möjligt”, sa Barbarotti.

”Men det första brevet kom en vecka i förväg. Jag undrar...”

”Ja?”

”Jag undrar om han vågade ta risken att låta det gå några dagar den andra gången också. Jag menar, ge oss ett namn och en vecka för att spana... låter lite riskabelt, eller vad tycker du?”

Barbarotti nickade. ”Han kanske gillar risker. Det är ju ingen som tvingar honom att skriva brev överhuvudtaget, eller hur?”

”Nej, det är förstås riktigt”, sa Eva Backman och någonting han inte riktigt kände igen eller kunde identifiera drog över hennes ansikte. En skugga av någonting dystert, nästan svårmodigt. Illavarslande, tänkte han.

”Ändå skriver han dom”, lade hon till, medan hon långsamt och liksom medvetet – som om det rört sig om någon sorts intrikat precisionsarbete – knäppte händerna framför sig på skrivbordet. ”Jag tycker det känns oroväckande, Gunnar. Jävligt oroväckande. Tror du… jag menar, tror du det blir fler?”

Gunnar Barbarotti satt tyst en stund och betraktade hennes sammanflätade fingrar. ”Vet inte riktigt vad man ska tro”, konstaterade han sedan. ”Om jag ska vara ärlig, så…”

”Ja?”

”Om jag ska vara ärlig, så fattar jag ingenting av det här.”

”Inte jag heller”, sa Eva Backman, rätade på ryggen och tycktes karska upp sig. ”Ska vi dela upp de där förhören nu?”

”Vi ska väl det”, sa Barbarotti.

III.

Anteckningar från Mousterlin

Den 1–8 juli 2002

Under några dagar har jag vandrat. Vårt hus är beläget alldeles i utkanten av poldern, *Marais de Mousterlin*, man viker till höger direkt utanför vår blåmålade grind, och så är man där. Smala, slingrande grusstigar leder kors och tvärs genom en sorts frodig sumpmark med märkliga växter, fåglar och stillastående vattensamlingar. Man möter en och annan vandrare, en och annan hund, men inte många; det egenartade landskapet sträcker sig hela vägen innanför stranden mellan Mousterlin och Beg-Meil; igår fortsatte jag också förbi fyren och gick vandringsstigen utefter kusten upp till Cap-Coz. Det är skönt att få vara ensam, jag glömmer från tid till annan att det är det här som är mitt rätta element: att få vandra i lugn och ro med mina egna tankar och mina egna föreställningar. Växtkraften som omger mig och ackompanjerar mina steg känns tung med inslag av mystik; erotik och död ligger nära varandra i denna varma och frodiga djungel. Säkert finns här många kryp vars hela livsspann bara omfattar en dag, de föds om morgonen, dör om kvällen och förmultnar under natten.

Jag måste också då och då påminna mig om var jag egentligen befinner mig i ett större sammanhang; och vem jag till syvende och sist är. Nu i eftermiddags dök de upp igen, tankarna på Anna och hennes våta hår efter det nattliga nakenbadet, och jag blev tvungen att stanna upp i en solvarm glänta för att onanera bort hennes påträngande närvaro.

Efteråt klättrade jag ner till den lilla stranden Bot Conan och tog ett bad. Simmade runt i bukten i gott och väl en timme och medan jag gjorde det, bestämde jag mig för att stanna ytterligare fyra-fem dagar. Till tisdag eller onsdag i nästa vecka. Därefter får det vara nog av det här sällskapet; jag misstänker att vi kommer att umgås med Malmgrenarna och Gunnar och Anna under helgen på något vis, det både lockar mig och äcklar mig en smula. Jag tillstår utan vidare att det ligger en viss njutning i att vistas i ett sällskap där man inte känner minsta sympati för någon av de andra. De erotiska suggestionerna oräknade.

Vad Erik sysslat med de här dagarna vet jag inte. Både igår och idag lämnade jag honom strax efter frukost, nu ikväll åt vi moules marinières på Le Grand Large, men han berättade ingenting om vad han haft för sig. Jag gissar att han legat på altanen eller nere på stranden och solat, han är brunbränd som ett födelsemärke, och antagligen har han umgåtts till och från med någon eller några i den övriga svenskkolonin.

Det sistnämnda vet jag förresten med säkerhet, eftersom han berättade om den fortsatta planeringen av båtresan till Les Glénan. Inte särskilt mycket i och för sig, men Gunnar, eller möjligen Henrik, har varit i kontakt med en engelsman, som tydligen bor härnere mer eller mindre permanent och som är villig att hyra ut sin båt över en dag.

Tanken tycks vara att vi skall åka alla sex. Erik frågade aldrig om jag verkligen har lust att följa med, men kanske var det hela hans poäng med att ta upp saken. Att jag skulle ha en möjlighet att tacka nej – där och då på Le Grand Large – och eftersom jag inte gjorde det, förutsätts det att jag följer med och bidrar med min del av kostnaden. När jag rannsakar mina tankar och bevekelsegrunder kan jag heller inte påstå att jag känner något större motstånd mot arrangemanget.

Varför inte?

Varför? Varför inte? Ständigt dessa två sterila frågor som inte låter sig avgöras och som inte lämnar mig någon ro. Det borde finnas tydligare vägvisare.

Sammanfattar ett halvt dygn efteråt. Det som har hänt har hänt, tiden kan inte vridas tillbaka.

Jag har duschat, sovit fyra timmar, duschat igen. Erik lämnade huset tidigt imorse, jag antar att han sitter i rådslag borta hos Gunnar och Anna. Eller hos Malmgrenarna. Regnet har upphört, det är måndag, klockan är halv tolv.

Men söndag morgon, alltså. Igår, tjugosex timmar sedan det satte igång; det är svårt att förstå att det inte förflutit längre tid än så, men jag backar tillbaka detta dygn och tar det från början, mitt huvud surrar och själva kronologin erbjuder både en opartiskhet och en enkel hjälp för minnet. Jag är viss om att ingen annan kommer att teckna ner vad det var som faktiskt inträffade i tur och ordning under denna den förfärligaste av dagar.

Morgonen är vacker och planen enkel: engelsmannen med båten – jag uppfattade aldrig hans namn – har sitt hus någonstans i Beg-Meil, och båten i någon liten marina på östsidan. Gunnar och Henrik hämtar den där vid niotiden, vi andra samlas på stranden ett stycke bortanför Mousterlinudden, rakt nedanför Malmgrenarnas hus. Matkorgar och kylväskor, badkläder, vinflaskor; kvinnorna har varit inne i Quimper under lördagen och provianterat ordentligt. Baguetter sticker fram ur rödvitrutiga handdukar, ett brokigt parasoll, halmhattar, som om vi föreställde en tavla. De är uppspelta, pratar om sololjor och orörda sandstränder;

vädret är strålande, molnfri himmel, temperaturen redan över tjugofem antagligen. Ja, det är en tavla, en Skagenmålning i ett annat land och en annan tid men med samma temperament. Och jag känner också, lika tydligt som inför just en sådan stelnad gammal oljeidyll, att det här bara är fråga om en enda illusorisk sekund, som kommer att vara försvunnen så fort man blinkar. Hur kan jag veta det? Havet är lugnt, ett par av Glénanöarna skymtar ute vid horisonten, i varje fall antar jag att det är dem man ser, men jag vet inte säkert. Ännu är stranden i det närmaste tom på folk; en och annan joggare, bara, ett par fiskare. Lågvatten, men högvatten på väg in. Erik och jag, två kvinnor. De tillhör två andra män, men en främmande iakttagare som såg oss skulle otvivelaktigt uppfatta oss som två par. Jag minns att jag verkligen tänker den tanken medan vi står där och väntar på båten med Henrik och Gunnar. Minns också att Erik hjälper Anna med behåbandet till bikinin, det har snott sig ett halvt varv på ryggen.

Men innan båten kommer, dyker Troaë upp.

Jag önskar att det inte hade varit så.

Hon hade samma röda baddräkt som förra gången, den här morgonen nedträdd i ett par avklippta jeans. Samma blå sommarhatt, samma ryggsäck. Men inget staffli; när hon fick syn på oss sken hon upp och satte av i galopp så att sanden yrde.

”Mes amis!” ropade hon. ”Mes amis les Suédois!”

”Bonjour, petite!” ropade Katarina Malmgren tillbaka. ”Comment vas-tu ce matin?”

Flickan bromsade in alldeles intill oss och blev genast allvarlig. ”Det är inte så bra. Jag har grälat med farmor.”

”Et pourquoi?” lyckades Erik prestera. ”Varför då?”

Troaë kastade sig ut i en livfull skildring av morgonen med farmor, hon gjorde miner och imiterade; Katarina Malmgren förstod förmodligen det mesta för hon skrattade ihärdigt åt flickan och kommenterade ett eller annat. Vi andra tre försökte hänga med så gott det gick; tydligen hade farmodern velat ha med sig flickan in till stan – jag antar att det var Quimper som avsågs – för att handla, men Troaë avskydde att gå och handla. I synnerhet med sin farmor som behövde åtta timmar för att köpa en ost och ett par skor.

"Hon sa att jag var en *guenon* och att jag bräs på min mor."

"Guenon?" frågade Erik.

"Markatta, tror jag", sa Katarina Malmgren.

Exakt, tänkte jag. En markatta är precis vad hon är.

Flickan hade förklarat att farmodern var *un chameau*, också någon sorts apa av allt att döma, och sedan hade farmodern farit in till stan på egen hand.

"Vad ska ni göra idag?"

Ungefär då fick vi syn på Henrik och Gunnar. En vit plastfarkost hade kommit runt udden och närmade sig med hög hastighet och vasst motorljud. Jag vet ingenting om båtar men förstod ändå att det måste röra sig om en ganska kostbar historia. Funderade ett ögonblick över vem den där engelsmannen kunde vara, som gick med på att hyra ut båten till ett gäng främlingar på det här viset. Fast kanske hade Henrik och Gunnar lagt i dagen ett större båtkunnande och mer sjövett än jag var i stånd att tillskriva dem. Katarina förklarade för Troaë att vi stod i begrepp att göra en utfärd till öarna.

"Les Glénan!" utropade Troaë. "Jag älskar Les Glénan! Låt mig få följa med!"

Det gick några sekunder medan båten närmade sig, jag bytte en blick med Erik men kunde inte utröna hans åsikt, sedan stack flickan sin hand i Katarina Malmgrens och tryckte sig tätt intill henne.

”Snälla?”

”Och farmor?” frågade Erik. ”Vad tror du farmor kommer att säga?”

”Hon bryr sig inte”, försäkrade Troaë. ”Jag är van att klara mig på egen hand. Hon brukar kontrollera att jag ligger i min säng vid midnatt, det är allt. Snälla?”

”Allright”, sa Katarina Malmgren.

”Je vous aime”, sa flickan.

Jag vet inte varför hon gjorde det. Varför Katarina Malmgren utan vidare lovade flickan att hon skulle få följa med oss hela dagen ut till Les Glénan. Hon tog beslutet själv, utan att samråda med oss andra; jag är säker på att i varje fall Anna tyckte det var idiotiskt, men – slog det mig – kanske var det just därför som Katarina sade ja. Just för att hon visste att Anna var av absolut motsatt mening, men att det skulle vara svårt för henne att hävda denna mening. Jag har aldrig till fullo förstått den sortens intrikata spel som pågår mellan kvinnor, jag kan bara spekulera. I alla händelser var beslutet fattat, flickan Troaë skulle följa med oss i båten ut till öarna; ingen av oss andra kom med några uttalade protester, varken jag, Erik eller Anna.

Det gjorde inte Henrik eller Gunnar heller när vi vadat ut i vattnet och tagit oss ombord på *Arcadia*, och flickan höll tillbaka sin upprymdhet och sin munterhet och gjorde sitt bästa för att verka vuxen och smälta in i sammanhanget. Hon hade sociala talanger, Troaë, det vill jag inte ta ifrån henne.

Arcadia var vit och plastig och hade en stor svart motor. Där fanns plats för ungefär fyra personer nere i ruffen men ingen var intresserad av att sitta nere i ruffen. Kvinnorna skaffade sig omedelbart plats framme på däck, bredde ut röda och gula badlakan och började sola. Gunnar fick order om att köra lugnt så de inte drabbades av för stark vind och vattenstänk, vi andra placerade oss längs det smala bordet i sittbrunnen. Henrik och jag på ena sidan, Erik och Troaë på den andra. Flickan stack sin ena hand under Eriks arm och han lät den bli liggande där. Vi sa inte mycket, det verkade ansträngande att försöka överrösta motorljudet, som verkligen var påträngande. Jag konstaterade att vi var sju stycken; ingen av oss hade flytväst och det var ingen som överhuvudtaget kommenterade denna omständighet.

När vi närmade oss Les Glénan – det rör sig om en liten ögrupp bestående av ett tiotal små öar, ingen av dem är bebodd året om men ett par av dem är utbyggda för att efterkomma den moderna turismens krav – saktade Gunnar farten, Anna och Katarina klättrade ner till oss andra och det utspann sig en stunds diskussion om vilken av öarna vi borde välja. En karta plockades fram och vecklades ut. Jag lade mig aldrig i med några synpunkter men efter en stund hade man enats om Ile Brunec, jag vet inte varför, antagligen för att den ligger en smula avsides. Den tillhör inte de fem större öar som ligger utspridda i en ring runt den berömda lagunen. Enligt en broschyr som Henrik presenterade finns ingen bebyggelse på Brunec, ingen restaurang och inga bekvämligheter.

”Idealiskt”, sa Anna. ”Bara vita stränder och turkost hav.”

”Mat och vin och varm hud”, lade Gunnar till.

Det visade sig stämma ganska väl. Vi körde tvärs igenom lagunen, rundade Ile de St-Nicolas och ankrade på västsidan av Brunec i ett litet sund mellan en taggig, uppstickande klippa och en benvit sandstrand. Vadade iland i vältempererat, halvmeterdjupt vatten med korgar och väskor på huvudet. Inte en människa syntes till; det hade varit en del trafik på havet under överfarten och ett dussintal båtar hade legat och guppat i lagunen, men på Brunec var det tomt. Som det såg ut hade vi hittat en egen ö med åtminstone trehundra meter sandstrand; den var inte stor till omfånget, kanske två kilometer runt om med en liten remsa träd mitt på. Högsta punkten låg säkert inte mer än fem meter ovanför havsnivån.

Jag såg på klockan. Den var halv tolv. Jag såg på himlen. Den var azurblå. Havet låg fortfarande i det närmaste spegelblankt, måsar drev omkring i loja ellipser och jag insåg att jag var utlämnad åt dessa människor. Hela dagen.

Varför gav jag mig in på det här?

Jag tänkte verkligen dessa tankar, och Flugornas herre flimrade förbi inne i huvudet på mig, det är ingen efterhandskonstruktion.

Det var Troaës andra resa till Les Glénan, visade det sig. Första gången hade hon varit här med sin mamma och sin pappa; om hon mindes rätt hade hon varit fyra år gammal.

”Men om din farmor kommer hem klockan fem och du inte är hemma, blir hon inte orolig då?” undrade Katarina.

Det var förstås så dags att ställa en sådan fråga nu, men flickan bara skrattade och skakade på huvudet.

”Hon tycker bara jag är till besvär”, sa hon. ”Det har jag ju förklarat. För hennes del är det huvudsaken att jag är i livet när pappa kommer och hämtar mig. Men det gör ingenting att hon är som hon är, jag klarar mig bättre utan henne.”

”Och när kommer pappa?”

Hon ryckte på axlarna. ”Ett par dagar innan skolan börjar, antagligen. Om sex veckor eller så.”

Det kom för mig att Troaë kunde vara mytoman. Att hon i själva verket bodde med sin mamma och pappa i Fouesnant året runt. Eller på någon av campingplatserna jag sett i närheten av Beg-Meil. Att det inte alls existerade någon farmor och att vi skulle få fan för att vi rövat bort flickan. Men jag sa ingenting. Reste mig och gick ut i vattnet istället. Simmade ut ett stycke, det var verkligen kristallklart, sanden tog slut bara ett tjugotal meter ut; jag ångrade att jag inte fått med mig simfötter och snorkel, det skulle ha varit ett utmärkt sätt att få tiden att gå. Ligga och flyta och betrakta den dövstumma värld som bredde ut sig under ytan. Jag insåg också att det hade gått mer än fem år sedan jag tog mitt dykarcertifikat och nästan lika länge sedan olyckan med min hustru.

När jag kom tillbaka efter kanske en halvtimme, hade de redan börjat ordna med lunchen. ”Lika bra att klämma i sig ett par vinflaskor medan de fortfarande är någotsånär kalla”, konstaterade Gunnar. ”Jag antar att vattnet är för varmt att kyla dem i?”

Det var en fråga till mig. Ingen av de andra hade doppat sig ännu. Jag ryckte på axlarna. ”Lite drygt tjugo, skulle jag tro.”

”Jag är törstig”, sa Anna. ”Jag tänkte bada naken så småningom, men jag behöver ett par glas för att våga.”

Jag fick för mig att hon kastade ett öga på mig samtidigt som hon sa det, men kanske var det bara inbillning.

”Anna har den egenheten att hon bara badar naken i sällskap”, sa Gunnar. ”Aldrig ensam. Man kan undra varför.”

”Dra åt helvete, din gris”, sa Anna. Skrattade och slog till honom med handflatan i baken. Troaë frågade vad vi pratade om och Katarina förklarade för henne att vi höll på och beundrade öns skönhet. Därefter började vi äta. Baguetter och ostar, kladdiga sallader, bayonneskinka, crêpes och avokador. Jordgubbar, hallon och körsbär; de hade verkligen ansträngt sig och kylväskan med Alsacevin visade sig innehålla inte mindre än åtta flaskor.

Under de närmaste två och en halv timmarna tömde vi sex av dem. Troaë hävdade att hon var uppfödd på vin och vatten och fick ett par glas hon också. Samma sorts slappa strandkonversation ägde rum, förstås, ju mer vin desto slappare; Gunnar envisades en hel del med Troaë om att få köpa hennes akvarell, flickan förklarade att hon skulle måla den färdigt under morgondagen – och att om vi bara såg till att hålla oss på stranden skulle hon komma och förevisa alstret. Kanske kunde vi hålla auktion på tavlan, hon hade bevistat åtskilliga konstauktioner tillsammans med sin pappa och visste hur det skulle gå till. Gunnar och Erik diskuterade detta förslag en stund med simulerat allvar, men tappade snart intresset. Övergick till att prata om fransmännens egendomliga förkärlek för söta och dåliga frukostar och andra närliggande ämnen. Flickan tystnade alltmer, började istället läsa i en bok som hon plockade fram ur sin lilla ryggsäck, jag tog själv upp Augustinus Bekännelser, som alltid gör mig sällskap på resor, och på så vis kändes det som om jag och flickan markerade ett slags avstånd gentemot det övriga sällskapet. En smal men betydelsefull rågång. Jag funderade också en stund över Flugornas herre-aspekten; en situation som den här, där vi blivit skeppsbrutna och skulle tvingas leva på ön i månader – och hur flickan och jag efterhand formade ett slags enklav, en front mot barbariet, men jag insåg snart att idén saknade både bärkraft och trovärdighet.

Strax efter halv tre kom en annan båt och ankrade i andra änden av stranden, en man och en kvinna gick iland och slog sig ner i var sin enkel strandstol.

"Sådärja", sa Gunnar. "Nu är publiken tillräckligt stor. Nu kan du bada naken, Anna."

Anna var inte sen att anta utmaningen. På lite ostadiga ben reste hon sig, tog av sig bikinin och sprang ut i vattnet. Det skulle möjligen ha sett vackert ut om hon inte varit lite för berusad; hon snubblade och ramlade omkull när hon bara kommit ett par meter ut i vattnet. Hon svor, kom på fötter och vände sig om mot oss. "Kom igen då, era fittor!" skrek hon. "Släpp loss lite, det här är faktiskt paradiset!"

Katarina Malmgren tvekade en sekund, inte mer, slängde av sig bikinin, hon också, och galopperade efter Anna. Hon var betydligt stadigare på benen, lyckades komma en bra bit längre ut och kastade sig framlänges i vattnet av egen kraft.

Gunnar skrattade. Erik skrattade och ropade bravo. Henrik och jag hade ingen kommentar. Troaë klappade i händerna och ropade någonting på franska som jag inte förstod; därefter sprang hon ut i vattnet efter de bägge nakna kvinnorna.

Den här gången behöll hon baddräkten på. Jag funderade på varför. Kanske insåg hon att hon inte kunde konkurrera med två så yppiga kroppar som Annas och Katarinas, men förmodligen tillskriver jag henne mer list och beräkning än hon egentligen var i besittning av.

Efter någon minut tog sig också den manliga kvartetten ut i vattnet. Samtliga behöll badbyxorna på; för egen del hade jag goda skäl och jag såg att åtminstone Erik befann sig i samma predikament.

Det främmande paret lämnade stranden vid fyratiden och ungefär samtidigt förklarade Anna och Gunnar att de skulle vilja göra en liten expedition på egen hand. Vi hade vid det laget fått i oss också de återstående vinflaskorna, det föreföll rätt uppenbart att de tänkte knulla och behövde lite avskildhet.

”Vi tar båten och kör bort till Les Bluinieres”, sa Gunnar viftade med kartan. ”Det måste vara dom där som syns där borta.” Han pekade mot ett par små ösilhuetter rakt västerut. ”Vi är tillbaka om en timme, okej?”

”Gör det, ni”, sa Katarina Malmgren. ”Ha så trevligt, haha.”

”Haha”, sa Anna.

”Vad pratar ni nu om?” undrade Troaë.

”Det är du för liten för att förstå”, sa Katarina utan att översätta.

”Säg inte det”, sa Erik medan han tankfullt betraktade Gunnar och Anna som redan var på väg bort mot båten. ”Säg inte det.”

”Jag vill veta vad ni pratar om”, protesterade Troaë och lade armarna i kors över bröstet. ”Det är orättvist.”

”Det går över med åldern”, sa Erik. ”Du måste lära dig att ha lite tålamod, flicka lilla.”

Han sa det på svenska och jag tror inte Troaë uppfattade att det var henne han talade till. För egen del började jag känna att vinet och solen höll på att slå knutar i min hjärna. Förstod att det vore bäst att leta upp lite skugga och sova en stund. Vi satt tysta och iakttog hur Gunnar och Anna klättrade ombord i båten, hur Gunnar fick igång motorn efter lite mankemang och hur de drog iväg runt klippan bort mot Les Bluinieres.

"Orättvist", upprepade Troaë när de var utom synhåll och nu var det plötsligt inte alldeles klart vad det egentligen var hon avsåg. Erik kom på fötter. "Tänkte ta en promenad runt ön", sa han. "Du kan komma med mig, Troaë."

Detta framförde han på felfri franska, såvitt jag kunde bedöma, som om han suttit och formulerat det i huvudet ett slag först.

"Oui, monsieur!" ropade flickan. "Avec plaisir!" Hon skuttade upp, tog honom i handen och de började traska iväg mot solen längs vattenbrynet.

Jag satt ensam kvar med Henrik och Katarina Malmgren. Katarina hade just lagt sig på mage och bett sin make att smörja in henne på ryggen. Jag insåg att det var dags att göra verklighet av min tanke om en tupplur. Tog min handduk och drog mig upp till skuggan under träden. Tänkte att jag borde onanera innan jag somnade, men jag var alltför trött och berusad för att det skulle komma till stånd.

Jag vaknade med huvudvärk. Och av att jag frös.

Möjligen också av att Henrik Malmgren stod en meter ifrån mig och harklade sig. "Är du vaken? Vi har ett problem."

"Problem?"

"Ja. Gunnar och Anna har inte kommit tillbaka med båten. Klockan är halv sju."

Jag satte mig upp och tittade på mitt armbandsur. Jag hade sovit i mer än två timmar. Huvudvärken hamrade i tinningarna. Jag såg att de flyttat lägret en bit längre uppåt land, inte mer än tio-femton meter från min sovplats under träden. Katarina Malmgren och Troaë satt tätt tillsammans med ryggarna åt mitt håll, Erik ett par meter vid sidan av. Jag huttrade till, märkte att en kall vind börjat blåsa och att mörka moln täckte himlen.

”Inte kommit tillbaka?” frågade jag. ”Varför då?”

”Vet inte”, sa Henrik. ”Vi har ringt deras mobil flera gånger men de svarar inte.”

”De kanske inte tog med den.”

”Kanske inte”, sa Henrik. ”Hursomhelst måste det ha hänt någonting och det kommer antagligen att börja regna snart.”

”Ursäkta”, sa jag och hävde mig upp. ”Måste få på mig lite kläder.”

”Jag tror temperaturen sjunkit med femton grader”, sa Henrik.

Vi gick ner till de andra. Jag fick på mig byxor och en långärmad tröja.

”Ta lite sånt här också”, sa Erik och räckte över en flaska calvados. ”Dom där satans kaninerna har inte kommit tillbaka.”

”Jag hörde det”, sa jag och drack en rejäl klunk direkt ur flaskan. Betraktade de övriga. Flickan Troaë satt tryckt tätt intill Katarina Malmgren som höll armen om henne. Hon såg bekymrad ut. ”Jag tror flickan är sjuk”, sa hon. Jag tittade på Erik, mindes att han gått på promenad med henne innan jag somnade. Han vände bort blicken och spanade ut över havet, bort mot de där öarna som vi trodde var Les Bluinieres. Det gick inte längre att skönja konturerna därute, ljuset över vattnet hade förändrats, ännu var det inte skymning men sikten hade krympt högst avsevärt. Halvmeterhöga vågor gick på vattnet och det kändes att ovädret inte var långt borta. Jag frågade om de inte funderat på att kontakta land.

”Vi vet inte vart vi ska ringa i så fall”, sa Henrik Malmgren.

Jag lade märke till att han sluddrade lite. Min huvudvärk slog två tunga spikar i skallen på mig. Alla är fulla, tänkte jag. Vi är fyra fulla svenskar som sitter utan båt på en öde ö. Vi har kidnappat en tolvårig fransk flicka och fan vet vad de hade för sig på den där promenaden.

”Vi väntar en timme till”, sa Katarina Malmgren. ”Finns ingen anledning att ställa till en massa rabalder.”

”Jag var emot att de tog båten”, sa Henrik.

”Håll käften, Henrik”, sa Katarina. ”Det är just den typen av kommentarer vi inte behöver i det här läget.”

”Det var du som drog med flickan”, sa Henrik. ”Men det vill du väl heller inte höra? Jävla sits du satt oss i.”

Katarina svarade inte.

”Vi har i alla fall en halv liter calvados kvar”, sa Erik.

”Jag menar bara att det är förbannat oansvarigt”, sa Henrik och tände en cigarrett med fumliga fingrar.

Flickan viskade något till Katarina. De reste sig. ”Hon vill kräkas”, förklarade Katarina i anklagande ton.

”Låt henne kräkas, då”, sa Erik.

Katarina och Troaë tog sig upp till träden. Jag vred på huvudet och såg flickan gå ner på knä och hulka; i samma ögonblick kände jag det första regnstänket på min handrygg. Erik räckte över flaskan till Henrik som drack en djup klunk.

Vi försökte åstadkomma ett primitivt skydd under träden. Spände upp handdukar både mot vinden och mot regnet, men det fungerade dåligt. Henrik var påtagligt berusad och gick mest omkring och svor för sig själv. Katarina och Troaë satt tillsammans, tryckta mot varandra för att hålla värmen;

efter att ha varit och kräkts hade flickan knappt sagt ett ord och det var uppenbart att hon inte mådde bra. Jag och Erik turades om att stå nere vid vattenbrynet och meningslöst speja i riktning mot Les Bluinieres. Vi sa inte många ord till varandra. Klockan åtta delade vi på de sista dropparna calvados, Katarina Malmgren avstod, flickan ville heller inte ha, trots att hon frös så att hon hackade tänder. Vi började också diskutera om det skulle vara möjligt att göra upp en eld. Henrik skrattade åt idén. ”För fan, det här är den blötaste platsen på jorden”, sa han. ”Och det här är det största fiasko jag varit med om.”

”Håll käften”, sa Erik. ”Ditt barnsliga gnäll är vi i alla fall inte behjälpta av.”

”Jag håller gärna käften”, sa Henrik. ”Säg till när du är klar med elden.”

Jag såg att Erik knöt händerna och det är möjligt att det faktiskt skulle ha kommit till regelrätt bråk, om inte Katarina Malmgren i samma ögonblick ropat till.

”Titta! Visst är det en båt?”

Vi stirrade ut över vågorna alla fem och snart kunde vi konstatera att det verkligen var en båt på väg åt vårt håll.

”Är det dom?” undrade Henrik.

”Hur ska jag veta det?” sa Katarina.

”Klart det är dom”, sa Erik. ”Vilka andra idioter skulle ge sig ut i det här vädret?”

”Det var tamejfan på tiden”, sa Henrik.

”Kan du vara snäll och vara tyst och försöka göra lite nytta istället”, sa Katarina.

”Vad är det du vill att jag ska göra?” sa Henrik. ”Smörja in dig på ryggen?”

Det var verkligen Gunnar och Anna som kom med båten. De klättrade på vågorna in mot land och en mödosam kvart senare hade vi lyckats ta oss ombord allihop. Det var inte lätt i den grova sjön, Erik slog upp ett sår på armbågen och flickan grät högljutt medan hon klängde på den korta stegen och försökte parera vågorna.

”Det är nåt fel på motorn”, sa Gunnar. ”Vi höll på och jobbade med den i två timmar innan vi fick igång den.”

”Hoppas ni hade det fint på er utflykt”, sa Henrik.

Jag började inse att om Henrik inte hade vett att hålla tyst, skulle han snart få vad han förtjänade. ”Gå och sätt er nere i ruffen”, sa Gunnar. ”Jag fryser som arschlet på en isbjörn, men det är lika bra att jag tar hand om hemfärden också.”

Jag tänkte att det var en riktigt dålig liknelse, men sa ingenting.

”Sätt åtminstone ingenting i händerna på Henrik”, sa Katarina.

Vi tryckte ihop oss i den trånga och mörka kabyssen, Gunnar vände runt och drog på gas. Det hördes att det verkligen var någonting galet med motorn, ljudet var lågt och dovt, på vägen ut hade det varit högt och vasst. Vi gick snett mot vågorna och det slog ganska kraftigt, vi var tvungna att huka oss framåt en smula och hålla oss fast för att inte slå huvudet i det låga taket. Även om det förändrade motorljudet i princip gjorde det möjligt att samtala, var det ingen som tog tillfället i akt. Upp och ner, upp och ner, jag kände efter bara några minuter att jag började må illa; min huvudvärk hade legat under lock den senaste timmen men nu återkom den med förnyade krafter. Och jag är säker på att ingen av de andra mådde särskilt mycket bättre. Jag satt inklämd mellan Henrik och Erik. Anna, Katarina och flickan hade tryckt sig ner på andra sidan bordet där sex par händer nu klamrade sig fast så att knogarna vitnade. Upp och ner. Upp och ner. Motorljudet steg och sjönk i takt med vågorna. Då och då kom ett plötsligt slag när vi landade efter en lite högre vågkam. Mitt illamående tilltog långsamt, jag började räkna mina andetag, räknade pulsens monotona dunkande i mina tinningar, blundade och önskade att jag verkligen tagit livet av de här människorna den där första dagen i Bénodet. Att jag för en gångs skull låtit tanke gå över i handling.

Plötsligt dog motorn. Gunnar dök ner i ruffen, hans dyblöta gestalt fyllde upp hela öppningen ut mot sittbrunnen, det blev kolmörkt. ”Helvete!” skrek han. ”Den stannade igen! Helvetes djävlar!”

Krängningarna tilltog. Vi rullade från sida till sida nu, upp och ner, upp och ner, men eftersom vi satt sex stycken i ett utrymme som antagligen var avsett för fyra, kilades vi fast och hölls på plats.

”Vad fan gör vi?” sa Gunnar. ”Jag har ingen känsel kvar i händerna!”

”Hur långt har vi till land?” skrek Anna. Det fanns ingen yttre anledning att skrika, bara en inre.

”En halvtimme åtminstone”, sa Gunnar. ”Men utan motor driver vi inte mot land. Det blåser nordväst, om vi inte kapsejsar kommer vi att blåsa ner mot... ja, inte fan vet jag. La Rochelle eller nånting?”

”Kan du inte försöka starta den igen”, sa Anna.

”Tror du inte jag har försökt?” sa Gunnar ilsket. ”Jag har ju för fan ingen känsel i fingrarna. Kunde kanske vara dags för någon annan att göra en insats.”

Båten rullade kraftigt, Gunnar slog huvudet i dörrposten och svor en lång ramsa.

”Allright”, sa Erik. ”Jag går upp och tar en titt.”

Han trängde sig förbi Gunnar, som tryckte sig ner till höger om mig och stönade. ”Fan också. Vi har inte ens flytvästar. Hur fan kan man hyra ut en båt utan flytvästar?"

"Kan Erik överhuvudtaget någonting om båtmotorer?" frågade Katarina. "Henrik, borde inte du...?"

"Jag är för full", sa Henrik. "Sorry, men ni som har ställt till med det här får fixa det själva."

Annas knutna näve sköt ut som en pistong tvärs över bordet. Det krasade till någonstans i ansiktet på Henrik; jag tänkte att det var beundransvärt att hon lyckats träffa med sådan precision mitt i krängandet och mörkret.

"Vad i helvete?" skrek Henrik. "Din förbannade lilla slampa!"

"Håll er lugna för fan!" röt Gunnar. "Nu djävlar ser ni till och skärper er!"

Jag tänkte att vi hade nått en punkt. Den tunna fernissan av civilisation hade runnit av de här människorna, normaliteten var försvunnen, ett slags rått naturtillstånd hade infunnit sig och språket hade gått från att vara ett kitt till att vara ett vapen. Båten krängde häftigt och Troaë började gråta.

Åtminstone en timme förflöt. Vi satt ihoptryckta nere i den trånga, mörka ruffen och kastades omkring av det upprörda, regnpiskade havet. Ingen sa något, förutom någon lösryckt svordom; flickan snyftade då och då, Erik och Gunnar avlöste varandra vid den döda motorn, ibland höll de på och försökte beveka den tillsammans. De bad aldrig Henrik eller mig om hjälp. Min huvudvärk kom och gick, med illamåendet var det i stort sett likadant. Jag räknade min andning och min puls och funderade över tystnaden, varför ingen egentligen hade någonting att säga under de här omständigheterna. Varför ingen av dem försökte återvinna sin mänsklighet. Kanske berodde det på att situationen vi befann oss i övergick deras förmåga. Gjorde dem stumma, handlingsförlamade och djuriskt rädda. Jag sa ingenting för egen del heller, men det är min naturliga strategi. Kanske satt alla och inbillade sig att vi skulle dö, kanske var det ensamheten inför detta det yttersta ögonblicket som var och en ansträngde sig att komma till rätta med. Efter eget skön och egen förmåga, och i en avtagande berusnings kalla mörker.

Jag hade just noterat att Henrik, på min vänstra sida, lyckats somna, när Katarina Malmgren gjorde mig uppmärksam på flickan.

”Hon vill kräkas”, sa hon. ”Jag vet inte om jag...?”

”Jag följer med henne”, sa jag.

Katarina sa någonting åt Troaë och flickan nickade. Stönade svagt och sträckte ut sin hand efter min tvärs över bordet. Jag fattade den och vi tog oss upp för de fyra stegen till sittbrunnen. Regnet piskade fortfarande, men jag tyckte ändå att vågorna avtagit en smula. Långt borta kunde man se ljusen inifrån land och jag förstod att vi trots allt drev åt någotsånär rätt håll. I varje fall var vi inte på väg ut till havs. Om vi bara inte kantrade skulle vi antagligen nå fast mark inom någon eller några timmar. Eller slås sönder mot några klippor. Erik satt och klamrade sig fast vid den döda motorn, de hade plockat bort den övre svarta plastkåpan och blottlagt dess inre, jag tänkte att det enda de antagligen lyckats åstadkomma var att få den förstörd av allt saltvatten som vräktes över den. Troaë började hulka, jag hjälpte henne fram till relingen, höll henne fast med min högra hand medan hon böjde sig ut över vattnet och kräktes. Jag insåg att vi valt fel sida, hon spydde rakt ut i vinden och det kletiga slemmet kastades tillbaka in överbord. Hon snyftade och hulkade och skrek någonting som jag inte förstod; det lät inte som franska utan som ett helt annat språk.

Plötsligt gick vi över en vågkam och balansen försköts. Jag höll på att falla framåt, överbord, famlade förgäves med min fria hand för att finna ett nytt fäste, men hittade ingenting. För att undgå att dra med mig Troaë i fallet, släppte jag taget om hennes hand och lyckades i nästa ögonblick få fatt i ett av stagen till kapellet. Jag återfick balansen men i samma stund förstod jag att det varit en felmanöver. Flickan skrek till, flaxade en sekund med armarna i tomma luften och föll överbord.

Jag ropade åt Erik. Jag vet inte vad jag ropade, men Erik hade förstås sett hela incidenten; han skrek någonting, han också, reste sig och stirrade ut över vågorna. Troaë blev plötsligt synlig i vattnet, hennes huvud och de vilt fäktande armarna, men hon var redan två-tre meter borta från båten.

”Ett rep!” skrek Erik. ”Släng ut ett rep!”

Jag såg mig om i panik. Där fanns inget rep, ingen livboj. Flickan ropade och försvann under ytan. Erik svor och hojtade någonting åt de andra nere i ruffen. Jag tog mig runt kapellet och drog mig fram på däck, båten krängde kraftigt men jag lyckades hålla mig kvar i linor och stag. Såg mig förtvivlat om efter någon sorts hjälpmedel, jag visste inte vad, samtidigt som jag försökte få syn på flickan igen. Efter några sekunder dök hon upp på nytt, viftade med armarna och ropade, den här gången var det inga ord, bara ett oartikulerat, dovt ljud som kom ur hennes strupe. Helvete, tänkte jag, hon kan inte ens simma! Jag såg att Gunnar och Katarina kommit upp till sittbrunnen och stod och pekade och vrålade.

Jag tvekade en sekund, sedan kastade jag mig ut i vattnet. Slog min högra fot i någonting hårt och vasst, en skarp smärta sköt upp genom kroppen på mig och de första sekunderna nere i vattnet kände jag ingenting annat än dessa eldkvastar. Jag fick en kallsup, det brände till i strupen, men jag tog mig samman och började simma runt och leta efter flickan. Jag hörde Anna och Katarina skrika från båten, antagligen pekade och gestikulerade de också, men jag flöt över en vågkam och förlorade kontakten med dem. Så fick jag syn på flickan för ett kort ögonblick, hennes huvud och ena arm som blev synliga ovanför den gråsvarta vattenytan under bråkdelar av en sekund. Därefter försvann hon. Jag dök och försökte se någonting under vattnet men det sved i ögonen och när jag för en kort stund ändå förmådde hålla dem öppna, kunde jag med nöd och näppe urskilja mina egna händer. Jag kom upp över ytan igen, fick en ny kallsup, hörde Anna och Katarina och Gunnar skrika ytterligare instruktioner; tydligen hade de sett en skymt av flickan alldeles i närheten av mig. Jag tog ett par simtag, dök på nytt, försökte återigen upptäcka någonting nere i det grumliga mörkret men det var lönlöst. I samma stund som jag fick upp huvudet och kunde börja andas igen såg jag att Gunnar hoppade i. Vi stirrade på varandra, Gunnar svor, jag blev medveten om smärtan i min fot, Gunnar dök, jag började känna att jag nästan inte hade några krafter kvar. Jag hade all möda i världen att hålla mig flytande.

Jag vet inte hur länge vi kämpade runt i vågorna. Förmodligen var det bara några få minuter, men de kändes som timmar. Jag hade inte bara gett upp hoppet om flickans liv utan förmodligen också om mitt eget, när jag plötsligt hörde Gunnar ropa: ”Jag har henne!” Han befann sig inte mer än några meter ifrån mig, båten var ytterligare ett stycke bort, den gick just över en vågkam och försvann; jag lyckades ta mig fram till Gunnar, hans ansikte såg vilt och vansinnigt ut, munnen vidöppen och ögonen stirrande. "Jag har henne!" flåsade han. "Hjälp till för helvete!"

Han fick upp flickans huvud över ytan, samtidigt som han själv försvann ner i vattnet; jag såg inte hennes ögon eller mun, bara det svarta håret som bredde ut sig som en väldig tångruska över ansiktet. Lyckades få tag om hennes ena arm och med förenade krafter började vi bogsera henne i riktning mot båten. För varje bentag jag tog tänkte och kände jag att det här blir mitt sista, det är ingen idé, nu är det slut, jag orkar inte mer.

Men vi orkade. Det tog oss säkert tio minuter att få henne ombord. Alla skrek och svor. Gunnar fick ett jack i kinden när han träffades av stegen, Anna föll i men tog sig upp av egen kraft, hela tiden piskade regnet, vågorna kastade omkring både båten och oss som flisor av drivved och hur vi egentligen bar oss åt för att bärga den livlösa kroppen kan jag inte redogöra för i detalj. Det ligger bortom orden och förståndet. Bortom det fattbara.

När vi äntligen lämpat ner henne på golvet i sittbrunnen, gick Katarina ner på knä och började göra konstgjord andning. Blåste i hennes mun omväxlande med tryckningar med händerna över bröstkorgen, jag mindes att hon var sjuksköterska och ingen av de andra gjorde min av att vilja hjälpa till; istället tryckte vi ihop oss under kapellet och plötsligt var det tystnaden som härskade igen. En tystnad som på något vis överröstade havets och regnets ljud, och efter bara någon minut märkte vi också att vågorna börjat lägga sig; regnet som hela tiden vräkt ner övergick till en viskning mot kapellets tyg och det är möjligt att jag för några sekunder förlorade medvetandet.

Efter ett par minuter rätade Katarina Malmgren på ryggen. Stirrade på oss, vandrade runt med brusten blick från den ena till den andra, medan hennes händer och axlar skakade av utmattning och tårarna rann nerför hennes ansikte.

”Hon är död”, sa hon. ”Begriper ni inte att flickan är död?”

Kommentar, augusti 2007

Ingen, det var just så det var.

8–13 augusti 2007

12

Kriminalinspektör Gunnar Barbarotti satt i sin bil och glodde ut i regnet.

Det var onsdag kväll. Väderomslaget hade kommit under de tidiga eftermiddagstimmarna, en molnbank hade växt in från sydväst, släppt ifrån sig de första tunga dropparna strax efter klockan två och inom en halvtimme hade de mörka skyarna parkerat sig över hela himlavalvet från horisont till horisont. Sedan dess hade det också regnat; ihärdigt och envetet om än inte särskilt kraftigt, och temperaturen hade sjunkit från tjugofem till femton grader.

Det kändes behagligt, tyckte Gunnar Barbarotti. Det gick att andas, åtminstone om man hade sidorutan på passagerarsidan nervevad ett par centimeter. När han tänkte efter var det också det enda positiva han kunde komma på att säga om läget för tillfället.

Att det gick att andas. Under de tre senaste dagarna hade han känt en tilltagande vanmakt över utredningen och över sitt arbete, och de där orden han kastat ur sig åt Marianne om att han funderade på att byta jobb hade återkommit i hans tankar med viss regelbundenhet.

Som om hans liv stod och vägde just den här sommaren, var det inte så?

Vägde? Lät en smula defaitistiskt, det gjorde det förvisso, men han anade att det var så han skulle komma att se tillbaka på den. Sommaren 2007. Jag fattade det och det och det beslutet, sedan blev det som det blev.

Han anade också att det var så livet såg ut, det var den strukturen som gällde. Långa sträckor av rutin och slentrian, på gott och ont, och så plötsliga portaler som öppnades och gav möjligheten att välja väg. Och om man inte valde i tid så stängdes portarna. Att inte välja var också ett val.

Eller också var det bara sådana tankar som trivdes bra i regnet.

Nu satt han i alla händelser och bevakade det här huset. Han hade bett om det själv, frivilligt tagit på sig det ganska triviala uppdraget bara för att få komma ifrån en stund. Backman hade gett honom ett lite frågande och lite medlidsamt ögonkast, men inte sagt någonting. Som vanligt såg hon igenom honom; och han insåg att han var tacksam för det. Att hon hade det där speciella modersögat som vissa kvinnor har och som innebär att det inte är lönt att göra sig till.

Fast jag kanske bara idealiserar, tänkte han. Kanske är det så att vissa män har behov av ett modersöga, därför uppfinner vi ett och stoppar in det i någon kvinna som verkar kunna härbärgera illusionen? Kanske var det likadant med Marianne?

Vad menade han med "vissa män" förresten?

Jag verkar i varje fall ha ett behov att fundera över andra saker än den här brevskrivande galningen, konstaterade han och stoppade in två tuggummibitar i munnen för att hålla sig vaken. Redan när han parkerade mellan de tuktade lindarna för en timme sedan, hade han bett till Vår Herre att det inte måtte hända något, att han skulle få sitta i lugn och ro några timmar och sedan rulla härifrån efter väl förrättat värv och få sig en hel natts ostörd sömn. Han var säker på att han skulle kunna sova tolv timmar i sträck, bara han fick chansen. Fjorton till och med.

En poäng? hade Vår Herre undrat. En poäng, hade Barbarotti bekräftat.

Han hade pratat med Marianne i tio minuter, och kanske var det egentligen detta samtal som skavde mest i honom. Ja, skulle han våga sig på att skärskåda ordentligt, så var det nog det som höll honom vaken. I högre grad än tuggummibitarna. Hon hade känts en smula... avstängd, nämligen; okoncentrerad, han undrade om det var någon konflikt med barnen.

Han hoppades att det var så, att det inte var honom avstängningen gällde. Det märkliga – och minst lika oroväckande – var att han själv också känt sig frånvarande under samtalet. Detta hade de senaste dagarnas vettlösa arbetande gjort med honom, tänkte han. Sugit ut hans primäraste funktioner och behov. Kärlek och ömhet och längtan. Lämnat kvar ett tomrum, ett hål.

Fyllt igen hålet med trötthet och missmod.

Och mera arbete.

Så småningom, efter dessa perambulationer i självömkans träsk, var det ändå oundvikligt att hans tankar styrde tillbaka till utredningen. Lika bra, tänkte Gunnar Barbarotti. Det var ju liksom det enda som pågick i hans liv.

Som hade pågått ända sedan han kom tillbaka till Kymlinge i förra veckan, noga taget. Det här var den åttonde arbetsdagen på raken. Han visste inte mer om den brevskrivande mördaren än han gjort när han klev av Gotlandsfärjan.

Inte ett förbannat uns mer. Om man arbetade på en korvfabrik en vecka kunde man förmodligen också berömma sig av att ha producerat en och annan vurre, tänkte inspektör

Barbarotti. Vad han själv hade uträttat av värde under de senaste 70-80 arbetstimmarna kunde man verkligen fråga sig. Och han var inte ensam. Åtminstone tio kolleger hade jobbat lika mycket som han själv och hade lika lite att skryta med, det var som det var.

Mördaren var däremot ensam. Säga vad man ville om honom; han höll en och annan polisman sysselsatt i alla fall.

Även en och annan som inte längre hade lust att vara sysselsatt.

Således.

Spaningsledningen hade fått ett nytt utseende i måndags, precis som Asunander förutskickat. Förutom Astor Nilsson fanns numera två herrar från Rikskriminalen på plats. En intendent Jonnerblad och en kommissarie Tallin. Gunnar Barbarotti hade inte bildat sig någon riktig uppfattning om någon av dem, men han antog att de var skickliga kriminalpoliser. De hade åtminstone inte kommit inklampande som ett par stöddiga besserwissrar, och personligen var han, som sagt, tacksam ju mindre ansvar han själv behövde ha. Man var för närvarande sex stycken i det som kallades ledningsgruppen; förutom de tillresta var det han själv, Eva Backman och Gerald Borgsen, gemenligen kallad Sorgsen på grund av sin dystra utstrålning. Kommissarie Asunander ingick väl också, men höll sig som vanligt i bakgrunden, sög på tänderna, blängde och inväntade pensionen. Profilerare Lillieskog kom och gick – men eftersom ingenting nytt angående gärningsmannen egentligen framkommit de senaste dagarna, hade han svårt att få profilen att bli tydligare. Det faktum att mördaren använt sig av olika metoder vid de bägge morden ansågs ovanligt, detta betygades av alla; det tycktes föreligga en allmän uppfattning om hur den psykologiska bilden av en knivmördare såg ut – liksom om hur en gärningsman som föredrog trubbiga vapen borde vara funtad – men en person som den ena dagen valde det ena, den andra dagen det andra, var det svårt att få riktig fason på.

Ansågs det. Bägge morden hade uppmärksammats stort i alla möjliga media, offren var namngivna, deras foton publicerade, men ledningsgruppen hade i samråd med åklagare Sylvenius bestämt att inte gå ut med mördarens befängda vana att skriva brev till polisen och förvarna dem. Kanske skulle man komma att ändra på detta beslut längre fram; det var närmast en fråga om att balansera den eventuella nytta man skulle kunna ha av den s.k. Detektiven Allmänheten – mot den panik man antagligen skulle skapa och den kritik man skulle dra på sig när breven kom till allmän kännedom långt efteråt.

Hursomhelst; i väntan på ett tredje brev – och ett tredje offer – höll man tyst.

Men för några timmar sedan hade det alltså kommit.

Brevet, vill säga – ännu så länge inget offer. I varje fall hade man ännu inte hittat något. Barbarotti hade enligt rutinerna åkt hem och vittjat dagens post efter lunch, men eftersom han automatiskt förutsatt att mördaren skulle använda sig av samma typ av kuvert vid ett eventuellt tredje tillfälle, hade han sånär missat det.

Men handstilen var densamma. Papperet som det kortfattade meddelandet var avfattat på också. Det som skilde sig var att han den här gången använt sig av ett ljusblått kuvert; inte Sveriges vanligaste, men heller inte särskilt ovanligt och antagligen omöjligt att spåra. Stämpeln var tydligare den här gången, uppenbarligen hade brevet postats i Borås.

Meddelandet var ännu kortare än vanligt.

NUMMER TRE BLIR HANS ANDERSSON.

Det fanns tjugonio personer med namnet Hans Andersson skattskrivna i Kymlinge kommun. En av dem hörde hemma i det hus som Gunnar Barbarotti för tillfället satt i sin bil och bevakade. Det var den strategi man i all hast – och tills vidare – bestämt sig för. Man skulle informera alla tjugonio om att det fanns en sorts hotbild mot dem, eller mot en person med namnet Hans Andersson, snarare, och att man hade för avsikt att upprätthålla viss bevakning. Under eftermiddagen hade man fått tag på tjugosju av de tjugonio, sex var bortresta men hade lovat att anmäla sig hos polisen när de kom hem.

Av de två man inte fått fatt i befann sig den ene antingen i Guatemala eller i Costa Rica, den andre ansågs nog hålla till i stan men var inte känd för att vara särskilt anträffbar. Han var poet och målare och stäppvarg, hade ingen telefon och det hade stått i Lokaltidningen för ungefär en månad sedan att han inte ville ha någon förbannad uppvaktning på sin åttiofemte födelsedag.

Så såg det ut för tillfället. Den Hans Andersson som Gunnar Barbarotti satt och höll under någon sorts uppsikt bodde på Framstegsgatan 4 i villaområdet Norrby tillsammans med hustru och tre barn. Han var 44 år och överläkare i anestesi på sjukhuset. Samtliga familjemedlemmar befann sig i hemmet denna kväll, och att någon mördare skulle välja att ta sig in i det väl upplysta huset, föreföll inte Gunnar Barbarotti särskilt troligt. Om så ändå skedde måste det innebära att de plötsligt hade att göra med en intill dumhet våghalsig typ – eller med en gärningsman som gjorde sitt bästa för att åka fast – och på så vis hade det inte sett ut hittills. Långt därifrån.

Barbarotti såg på klockan. Den var kvart i nio. Sjuttiofem minuter till avlösning. Han spottade ut tuggummit genom sidofönstret och hällde upp en mugg kaffe ur termosen istället.

Vem är du? tänkte han för hundrade gången sedan han läst brevet.

Vad har du för motiv bakom dina illdåd och varför skriver du till just mig?

Bra frågor. Det tråkiga var att han inte var i närheten av något svar på någon av dem.

Inspektör Backman ringde när han just var på väg ut ur Norrby och hade siktat in sig på att köpa två grillade korvar med bröd i Statoilmacken vid Idrottsparken.

”Jag har nånting som jag skulle vilja att du tittade på”, sa hon.

”Nu?” sa Gunnar Barbarotti. ”Klockan är snart halv elva.”

”Nu”, sa Eva Backman.

”Eh… jag är lite hungrig. Är du fortfarande i polishuset, alltså?”

”Rätt gissat”, sa Eva Backman. ”Har en halv pizza kvar sedan i eftermiddags. Du kan få den, den ligger här på skrivbordet.”

”Tack”, sa Barbarotti. ”Du är oemotståndlig. Vad är det jag ska titta på?”

”Ett fotografi.”

”Ett fotografi?”

”Ja. Du är här om en fem minuter, då?”

”Vad föreställer det?”

”Va?”

”Vad föreställer fotografiet?”

”Ursäkta, jag är lite trött. Ja, det är det du ska avgöra när du kommer hit.”

”Allright”, suckade Gunnar Barbarotti. ”Jag kommer. Fast jag förstår inte vad du pratar om. Kan du peta in pizzan i mikron ett par minuter.”

”Det är för långt bort till mikron”, förklarade inspektör Backman. ”Men jag kan hänga den på elementet en stund.”

”Tack”, sa Gunnar Barbarotti.

”Nå, vad säger du?”

Han stirrade på bilden. Det var ett vanligt färgfotografi, tio gånger femton centimeter, och det föreställde två människor som satt på en bänk. En man och en kvinna. Lite dålig skärpa, det såg ut att vara kväll eller sen eftermiddag, men inget solljus.

Båda var sommarklädda. De satt en halv meter ifrån varandra ungefär. Mannen bar kortärmad, mörkblå skjorta, ljusa chinos och sandaler, kvinnan en beigeaktig, tunn klänning med bara axlar. Hon var barfota, men ett par enkla badskor stod på marken vid sidan av en rödaktig papperskasse. Kvinnan tittade in i kameran utan att le, mannen hade huvudet vridet snett åt sidan och verkade inte medveten om att de blev fotograferade.

Det tog en stund innan han insåg det, men när han väl gjort det var han övertygad. Kvinnan på fotot var Anna Eriksson. Hon hade en annan frisyr och annan hårfärg, men visst var det hon.

”Det är Anna Eriksson”, sa han.

”Det är vi överens om”, sa Backman. ”Mannen, då?”

”Mannen, då?” upprepade Barbarotti mekaniskt och tog en tugga rumstempererad pizza. Stack in fotografiet under skrivbordslampan och vickade lite på det för att kunna se tydligare.

”Han är rätt suddig”, sa han. ”Vad är det du vill ha sagt?”

”Skärp dig så blir det lite mindre suddigt”, sa Eva Backman. ”Här bjuder man på nygräddad pizza, du kunde åtminstone visa lite...”

”Vänta”, sa Gunnar Barbarotti. ”Nu förstår jag vad du är ute efter. Du menar alltså att det skulle vara frågan om Erik Bergman?”

Backman sa inget. Han höll upp fotografiet på bara två decimeters avstånd från ögonen och fokuserade så mycket han orkade på mannen på bänken. Försökte komma ihåg hur Erik Bergman egentligen sett ut, det var ju framför allt den bild man publicerat i tidningarna som han hade att gå efter – men det kändes inte som om de två ansiktena hakade i varandra. Backman sköt över ett Aftonblad med just det foto han försökt framkalla inne i huvudet. Han lade bilderna bredvid varandra och jämförde. Backman väntade tyst.

”Vet inte”, sa Barbarotti till slut. ”Kan förstås vara han, men det kan lika gärna vara någon annan. Var har du fått bilden ifrån?”

”Ett av hennes fotoalbum. Göransson och Malm hittade dem nere i hennes källarförråd för två timmar sedan.”

”Hennes källarförråd?”

”Ja.”

”Och varför har vi dröjt så många dagar med att gå igenom hennes förråd?”

Eva Backman suckade. ”Hon hade två. Vi visste inte om det.”

”Aha?” sa Barbarotti. ”Och det fanns bara det här?”

”Du undrar om det fanns något mer fotografi med någon som möjligen skulle kunna vara Bergman?”

”Ja, jag antar att det är det jag menar”, sa Barbarotti och tog ett nytt bett av pizzan.

”Tyvärr”, sa Backman. ”Bara det där. Det var inte mer än tre album för övrigt. Finns heller inget där hon har samma kläder som på det här fotot, så man kan väl anta att någon annan tagit det och gett det till henne. Det är annars lätt att se vilka bilder som kommer från samma rulle.”

”Jag förstår”, sa Barbarotti. ”Och hur var det med Erik Bergmans fotografier, han måste väl ha haft några, han också?”

”Vi hittade inga, märkligt nog.”

”Inte? Skulle kunna betyda att...”

”Att mördaren lagt beslag på hans album, ja. Fast alla människor tar faktiskt inte kort. Vi måste fråga bland hans vänner hur det var med den saken, men vi har alltså inte kommit att tänka på det här förrän nu. Många har det ju digitalt nuförtiden också. Nerbränt på datorn och så.”

”Jag känner till det”, sa Barbarotti. ”Nåja, bättre sent än aldrig, kanske. Och Hans Andersson? Jag menar med tanke på fotografier?”

”Jag vet”, suckade Backman. ”Vi måste försöka få in bilder från allihop, och se om någon av dem möjligen dyker upp i Anna Erikssons album. Tvärtom också kanske?”

”Du menar att vi ska leta efter Eriksson och Bergman i deras album? Eller datorer?”

Eva Backman ryckte på axlarna och såg trött ut. Barbarotti funderade. ”När?” frågade han och tittade på klockan. Den var fem minuter i elva.

”Jonnerblad och Tallin bestämde att vi kör igång med det det första vi gör imorgon bitti.”

”Utmärkt”, sa Barbarotti. ”Då har vi att göra imorgon också. Tror du förresten det är en tillfällighet att han väljer en kille som heter Hans Andersson?”

”Va?”

”Jag menar, det finns väl knappast något vanligare namn. Anna Eriksson och Hans Andersson? Kan det vara så att han bara plockar ut dem för att vi ska ha svårare att hitta den rätte?”

”Erik Bergman hade vi inte mer än fem av.”

”Stämmer, men då visste vi ju inte om det var på allvar eller inte.”

Eva Backman nickade. ”Jo, du kan ha en poäng där. Det finns förstås en möjlighet att det är så enkelt... dessutom kan det ju vara så att han inte bestämt sig för vem av dem han ska döda. Han kanske bara väljer en som vi har dålig bevakning på. I så fall...”

”I så fall”, fyllde Barbarotti i, ”har vi att göra med en fullständig galning. Nej, jag hoppas att det finns ett samband. Det gör det lite mer begripligt åtminstone... om det faktiskt finns ett skäl.”

Han betraktade fotografiet igen. ”Var tror du det är taget?” frågade han. ”Någonting säger mig att det inte är i Sverige.”

”Jag tänkte också på det”, sa Eva Backman. ”Det är nåt med den där bänken och den där papperskorgen. Nej, jag är rätt säker på att det inte är taget här i landet.”

”Utmärkt”, upprepade Barbarotti. ”Då har vi bara resten av jordklotet att undersöka.”

Eva Backman knycklade ihop pizzakartongen och tryckte ner den i papperskorgen. ”Jag sätter en hundring på att det är Bergman”, sa hon och rätade på ryggen. ”Sätter du emot?”

”Kan jag väl göra”, sa Barbarotti. ”Men jag tvivlar på att vi någonsin får reda på vem av oss som hade rätt.”

”Du är alldeles för pessimistisk, det är det som är felet med dig”, konstaterade inspektör Backman.

Men han kunde inte utläsa någon större optimism i hennes ansikte heller, när hon sa det. Bara samma trötthet som han själv kände sig uppfylld av. ”Ska jag skjutsa dig hem?” frågade han. ”Jag råkar ha bilen med mig.”

Eva Backman tvekade ett ögonblick.

”Allright”, sa hon. ”Hade nästan tänkt slagga här, det är ju ändå ingen hemma. Men det kanske är skönt med en dusch och en riktig säng.”

För tre år sedan, tänkte Gunnar Barbarotti, skulle jag ha bjudit hem henne på en öl i det här läget.

Men det var för tre år sedan det.

13

”Vi måste diskutera det här med breven en gång till”, sa intendent Jonnerblad. ”Tallin och jag pratade om det igår kväll och vi har ungefär samma funderingar.”

Man satt i det rum på tredje våningen som iordningställts för de bägge tillresta rikskrimmarna. Vägg i vägg med kommissarie Asunander, och det var också en lokal som var avsedd för sammanträden på hög nivå – företrädesvis mellan polismästare Lindweden, Asunander och andra framstående befattningshavare. Såvitt Barbarotti kände till brukade den användas åtminstone en gång om året, när Lindweden bjöd sina Rotarybröder på julglögg. Men möblemanget var snyggt, ljus ådrad björk, vinröda skinnsitsar på stolarna, och det hängde tavlor på väggarna. Reproduktioner visserligen, lite tallskog och lite hav i storm, men ändå. Där fanns en kaffemaskin och ett mindre kylskåp som stod i ett hörn och brummade. En whiteboardtavla och en teve med DVD och video.

Intendent Jonnerblad var den som förde befälet; det fanns i och för sig ingen uttalad rangordning, men han var åtminstone tio år äldre än Tallin, hade tunnare hår och betydligt fler fåror i ansiktet. Kraftfull på det hela taget, så det föll sig naturligt. Kommissarie Tallin var mindre till växten, en smula spenslig, i Barbarottis egen ålder ungefär. Stillsam och eftertänksam, nästan artig på ett gammaldags vis. Han påminde litegrann om en lärare i matematik som

Barbarotti haft på gymnasiet, en sådan där personlighet som hade växt med tiden, för varje sömnig dubbeltimme, varje provgenomgång och varje termin som gick. Det var behagligt med den typen av människor, tänkte Gunnar Barbarotti, dessa som inte ständigt och jämt behövde bevisa det ena eller det andra för sin omgivning, som verkade ha kontroll både på sina förmågor och sina brister och visste att hålla dem i örat.

Det var väl inget fel på Jonnerblad heller, men han gick liksom en annan väg. Han hade intagit en rätt så hovsam hållning i början, men undan för undan tog han för sig lite mer av beslutsfattandet. Om man räknade bort Asunander, så bestod ledningsgruppen av sex personer – men om vi varit en grupp hundar istället, tänkte Gunnar Barbarotti, så skulle det ha varit Jonnerblad som både käkade först och fick sätta på löptiken.

Fast Eva Backman skulle förstås aldrig i livet få för sig att sätta på en löptik.

”Jaha?” sa Astor Nilsson. ”Breven?”

”Hrrm”, sa Tallin. ”Breven, ja. Vi tänker nu närmast på den omständigheten att de är adresserade till dig, Barbarotti.”

”Den omständigheten har jag också tänkt på”, sa Barbarotti. ”En hel del.”

”Det är utmärkt”, sa Jonnerblad. ”Vår mördare har alltså ända från början valt att kommunicera med dig. Det måste betyda någonting, han måste ha något slags relation till dig. Jag vet att du har funderat på det här, men det vi skulle vilja, Tallin och jag, är att du gör det på ett lite mer systematiskt vis. Att du tar dig tid till det. Vi tror det kan betala sig.”

Barbarotti funderade ett ögonblick.

”Vad är det du vill att jag ska göra?” frågade han. ”Närmare bestämt.”

”Alltså så här”, sa Jonnerblad och anlade en lodrät rynka i pannan. ”Vi tänker oss en gärningsman som av någon anledning inte bara vill ta livet av ett antal människor. Han vill också passa på att jävlas med snuten. Men han väljer inte att jävlas med snuten i allmänhet, utan han vänder sig till en enskild polisman. Till dig, Barbarotti. Varför gör han det?”

”Därför att...”

”Därför att han vet vem du är, ja. Och om mördaren vet vem du är, så borde det också betyda att du vet vem mördaren är. Du har någon sorts relation till honom, som sagt. Det kan vara gammalt som gatan, det kan vara någon som du sytt in en gång för länge sedan, det kan till och med vara någon du slog på käften på skolgården när du gick i fjärde klass. Men det viktiga är att han finns där. I ditt förflutna någonstans, Barbarotti, och det vi vill, Tallin och jag, är alltså att du sätter dig ner och gräver fram honom.”

Han låter som en trailer för en dålig Hollywoodrulle, tänkte Barbarotti. Fast det innebär ju inte nödvändigtvis att han har fel.

”Kanske det”, sa han. ”Privat brainstorming, alltså?”

”Man kan tänka sig en smula systematik”, sköt Tallin in.

”Vi gör så här idag”, sa Jonnerblad och lutade sig fram på armbågarna över det ovala bordet, så att Barbarotti kunde känna hans andedräkt. Kaffe och ägg, om han inte tog fel. En snutt kaviar. ”Du frikopplas från den övriga utredningen. Du sätter dig på ditt rum... eller åker hem om du hellre vill det... och du går igenom hela ditt liv. Skriver ner vartenda namn på folk du mött och som möjligen... jag säger *möjligen*... skulle kunna vara kapabla att hitta på nåt sånt här fanskap. Du bör ha minst femtio stycken innan du är klar. Sedan plockar du ut de tio mest sannolika och sedan tittar vi igenom båda listorna imorgon. Tyngdpunkt på ditt polisiära förflutna, förstås.”

Det var som fan, tänkte Barbarotti. Han säger... han säger faktiskt att jag ska åka hem och lägga mig på sängen och fundera. På betald arbetstid. En hel dag.

”Ingen dum idé”, sa han och kom hastigt på fötter. ”Värd att prova i alla fall. Eh... då återkommer jag imorgon, alltså?”

”Vi kan ses här vid samma tid”, sa Tallin.

Intendenten lutade sig tillbaka och såg nöjd ut. ”Då är vi överens”, sa han.

”Alla gånger”, sa Barbarotti.

Trodde han att jag skulle motsätta mig det här? tänkte han när han kommit ut i korridoren. Jag har överskattat honom.

Men det gick inte att lägga sig på sängen och fundera. Inte en sådan här dag, det märkte han så snart han kommit hem. Vädret såg visserligen grått och molnigt ut, möjligen skulle det komma en eller annan regnskur framemot eftermiddagen, men det var vindstilla och temperaturen låg runt tjugo grader.

En väderlek som gjord för en långpromenad med andra ord. Smart snut griper tillfället i flykten; han beväpnade sig med en ihoprullad regnjacka, en liten ryggsäck, vatten och frukt, penna och anteckningsblock, sedan tog han bilen bort till Kymmensudde och begav sig av utefter Kymmens norra strand. Där fanns ett virrvarr av vandringsleder i skogsområdet som sträckte sig utefter åsen bort mot Kerran och Rimminge.

Om där nu verkligen fanns en mördare inuti huvudet på honom, som intendent Jonnerblad och kommissarie Tallin från Rikskrim tydligen ansåg, så borde ett par timmars ostörd vandring i maklig takt över dessa fridfulla marker vara den idealiska metoden för att vaska fram honom. Eller hur?

Tänkte inspektör Barbarotti – med en sorts optimism som han egentligen inte kände sig särskilt befryndad med men som ändå kanske kunde tjäna som en teoretisk utgångspunkt. En tonart.

Fast han inledde med att ringa till Gotland. Så att han med gott samvete kunde stänga av mobilen sedan, det var den bevekelsegrund han uppfann.

Hon lät lite sorgsen. Hon hävdade att det berodde på att det var deras sista dag i Gustabo, hon och barnen skulle åka hem till Skåne imorgon, men han trodde henne inte. Inte helt och hållet, det var någonting annat också. Först frågade han om det hängde ihop med att hon skulle börja arbeta igen på måndag, och hon tillstod att det förstås spelade in.

”Jag måste lämna paradiset imorgon, min semester är slut om tre dagar och jag går och väntar på mensen. Det är inget kul helt enkelt. Jag känner mig...”

”Vad känner du dig?”

”Ensam.”

”Du har ju två barn hos dig och en polis som älskar dig, hur kan du känna dig ensam?”

”Det är nog...”

”Ja?”

”Det är den där polisen.”

”Aha?”

Han visste inte varför han sa ”aha?”. Det betydde definitivt inte att någonting gick upp för honom. Tvärtom snarare; det liknade mer en mörk gardin som hastigt höll på att sänka sig, och han kände sig för ett ögonblick så matt att han blev tvungen att stanna upp och luta sig mot en trädstam. Det gick några sekunder utan att hon sa något.

”Vad… vad är det för fel?” fick han fram.

Han hörde hur hon snyftade till.

”Jag är fyrtiotvå”, sa hon. ”Jag har levt ensam i fyra år. Jag vill inte ha det på det här viset ett år till. Jag tycker om att träffa dig när vi träffas som vi brukar göra, men det… ja, det räcker inte.”

Han tänkte efter en sekund. Möjligtvis en och en halv.

”Då gifter vi oss”, sa han.

”Jag menar, om du vill, alltså?” lade han till.

Det blev tyst i luren men han kunde höra hennes andning. Lite ansträngd, det lät som om hon också var ute och vandrade, ja, när han lyssnade noggrannare kunde han faktiskt uppfatta hennes steg i gruset.

”Jag vill inte att du ska säga det här för att du måste.”

”Nej, jag…”

”Jag vill inte pressa dig.”

”Jag är inte pressad.”

”Om vi flyttar ihop och det inte fungerar, dör jag. Jag orkar inte med en sån procedur en gång till.”

”Helvete också”, sa Gunnar Barbarotti. ”Det här begriper jag väl. Jag är fyrtiosju, tror du jag vill ha fyra fruar till att dras med på gamla dar?”

Hon skrattade till. Jag kan få henne att skratta, tänkte han. Det är inte det sämsta.

”Du är inte allvarlig?”

”Jo.”

”Du låter inte allvarlig.”

Han harklade sig. ”Vill du bo kvar i Helsingborg?”

”Jag…”

”För jag flyttar gärna ner till Skåne.”

Hon började gråta. Jag kan få henne att gråta också, tänkte Gunnar Barbarotti och kände ett sting av panik.

Men varför? Vill hon inte ha mig? Eller är hon... överväldigad?

”Du vill inte?” sa han.

”Jo”, sa Marianne. ”Jag vill. Men jag vet inte om du verkligen vill. Jag är kanske inte så enkel att leva med som du inbillar dig. Vi har bara träffats under de gynnsammaste förutsättningar, du kanske inte...”

”Trams”, sa Barbarotti. ”Jag älskar dig. Jag avskyr att vara borta från dig.”

Han hörde hur hon snöt sig. ”Allright”, sa hon. ”Men du får en ångervecka. Du ringer mig nästa onsdag, och om du säger samma sak då, så har du ingen återvändo. Okej?”

”Okej”, sa Gunnar Barbarotti. ”Du kan börja titta efter en större lägenhet när du kommer hem.”

När de lagt på stängde han av telefonen. Märkte att pulsen låg och dunkade som ett automatvapen. Hundra-hundratio, antagligen.

Jävlar anamma, tänkte han. Så var det med den saken.

Och nu ska jag börja fiska upp en mördare ur minnet. Vilken dag.

Han snubblade på en rot och höll på att ramla in i ett slånbärsbuskage.

Han gjorde som de hade sagt, Jonnerblad och Tallin. Började från början. Skrev upp namnen ett efter ett i anteckningsblocket, det var en märklig sysselsättning, en sorts botgöring nästan, eller en slutredovisning inför Sankte Per på den yttersta dagen.

Honom och honom har jag gjort illa under min vandring på jorden. Honom och henne och honom kom jag nog aldrig överens med, kanske har de haft ett horn i sidan till mig sedan... ja, ända sedan tonåren. Eller studenttiden i Lund.

Eller Polishögskolan. Eller arbetet… den där fiolspelande muskelbyggaren borta på Pampas, den där narkotikalangaren, den där fascistiske våldtäktsmannen…

Märkligt, som sagt, men personerna dök upp, anmälde sig med ansikte, namn och omständigheter för hans inre öga, en efter en. Bara från gymnasieåren, den där stökiga samhällsvetarklassen på Katedralskolan, plockade han ihop sex namn – två lärare dessutom; inte för att han på allvar kunde föreställa sig att det skulle vara någon av dem som blivit så galen att vederbörande nu satt och skrev brev till honom och sedan tog folk av daga på löpande band. Men metoden – Jonnerblads och Tallins metod – innebar ju att han först skulle ta med alla dem som han på något vis kände att de aldrig tyckt om honom. Inte bara dessa som han vid något tillfälle varit i ordentligt klammeri med, utan alla de andra också, de där människorna där han misstänkte att det – under vissa, maximalt perverterade omständigheter – kunde finnas en möjlighet.

Leif Barrander som han slagits med i fjärde klass.

Henrik Lofting som hade spottat honom i ansiktet i femman för att han gjort en tunnel och förnedrat honom när de spelade fotboll på gymnastiken.

Johan Karlsson som hade varit mobbad i sjuan och åttan och som försökt ta hämnd på sina plågoandar (Barbarotti hade inte varit en av dem, men han hade tillhört den tysta, fega majoriteten) genom att tända eld på sig själv. Han hade misslyckats med att ta livet av sig på det sättet, men skadorna i hans ansikte skulle aldrig läkas.

Oliver Casares, vars tjej Madeleine han snott under en skidvecka i fjällen. Åtminstone trodde Oliver att det gått till på det sättet, men i själva verket var det Madeleine som kommit alldeles frivilligt.

Och alla de andra. Man skulle inte ha trott att man hade så här många potentiella fiender, tänkte Gunnar Barbarotti. En sådan här inventering skulle varenda människa behöva göra. Och så jävlig hade han väl ändå inte varit? Inte värre än någon annan? Eller?

När han kom fram till Ulme kvarn efter drygt en timme tog han en paus och räknade igenom galleriet. Trettiotvå namn. Ett halvt schackbräde, och då hade han ändå femton år som aktiv polisman kvar. Han skulle utan svårighet komma upp till de femtio som Jonnerblad och Tallin förelagt honom.

Han åt ett äpple och drack en halv liter vatten. Satt kvar en stund och lutade sig mot den skrovliga kvarnväggen och lyssnade till det forsande vattnet; det fanns inte mycket kvar efter en lång torr sommar, inte mer än en rännil, men den hördes. Gifta mig? tänkte han plötsligt. Jag kommer att gifta mig med Marianne. Herregud.

Men han undrade vem det egentligen var som behövde den där ångerveckan. Var det inte så att hon köpt tid för egen del? I själva verket. Skulle hon komma med någon sorts ursäkt och försöka förhala det hela när han ringde nästa onsdag?

När jag funderar på det på det här viset, tänkte han, känns det ungefär som om jag håller på att köpa en ny bil. Eller en lägenhet; han stod inför ett mångårigt åtagande och säljaren var ännu inte klar över om hon verkligen hittat rätt köpare. Det var naturligtvis en både absurd och överpragmatisk tanke, men han försökte ändå se det framför sig med lite nyktra ögon.

Hur de bodde tillsammans. Hur de vaknade upp varje morgon i samma säng och försvann iväg till respektive jobb. Hur de åt middag med hennes barn. Hur de åkte och storhandlade och bjöd hem folk. Planerade resor tillsammans och satt och glodde på en film på teve.

Försökte hitta tveksamheter. Skulle de börja gå varandra på nerverna när det var för sent att ändra sig? Skulle hon sluta älska honom efter två och en halv månad? Vad skulle Sara säga? Vad skulle Eva Backman säga när han förklarade att han tänkte lämna henne ensam med Sorgsen och Asunander och flytta till Skåne? Gick det överhuvudtaget att få jobb hos Helsingborgspolisen?

Var han inte rädd för att ta steget? I själva verket och när allt kom till kritan; han hade ändå tvekat en sekund innan han friade och snacka går ju alltid.

I helvete heller, tänkte Gunnar Barbarotti. Det här är det bästa beslut jag fattat på fem och ett halvt år.

Han försökte komma på vilka andra betydelsefulla beslut han fattat under samma tidsperiod, men hittade inte ett enda.

Skulle ha varit den där resan till Grekland och Thasos, då.

Han såg på klockan och bestämde sig för att fortsätta ett stycke till, innan han började återvända in mot staden. Man skulle bo i en skog, tänkte han plötsligt. Ha en hund och vandra två timmar varje dag. Vad har de för skogar i Helsingborgstrakten? Pålsjö skog, fanns det inte någonting som hette så? Borde vara bok i så fall. Varför inte?

Han hängde på sig ryggsäcken igen och bläddrade fram ett nytt blad i anteckningsblocket.

En halvtimme senare var han uppe i femtiofem namn. Fyrtiosex män och bara nio kvinnor. Man är en gentleman i alla fall, det är tydligt, konstaterade Gunnar Barbarotti, man har nästan inga kvinnliga fiender.

Men han kände också att han började få nog av katalogiseringen. Vad tjänade det till? Inbillade sig Jonnerblad och Tallin verkligen att de skulle hitta mördarens namn instucket bland dessa människor som han gått omkring ute i skogen och klottrat ner mer eller mindre på måfå? Han kunde inte minnas att han sett just denna metod beskriven när han läste kriminologi en gång i tidernas morgon. Nej, det var inte själva namnet som var det mest gäckande, tänkte Barbarotti. Det var... ja, det var faktiskt själva profilen.

Vad var det för typ de hade att göra med, helt enkelt? Vad hade han för motiv? Hade han överhuvudtaget motiv? Var det meningsfullt att försöka begripa sig på honom i logiska, rationella termer?

Fanns det en orsak, kort sagt?

Frågan hade visserligen flutit fram och tillbaka genom Barbarottis huvud ända sedan mordet på Erik Bergman uppdagats, men han insåg nu, härute i den behagligt viskande, syremättade och vältempererade skogen, att han inte gett sig tid att skärskåda problemet ordentligt.

Hur var det nu? Jo, om det var en irrationell galning som hade tagit livet av Bergman och Eriksson, då var det svårt att spekulera. Eller rättare sagt, då var det det enda man kunde göra. Spekulera. Gissa. Kanske ville en sådan gärningsman innerst inne åka fast, precis som Lillieskog föreslagit, och i så fall skulle han förmodligen förr eller senare utsätta sig för alltför stora risker. Bli djärv och övermodig och driva spelet med polisen lite för långt. Det skulle komma till en sådan punkt. De skulle kunna fälla honom genom att helt enkelt invänta hans första misstag. Och hoppas på att han inte hann ta livet av för många innan man var där.

Men om det *inte* rörde sig om en irrationell galning, var hamnade man då? tänkte Gunnar Barbarotti samtidigt som han nådde fram till fågeltornet uppe vid Vretens höjd och stannade till för att dricka upp det vatten han hade kvar. Ja, var hamnade man då?

En mördare som hade goda skäl att bete sig precis som han gjorde? Som hade en plan och genomtänkta motiv för att ta livet av de personer han först namngav i brev som han skickade till kriminalinspektör Gunnar Barbarotti vid Kymlingepolisen? Hur... *hur* såg ett sådant scenario egentligen ut? Vad i hela friden var det för poäng med att bete sig på det viset?

Han slog sig ner på en mossklädd sten och lät frågan bli hängande kvar i medvetandet utan att attackera den ytterligare – för att på så vis låta svaret så att säga födas av sig självt, det var en metod som ibland brukade fungera – men den enda lilla bråkdel till förklaring han till slut, efter åtta-tio minuter, lyckades få korn på blev bara det gamla vanliga: för att ställa till oreda för polisen.

Skapa problem. Tvinga dem att satsa stora resurser. Splittra insatserna och få dem att tappa koncentrationen på det som var det enkla och det viktiga.

Nåväl, tänkte Gunnar Barbarotti, vilket är då det enkla och det viktiga?

Om man alltså bortsåg från breven helt och hållet.

Där fanns bara ett svar.

Sambandet mellan offren.

Det måste finnas ett samband. Om mördaren hade ett skäl, vill säga, men det var ju det som var utgångspunkten för resonemanget. Någonstans måste Erik Bergmans och Anna Erikssons vägar ha korsats, och i den korsningen fanns också mördaren.

Förmodligen också någon som hette Hans Andersson.

Och Barbarotti kände sig med ens säker på att om Hans

Andersson hetat till exempel Leopold Bernhagen istället, så skulle han själv inte ha fått något tredje brev. Eftersom de skulle ha spårat upp rätt Leopold Bernhagen med en gång.

Varför dök just detta namn upp? Bernhagen? Det lät bekant, men han kunde inte placera det.

Han skakade på huvudet. Men det är ju just det vi håller på med, tänkte han. Letar efter sambandet mellan de två offren. Vi jobbar inte i fel riktning. Vi är på rätt väg.

Fast en inte obetydlig del av styrkan var upptagen med att bevaka en massa folk vid namn Hans Andersson också, det kunde inte förnekas.

Och en viss del av styrkan gick omkring i skogen och funderade. Verkade en smula absurt när man tänkte närmare på det.

Byta jobb? hade han sagt åt Marianne. Varför inte? Om han nu skulle gifta sig och flytta till Skåne, kunde han väl lika gärna göra slag i den saken också? Förändringens sommar, som sagt.

Brytningstid. Skinnömsningstid.

Han såg på klockan igen. Den var tjugo minuter över ett, en lite kyligare vind drog genom träden och han förstod att han snart skulle ha regnet över sig. Han plockade fram jackan ur ryggsäcken och stoppade undan penna och anteckningsblock.

Dessutom, kom han på just som han med viss möda skuttade över Rimminge bäck, dessutom återstod förstås frågan om hur pass gångbar en 47-årig före detta kriminalpolis egentligen var på arbetsmarknaden.

Jag är förmodligen inte värd min vikt i guld, tänkte Gunnar Barbarotti.

Inte i något sammanhang.

14

Intendent Jonnerblad lutade sig tillbaka så att det kved i karmstolen.

”Skaran fulltalig”, konstaterade han. ”Bra att du också kunde komma, Lillieskog.”

Gunnar Barbarotti såg sig om runt bordet. Det stämde. De var faktiskt åtta stycken: Han själv, Eva Backman och Sorgsen representerade den ordinarie styrkan, Jonnerblad, Tallin och Astor Nilsson förstärkningarna.

Kommissarie Asunander representerade sig själv, såg det ut som; satt inte med vid själva bordet utan lite vid sidan av, snett bakom ryggen på Jonnerblad, i någon sorts lyssnarposition. Lillieskog var förstås också att betrakta som en förstärkning, tänkte Barbarotti; i den mån han representerade någonting kunde det väl beskrivas som psykologin och vetenskapen. ”Jag inleder gärna”, sa han. ”Jag har ett tåg halv fyra.”

Jonnerblad nickade. Barbarotti tittade på klockan. Ett par minuter över två. Det var fredag eftermiddag, klart som tusan att Lillieskog var angelägen att komma hem till sina nära och kära.

Eller sin guldfisk eller hur han nu hade det.

Jag sitter bestämt och är lite syrlig, tänkte han sedan och bestämde sig för att byta attityd. Fanns ingen anledning att förhäva sig, för egen del hade han inte ens en guldfisk.

”Jag har talat med ett par kolleger i det här ärendet”,

började Lillieskog. ”Saken är ju den att vi står inför en ganska ovanlig situation. En ganska ovanlig... förövare, antagligen.”

”Ovanlig?” sa Jonnerblad.

”Precis”, sa Lillieskog. ”Under alla förhållanden ovanlig. Om vi tänker oss att skissera ett worst case-scenario, så har vi sannolikt att göra med en mycket intelligent mördare. En sådan som... ja, det kan kanske låta lite tillspetsat... som snarare hör hemma i litteraturen än i verkligheten. Eller i filmens värld. En gärningsman som verkligen har en utstuderad plan och som genomför den till punkt och pricka utan skrupler... som ni alla vet är det här inte precis vardagsmat bland våra kriminella vänner.”

”Frustrerade fyllbultar som blir förbannade och tar till våld”, sufflerade Astor Nilsson.

”Ungefär, ja. Det är ju så det brukar se ut. Eller uppgörelser i den undre världen. Men vår man är av en annan ull, alltså. Det som gör att vi ändå kommer att få fast honom är att han har ett motiv, det är bara på den vägen vi kan komma åt honom. Han är verkligen ute efter att döda ett visst antal människor... och det är just de här människorna det gäller, inga andra.”

”Det kan väl tänkas att han slump...” började Eva Backman invända, men Lillieskog höjde en avvärjande hand.

”Jag bedömer inte att han väljer sina offer slumpmässigt. Om han gör det, är det en irrationell galning. Nej, den här personen har en strategi för att bli av med ett antal människor som av någon anledning gjort honom illa. Han är gissningsvis, som det brukar vara i sådana här fall, en ganska inbunden och defensiv människa. En smula socialt handikappad antagligen, men av allt att döma intelligent. Kanske till och med mycket intelligent.”

”Psykopat?” frågade Astor Nilsson.

”Jag är inte säker på det”, sa Lillieskog. ”Psykopat är en ganska vårdslös beteckning. Lätt att ta till, men sällan riktigt adekvat. Nedsatt empatisk förmåga kan vi nog räkna med, men det gäller de flesta våldsverkare. Han är kanske inte ens rädd för att åka fast. Ser det mera som en lek, eller ett spel, mellan honom och polisen. Att han skriver breven ger honom antagligen en sorts kick. Triggar igång honom på sätt och vis, han ger sig själv bekräftelse. Men jag tror alltså inte att vi har att göra med en seriemördare, det här är någonting annat. Det jag fruktar är som sagt att han är betydligt smartare än vad vi är vana vid. Han arbetar ensam, han vet vad han vill göra, och han gör det.”

”Av vissa skäl?” sa Tallin.

”Av vissa skäl”, sa Lillieskog. ”Min rekommendation är att ni letar reda på dom.”

Han lutade sig tillbaka och stoppade en penna i bröstfickan. Uppenbarligen var han klar med sin analys.

”Frågor till Lillieskog?” sa Jonnerblad.

”En”, sa Gunnar Barbarotti. ”Hur pass säker är du på den här bilden av gärningsmannen?”

Lillieskog tänkte efter i två sekunder.

”Åttio-tjugo”, sa han.

Gunnar Barbarotti nickade. ”Och om han faller inom de där resterande tjugo, då är det en knäppskalle som går efter telefonkatalogen?”

”Till exempel”, sa Lillieskog.

Efter att profilerare Lillieskog avvikit gick man över till fallet Hans Andersson.

”Tre dagar”, konstaterade Jonnerblad. ”Det har gått minst tre dagar sedan vår mördare skickade brevet. Vi har hittat alla de tjugonio Hans Anderssönerna som är skrivna i Kymlinge och vi har pratat med allihop. Samtliga är fortfarande i livet och ingen av dem säger sig ha någon koppling till vare sig Anna Eriksson eller Erik Bergman."

"Ingen?" frågade Astor Nilsson.

"Inte av någon dignitet i varje fall", sa Jonnerblad. "Tre eller fyra av dem vet vem Bergman var, påstår dom. En har gått i samma klass som Anna Eriksson i två år, men de tillhörde inte samma gäng, tydligen. Vi har försökt vara så otydliga som möjligt och belagt dom med munkavle, det tycks fungera så här långt men det håller förstås inte i evighet. Förr eller senare har vi kvällspressen över oss. En mördare som skriver brev till polisen och talar om vem han tänker mörda går förstås inte av för hackor. Betyder säkert femtiotusen extra lösnummer. Men det problemet får vi ta när den dagen kommer. Vår bevakning av de här Hassarna är inte mycket att skryta med, men det kostar ändå trettio man dygnet runt, och trots allt..." Han gjorde en tankepaus och kliade sig under hakan. "... trots allt känns det nödvändigt att upprätthålla skyddet. Eller vad säger ni?"

"Varför skulle vi inte upprätthålla det?" frågade Sorgsen påpassligt.

"Därför att han antagligen inte kommer att mörda något av våra bevakningsobjekt", sa Astor Nilsson. "Han skulle redan ha gjort det i så fall. När det gällde Anna Eriksson gav han oss knappast någon tid alls. Eller också... ja, eller också gäller det en Hans Andersson som bor någon annanstans."

"Och då kan han redan vara död", fyllde Tallin i. "Det finns mer än femtonhundra personer i det här landet som heter Hans Andersson. Om några stycken är en smula försvunna i semestertider så kan det dröja innan det flyter upp till ytan. Men vi har förstås rikstäckning på det här.”

”Naturligtvis”, sa Jonnerblad. ”Och kom ihåg att det skulle kunna bli ett helvetes liv om vi bara struntade i skyddet. Fast vi kan förstås inte hålla på med det hur länge som helst. Det kostar värre än en högriskmatch i fotboll.”

”Intressant läge”, sa Eva Backman. ”Så vad gör vi då? Alltså.”

”Förslag?” sa Jonnerblad och såg sig om runt bordet.

”Dra in bevakningen”, sa Astor Nilsson. ”Men berätta det inte för de inblandade.”

”Motivera”, sa Jonnerblad.

”Gärna”, sa Astor Nilsson. ”Kan jag få lite vatten, bara?”

Tallin skruvade korken av en Loka och hällde upp ett glas.

”Tack”, sa Astor Nilsson. ”Jo, för det första så kommer vi inte med den usla bevakning vi upprätthåller att kunna förhindra något brott... det enda vi gör är att försöka hålla skenet uppe och det är fjantigt. En eftergift åt den allmänna opinionen. För det andra framstår vi antagligen som ännu mer inkompetenta om gärningsmannen slår till och lyckas *trots* att vi haft bevakning. För det tredje... ja, för det tredje så tror jag som sagt inte att vår gode vän den mördande brevskrivaren kommer att kröka ett hårstrå på någon av de Hassar vi sitter och försöka hålla koll på. Ergo, dra in skiten.”

”Instämmer”, sa Eva Backman.

”Instämmer”, sa Barbarotti.

”Hm”, sa Jonnerblad. ”Jag tror vi måste fundera över det här lite noggrannare.”

”Gör som du vill”, sa Astor Nilsson. ”Kan vi inte gå över till de lik vi redan har istället?”

Det kunde man.

Först redogjorde Sorgsen utförligt för de fortsatta förhören med folk som känt Erik Bergman. I den ena eller andra funktionen. Sammanfattningsvis bedömde han att bilden av Bergman på många sätt blivit tydligare, men att någonting för utredningsarbetet avgörande knappast tillkommit.

Därefter redogjorde Eva Backman på motsvarande sätt för läget när det gällde Anna Erikssons bekantskapskrets. Det fanns en sorts psykologisk samstämmighet mellan de bägge offren, betonade Backman; de hade båda varit utpräglade individualister, de beskrevs av nästan alla man pratat med som starka om än en smula ytliga sig-själv-nog-typer. Flera av uppgiftslämnarna hade beskrivit Anna Eriksson som ”hård” eller ”tuff”, och en gammal gymnasiekamrat till Erik Bergman hade använt uttrycket ”känslokall” om den forne vännen.

Sammantaget tog Sorgsens och Backmans redovisningar uppemot en timme, informationer lades till informationer, bland annat kunde man med säkerhet fastställa att Anna Eriksson varit i livet så sent som klockan 11.55 på tisdagen, då hon iakttagits på sin balkong av ett tillförlitligt vittne tvärs över gatan – och att hon med rätt stor sannolikhet varit död två timmar senare, då en väninna ringt till henne upprepade gånger på hennes mobiltelefon utan att få svar. Inom detta intervall – dessa två timmar – hade mördaren således slagit till. De tekniska undersökningarna av de bägge mordplatserna var avslutade, ett antal plastpåsar med högst divergerande innehåll var avsända till Linköping för analys, men inget resultat hade ännu kommit i retur, och det bedömdes inte heller som särskilt troligt att någonting för utredningen intressant skulle dyka upp på den vägen. Fingeravtryck och DNA verkade lysa med sin frånvaro, och en trolig hypotes angående hur mördaren burit sig åt med Anna Eriksson var att han ringt på dörren, blivit insläppt, slagit ihjäl sitt offer med sitt trubbiga vapen, plastat in henne och lagt henne under sängen. Helt enkelt. Den okända mansperson som ett vittne iakttagit ryggtavlan på i trappuppgången var fortfarande både konturlös och oidentifierad, och vid förnyat förhör hade vittnet dessutom visat tecken på att ha blandat ihop tisdagen med måndagen.

Beträffande breven hade nya analyser gjorts av nya grafologer. En högerhänt man som textat med vänster hand var fortfarande det mest gångbara tipset. Eftersom breven var postade i Göteborg – de två första – och Borås – det tredje – kunde det antas att han bodde inom en radie av femton-tjugo mil från Kymlinge.

”Lysande”, kommenterade Astor Nilsson. ”Vi har att göra med en högerhänt man från Västsverige. Det är bara en tidsfråga innan vi har honom fast.”

”Hrrm jahaja”, muttrade intendent Jonnerblad. ”Det viktigaste vi har att göra är att fortsätta spana brett. Men vi fokuserar också på att leta efter sambandet, bland annat genom att kontrollera fotoalbum. Än så länge har vi inte hittat något på den vägen, men det vore ju bra om vi gjorde det innan vi hittar en Hans Andersson mördad.”

Han harklade sig på nytt och drack lite vatten. ”Och det vore minst lika bra om inspektör Barbarotti kunde tala om för oss varför det är just han som får ta emot de här breven”, lade han till.

Gunnar Barbarotti rätade upp sig i stolen.

”På den punkten är vi helt överens”, sa han. ”Jag har gjort en inventering av mina lik i garderoben, som vi sa. Ni har sett listan, det vore intressant att veta om där finns något namn som ni hajar till inför.”

Det blev tyst runt bordet medan alla studerade sina listor med de sextio namn han tecknat ner.

Därefter diskuterades fem eller sex av dem en stund – samtliga hade en eller flera noteringar i brottsregistret – därefter skakades det på huvuden och konstaterades att det nog inte ledde någonvart.

”Och det är ingen av de här du själv känner nånting extra för?” undrade intendent Jonnerblad och såg plötsligt mycket trött ut.

”Nej”, sa Barbarotti. ”Vilket inte innebär att jag blir alldeles överraskad om det skulle visa sig att det faktiskt är någon av dem. Men tio stycken lågoddsare kunde jag faktiskt inte plocka ut.”

”Det är lite för mycket matematik i det här för min smak”, förklarade Astor Nilsson. ”Vi har tjugonio Hassar och nu sextio Barbarottispöken. Ska vi blanda dem i en slumpgenerator och se efter vilka som häftar vid varandra, eller hur är det tänkt?”

”För mycket sitta bakom skrivbordet och tänka, för lite span”, fyllde Eva Backman i.

”Spaning behöver alltid en viss riktning”, påpekade Tallin. ”Åtminstone när det har gått några dagar.”

”Håller jag med om”, sa Eva Backman. ”Jag tar tillbaka.”

Sorgsen harklade sig försiktigt.

”Det där fotografiet”, sa han. ”Ursäkta, men jag fick för mig att det kunde vara taget i Frankrike.”

Bilden med mannen och kvinnan på bänken grävdes hastigt fram och skärskådades noggrant.

”Frankrike?” sa Jonnerblad. ”Varför då, om man får fråga?”

”Det är något med färgen på papperskorgen bredvid bänken”, förklarade Sorgsen. ”Ja, man ser ju bara en del av den, men jag antar att det är en papperskorg. Jag tycker jag känner igen tonen, alltså."

Barbarotti erinrade sig plötsligt att Gerald Borgsen brukade måla tavlor på fritiden. För några år sedan hade han till och med haft en liten utställning i polishusets matsal. Ett dussin små, halvfigurativa oljor och äggtemperor, som hade väckt både förvåning och uppskattning. Barbarotti hade tänkt köpa en, men innan han hunnit bestämma sig hade de gått åt allihop. Kanske hade Sorgsen en känsla för färger som ingen av de andra i gruppen riktigt nådde upp till?

"Färgen på en papperskorg?" sa Jonnerblad i ett svävande tonfall. "Jag vet inte riktigt..."

"Fanimej", sa Astor Nilsson. "Jag tror du har rätt. Påminner om kulören på fönsterluckorna till ett hus jag hyrde en gång. I Avranche... Normandie alltså, för dom av er som inte..."

"Vi ska nog inte göra för stor sak av det", avbröt Tallin. "Dessutom är vi ju långt ifrån säkra på att mannen på bänken verkligen föreställer Erik Bergman. Eller hur?"

"Naturligtvis", sa Sorgsen. "Jag ville bara nämna det. Det skulle kunna vara Syditalien också, men jag är helt på det klara med att vi inte är särskilt behjälpta av det här."

"Jahaja", upprepade Jonnerblad och lutade sig tillbaka. "Frankrike och Italien? Nej, det vore nog önskvärt om vi kunde krympa spaningsfältet en smula istället för att vidga det och börja leta ute i Europa. Men tack för påpekandet i alla fall. Kanske kan vi ha nytta av det längre fram."

"Föralldel", sa Sorgsen.

Jonnerblad såg sig om i den slokande församlingen. Tittade på sitt armbandsur.

"Vi sätter punkt här för idag", förklarade han. "Tyvärr har vi inget annat att göra än att jobba vidare enligt de riktlinjer vi redan dragit upp. Bevakningen av Hans Anderssönerna ligger kvar i nuvarande omfattning över hela helgen. Om inget oförutsett inträffar ses vi på måndag förmiddag klockan tio. Frågor?"

Ingen hade några frågor. Intendent Jonnerblad förklarade genomgången avslutad. Klockan var tjugo minuter i fem fredagen den tionde augusti.

"Din semester?" frågade Gunnar Barbarotti när Eva Backman tittade in i hans rum tio minuter senare. "Hur går det med den?"

"Jobbar till och med onsdag", sa hon. "Men jag sticker ner till stugan nu över helgen också. Åttio mil fram och tillbaka, men vad gör man inte för familjefriden? Vad tänker du ägna dig åt?"

Barbarotti ryckte på axlarna. "Det är tudelat", sa han. "Dels åker jag väl hit och jobbar vidare. Men jag tänkte hinna fundera ut vad jag ska göra med mitt liv också."

"Bra", sa Eva Backman. "Det gör du rätt i. Det senare alltså."

"Då så", sa Barbarotti. "Vi ses på måndag. Hälsa familjen."

"Hälsa Marianne", sa Eva Backman.

"Kommer inte att prata med henne förrän på onsdag", sa Gunnar Barbarotti.

Eva Backman hejdade sig i dörren. "På onsdag? Varför då?"

"Det är en grej", sa Barbarotti.

"En grej?"

"Ja."

"Ibland kan du vara jävligt klargörande", sa Eva Backman.

15

Han körde in pekfingret i bibeln och slog upp den.

Landade i Matteusevangeliet. Sjätte kapitlet, tjugoandra versen.

Kroppens lampa är ögat. Om ditt öga är ogrumlat får hela din kropp ljus, men om ditt öga är fördärvat blir det mörkt i hela din kropp. Om nu ljuset inom dig är mörker, hur djupt blir då inte mörkret.

Han läste det två gånger. Jaha? tänkte han. Så är det förstås. Naturligtvis.

Men om det nu var fråga om vägledning, och det var ju det som var tanken, så verkade det inte alldeles oomtvistligt vilken sorts vägledning det var frågan om. Gällde det utredningen? Eller gällde det honom själv? Hans allmänna andliga mörker och blinda famlande på livets törnbeströdda stig?

Eller båda?

Ja, kanske båda, tänkte han. Ett ogrumlat öga kunde man väl vara betjänt av i alla sammanhang. Att se det som fanns att se istället för de blott inbillade farorna.

Eller?

Inspektör Barbarotti suckade och slog igen bibeln. Gick ut i köket och konstaterade att kylskåpet var tomt. Jo, där fanns en ost, ett paket bordsmargarin, en liter mjölk och fyra eller fem andra övergivna tingestar, men ingenting som det gick att laga en anständig middag av. Fast varför skulle man – å andra sidan – laga middag åt en person? Klockan var halv sju på lördagskvällen, det var för sent att ringa till en god vän och fråga om han eller hon hade lust på en matbit och ett glas vin. För övrigt hade han bara – noga taget – två vänner av samma ensamhetskaliber som honom själv, och ärligt talat hade han ingen lust att sitta och gagga med någon av dem över ett restaurangbord.

Men ännu värre var att sitta ensam. Folk kände igen honom. *Titta, där sitter kriminalinspektör Barbarotti och käkar mol allena! Stackarn, han har nog inget roligt liv.*

Nej, fy fan, det var inget gångbart alternativ. Men han var hungrig. Kroppens signaler lät sig inte bevekas därvidlag. Fick väl bli ett par korvar med mos borta på Rockstagrillen, det var en lagom diskret kompromiss och det hade fungerat förr. Kanske kunde han gå förbi Älgen på tillbakavägen och se efter om där satt några bekanta ansikten och hängde i baren?

Han kontrollerade termometern utanför köksfönstret innan han gav sig iväg. Tjugofyra grader. Värmen hade kommit tillbaka efter ett par ostadiga dagar. Behövdes inte en tröja en gång. En kväll som gjord för att sitta ute i glatt sällskap.

Hur djupt är inte mörkret i min kropp, tänkte Gunnar Barbarotti och skyndade ut i staden.

Och jag får inte ringa Marianne förrän på onsdag.

Men han fick ringa till Sara.

Korvarna på Rocksta och en melankolisk ensamöl på Älgen drog fram klockan till kvart över åtta, och han hade knappt satt sin fot i tamburen igen, förrän han förstod att han måste få tala med sin dotter.

Måste.

Han sjönk ner i vilstolen ute på balkongen och slog numret. Betraktade solnedgången och lyssnade till kajorna medan han väntade på att få höra hennes röst från London. Efter sex signaler slog svararen på. Sara meddelade glatt – på både engelska och svenska – att hon antingen låg och sov eller stod i duschen, men att hon skulle ringa tillbaka före jul om man bara lämnade numret. Han väntade fem minuter innan han provade igen. Den här gången svarade hon.

”Hej, det är pappa.”

”Vem?”

Det hördes musik och röster i bakgrunden.

”Det är jag”, sa han lite högre. ”Din snälle far, om du kommer ihåg honom?”

Hon skrattade. ”Jaså, är det du? Får jag ringa upp dig om… om en halvtimme, det är lite rörigt här nu.”

Han sa att det gick bra. Undrade vad som menades med ”lite rörigt”. Och vad ”här” betydde. Det lät i varje fall inte särskilt betryggande. Hade varit mycket bättre om hon varit hemma och han enbart hört ljudet av tevenyheter eller en dammsugare i bakgrunden. Det hade förekommit klirr av flaskor också där hon befann sig, var det inte så? Och rök, säkert var det rökigt som bara fan, det var visserligen svårt att förnimma sådant via telefonen, men hade man varit kriminalpolis i tjugo år, så hade man.

Han hämtade listan med de sextio namnen inifrån portföljen, tog med sig den sista ölen från kylskåpet och slog sig ner ute på balkongen igen.

Lika bra att ägna sig åt jobbet medan man väntar, tänkte han. Det är liksom den trygghet och det stöd man har att luta sig mot. Livet är ett grustag och det är du som är skoveln.

Det dröjde femtiofem minuter innan Sara ringde; nästan en minut per namn, således, men det hjälpte inte. Hur mycket han än stirrade på vart och ett av dem, så tyckte han inget av dem passade särskilt väl till en brevskrivande mördare och inget ljus tändes i mörkret.

”Hej pappa”, sa Sara. ”Kan du ringa upp mig istället, jag har lite dåligt med pengar på kortet.”

Det var den vanliga proceduren. ”Hur har du det?” frågade han när samtalet äntligen kunde skjuta fart.

”Bra”, sa Sara. ”Jag har det jättebra. Du är väl inte orolig för mig?”

”Finns det anledning till det?” returnerade han listigt.

”Inte det minsta”, påstod Sara och skrattade. ”Men jag vet ju vilken hönspappa du är. Fast det var bra att du ringde. Då kan jag passa på att berätta att jag har fått en pojkvän.”

”Pojkvän?” sa Gunnar Barbarotti och höll på att krama sönder ölglaset.

”Ja. Han heter Richard. Han är jättetrevlig.”

Det tror jag inte en sekund på, tänkte Barbarotti. Han försöker bara lura dig och utnyttja dig, fattar du inte det?

”Richard?” sa han. ”Jaså minsann. Och vad sysslar han med då?”

”Han är musiker.”

Musiker! vrålade en röst inuti Gunnar Barbarotti. Sara, har du blivit alldeles från vettet? Musik och knark och aids och fan och hans mormor, åk hem och lås in dig så kommer jag och hämtar dig imorgon!

”Hallå, är du kvar?”

”Ja... jag är kvar. Är du riktigt säker på det här... jag menar, vad då för sorts musiker?”

Han skickade iväg en blixtsnabb existensbön till Vår Herre. Säg att han är cellist i London Philharmonic Orchestra! Tre poäng! Vadsomhelst men inte...

"Han spelar bas i ett band som brukar uppträda på puben här."

Fy fan, tänkte Gunnar Barbarotti. Jag visste det. Näsring och tatueringar och skitigt hår som väger tre kilo.

"Puben?"

"Pappa, jag har slutat på det andra jobbet. Jag jobbar bara på puben nu, men det är jättetrevligt. Alla är schyssta och du behöver inte oroa dig en sekund."

"Du är nitton år, Sara."

"Jag vet hur gammal jag är, pappa. Vad gjorde du själv när du var nitton år?"

"Det är ju just därför jag oroar mig", fick han ur sig och belönades med ett nytt skratt.

"Vet du pappa, jag älskar dig."

"Jag älskar dig också, Sara. Men du måste vara rädd om dig. Det är ett helt annat läge nu än när jag var ung, och det är mycket värre att vara tjej. Om du bara hade sett bråkdelen av vad..."

"Jag känner till det där, snälla pappa. Men jag är faktiskt ingen idiot. Du kan lita på mig och om du träffade Richard lovar jag att du skulle gilla honom."

Jag skulle förhöra honom i fjorton timmar utan pisspaus, tänkte Gunnar Barbarotti. Sedan skulle jag utvisa honom till Yttre Mongoliet.

"Varför slutade du arbeta i butiken?" frågade han. "Jag tycker inte det är någon lämplig miljö för en flicka på nitton att stå i en pub."

"Pappa", sa Sara och suckade tålmodigt. "Tänk efter nu, det står nittonåriga tjejer och serverar på varenda pub i hela världen. Jag jobbar bara fyra kvällar i veckan och jag tjänar dubbelt så mycket som jag gjorde i den där snorkiga butiken. Det är ingen fara med mig. Jag röker inte, jag har aldrig oskyddat sex och jag dricker inte ens hälften så mycket som vad du gör."

"Allright", sa Gunnar Barbarotti och kände att det var dags att kasta in handduken. "Jag vill bara att du ska ha det bra, det förstår du väl. Hur går det för Malin, då?"

Malin var den väninna som Sara rest över med till London, och som hon delade lägenhet med uppe i Camden Town.

"Det är bra med Malin också", betygade Sara. "Men hon har ingen pojkvän än."

"Klok flicka", sa Gunnar Barbarotti. "Jag kommer över och hälsar på dig i september, som vi sa. Om jag fortfarande är välkommen, vill säga?"

"My heart belongs to daddy", sa Sara och eftersom det var det bästa hon sagt under hela samtalet tog de farväl och lovade att höras av om en vecka igen.

Han satt kvar ute på balkongen medan himlen långsamt blånade över takåsarna och över almarna längs ån. Om ett år sitter jag på en annan balkong och ser ut över Öresund, tänkte han plötsligt. Helsingör och Louisiana och det ena med det andra.

Tänk om det blev så.

Eller tänk om det *inte* blev så. Tänk om han skulle sitta på de här tre kvadratmetrarna under alla de sommarnätter han hade kvar i livet. Just ikväll såg det visserligen inte så pjåkigt ut, men ändå. Ändå?

Det värsta var att han inte hade särskilt svårt att måla upp den möjligheten för sitt inre, ogrumlade öga. Allteftersom tiden gick tilltog trögheten i honom, det var fånigt att inbilla sig att han skulle vara mer benägen till förändring om två eller fem eller åtta år.

Om man inte är pigg när man är fyrtiosju, kommer man inte att vara det när man är femtiosju heller, tänkte han. Såvida man inte ser till att förändra saker och ting.

Men han var ju benägen nu. Så inihelvete benägen. På onsdag skulle han ringa till Marianne och förklara det. Sedan var det bara att hoppas att hon inte drabbats av dubier. På sätt och vis var det förvånansvärt att han kunde känna en sådan tillit till henne, de hade varit bekanta med varandra under ett enda år, hade inte träffats mer än åtta-tio gånger; men kanske var det inte konstigare än att det var ensamheten som knuffade iväg honom. I min ålder, tänkte han, har man sannerligen inte all tid i världen att välja och vraka.

Handla eller förtvina.

På nytt tyckte han att det lät krasst och pragmatiskt i överkant, i synnerhet som han hade svårt att känna någon sorts tveksamhet om sina känslor för Marianne. Han älskade henne, han var beredd att säga upp sitt jobb och flytta ihop med henne i Helsingborg, så enkelt var det. Eller någon annanstans om hon föredrog det. Berlin eller Fjugesta eller vad fan som helst.

Jag skulle ha valt just henne även om all världens kvinnor stått mig till buds, tänkte han. Faktiskt, jag ljuger inte, solnedgången är mitt vittne.

Sedan dök en minnesbild upp i huvudet på honom. Man kunde undra varför.

Ett fall för ungefär tio år sedan. En kvinna hade ringt till stationen mitt i natten och förklarat att hon hade dödat sin man. Hon hade uppgivit adressen, ett av de då nybyggda flerfamiljshusen nere på Pampas, han hade åkt dit tillsammans med en kvinnlig kollega, som senare flyttat till Stockholm – och de kunde konstatera att det var precis som kvinnan hade sagt. Mannen satt framåtlutad över köksbordet med huvudet vilande på sina korslagda armar, och om det inte hade varit för förskärarhandtaget som stack ut mellan skulderbladen på honom, kunde man ha trott att han satt och sov.

”Varför?” hade Barbarotti frågat.

”Jag visste mig ingen annan råd”, hade kvinnan svarat. ”Han sa att han tänkte lämna mig. Vad skulle det då ha blivit av mig?”

Han hade betraktat henne förbryllat. En lite överviktig, sliten kvinna i femtiofemårsåldern. ”Vad skall det bli av er nu?” undrade han.

”Nu blir jag omhändertagen”, förklarade hon. ”Men jag skulle inte ha klarat att leva ensam. Inte en dag. Och Arne kommer i jorden.”

Senare hade han förhört henne och hon hade hållit fast vid denna linje, som om den varit en självklarhet. Ingenting som behövde ifrågasättas eller utvecklas vidare; hennes man hade lovat att älska henne och ta hand om henne livet ut, och när han bröt detta löfte återstod den enda logiska lösningen på problemet: att köra en kniv i ryggen på honom. Den rättspsykiatriker som så småningom undersökte henne under flera dagar kom också fram till att hon var fullt frisk och hon dömdes följdriktigt till livstids fängelse för mord.

Barbarotti brukade tänka tillbaka på detta fall då och då. Eller det seglade in i hans medvetande med jämna mellanrum, rättare sagt. Som nu. Utan att han kunde förhindra det. Och det åtföljdes alltid av de där frågorna han inte riktigt kunde formulera. Men framförallt inte besvara.

Hur var det med hennes skuld egentligen?

Varför hade han så svårt att inse att hon överhuvudtaget begått något brott?

Hade han varit enväldig domare i en utopisk rättsstat skulle han antagligen – mot hennes egen vilja – ha frikänt henne. Eftersom hon aldrig mer i sitt liv skulle komma i ett läge där hon behövde begå en sådan handling för att försvara... ja, vad det nu var hon försvarade. Han kunde inte riktigt hitta denna kärna, men det kändes heller inte viktigt att formulera det i ord.

Vad som var viktigare var antagligen i vilken grad det var förenligt med hans egen roll som polisman att gå omkring med sådana tankar om brott och straff i huvudet?

Han kom inte till någon lösning den här vackra augustikvällen heller. När klockan blivit tolv och alla kajorna tystnat, bestämde han sig för att gå till sängs, men han hade knappt kommit upp ur stolen förrän hans mobiltelefon ringde.

Helvete, tänkte han. Sara. Det har hänt henne nånting.

Men det var inte Sara.

Det var Göran Persson.

För en förvirrad sekund trodde Barbarotti verkligen att det var före detta statsministern som hade ringt upp honom i någon politiskt kinkig fråga – men så förstod han att det bara rörde sig om en namne.

Göran Persson var reporter på tidningen Expressen och hans ärende var distinkt som en spik i sockerkaka.

”Det gäller de två morden i Kymlinge. Jag har fått uppgift om att mördaren skall ha skrivit till dig och berättat i förväg vad han tänkt göra. Vad har du för kommentar till det?”

”Va?” sa Gunnar Barbarotti.

Göran Persson upprepade sitt påstående och sin fråga i exakt samma ordalag.

”Jag har ingen kommentar alls”, förklarade Barbarotti. ”Jag förstår inte vad du talar om. Var har du fått uppgifterna ifrån?”

”Känner du inte till att det är brottsligt att efterforska en källa?” kontrade Persson. ”Men jag kanske kan överse med det. Det råkar vara så att jag vet att uppgifterna stämmer. Att ni visste om att både Erik Bergman och Anna Eriksson skulle mördas. Det kommer att stå om breven i tidningen på måndag, och ni kommer inte att framstå i särskilt god dager om ni försöker förneka fakta.”

”Jag tror inte...”

”Jag är på väg ner till er i bil nu”, förklarade reportern. ”Ska vi säga att vi ses på Kymlinge Hotell till frukost imorgon bitti? Så får vi prata om det här i lugn och ro, jag tror det är lika bra att vi spelar i samma lag i det här fallet. Breven är ställda till dig personligen, har jag förstått. Handskrivna, textade med versaler. Stämmer det?”

Gunnar Barbarotti funderade i tre sekunder.

”Hur dags?” frågade han.

”Klockan tio”, bestämde reporter Persson. ”Jag har tjugo mil kvar att köra och det är ju söndag imorgon, trots allt.”

Vi har en läcka, tänkte kriminalinspektör Barbarotti medan han borstade tänderna och betraktade sina ovanligt grumlade ögon i badrumsspegeln.

Vem?

16

Det bjöd honom emot, det gjorde det verkligen, men en timme innan han skulle sammanstråla med Göran Persson på Kymlinge Hotell ringde han upp intendent Jonnerblad och förklarade läget.

”Satan också”, sa Jonnerblad. ”Jag tror det är bäst om jag åker dit i ditt ställe.”

”Det är nog ingen bra idé”, sa Barbarotti. ”Han tycks känna till att breven är riktade till mig och det var mig han ville prata med.”

Jonnerblad funderade en stund och stängde av en radio.

”Allright”, sa han sedan. ”Men vi måste lägga upp en strategi som du håller dig till.”

”Gärna för mig”, sa Barbarotti. ”Är det nånting särskilt du tänker på?”

”Hur mycket vi ska avslöja förstås”, sa Jonnerblad. ”Det är det saken gäller.”

”Tror redan han vet allt”, sa Barbarotti. ”Kan vara dumt att trassla in oss i lögner.”

”Vem har sagt någonting om lögner?” sa Jonnerblad.

”Inte vet jag”, sa Barbarotti.

”Vem fan är det som har snackat?”

”Ingen aning”, sa Barbarotti. ”Men vi är ju rätt många som är insatta.”

”Kanske var det bara en tidsfråga”, sa Jonnerblad. ”Men om det är någon kollega som går omkring på stan med en Armanikostym, kan du väl ge mig en hint.”

”Det lovar jag”, sa Barbarotti. ”Men hur ska vi ha det med strategin, alltså?”

Jonnerblad satt tyst igen men andades tungt. Som om det satt en tjock älskarinna eller någonting på hans bröst, tänkte Barbarotti.

Varför fick han alltid sådana där omotiverade tankar och bilder? Det var nästan alltid störande och... vad hette det... kontraproduktivt? Han tappade liksom tråden. Varför i helvete skulle det sitta en tjock ho...?

”Skyddet”, sa Jonnerblad till slut. ”Han kommer att fråga om skyddet.”

”Vi behöver inte skydda dom som redan är mördade”, sa Barbarotti. ”Jag är inte säker på att han...”

”Hans Andersson”, avbröt Jonnerblad. ”Kände han till Hans Andersson också?”

”Det var det jag skulle säga”, sa Barbarotti. ”Det framgick inte. Vi pratade inte om det.”

”Om han inte nämner honom, behöver inte du göra det heller”, avgjorde Jonnerblad.

”Och om han nämner honom?”

”Då förklarar du att vi har upprättat ett så gott skydd som omständigheterna medger.”

”Som omständigheterna medger?”

”Just det.”

”Jag förstår”, sa Barbarotti. ”Någonting annat?”

”Han vill antagligen vara ensam om den här nyheten”, sa Jonnerblad. ”Du har en liten förhandlingsmöjlighet där. Det är ju ingenting som hindrar att vi går ut med det här på en presskonferens i eftermiddag.”

”Jag vet”, sa Barbarotti. ”Jag tänkte också på det. Fattar inte varför de inte bara basunerade ut det här idag.”

”Vad kommer du fram till då?” undrade Jonnerblad. ”När du tänker på det?”

”Att han måste ha fått tipset alldeles innan han ringde mig. Klockan var över midnatt, de hann inte få in det tills idag, helt enkelt.”

”Mycket möjligt”, sa Jonnerblad. ”Men varför kontaktar han oss överhuvudtaget?”

”Bra fråga”, sa Barbarotti. ”För att han inte trodde på det, kanske?”

”Brukar inte utgöra något hinder”, sa Jonnerblad. ”Fast det kanske är riktigt i det här fallet. Men du bedömer det som att han blev övertygad efter att ha pratat med dig, alltså?”

”Nja...” sa Barbarotti.

”Var du nykter?”

Inspektör Barbarotti svarade inte.

”Ring mig så fort du har klarat av honom”, sammanfattade Jonnerblad. ”Använd sunt polisförnuft, du har väl varit med förr? Och kan du få ur honom hans källa, så inte mig emot.”

”Jag skulle inte tro att det går”, sa Barbarotti. ”Journalister brukar vara rädda om sina mullvadar.”

”Tror fan det”, muttrade Jonnerblad och sedan var det strategiska samtalet över.

Göran Persson såg inte ut att trivas på Kymlinge Hotell. Skulle antagligen ha föredragit en matsal i New York eller Rom, bedömde Gunnar Barbarotti, men nu var det som det var. Reportern hade uppenbarligen frukosterat färdigt i alla händelser; han hade skitat ner mer porslin än en normal fyrabarnfamilj, det låg malträterade bitar av smörgåspålägg, wienerbrödssmulor och äggrester utspridda över hela bordet, och morgontidningen hade hamnat i skrynkliga drivor på golvet.

Påminner om en avtänd dokusåpastjärna, tänkte Barbarotti dystert. I dalande. Tre dagars skäggstubb, nyduschat, okammat hår och en svart T-shirt under en fransig skinnväst. Fyrtio år plus minus fem.

Fast det behöver inte vara så illa som det ser ut, tänkte han sedan och slog sig ner mittemot reportern. Hans vanliga jobb kanske är att infiltrera i MC-ligorna. Undersökande journalistik, man ska inte döma hunden efter håren. Skönt att jag inte är fördomsfull.

”Tjenare”, sa Persson. ”Du är Barbarotti?”

Barbarotti erkände att det var en riktig förmodan. Persson lade in en portionssnus.

”Vi har tänkt oss fyra sidor på det här”, sa han. ”Två hela uppslag. Det är ju en jävligt intressant historia.”

”Säger du det?” sa Barbarotti.

”Vi vill gärna ha med dom där breven. Precis som dom ser ut alltså. Kommer att hjälpa er få fast den här jäveln.”

”Jag är inte så säker på att vi vill lämna ut dom”, sa Gunnar Barbarotti.

”Klart som fan ni vill”, sa Göran Persson. ”Ni vill väl inte att vi skriver skit om er, eller hur? Kommer en fotograf vilken minut som helst, tänkte du kunde ta med oss till polishuset sen. Vill du ha fika?”

Gunnar Barbarotti nickade. Lämnade bordet och försåg sig från buffén med en kopp kaffe och en näve småskorpor. Försökte stålsätta sig mot impulsen att hälla kaffet i håret på reportern och ångrade att han inte gått med på att låta Jonnerblad sköta ruljangsen.

Men låta sig regeras? I helvete heller.

"Allright", sa han när han satt sig ner igen. "Jag får höra med mina kolleger. Men nu är det så att jag tror du har fått ett och annat om bakfoten, det är ju inte alldeles ovanligt i ert fall. Kan du berätta lite om hur du fick tipset... jag har personligen inte bläddrat i din tidning på fjorton år och har inte för avsikt att göra det imorgon heller."

Göran Persson betraktade honom en lång stund medan det ryckte lite i hans ena mungipa. En flik av portionssnusen kom till synes. Därefter rätade han upp sig i stolen och harklade sig.

Därefter läste han ur minnet upp mördarens meddelanden. Långsamt och eftertryckligt, ord för ord. Även det tredje, det som handlade om Hans Andersson.

"Vad är det du anser att jag har fått om bakfoten?" lade han till.

Helvete också, tänkte Barbarotti. Vad är det för idiot som...? Vänta nu, kan det vara så att...?

Men i det ögonblicket brändes en fotoblixt av, och det skulle dröja mer än ett dygn innan han hittade tillbaka till just den tanketråden.

"Nisse Lundman", sa fotografen. "Tänkte jag kunde ta lite bilder medan ni snackar, om det är okej?"

"Det är okej", sa Göran Persson och blinkade med ena ögat åt Barbarotti. "Nå, varför skriver den här psykopaten just till dig?"

"Psykopaten?" sa Barbarotti.

"Märk inte ord", sa Persson.

"Jag vet inte", sa Barbarotti.

"Är du säker på det? Eller vill du bara undanhålla mig information?"

Inspektör Barbarotti svarade inte. Tuggade i sig två småskorpor och såg ut genom fönstret. Fotografen tog ett par bilder.

”Allright”, sa Göran Persson. ”Men ni har alltså inte gått ut med dom här uppgifterna. Breven där ni blir varnade. Jag kommer att prata med ett par släktingar till offren senare under dagen. Vi får väl höra vad dom har att säga.”

”Vi får väl det”, sa Barbarotti.

”Och den här tredje mannen, Hans Andersson... honom har ni alltså inte hittat än?”

”Nej”, sa Barbarotti. ”Men jag lovar att ringa dig så fort vi gör det, så kan du sätta igång och plåga hans släkt och vänner också.”

”Nu ska vi inte vara kitsliga”, sa reportern och visade snusen igen. ”Ska vi ta en tur till polishuset, kanske?”

”Jag behöver ringa ett samtal först”, sa Barbarotti.

”Jag går och slår en drill så länge”, klargjorde Göran Persson. ”Jävla dåligt kaffe på det här stället.”

Jonnerblad svarade efter en halv signal. Barbarotti beskrev läget på en halv minut.

”Satan också”, sa Jonnerblad.

”Kan man säga”, sa Barbarotti. ”Men vad gör vi, alltså?”

”Har vi något val?” sa Jonnerblad.

”Jag tror inte det”, sa Barbarotti.

Jonnerblad satt tyst i luren några sekunder.

”Allright”, sa han sedan. ”Om du följer med honom till polishuset, så tar jag över. Jag kan vara där om en kvart.”

”Då säger vi så”, sa Gunnar Barbarotti. ”Ska försöka låta bli att skära öronen av honom under tiden.”

”Är det så illa?” frågade Jonnerblad.

”Du får väl se”, sa Barbarotti.

Klockan var tio minuter över elva när inspektör Barbarotti levererade Expressenreportern Göran Persson till intendent Jonnerblad på polishusets tredje våning. Kommissarie Tallin fanns också på plats, så det bedömdes inte som nödvändigt att Barbarotti stannade kvar.

Det var Barbarotti tacksam för. Han skyndade ut ur huset, klev in i bilen och började köra hemåt. Reporter Persson malde som inflammerad tand i skallen på honom, och han tänkte att om det verkligen varit Vår Herres avsikt att man skulle använda vilodagen till återhämtning och rekreation, så hade den här söndagen inte börjat något vidare.

Och om det varit Vår Herres mening att människor skulle läsa tidningar, så skulle han ta ett allvarligt samtal med honom om den saken när han hade honom på tråden nästa gång.

När han svängde in på Baldersgatan insåg han också att han inte ville komma hem. Rent objektivt var det en strålande vacker augustidag; varför skulle han sätta sig i sin lugubra trerummare med sin skavande frustration och invänta döden? Fanns ingen anledning. Måste finnas meningsfullare förströelser att ägna sig åt. Betydligt meningsfullare.

Tänkte inspektör Barbarotti, medan han långsamt rullade förbi den svagt urinfärgade fasaden till sitt krackelerade hyreshus, och innan han hunnit fram till trafikljusen ut mot Drottninggatan hade Axel Wallmans namn flutit upp i huvudet på honom.

Han tog fram mobilen och slog numret.

Axel Wallman var förtidspensionerad och bodde ute i en gammal sommarstuga på Kymmens nordsida.

Han hade inte alltid varit pensionär. För trettio år sedan hade han och Gunnar Barbarotti varit gymnasiekamrater;

Wallman hade haft skolans bästa betyg när de tog studenten – femmor i alla ämnen, utom idrott, där han nöjt sig med ett streck – och han hade förutspåtts en lysande akademisk karriär. Socialt sett var han dock en stäppvarg; svåråtkomlig, kutryggig och knepig. Barbarotti hade inte haft mycket med honom att göra under gymnasietiden, trots att de gått i samma klass alla tre åren – men hade lärt känna honom medan de låg i Lund.

Skulle antagligen inte ha kommit honom inpå livet där heller, om det inte slumpat sig så att de kommit att bo tillsammans. Under tre år delade de en dubblett på Prennegatan. Barbarotti läste juridik, Wallman lingvistik. Och en hel rad språk. Latin och grekiska i botten förstås, sedan några av de slaviska för att slutligen landa i finskan. Eller finsk-ugriskan, rättare sagt. Doktorerade så småningom med en jämförande avhandling om bruket av yttre lokalkasus i vepsiska, tjeremissiska och votjakiska, ett verk som Barbarotti fortfarande förvarade sprättat men oläst i sin bokhylla.

Fast vid det laget hade han själv förstås lämnat juridiken bakom sig. Gått polishögskolan och blivit kriminalare. Bildat familj. Wallman var antagligen inte lätt att samarbeta med, det insåg Barbarotti; ett forskarämne, men förvisso inget lärardito. Och numera var det sig inte riktigt likt i den så kallade akademiska ankdammen; förr i tiden hade den fungerat förtjänstfullt som ett hölje och ett slags skyddad verkstad för introverta begåvningar, men i Sverige mot slutet av 1980-talet hade det börjat krävas att man skulle undervisa också.

I synnerhet när det gällde språk, som ansågs utgöra något slags kommunikationsmedel mellan människor.

Det var här Wallman stupat. Fick visserligen en lektorstjänst vid universitetet i Köpenhamn, förflyttades till Århus, sedan till Umeå, sedan till Uppsala, sedan till Åbo; hela denna sidledeskarriär kantades också av långvariga sjukskrivningar och – om Barbarotti förstått det rätt – av fortlöpande kontroverser med kolleger och studenter samt en och annan skandal. Wallman hade varit försvunnen ur hans synfält under hela den här perioden, mellan 1985 och 2000 ungefär, och när de stötte ihop av en ren tillfällighet några veckor efter millennieskiftet, var det forna geniet redan utsorterad ur det akademiska maskineriet och kastad på soptippen.

Som han själv uttryckt det.

Men – som han också uttryckte det – det var rätt åt dom småskurna bläckskitarna. ”Jag talar tjugoen språk flytande, nu är det bara Saarikoski och småfåglarna som får höra det!”

Saarikoski var Wallmans hund, en sjuttiokilos, fridsam Leonberger och enligt ägaren en inkarnation av poeten själv. Småfåglarna stötte han på när han och Saarikoski tillsammans strövade genom skogarna runt stugan. Eller när han bara satt på den svackiga verandan ner mot sjökanten och tänkte och drack öl.

Eller skrev något, oklart vad. Sedan de återupptagit kontakten – på något vis gick det förstås hand i hand med Barbarottis egen karriär som frånskild – hade de träffats ungefär en gång om året; sammantaget inte mer än fyra eller fem gånger, och det var ännu mycket som var oklart med Axel Wallman.

Han svarade inte på den första uppringningen, det gjorde han aldrig. Men på den andra lyfte han luren. Utan att säga något, det var också en regel; om det var någon som ville något, var det upp till vederbörande att göra det första schackdraget. Till exempel presentera sig.

Gunnar Barbarotti gjorde så.

”Barbarotti här. Tänkte komma och hälsa på dig. Jag har haft en jävlig morgon och skulle behöva tillbringa en eftermiddag i begåvat sällskap.”

”Ska höra efter med Saarikoski om han är ledig”, svarade Axel Wallman buttert.

Tydligen var han det. Wallman förklarade att herr kriminalaren var välkommen om han inte gjorde för mycket väsen av sig och om han köpte med sig en kasse skaffning. Barbarotti lovade att ombesörja detta och att dyka upp inom en timme.

Tomten runt Axel Wallmans sommarstuga såg ut ungefär som Wallman själv gjorde i ansiktet. Vildvuxet och oregelbundet; skäggstubb och brännässlor, högar av gammal bråte och misshandlade finnar, ett blodigt plåster som möjligen tydde på att han försökt raka sig någon gång den senaste månaden och brädhögar under presenningar som möjligen tydde på att någon haft för avsikt att utföra reparationsarbeten någon gång det sistlidna årtiondet.

Fast antagligen inte Wallman själv. Håret var grått, uttunnat och axellångt, klädedräkten bestod av en smutsig, limegrön t-shirt, ett slitet blåställ och svarta promenadskor utan strumpor. Barbarotti insåg plötsligt att ett medelgott vittne nog snarare skulle ha bedömt hans ålder till drygt sextio än de knappa femtio det i själva verket var frågan om.

Och om det verkligen existerade en akademisk soptipp, som Wallman hävdade, så såg han utan tvekan ut att höra hemma på en sådan plats.

Till exempel den här. Men en viss sjöutsikt fanns fortfarande kvar, konstaterade Gunnar Barbarotti, även om slyet av brännässlor, al, asp och björk vuxit en halvmeter sedan förra året.

Axel Wallman satt – liksom förra året – i en plaststol ute på verandan. Bordet bredvid honom var belamrat med diverse: böcker, gamla tidningar, pennor, kollegieblock, tobak, tändstickor, en fotogenlampa och tomma ölburkar. Han reste sig inte när Barbarotti kom in i hans synfält, men han lyfte blicken, och Saarikoski som låg i skuggan vid hans fötter kostade på sig två slag med svansen.

”Hej Axel”, sa Barbarotti. ”Tack för att jag fick komma och hälsa på dig.”

”Det går en vålnad genom historien”, svarade Axel Wallman. ”Hon heter Femina.”

”Så sant som det var sagt”, sa Barbarotti och ställde ner matkassarna på golvet. Den ena innehöll öl, den andra pasta samt ingredienserna till en köttfärssås.

”Jag är fyrtioåtta år och oskuld”, sa Axel Wallman. ”Intresserar det dig?”

”Nej”, sa Barbarotti. ”Ärligt talat inte.”

”Saarikoski bryr sig heller inte i ärendet”, konstaterade Axel Wallman dystert och började rulla en cigarrett med nikotingula fingrar. ”Men så var han också kastrerad redan när jag tog honom. Vad har du att berätta om samtiden, är det öl i den där påsen?”

Gunnar Barbarotti flyttade undan några klädespersedlar från en annan plaststol och slog sig ner. Räckte över en ölburk till sin värd och öppnade en själv. Blickade ut över sjön och tänkte att när Axel Wallman en gång dog i sin stol skulle ingen upptäcka det; naturen skulle fortsätta att äta upp både honom och huset; Saarikoski skulle antagligen ligga kvar på golvet för att dra sin sista suck vid sin husbondes fötter och begravas på samma vis, han.

Grönskan och glömskan. Kanske inget dumt slut när allt kom omkring.

Men det var inte för att diskutera livets korthet och fåfänglighet han kommit hit. Trodde han i varje fall; det exakta skälet undgick honom fortfarande, han hade kommit att tänka på sin gamle olycksbroder och fått lust att träffa honom, bara, märkvärdigare syften än så behövdes inte. Inte en vacker augustisöndag som den här.

De drack några klunkar öl och satt tysta i en halv minut.

”Vad tror du om en mördare som skriver brev till polisen och berättar vem han tänker döda?” sa Gunnar Barbarotti sedan.

Det fanns ingen anledning att låta Axel Wallman bestämma samtalets inriktning. Då kunde man raskt hamna i vilka obegripliga snårigheter som helst. Strindbergs franska verbformer eller chifferkoder under andra världskriget.

”Är det så samtiden ser ut?” undrade Axel Wallman. ”Mördare som skriver brev?”

”För tillfället”, sa Gunnar Barbarotti.

”Och han mördar dom också? Skriver inte bara brev?”

”Han mördar dom också.”

”Jag har aldrig haft mycket till övers för samtiden”, sa Axel Wallman och fick eld på sin skrynkliga cigarrett. ”Är det en hanne eller en hona?”

”Jag tror att det är en hanne”, sa Barbarotti.

”Bra”, sa Axel Wallman. ”Jag är dålig på honor, som sagt. Jag tror egentligen inte de är i grunden fattbara. Men om du låter mig titta på mördarens meddelanden, är jag beredd att ge mig i kast med en lingvistisk analys.”

”Jag har dem inte med mig”, förklarade Gunnar Barbarotti.

”Har du dem inte med dig? Vad fan sitter du då och kastar bort min dyrbara tid för?”

”Jag kommer med öl och mat”, påpekade Barbarotti. ”Dessutom kan jag dem utantill.”

”Du har aldrig kunnat lära dig någonting utantill”, muttrade Axel Wallman. ”Men låt höra i alla fall.”

Inspektör Barbarotti drack en klunk öl, tänkte efter och läste ur minnet upp de tre meddelanden han fått sig tillsända av mördaren. Axel Wallman satt tyst och kliade sig i skägget.

”En gång till.”

Barbarotti var inte säker på om det behövdes för analysen, eller om Wallman bara ville kontrollera det där med minnesfunktionerna. Han harklade sig och upprepade proceduren. När han var klar lutade sig Wallman tillbaka och såg nöjd ut.

”Jag bedömer att vi har att göra med en trettioåttaårig smålänning”, sa han och drack en djup klunk öl.

”Va?” sa Gunnar Barbarotti.

”En trettioåttaårig smålänning”, upprepade Axel Wallman och rapade. ”Hör du illa också?”

”En trettioåttaårig smålänning? Hur fan kan du påstå det?”

”Inte påstå”, sa Axel Wallman. ”Jag påstår ingenting. Men den enda hypotes som går att uppställa utifrån ett lingvistiskt perspektiv är den du just hörde. Vad är det för folk han mördar?”

”Det är lite blandat”, sa Barbarotti. ”Men din analys, vad bygger den på?”

”Uttrycket ’denna gången’”, sa Axel Wallman. ”Visserligen är det ett bruk som sprider sig, men ursprungligen är det sydsvenskt utan att vara skånskt.”

”Du driver med mig”, sa Barbarotti.

”Inte omöjligt”, sa Wallman. ”Fingeravtryck är nog på det

hela taget en säkrare metod än språkvård om man vill ägna sig åt brottsbekämpning. Men det kan väl också vara så att mördaren driver med dig. Han kan till exempel vara en norrlänning som vill låta som en smålänning."

"Hm", sa Gunnar Barbarotti. "Och trettioåtta år, vad grundar du det på?"

"Medianmannen i det här landet torde vara trettionio", sa Axel Wallman. "Jag drog av ett år eftersom våldsverkare i allmänhet är lite yngre än genomsnittet. Det har med testosteronet att göra."

Han fimpade cigarretten och började fnissa. Gunnar Barbarotti lutade sig tillbaka och betraktade honom. Axel Wallman skrattade sällan, så hade det alltid varit, men när han någon enstaka gång gjorde det, påminde det mest om en flicka i nedre tonåren som lät sin munterhet sippra ut i stötvisa pustar genom lätt vidgade näsborrar. Med tanke på Wallmans utseende och allmänna framtoning gav det ett ganska besynnerligt intryck. Han är inte klok, tänkte Gunnar Barbarotti. Och inte jag heller. Varför sitter jag och dillar om utredningen med Axel Wallman? Åkte jag inte hit för att slippa ifrån jobbet? Nej, nu får vi se till att tala om någonting annat.

"Skål på dig, Axel", sa han och höjde sin ölburk. "Nu skiter vi i mina problem. Vad sysslar du själv med för tillfället?"

Axel Wallman drack en klunk och kostade på sig en rapning. Började rulla en ny cigarrett och såg ut att fundera. "Hallänning", sa han. "Han skulle kunna vara hallänning också. Vad sa du?"

"Vad sysslar du med?"

"Sysslar och sysslar", sa Axel Wallman. "Jag vet inte om det är riktigt rätt benämning på verksamheten, men jag tolkar en del dikter av Barin. Vill du höra?"

Barbarotti petade av sig skorna och nickade. ”Varför inte?”

Axel Wallman tog fatt i ett spiralblock, bläddrade en stund fram och tillbaka, hostade upp slem och skickade iväg en loska över verandaräcket. ”Den här”, sa han och såg plötsligt ut som en liten gosse som ska berätta en gåta på ett barnkalas. ”Den är inte så dum, fan vet om den inte är bättre än originalet. Jag får antagligen lov att försämra den på ett par punkter, man måste se till att göra även skavankerna rättvisa när man översätter, det är inte alla som anammar den regeln, men jag gör det... ja, det här är ingenting som du har särskilt stora förutsättningar att begripa, men jag vill ändå...”

”Läs nu, Axel”, sa Barbarotti. ”Skit i preludierna och analysen, jag är idel öra.”

”Allright, din förbannade kretin”, sa Axel Wallman. ”Hör upp nu, för det här är stor poesi.”

Han drack ytterligare en klunk öl, kliade Saarikoski under hakan och satte igång.

”Min älskade, du är det tjocka barnet som föll i leran när kriget kom,

du är avtrycket som krigarens fot gjorde på golvet invid den trettonåriga flickans rågblonda fläta,

du är saltet i karet som flickans moder bar i fickan på sin kofta den dagen då hon kastades i massgraven på andra sidan åsen,

den där platsen dit ingen längre går – men du är inte vattnet som porlar i bäcken där i närheten

och inte fågeln som sjunger i skymningen,

ej heller den ljuva skuggan i lunden den gröna.

Så är det, min älskade, och på annat sätt kunde det heller inte vara inrättat.”

Han nickade eftertänksamt några gånger och stängde igen blocket. Gunnar Barbarotti tömde sin öl och blundade. En fluga kom surrande och slog sig ner på hans handlov. Varför sitter jag här? tänkte han på nytt. Hur kommer det sig att jag hamnat i just det här sällskapet just den här söndagen i mitt fyrtioåttonde år?

Han fann denna fråga både en smula skrämmande och högst relevant, och satt och sög på den en stund utan att hitta några pregnanta svar. Därpå omtalade Axel Wallman att han kände sig stimulerad av att få läsa en så förbannat bra dikt för sin gamle kamrat och bad att få dra ett tjog till.

Så blev det, så förflöt eftermiddagen. Axel Wallman läste sina tolkningar av Mihail Barins sena dikter, stundom skenbart enkla, stundom mörka och snåriga, de drack mera öl, tillagade pasta och köttfärssås, tog ett dopp i sjön, och när det började bli kväll insåg Gunnar Barbarotti att han hade alltför hög alkoholkoncentration i blodet för att vara i stånd att köra hem i sin bil och att han följaktligen skulle bli tvungen att sova över.

Det mötte inga hinder. Klockan elva förklarade Axel Wallman att han fått sin beskärda del av denna gudsförgätna söndag, läste en kort och flammande, men tyvärr obegriplig, appell på ungerska för den poetiska friheten, tog med sig Saarikoski och gick och lade sig. Barbarotti redde sitt ensliga läger på skinnsoffan med hjälp av en filt och en kudde som luktade fränt av mögel och inpyrd tobaksrök. Den där frågan från Predikaren dök upp i huvudet på honom igen – *men huru skall den ensamme bliva varm?* – och han blev liggande några minuter och försökte formulera en adekvat bön till den för tillfället existerande guden.

Men de rätta orden ville inte infinna sig och han somnade

så småningom in med en känsla av att befinna sig långt borta.

Från Marianne, från sina barn, från en mördare som försökte tala till honom av skäl han inte kunde göra sig begrepp om – och på miltals avstånd från sig själv.

17

Den svarta måndagen började med ett par kraftiga regnskurar och stark vind från sydväst. Gunnar Barbarotti lämnade Axel Wallmans stuga strax efter klockan åtta med en känsla av höst i bröstet, och han hade inte kört mer än ett par kilometer förrän vindrutetorkarbladet på förarsidan lossnade. Det virvlade bort som en misslyckad eftertanke och försvann ner i dikesrenens höga gräs inom loppet av ett par sekunder. Han stannade på Statoilmacken i Kerranshede och införskaffade ett nytt, som han med vissa svårigheter också lyckades montera. Passade även på att köpa kaffe och en Expressen, trots vad han lovat Göran Persson; satt sedan kvar i bilen, omgiven av det drivande regnet, och läste igenom allt vad stjärnreportern hade att säga med anledning av morden på Erik Bergman och Anna Eriksson.

Och om breven.

Och om polisens tillkortakommanden.

Mycket riktigt hade fyra sidor – två hela uppslag – avsatts för vad som kallades ”Årtiondets mordgåta” och ”Brevmördaren i Kymlinge”, och högst upp på varje sida stod för säkerhets skull ordet ”EXTRA” tryckt i vitt på svart, så att ingen läsare skulle förledas att undervärdera digniteten av historien.

Där fanns gott om fotografier; ett mindre på spaningsledare Jonnerblad, ett dubbelt så stort på inspektör Barbarotti

– inte så lite påminnande om en patient som satt och väntade på att bli inkallad till läkaren för att få sin förstoppning diagnostiserad, ett flygfoto över Kymlinge med de bägge fyndplatserna pedagogiskt markerade medelst vita kryss, samt ett par fejkade bilder av breven – alla tre. Mördarens text återgavs in extenso, men i bildtexterna påpekades också i ärlighetens namn att det inte var fråga om foton av originalen, eftersom polisen vägrat lämna ut dessa av utredningstekniska skäl. Expressen var, som alltid, ett organ i sanningens och upplysningens tjänst. För övrigt fanns där också, överst på sidan åtta, en bild av två medelålders kvinnor med shoppingkassar; de hade ingenting med morden att göra; tvärtom, hävdades det i den vidhängande korta texten, representerade de den vanliga, hederliga människan, och på reporterns direkta fråga huruvida de kände sig skräckslagna, betygade bägge två att det gjorde de sannerligen. Det var knappt att man vågade sig ut. På följdfrågan om de hade förtroende för polisväsendet svarade de ungefär att det nog kunde vara dags för ordningsmakten att visa lite framfötter.

I det längsta textavsnittet beskrevs mördaren som en sällsynt slipad psykopat och såväl Jonnerblad som åklagare Sylvenius som Barbarotti uttalade sig. Barbarotti kände inte igen ett enda ord i de citat som tillskrevs honom, och han hade svårt att tro att Jonnerblad verkligen – på sin polismannaheder – lovat att gärningsmannen skulle vara fast inom några dagar, allra högst en vecka.

Men det värsta – det allra värsta – var rubriken över hans eget ansikte i det där förstoppade väntrummet.

Inblandad?

Inblandad? tänkte Gunnar Barbarotti. Vad fan menar han med att jag skulle vara inblandad? Om jag skriver ett brev till påvens morsa betyder det väl inte att hon blir *inblandad* i någonting?

Han tömde i sig kaffet och slängde ifrån sig tidningen med en irriterad backhand. En sekund senare ringde Asunander. Han lät som en bakfull stenkross.

”Jag är på väg”, förklarade inspektör Barbarotti. ”Kommer om tjugo minuter.”

”Krrn ss”, sa kommissarien och under resten av färden in till Kymlinge funderade Gunnar Barbarotti på vad det egentligen var han försökt få fram.

”Vem”, sa kommissarie Asunander. ”... i allra... glödhetaste helvete... är det... som har sålt uppgifter till en förbanna... urvel?”

Det var en sensationellt lång och sammanhängande mening för att komma från Asunander, och den följdes av en lika talande tystnad runt bordet. Barbarotti förstod att samma tanke gick genom huvudet på var och en i det församlade dussinet. Även de fyra mest involverade assistenterna hade kallats till mötet.

Någon av oss? Kan det vara någon av oss?

Eller kanske gick tanken i själva verket bara genom elva huvuden? insåg han sedan. För om det verkligen var en av de tolv som tagit chansen att tjäna en hacka genom att läcka till pressen, ja, då borde förstås en helt annan tanke dyka upp i vederbörande skalle just under dessa iskalla, hotfulla sekunder. *Syns det på mig?* till exempel – eller kanske *Haha, ni har inte en chans att avslöja mig, era petrifierade sumprunkare!*

Fast det sistnämnda kunde nog bara dyka upp i Barbarottis eget stackars huvud. Jag är inte i balans idag heller, tänkte han hastigt, samtidigt som Jonnerblad punkterade tystnaden:

"Förutom oss runt det här bordet har vi ett tiotal tänkbara namn att välja bland", fastslog han.

Asunander morrade någonting som inte gick att uppfatta.

"Just så ligger det till", fortsatte Jonnerblad. "Och tyvärr ser det ut på det viset i våra dagar. Det gäller hela landet, inte bara Kymlinge. Poliskåren läcker som ett såll och jag skulle vilja rikta en varning till alla här närvarande – och ni får gärna sprida det. Om det här upprepas, om uppgifter fortsätter att komma ut till pressen, uppgifter som vi inte först enats om att offentliggöra, så kommer jag att skicka efter en man från Stockholm för att göra en internutredning. Han heter intendent Wickman, det finns folk som har hängt sig efter att ha pratat med honom ett par dagar."

Han gjorde en kort paus. Som genom en överenskommelse tog Tallin vid. "Vi kommer att hålla en presskonferens klockan två idag", förklarade han. "Utöver vad som sägs på den är det i fortsättningen bara intendent Jonnerblad och jag som talar med pressen. Det kommer sannolikt att ringa journalister till var och en av er. Hänvisa till Jonnerblad och mig. Av utredningstekniska skäl."

"Är det någon som inte har förstått det här?" undrade Jonnerblad.

Eftersom frågan inte var alldeles otvetydig skakades det ihärdigt på vissa huvuden och nickades lika ihärdigt med andra i ungefärligen lika tal, och Gunnar Barbarotti mindes plötsligt hur det brukat kännas när han spelade pojklagsfotboll och man fick en avhyvling av lagledaren i paus efter en första halvlek där man skaffat sig ett betryggande 0–4-underläge. Boys will always be boys, tänkte han och kastade en blick på Eva Backman, den enda kvinnan i församlingen. Kan inte vara särskilt roligt att behöva umgås med dessa skockar av neopubertala hannar dag ut och dag in, tänkte han. Inte roligt alls.

Och på hemmaplan hade hon fyra andra män, fortsatte han tankespåret. En innebandyspelande make och tre innebandyspelande tonårspojkar. När de inte var på semester, vill säga. Det måste ju i alla händelser innebära att hon…

”Barbarotti”, sa Jonnerblad och avbröt hans genusanalys, ”det är i synnerhet din roll som blir en smula problematisk med anledning av dagens Expressen.”

”Varför då?” undrade Barbarotti.

”Du kommer att bli hårt ansatt, det är det jag menar.”

”No problem”, sa Barbarotti. ”Jag stänger av telefonen och tar in på hotell.”

”Ingen bra idé”, sa Astor Nilsson. ”Kom ihåg att du måste hem och vittja posten varenda dag.”

”Kanske är det dags att göra en deal med postverket”, föreslog Tallin.

”Postverket?” sa Astor Nilsson. ”Finns det kvar? Jag trodde…”

Men Tallin brydde sig inte om vad Astor Nilsson trodde om postverket. ”Om mördaren fortsätter att skriva brev”, förklarade han istället, ”kunde vi kanske komma över korrespondensen tolv timmar tidigare. Fast det skulle förstås innebära att vi får fler presumtiva läckor…”

”Vi kan nog räkna med en och annan falsk brevskrivare också”, sköt Eva Backman in. ”Eller hur?”

”Förmodligen”, muttrade Jonnerblad, och det var i det ögonblicket som inspektör Barbarotti förstod vem det var som var Expressens källa. Han lät ytterligare några synpunkter passera över bordet medan han satt och vägde tanken, det var naturligtvis möjligt att resa hur många välgrundade invändningar som helst, men i någon potent vindling av sin ostrukturerade hjärna visste han att han hade rätt. Det måste vara så.

”Ursäkta”, sa han. ”Jag kom just på vem det är som lämnat uppgifter till Expressen.”

”Va?” sa Jonnerblad.

”Fan menar?” sa Asunander.

”Det är enkelt”, sa Barbarotti. ”Och ingen skugga över någon här närvarande. Det är naturligtvis mördaren själv.”

”Va?” upprepade intendent Jonnerblad.

”Hur kan du...?” sa Eva Backman.

”Nej, nu är jag inte med”, sa kommissarie Tallin.

”Det är mördaren själv som kontaktat pressen”, sa Gunnar Barbarotti långsamt, och med den egenartade inre tillfredsställelse som en blind höna känner när hon äntligen hittat ett korn.

Inget sa något på tio sekunder. Kommissarie Tallin höjde högra handen och sänkte den igen. Jonnerblad klickade med sin penna och Asunander med löständerna.

”Det är inte möjligt”, protesterade en rödlätt aspirant Olsén försiktigt.

”Det är det visst”, sa Astor Nilsson. ”Barbarotti har rätt, klart som fan att det är han! Det hänger ihop som ler och långhalm, begriper ni inte det?”

Efter ungefär en kvarts mer eller mindre hetsig debatt föreföll det som om åtminstone en knapp majoritet av församlingen faktiskt gjorde det.

Begrep.

Insåg att det mycket väl kunde förhålla sig just så som inspektör Barbarotti föreslagit.

Att det var mördaren själv som kontaktat Expressen.

Som sett till att bryta den sekretess som hitintills rått angående breven med uppgifter om vem som närmast stod i tur att mista livet. Att han – av någon anledning – inte var betjänt av att polisen satt och ruvade på den informationen. Att han ville ha fullt pådrag i media också, inte bara i polishuset i Kymlinge.

”Så är det tamejfan”, sa inspektör Backman. ”Grattis, Gunnar.”

”Jajamän, han vill ha maximal uppmärksamhet på det här”, sammanfattade Astor Nilsson. ”Polisen och pressen och hela baletten.”

Eva Backman nickade. Barbarotti nickade. Kommissarie Tallin nickade försiktigt efter att först ha kastat ett öga på Jonnerblad. Det var en på många vis häpnadsväckande slutsats – men icke desto mindre helt logisk.

Om man fick tro den knappa majoriteten, alltså.

Och känslan av att det också, i själva verket, var denne egensinnige och kallblodige gärningsman som styrde hela utredningsarbetet följde som – ett brev på posten.

Under återstoden av förmiddagen satt inspektör Barbarotti på sitt rum och telefonerade. Bestämde möten med folk som på det ena eller andra sättet var relaterade till Erik Bergman och Anna Eriksson, men som man ännu inte hunnit förhöra ordentligt, och när klockan blivit kvart över tolv begav han sig – enligt order – hem för att kontrollera dagens postskörd.

Mer än halva hallmattan var täckt av försändelser, men han fick ändå syn på det med en gång.

Ljusblått, långsmalt kuvert, precis som förra gången. Hans namn och adress textat på samma sätt som vid de tre tidigare tillfällena; lite klumpiga, spetsiga versaler. Adresspostanstalten Kymlinge understruken med ett streck.

Frimärke med båtmotiv från samma serie.

Gunnar Barbarotti övervägde en sekund, därefter tog han på sig ett par tunna handskar, sprättade upp kuvertet med en kökskniv, vek upp pappersarket och läste meddelandet.

DU KAN DRA IN BEVAKNINGEN AV HANS ANDERSSON. HAN FÅR LEVA VIDARE. TÄNKER DÖDA HENRIK OCH KATARINA MALMGREN ISTÄLLET. DU KOMMER VÄL INTE ATT HINDRA MIG?

Han läste texten två gånger medan han försökte bita huvudet av overklighetskänslan. Förnimmelsen av att alltihop det här inte var på riktigt, att det bara rörde sig om något slags absurd, kriminell teater dunkade med drömlik intensitet i tinningarna på honom.

Henrik och Katarina Malmgren?

Två stycken? Tänkte han döda två personer den här gången? Barbarotti stoppade tillbaka brevet i kuvertet. Undrade varför han öppnat det; han hade lovat Jonnerblad att omedelbart överbringa all framtida kommunikation från mördaren i ograverat skick i förseglad påse.

Han hade brutit detta löfte utan att tveka mer än ett ögonblick. Det var... det måste vara någonting med den där pojklagsfotbollen. Känslan av att vara utlämnad åt en stor och lindrigt begåvad lagledare. Gunnar Barbarotti tyckte inte om att folk sa åt honom vad han skulle göra, så hade det alltid varit. Det var förmodligen också av den enkla anledningen han fortfarande var kriminalinspektör istället för kommissarie... om sanningen skulle fram. Detta plus den där bristen på riktig ambition förstås; hursomhelst skulle det antagligen bli ett helsikes liv bara för att han öppnat brevet och läst texten innan han levererade det på höga vederbörandes bord.

So what? tänkte Barbarotti, letade fram en plastpåse och släppte ner det ljusblå kuvertet. Jag ska ändå byta jobb och flytta till Helsingborg, och för övrigt öppnar jag min post själv. Det är en mänsklig rättighet.

Han tog av sig handskarna och förseglade plastpåsen med en gummisnodd. Slog numret till Jonnerblads mobil.

”Äter lunch”, informerade denne. ”Kan det vänta?”

”Jag gör inte den bedömningen”, sa Barbarotti.

”Jaså?” sa Jonnerblad.

”Jag har just fått ett nytt brev. Han påstår att han skiter i Hans Andersson. Nu är det Henrik och Katarina Malmgren som gäller.”

”Du öppnade det?” sa Jonnerblad.

”Stämmer”, sa Barbarotti. ”Det var adresserat till mig.”

”Helvetes jävlar”, sa Jonnerblad och tuggade ur munnen.

Gunnar Barbarotti väntade. Morot, bedömde han. Hel eller i skivor, inte riven.

”Två stycken, alltså?”

”Just precis”, bekräftade Barbarotti. ”Och de heter Malmgren, bägge två.”

”Jamen kom hit, då, för höge farao”, sa Jonnerblad. ”Vi ses på mitt rum om tio minuter.”

”Uppfattat”, sa inspektör Barbarotti.

Men Jonnerblad klickade inte bort samtalet. ”Förresten”, lade han till. ”För säkerhets skull, säg ingenting om det här brevet så länge… till någon annan menar jag, låt mig och Tallin få titta på det först.”

”Jag trodde vi var överens om att det var mördaren som tipsat Expressen?”

”Mycket möjligt”, sa Jonnerblad. ”Men bara till en början, alltså. Dumt att ta några risker, sedan är det ju presskonferens klockan två. Du håller väl med om att vi inte ska gå ut med det här då i alla fall?”

Gunnar Barbarotti funderade.

”Det kan ju hända att herr Persson redan blivit informerad”, sa han.

”Det är en tanke”, suckade intendent Jonnerblad. ”Hursomhelst kommer jag att förhöra herr Persson efter konferensen. Nå, då ses vi om några minuter, då?”

”Jag är redan på väg”, försäkrade inspektör Barbarotti.

18

När det kom till kritan blev det en kvintett som samlades i genomgångsrummet för att ta del av mördarens senaste schackdrag. Förutom Barbarotti, Tallin och Jonnerblad fanns även Astor Nilsson och Eva Backman på plats, och Gunnar Barbarotti antog att spaningsledaren hunnit tänka om under de få minuter som gått sedan de talades vid i telefon.

Tänkt om och insett att det i rådande läge förmodligen var viktigare med tankekraft och -bredd än med sekretess. Brevtexten skärskådades noggrant under sammanbiten tystnad; Astor Nilsson var den förste att kommentera.

”Infernaliskt”, sa han.

”Vad menar du med det?” sa Tallin.

”Jag menar ungefär djävulskt utstuderat”, sa Astor Nilsson. ”Vi tvingas ju dansa efter hans pipa som... ja, som loppor på en jävla loppcirkus.”

”Utveckla”, bad Jonnerblad och började gnugga bort en fläck på skjortbröstet som han tydligen ådragit sig under lunchen.

”Gärna det”, sa Astor Nilsson. ”Vad gör vi med Hans Andersson för det första? Antag att vi tar bort bevakningen och att han ändå mördar en av dem. Antag att han berättar alltihop för Expressen. Var hamnar vi då?”

”I ett hörn”, sa Eva Backman.

”Precis. Mördaren sa åt snuten att skippa bevakningen

och dom dumma jävlarna trodde honom! Jag tror inte man behöver ha särskilt mycket fantasi för att..."

"Tack, det räcker", sa Jonnerblad. "Vi behåller bevakningen, åtminstone till en början. Naturligtvis. Men vår högsta prioritet för ögonblicket är förstås att identifiera... vad hette dom? Henrik och Katarina Malmgren?"

"Stämmer", sa Barbarotti.

"De är alltså två stycken och de hänger antagligen ihop på något vis. Kanske är det ett gift par eller två syskon, och i och med att det finns en sådan förbindelse borde det inte vara svårt att hitta rätt. Förhoppningsvis finns det bara ett alternativ, eller vad säger ni?"

"Om vi har tur", sa Astor Nilsson. "Malmgren måste ju vara lite ovanligare än Andersson åtminstone."

Jonnerblad såg på klockan. "Presskonferensen börjar om fem minuter", sa han. "Jag och Tallin sköter den, ni kan titta på internteven om ni vill. Men när vi är färdiga om en timme vill jag ha de där Malmgrenarna inringade. Klart?"

"Glasklart", sa Eva Backman. "Jag går ner till Sorgsen, vi fixar det här utan problem."

"Sorgsen?" sa Tallin. "Jag trodde han hette Borgsen?"

"Kärt barn har många namn", sa Barbarotti.

"Allright", sa Jonnerblad och reste sig. "Vi ses här kvart över tre. Se till att få med de andra i gruppen också, de som är tillgängliga, vill säga. Frågor?"

"En", sa Gunnar Barbarotti. "Om någon av reportrarna verkar ha kännedom om det här nya brevet, hur tacklar ni i så fall det?"

Jonnerblad tänkte efter en sekund. "Vi ligger lågt", förklarade han.

"Låg profil", bekräftade Tallin.

"Lycka till", sa Barbarotti.

”Kan nog bli lite kinkigt att förhöra den där Göran Persson”, sa Astor Nilsson. ”I alla händelser.”

”Varför då?” undrade Tallin.

”Därför att vartenda ord kommer i tryck på momangen. Blir inte lätt att tvinga honom till tystnad, och att efterforska källa är ju ingen hit precis… som barnbarnen säger.”

Har han barnbarn? tänkte Barbarotti förvirrat. Som är så gamla att dom snackar om hitar?

”Jag är medveten om den problematiken”, svarade Jonnerblad irriterat. ”Och jag har inga höga tankar om kvällspressen. Men att de medvetet skulle skydda en mördare för att sälja lösnummer, nej, jag hoppas de drar en gräns där.”

Därefter lämnade han rummet tillsammans med kollegan Tallin.

När dörren gått igen bakom de bägge rikskriminalarna, harklade sig Astor Nilsson och vandrade ett slag med blicken mellan Barbarotti och Backman. ”Jag måste erkänna en sak”, sa han. ”Det är nästan så att jag tycker det här är intressant. Nog har man en perverterad själ, alltid.”

”Intressant?” sa Eva Backman. ”Ni män upphör aldrig att förvåna. Mord är kul, det är därför jag valt polisyrket! Kom ihåg att du inte säger det till Expressen, bara, det skulle kunna missförstås.”

Astor Nilsson nickade och lyckades för ett ögonblick se lite generad ut. Inspektör Backman tecknade med handen åt Barbarotti och så begav de sig två våningar ner i huset för att ta hjälp av inspektör Borgsen, alias Sorgsen, och hans väldokumenterade datakunskaper.

Det tog inte fullt tjugo minuter att leta fram Henrik och Katarina Malmgren.

I varje fall gjorde de en preliminär bedömning om att

de hittat rätt. I hela landet fanns visserligen ett femtiotal Henrik Malmgren och ett sextiotal Katarina Malmgren, och antagligen var en del av dessa människor släkt med varandra på olika sätt – men det fanns bara ett enda gift par med de rätta namnen, och av någon anledning ansåg alla tre kriminalinspektörerna att det med bedövande stor sannolikhet var just dessa som den brevskrivande mördaren avsåg.

”Varför?” sa Gunnar Barbarotti. ”Varför är jag så säker på att det är just dom?”

”Jag vet inte”, sa Eva Backman. ”Men jag tror likadant. Vi har ju egentligen tre tänkbara konstellationer att välja mellan: syskonpar, förälder-barn och man-hustru. Eller hur?”

”Nåja, de kan faktiskt vara kusiner också”, påpekade Sorgsen. ”Eller faster-brorson eller vad som helst. De behöver inte ens vara släkt.”

”Nu är du kitslig”, sa Eva Backman.

”Ursäkta”, sa Sorgsen. ”Jag röstar också på det gifta paret. I varje fall är det dom vi bör titta på allra först.” Han satte på sig sina minimala glasögon och studerade den lista han just printat ut. ”I synnerhet som det inte finns vare sig någon Henrik eller någon Katarina Malmgren i Kymlinge.”

”Vi inriktar oss på dom med en gång”, sa Barbarotti. ”Sedan får vi spana brett om det behövs. Vad har dom för adress, alltså?”

Eva Backman tog över listan och läste högt. ”Henrik och Katarina Malmgren. Berberisstigen 24 i Göteborg. Jag tror det ligger ute i Mölndal, Villes syster bor nånstans i de där krokarna. Rätt så fashionabelt… övre medelklass åtminstone.”

Barbarotti kikade över hennes axel. ”De har tre olika telefonnummer”, sa han. ”Hemnummer och två mobiler. Vad gör vi?”

Sorgsen såg på klockan. ”Presskonferensen är nog inte över på en halvtimme än”, sa han.

”Onödigt att förlora tid”, sa Barbarotti.

”Tjänstefel att bara sitta och glo”, sa Backman.

”Ro hit med telefonen, Gerald”, sa Barbarotti.

Det blev tre nitlotter. Han lyssnade till tre olika svarare – två gånger herr Malmgren, en gång fru – ombads i hövliga och välformulerade ordalag att tala in meddelanden eller pröva på något av de bägge andra numren, och när han för tredje gången tryckte bort samtalet och betraktade kollegernas sammanbitna ansiktsuttryck, kände han bekräftelsens kalla kåre komma krypande utefter ryggraden.

Det är dom. Måste vara dom.

Samtidigt ropade besinningens röst i honom. *Don't jump to conclusions.* Klockan var tjugo minuter i tre på eftermiddagen. Det var måndag. Om till exempel Henrik och Katarina Malmgren befann sig på sina arbeten, vilka de nu var, var det utomordentligt rimligt att ingen av dem svarade i telefon. Klockan halv åtta på kvällen vore en helt annan sak; han såg på Backman och Sorgsen att de gärna lämnade även nästa beslut åt honom, men han kände sig plötsligt osäker. Var det verkligen rätt att bara tala in ett meddelande och be det okända paret sätta sig i förbindelse med polismyndigheten i Kymlinge?

Efter några sekunder förstod han också varifrån denna osäkerhet emanerade; det var inte intendent Jonnerblads eventuella kritik och bannor som spelade in, nej, det hade med mördaren att göra.

Med det enkla faktum, närmare bestämt, att det ju var just ett sådant steg som de kunde förväntas ta. Den självklaraste av åtgärder. Barbarotti kände med ett tydligt sting av ilska att han inte hade lust att spela motståndaren i händerna längre. Bättre att göra något oväntat för en gångs skull, frågan var bara vad.

"Han kanske bluffar den här gången också", sa Eva Backman som om hon också varit inne på liknande tankar. "Han kanske bara tänkte mörda de här två första och nu fortsätter han att jävlas en stund."

"Varför då?" sa Sorgsen.

Eva Backman ryckte på axlarna. "Vet inte. Tror överhuvudtaget inte att vi ska leta oss blinda efter motiv i det här fallet."

"Jag trodde det var just det vi skulle göra?" sa Barbarotti. "Har du glömt vad Lillieskog sa?"

"Inte glömt", sa Backman. "Har lite svårt för en viss sorts experter, bara. Och lite svårt att tro att jag verkligen kommer att få gå på semester på onsdag."

"Vad gäller det sistnämnda så har du förmodligen rätt", sa Sorgsen och började justera pappershögarna på sitt skrivbord. "Det lär bli en del arbete framöver. Man kan ju önska sig att vi hittar ett samband mellan det här paret och våra två offer, det skulle underlätta."

"Onekligen", sa Eva Backman och såg på klockan. "Nå, vad gör vi? Rullar tummarna tills presskonferensen är över?"

Inspektör Barbarotti skakade på huvudet och trevade i kavajfickan. "Får jag be er vara tysta", sa han. "Jag ger dom numret till min mobil. Det kan inte skada, jag säger inte att jag är polis, men om dom ringer tillbaka betyder det i varje fall att dom antagligen är i livet. Jag är trött på att inte få fatta beslut."

"Det är ingen som har förbjudit dig", sa inspektör Backman. "Sätt igång nu."

Barbarotti nickade, ringde på nytt upp de tre svararna

och talade in tre mer eller mindre identiska och ganska intetsägande meddelanden. Stoppade tillbaka mobilen i fickan och betraktade återigen kollegerna.

”Ska vi slå vad?” sa han.

”Om vad då?” sa Eva Backman.

”Om att det kommer att finnas ett hus på Berberisstigen i Mölndal till försäljning till hösten.”

Inspektör Gerald Borgsen påpekade att det praktiskt taget redan var höst, men varken han eller Backman antog utmaningen.

När Gunnar Barbarotti lämnade polishuset vid halvåttatiden på måndagskvällen, hade hans mobiltelefon ringt tretton gånger sedan klockan tre. I samtliga fall var det en eller annan grävande och sanningssökande journalist som ville ställa en eller annan välmotiverad fråga, och han avböjde lika vänligt som bestämt alla tretton gångerna.

Men ingen Henrik eller Katarina Malmgren hade hört av sig, och när han tänkte efter kunde han inte minnas när han senast känt sig så frustrerad. Skulle väl ha varit när Helena meddelade att hon tänkte gå ifrån honom för snart sex år sedan, då.

Men i arbetet? Aldrig. Hela utredningen kändes som ett mentalt haveri; då och då under de tröstlösa eftermiddagstimmarna hade Bo Bergmans dikt ”Marionetterna” dykt upp i huvudet på honom, och det var förstås ingen tillfällighet. Mördaren ryckte i trådarna och polisdockorna piruetterade lustigt och lydigt; han gav dem ett eller ett par namn och genast satte man igång och vidtog de åtgärder vem som helst kunde förvänta sig att man skulle vidta. I synnerhet mördaren. Marionettskötaren.

Men *varför*? Fanns det någon annan poäng med förfarandet än att han ville jävlas med dem? Ingick brevskrivandet i en plan, ett större mönster som Barbarotti och de andra inte kunde få syn på?

Han hade ställt sig dessa frågor tusen gånger under den senaste veckan och de var fortfarande lika retoriskt obesvarade.

Presskonferensen hade gått bra, hade Jonnerblad och Tallin försäkrat, nästan med en mun, och Barbarotti hade heller aldrig inbillat sig att de skulle säga någonting annat. Vad den församlade pressen – mer än åttio personer, tydligen – hade tyckt om föreställningen skulle utan tvivel stå att läsa i morgondagens tidningar, eller finnas att insupa i kvällens nyhetsprogram i radio och teve.

Eller på nätet. Ingen av de närvarande journalisterna hade ställt någon fråga rörande någon Henrik eller Katarina Malmgren, så farhågan att mördaren kommunicerade med polisen och pressen mer eller mindre simultant hade i varje fall kommit på skam. Åtminstone den här gången.

Om det nu verkligen förhöll sig så att det var mördaren som informerat Göran Persson – det var ju en annan fråga som var långtifrån utredd. Sex timmar efter att han drabbats av sitt glasklara hugskott var Gunnar Barbarotti inte riktigt lika benägen att tro på det som han varit när han fick det.

Överhuvudtaget var det väl detta frustrationen bestod av, tänkte han när han svängt ner från Grevgatan och började trampa iväg utefter ån. En bråte av frågetecken, som hakade i varandra lika ostrukturerat och slumpartat som gamla skeva metallgalgar på botten av en unken garderob. (Var kom alla bilder ifrån, som sagt?) Var det verkligen det gifta paret på Berberisstigen i Mölndal som mördaren avsåg i sitt senaste brev, till exempel? Och om så, hade han för avsikt att döda dem? Hans Andersson – vem av dem som nu varit den riktige, om någon? – skulle få löpa, tydligen. Varför? Hade det varit meningen från början eller hade någonting hänt under resans gång som fått mördaren att ändra sig?

Och framförallt: var höll paret Malmgren hus? Trots intensivt arbete hela eftermiddagen, med benäget bistånd från ett halvdussin kolleger vid Göteborgspolisen, hade man inte lyckats få korn på dem. Å andra sidan hade bägge två fjorton dagars semesterledighet kvar – han från Göteborgs universitet, hon från Sahlgrenska sjukhuset – så risken att de helt enkelt befann sig på resande fot någonstans i världen med mobiltelefonerna kvarlämnade hemma i skrivbordslådan, bedömdes av hela spaningsgruppen som överhängande. Allt fler människor valde faktiskt den varianten, vad det nu kunde bero på.

Det andra alternativet, att de inte svarade för att de redan var döda, bedömdes lite olika i gruppen, men eftersom ingen hypotes byggde på annat än rena spekulationer och gissningar, så kunde det kanske kvitta. Ytterligare samtal med släktingar och bekanta till paret återstod också att genomföra under kvällen och morgondagen, så förr eller senare skulle väl bilden klarna. Barbarotti hade själv talat i telefon med en halvsyster till Katarina Malmgren, och fått reda på att det inte var ovanligt att paret höll sig helt okontaktbara då och då. En vecka eller några dagar, det var fråga om någon sorts livsstil, såvitt hon hade hört. En *modernitet.* Fast de brukade förklara läget på mejlen och på telefonerna, hade halvsystern för sig, men förresten hade hon ingen vidare kontakt med dem, det var sju år i åldersskillnad mellan henne och Katarina och de var inte hennes stil riktigt.

Barbarotti hade inte gått in på några vidare stilfrågor; hade tackat och bett att få återkomma. Ringt upp nästa namn och fått veta ännu mindre. Och sedan nästa. Och nästa. Sammanlagt hade gruppen – de tillfälliga Göteborgskollegerna inräknade – talat med över hundra personer under fyra timmar, många av dem så löst knutna till paret Malmgren att det känts som att leta snöbollar i en öken – för att citera Astor Nilsson – och summan av ansträngningarna hade alltså blivit att man framemot sjutiden satt inne med ett sammelsurium av informationer till ingen som helst nytta.

Och det som möjligen – i det bästa av alla scenarion – kunde vara värdefullt, skymdes i alla händelser effektivt av skräpet. Fenomenet var i och för sig inte nytt i utredningssammanhang, men det kändes ovanligt tydligt i fallet Malmgren.

Och kanske var de inte ens rätt objekt. Kanske var det Katarina Malmgren i Lycksele och Henrik Malmgren i Stockholm som inom en inte alltför avlägsen framtid stod i begrepp att lämna detta jordelivet. Eller som redan gjort det. Fan också, tänkte Gunnar Barbarotti, vi stackars marionetter.

Du kommer väl inte att hindra mig?

Så hade det stått i dagens epistel. *Du.* Inte *Ni.* Fortfarande valde brevskrivaren att vända sig direkt till honom, till kriminalinspektör Gunnar Barbarotti och ingen annan. Varför? *Varför, varför?* Kunde det verkligen vara så att han hade någon sorts personlig koppling till mördaren, som Jonnerblad föreslagit? Trots allt. Han hade utökat sin lista över sådana presumtiva bekantskaper ur det förgångna med åtta namn, men inte minsta klocka hade ringt och metoden kändes mer meningslös ju mer han tänkte på den.

Och hur var det med avsikten den här gången? Brevskrivarens uppsåt?

Det både han och Backman lutade åt – kanske de andra i spaningsgruppen också, men han hade framförallt diskuterat det med Backman – var att det i ett skarpt läge sannolikt redan var klart. Skulle paret Malmgren mördas, så var de mördade. Men hittade man dem i livet, så betydde det sannolikt också att de hade ganska goda chanser att få behålla det. I de båda första mordfallen, åtminstone det andra, hade brevtipsen kommit alldeles för sent för att polisen skulle haft en möjlighet att reagera, och i fallet Hans Andersson hade man ännu inget offer alls. Det föreföll knappast troligt att mördaren skulle ge sig på att döda två människor som stod under stenhård polisbevakning – och om han ändå gjorde det, betydde det antingen att han var spritt språngande galen eller att han ville åka fast. Eller bäggedera.

Och i så fall skulle man snart ha honom inom lås och bom och kunna lägga utredningen till handlingarna.

Men man hade inte hittat paret Malmgren i livet, det var det som var kruxet. Kanske låg de redan ihjälslagna någonstans? Kanske satt mördaren trygg och säker någon annanstans och väntade på att få ta del av nyheterna i morgondagens tidningar?

Kanske var det bara detta som drev honom? tänkte Barbarotti med ett stråk av resignation och svängde upp på Hagendalsvägen. Kunde det vara så banalt?

Hursomhelst tycktes det geografiska perspektivet ha vidgats; det fanns varken någon Katarina eller någon Henrik Malmgren mantalsskriven i Kymlinge. Det var svårt att spekulera om vad detta kunde betyda, i varje fall var det svårt efter att man redan suttit och spekulerat i tio timmar i sträck, och för ett ögonblick kom inspektör Barbarotti på sig med att vilja byta liv med Axel Wallman.

Den akademiska sophögen? Kanske fanns det en motsvarande sophög för avdankade poliser? Ja, insåg han, med till visshet gränsande sannolikhet existerade någonting sådant. Frågan var bara om han var mogen att beträda den.

Skitsamma, förresten, i övermorgon skulle han ringa till Marianne och då skulle hans liv avgöras för all framtid.

Tänkte inspektör Barbarotti och lyckades med milt våld forcera in sin cykel mellan två barnsadlar i stället inne på gården.

Han låste upp dörren till sin lägenhet, klev in i hallen och insåg att han var hungrig – trots tiotalet koppar kaffe under eftermiddagen och förmodligen dubbelt så många Singoallakex. Han inventerade hastigt kylskåp och skafferi och bestämde sig för sitt paradnummer: spaghetti med pesto, kapris, oliver och tunt skivad parmesanost. Ett glas rödvin, om han hade någon flaska hemma, och en päronskiva därtill – och det var när han just blivit klar med denna anrättning som det ringde på dörren.

Under några sekunder övervägde han att inte gå och öppna, och efteråt – när det som sedan kom att hända redan hade hänt – undrade han varför i hela friden han inte haft vett att lyssna till sin första välgrundade impuls.

Det var Göran Persson och en fotograf i röd baseballkeps.

”Bra att du var hemma”, sa Göran Persson och fotografen brände av en blixt.

”Jag har inte tid”, sa Gunnar Barbarotti. ”Ursäkta mig.”

Han försökte dra igen dörren men reportern hade placerat en stadig fyrtiofemma tvärs över tröskeln. ”Tänkte bara vi skulle byta några ord”, sa han. ”I all vänskaplighet. Folk är intresserade av det här fallet, ska du veta.”

”Ta bort din fot”, sa Gunnar Barbarotti. ”Jag har inga kommentarer.”

Fotografen tog en ny bild.

”Inga kommentarer?” sa Göran Persson. ”Det är jag säker på att du har. Låt mig säga så här. Vi sätter oss ner vid ditt köksbord och utbyter tankar i tio minuter. Sedan skriver jag ett referat av samtalet och så får du godkänna eller underkänna det.”

”Jag underkänner det”, sa Barbarotti.

”Du vill att polisen ska framstå som motsträvig och maktfullkomlig?”

”Motsträ... vad fan dillar du om? Vi bedriver en mordutredning och vi är inte betjänta av att du springer omkring och skriver en massa sensationell skit. Din tidning är en skam för det fria ordet.”

Ilskan växte som ett rökmoln inuti honom.

”Vänta, kan du upprepa det där?” sa reportern och plockade upp penna och block ur jackfickan. Fotografen blixtrade vidare.

”För sista gången”, sa Barbarotti. ”Jag tänker inte prata med dig. Ta bort din förbannade fot, annars slår jag dig på käften.”

Göran Persson flinade. ”Seså nu, konstapeln, nu ska du väl tänka lite på vad du säger. Släpp in oss och sluta trilskas, jag har suttit och snackat med din chef... den här Jonnerblatt eller vad fan han heter, i över en timme. Jag är lite trött på dryga snutar.”

Gunnar Barbarotti bet ihop tänderna och blundade en sekund. Sedan knöt han händerna och stötte dem med full kraft i bröstkorgen på journalisten, så att han ramlade ut i trapphuset. Drog igen dörren och låste.

Återvände ut till köket med en ny fotoblixt långsamt falnande på näthinnan – och med ljudet av någonting som rasade nerför trappan lika långsamt avklingande på trumhinnan.

Dumt, tänkte han. Det där skötte jag inte helt professionellt.

Så satte han sig ner för att äta.

IV.

Anteckningar från Mousterlin

Den 7–8 juli 2002

”Begriper ni inte att flickan är död?”

Katarina Malmgren upprepade vad hon sagt ordagrant och sedan är jag säker på att ingen yttrade något under åtminstone en minut. Vi satt och stod där, hoptryckta i sittbrunnen, flickan Troaë låg livlös vid våra fötter, vi lyssnade till det avtagande regnet och kunde känna hur vågorna stillnade under oss. Vinden höll också på att lägga sig, medan mörkret tätnade och tycktes omsluta oss alltmer; hav, himmel, kust, allt hade samma gråsvarta, ogenomträngliga ton, det enda som stack av var ett antal små ljuspunkter inne över land, inte mer än fem stycken nålstick i svärtan och det var omöjligt att bedöma avståndet dit. Kanske inte mer än en kilometer, kanske betydligt längre än så. Längst till vänster, det som fortfarande måste vara väster, upptäckte jag ett ljus som kom och gick, och jag gissade att det var fyren i Beg-Meil. I så fall måste vi ha drivit ordentligt österut, något som stämde väl med vindriktningen. I efterhand förstår jag inte hur jag var i stånd att göra dessa iakttagelser, dessa meningslösa bedömningar; min kropp kändes avdomnad, mitt huvud dunkade dovt, från min skadade fot kom då och då en stickande smärta. Detta är nollpunkten, minns jag att jag tänkte. Den absoluta nollpunkten.

Den första som sa något var Anna.

”Död? Hon kan väl inte vara död?”

Henrik, som varit minst aktiv av alla under räddningsarbetet, fnös åt henne. ”Titta på henne”, sa han. ”Om hon inte är död, vad tror du då hon är?”

Men hans röst lät betydligt ynkligare än själva orden.

”Håll tyst, Henrik”, sa Katarina. ”Herregud, vad ska vi göra?”

”Vad ska vi göra?” upprepade Gunnar dumt. ”Hur fan kunde det hända?”

Anna vände sig till mig. ”Din jävla idiot, det var du som släppte henne överbord.”

”Jag tappade taget”, sa jag. ”Jag är ledsen.”

”Ledsen?” sa Henrik. ”Jaså, du är ledsen?”

”Vad vill du att jag ska säga?” sa jag.

Katarina Malmgren började gråta. Högljutt och dominerande.

”Varför bölar du?” sa Erik. ”Det var du som tog med henne på den här förbannade resan.”

”Det var inte...” försökte Katarina.

”Stämmer”, sa Anna. ”Det var du som släpade med henne. Vad tänker du göra nu? Vad tänker du göra nu?”

Det fanns något panikartat och samtidigt nästan triumferande i Annas röst, en blandning jag inte hört tidigare. ”Jag höll faktiskt på att drunkna, jag också!” skrek hon plötsligt. ”Det är det förstås ingen som bryr sig om?”

Jag erinrade mig att hon faktiskt fallit i vattnet mitt i tumultet, och att det mycket väl kunde vara som hon sa. Eller att hon blivit rejält uppskrämd åtminstone. Ingen av oss andra hade brytt sig om henne, alla hade varit inriktade på flickan. Det blev tyst några sekunder.

”Ovädret verkar ha lagt sig”, sa Gunnar. ”Vi driver antagligen in mot land. Skärp er nu, så går vi ner i ruffen och diskuterar vad i helvete vi ska ta oss till.”

Det gjorde vi. Vi lämnade den döda flickan uppe i sittbrunnen och tryckte ihop oss på bänkarna nere i den kolmörka ruffen, alla sex. Katarina undrade om inte åtminstone en av oss borde stanna och hålla vakt över kroppen, men ingen tog någon notis om förslaget.

”Varför finns det inte lite ljus?” klagade Anna. ”Varför i helvete finns det inte ens lite ljus på den här förbannade båten?”

”Lugna ner dig, Anna”, sa Gunnar. ”Försök för en gångs skull uppträda en smula vuxet.”

”Vuxet?” skrek Anna. ”Ska du prata om vuxet, din perversa jävel?”

Jag vet inte vad Anna syftade på, möjligen gjorde Gunnar det, för han gav henne en örfil. Jag tror inte den träffade riktigt, hon fick antagligen upp en hand till försvar, men åtgärden i sig var tillräcklig för att få tyst på henne.

”Vad gör vi, alltså?” sa Henrik.

Han lät rädd, märkte jag. En sorts nervös och lite dämpad rädsla som han inte förmådde dölja.

”Bra fråga”, sa Erik.

”Det första vi bör göra är att lugna ner oss”, sa Gunnar. ”Ingen är betjänt av att vi gapar och skriker och anklagar varandra.”

”Herregud, flickan är ju död, begriper ni inte det?” sa Katarina för tredje eller fjärde gången, som om hon själv var den som hade svårast att fatta det. Som om hon var tvungen att påminna sig om det med jämna mellanrum. ”Varför fick ni inte upp henne?”

”Vad menar du?” sa jag. ”Tror du inte vi försökte?”

”Inte vet jag”, sa Katarina Malmgren.

”Vi var två som försökte”, påpekade jag. ”Och fyra som stod och skrek.”

”Bara en som lät henne ramla i också”, lade Henrik till, jag vet inte vad han hade för poäng med att säga det.

”Herregud, ska vi bara låta flickan ligga däruppe?” sa Katarina och nu skar sig hennes röst. Det hördes att paniken hade henne i sitt grepp, och att tala och ifrågasätta var antagligen hennes enda sätt att hålla den i schack.

Gunnar höjde rösten. ”För i helvete, sluta upp med de där fasonerna nu!” röt han. ”Fattar ni inte att det inte är någon idé att vi håller på och skäller på varandra? Vi sitter faktiskt i samma båt.”

Erik skrattade till. ”Bravo”, sa han. ”Samma båt, jävligt fin iakttagelse du gjorde där.”

Gunnar ignorerade honom. ”Vi måste bestämma vad vi ska göra gemensamt”, förklarade han. ”Alla måste vara delaktiga i det här, vad vi än kommer fram till.”

”Vad snackar du om?” sa Katarina. ”Vad då göra?”

”Han håller alltid på så där”, sa Anna. ”Jag har ju sagt att han är pervers.”

Henrik harklade sig. ”Får jag påminna om att vi har en död flicka ombord”, sa han. ”Jag håller med Gunnar, vi måste bestämma oss.”

Det lät som om han karskat upp sig litegrann, eller åtminstone försökte göra det.

”Tack”, sa Gunnar.

”Jag förstår inte vad det är vi ska diskutera”, sa Katarina. ”Finns väl ingenting att diskutera?”

”Jag tror det gör det”, sa Gunnar. ”Och jag tror det är en del av er andra som inser det också.”

”Vi måste”, sa Katarina, ”vi måste försöka ta oss in till land, och när vi är där måste vi naturligtvis söka hjälp.”

”Hjälp mot vad?” sa Henrik.

”Det begriper du väl? Mot... ja, mot...” sa Katarina men

hittade uppenbarligen ingen fortsättning.

Det blev tyst en lång stund. Jag kommer ihåg detta alldeles tydligt, och jag tror att det var först nu som allihop, var och en efter förmåga, satt och försökte inse vilken situation vi hamnat i. Försökte höja sig över sin vanliga, triviala medvetandenivå och faktiskt bli stunden och omständigheterna mogen.

Men det blev Anna som först öppnade munnen.

"Helvete", sa hon. "Vi har dragit med en tolvårig flicka ut på havet utan lov och sett till att hon drunknat. Hade någon frågat mig från början, skulle vi aldrig ens..."

Erik avbröt henne. "Vi måste mörka."

"Va?" sa Katarina. "Mörka? Vad menar du med det?"

"Vi får göra oss av med henne på något sätt", sa Erik.

"Är du inte riktigt klok?"

"Jo", sa Erik. "Det är just det jag är. Vi måste bli av med flickan och hålla tyst om hela saken, det är den bästa lösningen."

"Det var det värsta jag har..." började Katarina men Gunnar avbröt henne.

"Kan du fortsätta, Erik?" bad han.

"Javisst", sa Erik. "Vad skulle alltså vara vunnet med att vi släpade hennes döda kropp till polisen? Hur skulle vi förklara oss? Vad skulle dom tro?"

"Rätt", sa Gunnar och jag kom plötsligt ihåg att han var någon sorts lärare till vardags, just nu uppförde han sig ungefär som om han satt i ett klassrum och lyssnade till redovisningen av ett grupparbete. Erik fortsatte.

"Vi har betett oss som idioter och nu sitter vi här med en drunknad flicka. Om vi vill fortsätta bete oss som idioter, ska vi gå till polisen, det är min uppfattning. Men vill vi vara lite förnuftiga ser vi till att göra oss av med

kroppen på något smidigt sätt."
"Jag mår illa", sa Katarina.
"Smidigt?" frågade Henrik. "Jag förstår inte hur det skulle gå till."
"Vänta nu", sa Anna. "Om vi gör så, hur kommer det att bli om vi blir upptäckta senare?"
"Varför skulle vi bli upptäckta?" frågade Gunnar.
"För att... för att någon sett oss, till exempel", sa Katarina. "Tillsammans med flickan. Hon kommer att bli efterlyst."
"Naturligtvis blir hon efterlyst", sa Gunnar. "Men det finns faktiskt ingen som vet att hon varit med oss idag."
"Va?" sa Anna. "Vad fan säger du?"
Han upprepade vad han sagt, långsamt och pedagogiskt. "Jag säger bara att det inte finns någon som känner till att Troaë åkte med oss ut till öarna idag."
"Det gör det väl?" sa Anna.
"Vem då?" sa Gunnar. "När ni klev i båten var det folktomt på stranden, eller hur?"
"Inte vet jag", sa Anna. "Ja, det är möjligt, förresten. Men på den där restaurangen måste dom ha sett henne i alla fall. När vi satt där och käkade."
"Det är en vecka sedan", sa Erik. "Vi behöver inte förneka att vi träffade flickan då. Allt vi behöver förneka är att vi träffade henne idag."
"Men var det verkligen ingen som såg oss när vi gav oss iväg imorse?" frågade Katarina. "Är ni säkra på det?"
Jag tänkte efter. Det gjorde antagligen de andra också. Försökte komma ihåg hur det sett ut när vi stod där på stranden och väntade på att Henrik och Gunnar skulle komma med båten. Hur vi vadat ut i vattnet. Hur vi klättrat ombord. Hade det funnits några människor i närheten? Jag trodde inte det. En och annan fiskare och en och annan vandrare

på långt avstånd kanske, men jag kunde inte erinra mig att det funnits någon i vår omedelbara omgivning.

”Jag tror inte det”, sa Anna. ”Jag tror faktiskt ingen såg oss.”

”Nej”, medgav Katarina och nu hade hon plötsligt fått en ny sorts röst. Mild och medgörlig på något vis. ”Nej, det var nog ingen som var så pass nära att de kunde ha lagt märke till flickan.”

”Då så”, sa Erik. ”Där ser ni.”

”Det där paret, då?” kom Anna på. ”Som kom till ön en stund.”

”Flickan låg och läste så länge de var i land”, sa Gunnar. ”Det är jag helt säker på. De var minst hundrafemtio meter bort. Allt de såg var några fredliga svenskar på semester. De kan aldrig ha räknat oss och de stannade inte mer än en timme.”

Erik harklade sig. ”Det finns inga vittnen”, sammanfattade han. ”Vi har varit ute på Les Glénan idag. Vi har varit sex stycken hela tiden. Vi träffade en jäntunge för några dagar sedan som påstod att hon hette Troaë, eller något sådant. Sedan dess har vi inte sett röken av henne.”

Katarina började säga något men avbröt sig. En ny tystnad bredde ut sig. Jag kände hur Henrik på min högra sida huttrade till. Min huvudvärk slog ett par slag mot hjässbenet och båten gungade till ovanligt kraftigt; den senaste halvtimmen, ända sedan vi fick upp flickan ur vattnet, hade det mest varit fråga om ett stilla guppande, men nu gjorde sig havet för ett kort ögonblick påmint igen.

”Erik har rätt”, sa Gunnar till slut. ”Det finns inga vittnen. Vad säger ni?”

Under nästan hela detta rådslag hade jag förhållit mig passiv, och jag gjorde det i fortsättningen också. Tanken på vad som möjligen förevarit under den där promenaden runt ön som Erik företog med flickan dök upp i mitt huvud, men jag höll inne med det. Konstaterade bara att det rimmade rätt så väl med Eriks oväntat aktiva roll i diskussionen. En tolvåring som var både avliden och nyligen penetrerad var naturligtvis ingenting att komma dragande med till polisen. Jag funderade på om det helt enkelt skulle komma till omröstning, men det stod snart klart att det knappast var nödvändigt.

”Givet”, sa Henrik. ”Att springa till polisen i det här läget vore en besinningslös dumhet.”

”Allright”, sa Gunnar. ”Vad säger damerna?”

Det var en demokratisk invit till de bägge kvinnorna att uttrycka sin mening. Jag undrade om det var ett medvetet drag att spara mig till sist, eller om det bara slumpade sig så. Anna och Katarina tycktes vilja vänta ut varandra, hursomhelst, kanske ville ingen av dem vara den första att gå med på förslaget att röja undan kroppen och därigenom beträda lögnens och förnekelsens väg. Åtminstone inbillade jag mig för några sekunder att de satt och brottades med någon sorts kvinnlig empati och ruelse inför ett sådant beslut, men när Katarina tog ordet förstod jag att det varit en missbedömning.

”Jag antar att ni har rätt”, sa hon. ”Och jag tänker inte opponera mig. Det skulle kunna bli rena katastrofen för oss allihop om det här kom ut… och vi har trots allt två veckors semester kvar, Henrik och jag.” Hon gjorde en liten tankepaus. ”Det är förstås en förskräcklig olycka som har hänt, men vad vi än gör kommer vi inte att kunna återskänka flickan livet.”

”Jag tycker likadant”, sa Anna. ”Kan vi inte försöka få fart på den där jävla motorn och komma iland nu?”

”Hur, alltså?” sa Gunnar en halvtimme senare. ”Och var?”

Det hade rökts cigarretter. Troaë hade fått ett badlakan över sig. Anna hade kissat över relingen.

Annat hade också skett. Erik och Henrik hade tillsammans försökt få igång motorn igen, utan framgång. Katarina hade hittat en ficklampa som dog efter cirka en minut och vi hade diskuterat fram och tillbaka om huruvida vi helt enkelt skulle lämpa flickans kropp överbord, och till slut enats om att det inte var någon bra lösning. Risken att hon skulle flyta iland och upptäckas redan nästa dag var stor, en polisutredning skulle dras igång per omgående och en sådan utveckling kunde mycket väl urarta och få saker och ting att ta en felaktig vändning. Bättre om flickan bara var att betrakta som försvunnen, avsevärt mycket bättre. Under några minuter övervägdes möjligheten att knyta fast tyngder i hennes kropp, så att hon säkert stannade kvar nere i djupet, men vi hittade helt enkelt inga lämpliga föremål ombord på *Arcadia* – och om vi gjort det hade det naturligtvis varit riskabelt med tanke på att ägaren kunde upptäcka att någonting saknades i utrustningen.

Så Gunnars frågor var berättigade.

”Hur?” sa Erik. ”Ja, inte vet jag. Men jag antar att det vore lämpligt att gräva ner henne någonstans.”

”Med händerna?” sa Anna. ”Bra förslag.”

”Det måste väl ändå finnas en spade i något av våra hus?” sa Katarina.

”Om vi kommer iland i närheten av husen, ja”, sa Anna.

”Finns det några alternativ?” frågade Gunnar.

”Va?” sa Anna.

”Till att gräva ner henne”, sa Gunnar. ”Om vi nu *ska* göra oss av med kroppen.”

”Ja, inte fan kan vi börja stycka henne”, sa Anna. ”Eller

bränna henne. Ni får gräva ner henne, det är väl rätt självklart."

"Ni?" sa Erik.

"Ja, inte tänker jag göra det", sa Anna.

"Inte jag heller", sa Katarina.

"Ni får väl hjälpas åt", sa Anna. "Ni karlar. Ni som inte lyckades rädda henne."

"Ett ögonblick", sa Henrik.

"Va?" sa Anna. "Sitter du i telefon?"

"Håll tyst, Anna!" sa Gunnar. "Jag vill inte ge dig en örfil till."

"Din perversa jävel", sa Anna.

"Det jag ville säga var att jag har ett förslag", sa Henrik.

"Låt höra", sa Gunnar.

Henrik harklade sig lite tillgjort. "Det är bara det att jag tycker det är onödigt att vi riskerar att åka fast flera stycken av oss. Bättre om en gör det ensam."

Det gick några tysta sekunder. "Jag vet inte riktigt..." började Erik men ångrade sig uppenbarligen.

"Och jag tycker det är rätt självklart vem som ska göra det", fortsatte Henrik. Han hade fått en sorts ny auktoritet de senaste minuterna. I takt med att han nyktrade till, antagligen. "Rätt så självklart", upprepade han.

"Jag förstår vad du menar", hann Katarina skjuta in. Nu var de plötsligt man och hustru igen, det räckte med en antydan för att de skulle förstå varann. Henrik vände sig till mig.

"Det var du som klantade till det", sa han. "Det var du som ordnade så att flickan drunknade. Eller hur? Jag tycker det är din förbannade plikt att se till att vi klarar oss ur det här. Helt enkelt."

Jag såg mig omkring. Försökte urskilja de andras ansikten

i den mörka ruffen, ögonen hade börjat vänja sig en smula vid bristen på ljus, men det var ändå omöjligt att se några detaljer. Jag hörde deras andhämtningar, jag kände den påträngande närvaron av deras kroppar, lukten av förbrukad alkohol som utsöndrades ur porerna, men jag kunde inte med mina ögon utläsa vad de tänkte. Och ingen sa någonting. Ingen av dem yttrade ett ord efter att Henrik kommit med sitt förslag. Det gick tio-femton sekunder, båtens krängningar hade nästan upphört helt nu, jag undrade om det möjligen var så att vi befann oss helt nära land, inne i en vik eller i en bukt, det kändes nästan så. Jag tänkte på doktor L och på hur mycket pengar jag hade kvar i min reskassa.

”Allright”, sa jag så. ”Jag antar att jag inte har något val.”

När vi kommit bara ett hundratal meter från land – såvitt det gick att bedöma var det en liten rundad bukt med bara ett fåtal ljuspunkter – fick Gunnar oförmodat igång motorn. Det väckte förstås en viss acklamation, men flickans döda kropp, som nu låg invirad i två badlakan, lade en naturlig sordin på glädjen. Erik och Henrik frågade mig om jag hade lust att gå iland och begrava henne någonstans längs denna okända kustlinje, men jag tackade omedelbart nej till förslaget. Förklarade att jag behövde en spade och att jag föredrog att leta upp en plats någonstans i våtmarkerna mellan Mousterlin och Beg-Meil. Henrik sa att han tyckte det var ett klokt beslut och bjöd mig på en cigarrett; jag är ingen vanerökare, men jag tog emot den eftersom jag förstod att det rörde sig om en sorts försoningsgest och ett erkännande. Klockan var vid det här laget närmare halv tolv och vi började långsamt ta oss upp längs kusten, aldrig mer än femtio-hundra meter från land för den händelse motorn skulle haverera igen. Och för att inte tappa orienteringen, förstås. Efter ungefär en kvart, och efter att ha rundat ett par uddar, den sista bör ha varit Cap-Coz, fick vi syn på fyren i Beg-Meil. Vi passerade den samtidigt som månen för första gången bröt igenom molnen, och vi som för tillfället befann oss uppe i sittbrunnen – jag, Katarina och Gunnar – fick för en kort stund tillfälle att se varandras ansikten. Ingen av oss gjorde dock något större bruk av denna möjlighet, slog istället ner blickarna och efter några sekunder drog sig månen på nytt tillbaka bakom mörka moln.

Något senare kom vi runt Mousterlinspetsen; stranden västerut låg fullständigt mörklagd, vi hjälptes åt att få iland väskor och kassar och tombuteljer; sist av allt hivade Gunnar och Henrik Troaës kropp överbord, och jag bogserade henne långsamt flytande de återstående trettio meterna in till land. Gunnar och Henrik vinkade farväl, vände åter österut för att återbörda båten till marinan i Beg-Meil. Huruvida de också skulle väcka upp ägaren mitt i natten och berätta om den kränglande motorn vet jag inte. Kanske hade de gjort upp om att överlämna nyckeln följande dag.

Uppe på stranden samlades vi andra ett ögonblick runt kroppen. Mörkret var tätt, kändes nästan som ett klädesplagg mot huden, vinden hade mojnat helt och ingen måne syntes till. De enda ljussticken var några små punkter mellan träden ett stycke österut, jag räknade ut att det måste vara hotellet alldeles innanför udden, Pointe de Mousterlin.

”Hur tänker du göra?” frågade Katarina Malmgren.

Jag svarade att jag tänkte gömma undan henne temporärt i dynerna, medan jag letade mig tillbaka till Eriks hus för att hämta en spade.

”Du skulle i och för sig kunna få låna en av oss”, erbjöd Katarina. ”Men jag vet inte om vi har någon och det är kanske dumt att blanda in oss.”

”Mycket dumt”, sa jag.

Erik sa ingenting. Anna sa ingenting.

”Då så”, sa jag och lyfte upp flickan i famnen. Hon var inte tung, någonstans mellan fyrtio och fyrtiofem kilo, skulle jag tro, och trots att jag fortfarande besvärades en aning av min skadade fot, orkade jag bära henne utan större problem.

”Jag går före hem”, sa Erik efter en ny, kort tystnad.

Katarina frågade Anna om hon ville följa med till deras hus och invänta Gunnar där. Anna tvekade ett ögonblick, sedan tackade hon ja.

Ändå blev alla tre stående kvar i en sorts obeslutsamhet. Jag flyttade upp flickan så att hon kom att hänga över min högra skuldra. ”Oroa er inte”, sa jag. ”Jag tar hand om det här nu.”

Då nickade de och lämnade mig ensam med Troaë.

Det var en ovanlig vandring och ovanliga timmar som låg framför mig. Jag fick tidigt känslan av att jag utförde ett slags uråldrig ritual, det fanns inga vittnen, bara natten, jorden, himlen och evigheten; i motsats till vad jag sagt till de övriga bar jag flickan nästan ända fram till vårt hus; risken för att jag skulle låta henne bli liggande någonstans i dynerna och sedan helt enkelt inte hitta tillbaka till henne föreföll mig alltför stor, och jag ville inte utsätta någon av oss för en sådan fadäs. När jag säger någon av oss menar jag inte mig och de andra svenskarna, utan mig och flickan; jag hade inte gått många steg med henne över mina axlar, förrän jag började känna en stark samhörighet med henne. Jag levde, hon var död, ändå var det hon som representerade ungdomen, en ungdom som genom olyckliga omständigheter gjort en erfarenhet som jag aldrig varit i närheten av. Hon hade passerat gränsen, den yttersta gränsen, kanske befann sig hennes själ redan någon annanstans; kanske höll den i själva verket ett vakande öga över oss, där vi sakta och försiktigt tog oss fram genom marsklandskapet. Runt omkring oss hördes försynta ljud från förruttnelsens och födandets diskreta processer. Det bubblade och svirrade, kluckade, kväkte och tassade. Uppdraget uppfyllde mig; jag erfor snart att jag utförde en sorts plikt, en djupt bjudande plikt som ingen i det övriga sällskapet hade förutsättningar att göra sig begrepp om, och jag kände också en besk tacksamhet över att det blivit jag som fått förmånen att ombesörja flickans jordfästning, faktiskt gjorde jag det. Samtidigt låg galenskapen på lur, den smög på lätta fötter bakom oss i det levande mörkret, och framför och runtomkring; det var inget som på något vis skrämde mig, men det var en realitet, en möjlig utgång av denna vandring, det förstod jag. Att jag och flickan helt enkelt skulle lägga oss ner och låta oss övertalas av denna allt förtärande växtkraft, att jag skulle slå följe med henne på hennes sista resa; vi hade kommit in i själva poldern nu, tunga lukter från stillastående vatten och ogenomtränglig grönska omgav oss från alla håll och jag tänkte att kanske, kanske vore det en sorts kärlekshandling att bara sjunka ner tillsammans med henne i det dyiga, varma vattnet och överlämna sig åt krafter så mycket starkare och så mycket ursprungligare än våra egna.

Men jag stannade inte. Det blev inte så, istället fortsatte jag omständligt att gå; steg för steg, andetag för andetag; mina vandringar de senaste dagarna hade lärt mig att hitta någotsånär bland myllret av stigar, och inom en tidsrymd som jag i efterhand uppskattade till något mindre än en timme hade jag nått fram till en stigkorsning där jag kunde skymta Eriks hus. Han hade tänt en knutlampa, i övrigt var det nedsläckt. Försiktigt befriade jag mig från den döda flickan, placerade henne varligt i halvsittande ställning mot ett träd ett tjugotal meter från huset. Gick in genom grinden, letade mig fram till redskapsskjulet i trädgårdens mörkaste hörn och fick upp dörren.

Jag behövde aldrig tända ljus, nästan omedelbart stötte jag på en spade som stod lutad mot väggen och jag återvände förbi det tysta huset till flickan där jag lämnat henne.

Jag hade redan tänkt ut platsen för hennes grav, och jag var framme efter tjugo-tjugofem minuter. Det var ett öppet fält som jag tidigare försökt ta mig ut på; jag hade dock varit tvungen att vända på grund av markens sumpiga beskaffenhet. Nu klev jag försiktigt från tuva till tuva, det var inte lätt i mörkret och med flickan hängande över axeln, men månen visade sig en stund igen, en stor och blek nedanmåne, och hjälpte mig till rätta. Från stigen tog jag mig ett tiotal meter ut i det midjehöga gräset, sedan stannade jag, lade ner kroppen och körde prövande spadbladet i marken.

Det var lika lättgrävt som jag föreställt mig, och – för att göra en lång och plågsam historia lite kortare – snart hade jag fått flickan i jorden. En märklighet var att jag nästan inte behövde skotta igen graven; det var som om marken sög åt sig hennes kropp, hon omslöts av den våta, doftande jorden som i ett famntag, och på något egendomligt vis förstod jag att det var här hon hörde hemma. Här och ingen annanstans.

Jag återvände upp till stigen. Såg på klockan, den var tjugo minuter över två. Plötsligt kände jag hur en ofantlig trötthet föll över mig, en uggla hoade bara någon meter ifrån mig och jag förstod inte hur jag skulle orka ta mig tillbaka till huset.

Men jag klarade det också. Erik måste ha varit vaken en stund sedan jag hämtade spaden ur redskapsskjulet, för knutlampan var släckt. Jag återbördade spaden och tog en dusch; stod länge i det strilande vattnet och försökte skölja bort varje spår och varje minne av denna fruktansvärda dag, och när jag äntligen kom i säng hade klockan hunnit bli nästan fyra.

Och jag sov i fyra timmar, duschade på nytt och började skriva.

Av Erik inte ett spår, han måste ha gett sig av tidigt imorse. Ja, utan tvivel sitter han i rådslag hos de andra. Det är måndag, klockan är två, jag känner starka impulser inom mig att gå tillbaka och leta upp platsen där jag begravde flickan inatt, men jag förstår att jag måste avhålla mig.

Känner andra impulser också, de säger åt mig att packa mina saker och se till att komma härifrån, men tröttheten förlamar mig.

Min fot värker dessutom, en svullnad och en mörk månskåra har uppstått på utsidan av ankeln; det är säkert ingenting allvarligt, men ett par dagars vila framstår som ett alltför lockande alternativ för att jag skulle kunna tacka nej till det.

Naturligtvis kan det också vara viktigt för mig att få veta vilka planer som smids under rådslaget. Jag lägger mig i en av vilstolarna på terrassen under parasollet och inväntar Erik.

Jag känner att jag är en annan människa än den jag var för tjugofyra timmar sedan.

Ändå är det inte så. När vi ömsar hud och blir en annan är det bara just detta som sker. Hudömsningen. Innehållet, vår kärna och vår sanna identitet bär vi alltid med oss.

Vi kan inte fly ifrån det och jag kan inte fly ifrån de där dagarna och det som hände. De där människorna stannade kvar i mig som fästingar, sög mitt blod och mitt förstånd ur mig, och att det som nu sker, sker, är förstås ingenting annat än en logisk följd. Handlingar får konsekvenser, förr eller senare måste var och en ta sitt rättmätiga ansvar, på samma sätt som jag tar mitt ansvar när jag begår de blodiga men ofrånkomliga dåd jag nu ägnar mig åt att utföra.

Under åren har flickan då och då återkommit i mina drömmar, oftast har det rört sig om ångestfyllda och kallsvettiga återblickar på de där minuterna i vågorna – och på den nattliga vandringen genom marsklandet, den ena levande, den andra död – men sedan jag äntligen fattade beslutet har drömmarna bytt karaktär. Där finns med ens ett ljus, ett alldeles tydligt stråk av försoning; när jag härom morgonen i det milda gryningsljuset i mitt sovrum mötte flickan, befann vi oss på en långsträckt strand, kanske var det just den där sträckan mellan Mousterlin och Bénodet, men jag är inte säker; vi kände igen varandra redan på långt håll, jag såg tidigt att hon bar både sin ryggsäck med det uppstickande staffliet och sitt karaktäristiska, lite sneda leende, och när vi var framme vid varandra stannade vi bara upp ett kort ögonblick, bytte några uppmuntrande fraser, hon rörde lätt, nästan flyktigt, vid min kind och så fortsatte vi vår vandring åt respektive håll.

Hon berörde det aldrig med ord, men jag kunde se i hennes ansikte att hon var tacksam för att jag äntligen börjat ta itu med de där människorna. Jag kunde också se att hon var på väg att bli en vuxen kvinna.

Orsak och verkan, således, när jag är färdig med mitt arbete kommer man att se att det var detta och ingenting annat som det var frågan om.

Ibland drömmer jag om doktor L också, det rör sig alltid om samma korta sekvens, och varje gång jag vaknar upp och minns den känner jag hur mitt behov av tröst fått en tillfällig mättnad. Han sitter bakom sitt stora mörka skrivbord, jag kommer in i rummet, han lyfter blicken från papperen han just suttit och läst i, skjuter upp glasögonen i pannan och nickar åt mig på sitt en smula eftersinnande sätt.

Jag förstår, säger han. Du behöver inte sätta dig ner och förklara, gå vidare, bara.

Gå vidare.

14–16 augusti 2007

19

I drömmen trängdes han med feta änglar.

Det pågick någon sorts halvt organiserad köbildning; han befann sig vid foten av en vindlande trappa och slutmålet bestod i en port i en vittrande kalkstensmur ett femtiotal meter ovanför honom. Det var den man skulle in igenom. Vissa av änglarna föreföll mer bekanta än andra, bland dem han först identifierade var hans förra hustru Helena, han kunde skymta henne några trappsteg högre upp och det tycktes honom en smula märkligt att hon lyckats erhålla en sådan rejält förhöjd status. Under de tjugofem år han känt henne hade hon aldrig varit någon ängel, långt därifrån, men alldeles intill henne såg han också bröderna Digerman, ett par gamla rånare och våldsverkare som han sytt in för flera år sedan, så det var kanske inte så kinkigt med vandeln när allt kom omkring – och nu, just i samma ögonblick fick han syn på Axel Wallman och intendent Jonnerblad. De stod med armarna om varandras vingfästen och de tycktes inbegripna i samspråk om någonting synnerligen viktigt. Kanske hur de skulle bära sig åt för att avancera i kön; det gällde bara att komma uppför trappan och in genom hålet i muren, av allt att döma, och innan Barbarotti visste ordet av hade han svischat förbi allihop och var uppe och framme.

Det var Sankte Per som väntade där; vem annars, det borde han ha förstått, men han blev alldeles tagen på sängen av den enkla fråga som den vitskäggige och en smula vindögde, faktiskt, portvakten ställde till honom.

”Ge mig tre goda gärningar som du uträttat under din vandring på jorden.”

Bara tre? tänkte han glatt, men sedan var det som om han hade slagit knut på sig själv. Hjärnan kortslöts, tungan klibbade fast vid gommen, armhålorna svettades; han öppnade och stängde munnen några gånger, och Sankte Per höjde ett frågande ögonbryn.

Jag har älskat mina barn, tänkte han, i synnerhet min dotter – men det kändes en smula taffligt på goda grunder. Älskade sina barn gjorde väl alla, massmördare och vettvillingar också? Här behövdes det någonting med lite mera sting i, det kändes tydligt. Men vad… vad i hela friden hade han uträttat egentligen? Vad fanns det för guldkorn att visa fram som inte solkades av vare sig egennyttan eller av… av det alldagligas och banalas fadda glans?

Fångat in en och annan ogärningsman och låtit dubbelt så många gå fria? Inte mycket att skryta över, antagligen. Han kände på sig att Sankte Per hade rätt fri sikt in i hans inre också, det gick inte an att komma dragande med några tveksamheter.

”Nå?” sa Sankte Per. ”Jag ser här att du är fyrtiosju år gammal. Någonting borde du ha hunnit åstadkomma på den tiden.”

”Jag var bara inte riktigt förberedd”, förklarade Barbarotti. ”På att jag skulle stå här, alltså.”

Han märkte att änglarna bakom honom börjat gruffa över att han tog för lång tid på sig i dörrhålet, och han tänkte också att det var egendomligt detta att de redan var utstyrda i vingar och vit särk – om de fortfarande inte lyckats slinka in genom pärleporten. Hade de kanske bara varit ute och roat sig litegrann? Nere på jorden i ett eller annat ärende? Var de redan godkända? I alla händelser var de feta, en del nästan oformliga; han identifierade en viss Conny, Lång-Conny kallad, som brukade stå i baren på restaurang Älgen med halvsänkta ögonlock och en otänd cigarrstump i mungipan, och han hade sannerligen förändrat sin kroppsform totalt. Såg ut att vara omkring en och sextio lång och väga hundratrettio kilo.

Sankte Per blängde på Barbarotti, sedan satte han en bock i den stora liggaren han hade uppslagen på ett bord framför sig och viftade irriterat med handen.

”Försvinn”, sa han. ”Du får några år till på dig. Men jag vill inte vara med om samma sak när du kommer nästa gång. Då åker du åt helvete.”

Barbarotti nickade tacksamt och Sankte Per klippte till med en liten hammare på en ringklocka, en sådan där som brukade finnas på receptionsdisken på gammaldags hotell, och sedan upplöstes hela scenen som i en dimma.

Men ljudet från klockan stannade kvar och drömmen virvlade hastigt upp till verklighetens karga yta. Han låg i sin säng, inkorvad i både underlakan och täcke, och det där envetna ljudet kom naturligtvis inte från någon gammal portierloge, utan från mobiltelefonen, som låg bredvid honom på nattygsbordet, och innan han riktigt visste vad han gjorde hade han svarat.

Det var Helena.

För ett ögonblick trodde han att han fortfarande befann sig i drömmen. Att hans före detta hustru skulle förekomma både där och i verkliga livet – med så kort intervall dessutom – föreföll föga sannolikt; men där fanns en sorts äkta kvalitet av ättika och sandpapper i hennes röst som lämnade det mesta av tvivlen därhän. Hon var på riktigt.

”Gittan ringde”, sa hon. ”Hon hade läst Expressen. Vad i helvete har du för dig?”

Gittan var en gammal väninna, tidigare gemensam, sedan skilsmässan enbart hans före detta hustrus. Hon bodde i Huddinge och tyckte bättre om reptiler än om män.

”Va?” sa Gunnar Barbarotti. ”Vad är klockan?”

”Kvart i åtta, men det spelar ingen roll. Det står i Expressen att du har misshandlat en journalist.”

”Va?”

”Du hörde nog.”

”Javisst, men vad fan är det du säger?” fick Barbarotti fram och lyckades trassla sig ur täcket. Kvart i åtta? Hade han inte ställt klockan på kvart i sju?

”Gittan såg det på löpsedlarna när hon gick till jobbet. Kvällstidningarna kommer ut tidigt däruppe, jag vill bara veta hur jag ska förklara det här för barnen.”

”På det viset.”

Insikten om vad det var för information han just mottagit sipprade obönhörligt in i honom, som giftet efter ett huggormsbett, och han förstod att Sankte Per begått ett allvarligt misstag när han sänt honom tillbaka till jorden.

”Jag ringer dig senare”, sa han. ”Jag har inte misshandlat någon, du kan hälsa Lars och Martin det.”

Han kom på fötter och gick och gömde sig i duschen.

Nästa samtal kom klockan åtta minuter över åtta. Det var inspektör Backman.

”Det kommer att ta hus i helsike”, sa hon. ”Ville bara varna dig om du inte har hört.”

”Tack, jag har hört”, sa Barbarotti.

”Du är polisanmäld för misshandel.”

”Jag misstänkte det. Vi får prata senare.”

När han lagt på ringde Aftonbladet. De undrade om han hade någon kommentar. Han förklarade att han inte hade det, förutom att han ännu inte läst vad som stod i deras högt värderade konkurrentorgan och att han absolut inte hade misshandlat någon.

Därefter klädde han på sig och därefter ringde intendent Jonnerblad.

”Du är tills vidare friställd från utredningen”, meddelade han. Han lät som om han satt och bet i ett armeringsjärn.

”Tack så mycket”, sa Barbarotti. ”Var det någonting annat?”

”Du behöver inte komma till polishuset idag. Och du håller dig borta från pressen. Klart?”

”Glasklart”, sa Barbarotti.

”Munkavle”, sa Jonnerblad.

”Uppfattat”, sa Barbarotti och tryckte bort samtalet.

Han satte på kaffebryggaren, började breda två mackor och sedan ringde Sveriges Television och föreslog att han skulle komma till kungliga huvudstaden och sitta i en nyhetsmorgonsoffa följande dag. Barbarotti förklarade att han tyvärr var förhindrad av utredningstekniska skäl och la på luren. Slog sig ner vid köksbordet och så ringde TV4. Man undrade om han kunde tänka sig att vara med som gäst i deras kvällssoffa; han informerade dem vänligt men bestämt om att han tyvärr redan var uppbokad och tackade för samtalet.

Han drack en klunk kaffe, tog en tugga från en smörgås, därefter ringde man från radioprogrammet Efter Tre. Innan den uppringande kvinnan hunnit presentera sitt ärende, förklarade Barbarotti att han just satt upptagen med ett viktigt förhör och inte hade tid att prata.

Därefter stängde han av telefonerna, åt färdigt sin frukost

och läste sin lokala morgontidning. Där stod inte ett ord om någon polismisshandel.

Marianne, tänkte han. Marianne kommer också att drabbas av Expressen idag.

När han på nytt aktiverade sina kanaler till yttervärlden var klockan strax efter tio; han hade långbadat i fyrtiofem minuter med Bachs cellosviter i öronen, han hade bett en trepoängs existensbön och han hade tolv missade samtal på sin fasta telefon.

Fjorton på mobilen, sex meddelanden på varje.

Jag är i smöret, tänkte inspektör Barbarotti. Sannerligen.

Eller i stormens öga eller hur man nu vill se det.

Tills vidare friställd?

Det hade aldrig hänt honom tidigare.

Polisanmäld? Det hade hänt förr. Det hände alla, men det rörde sig oftast om någon känd våldsverkare som var förbannad och ville ge svar på tal. Utredningarna lades alltid ned, det ingick på något vis i villkoren, både anmälningarna och nedläggningarna. Vilket var synd – eftersom en och annan polisman verkligen förgick sig, det var allmänt bekant.

Att någon blivit anmäld av en tidningsreporter kunde han dock inte erinra sig, men kanske hade det hänt.

Ännu hade han inte vågat sig ut för att handla kvällstidning; han var inte helt klar över hur dags de egentligen brukade anlända till Kymlinge och det verkade föga tilltalande att behöva återvända hem med oförrättat ärende. Bäst att vänta en halvtimme till, beslöt han. Kanske fundera över något slags förklädnad också?

Men ännu inget samtal från Marianne. Han undrade vad det kom sig av. Det var det enda som faktiskt betydde något. Långsamt började denna skavande sanning gå upp för honom; vad resten av världen tyckte bekom honom inte, åtminstone inte särskilt mycket, men hur Marianne skulle reagera var vitalt. I ordets ursprungliga betydelse – livsavgörande.

Han tog med sig detta problem, bägge telefonerna och gick ut och satte sig på balkongen.

Varför hade hon inte hört av sig, alltså? Antingen var det så enkelt som att hon ännu inte blivit uppmärksammad på skandalen för dagen, eller också... eller också hade hon redan läst och bestämt sig för att tiga.

Det senare alternativet fick inte vara sant. Helvete också, under inga förhållanden, tänkte Gunnar Barbarotti. Att han knuffat ut den förbannade murveln Persson genom dörren kunde helt enkelt inte få sådana förödande konsekvenser för hans privatliv. Saker och ting hade inte rätt att få utveckla sig på det viset, han hade redan talat med Vår Herre om saken medan han låg i badet med Bach, och Vår Herre hade varit av samma mening.

Han lyssnade av meddelandena. Två var från Jonnerblad, ett på varje telefon, liksom de två från inspektör Backman; fem var från olika journalister och de resterande tre från goda vänner som av deras tonläge att döma stiftat bekantskap med innehållet i dagens upplaga av tidningen Expressen.

Både av Jonnerblad och av Backman ombads han att sätta sig i förbindelse med polisen, och han hade inga svårigheter att avgöra på vilken väg han skulle göra detta. Inga svårigheter alls.

Eva Backmans privata mobil. Hon stängde sällan av den, svarade också den här gången – efter tre signaler och bad honom vänta. Han förstod att hon ville se till att komma i enrum innan hon talade med honom, och när hon återkom förstod han också varför hon var den snut i världen han skulle handplocka om han blev tvungen att vistas ett år på en öde ö med en kollega. Om vi inte haft sex ungar med andra människor kunde vi ha gift oss, tänkte han plötsligt. Det var i och för sig ingen ny tanke men den hade legat i träda ett tag. Hade inget blod i sig.

”Hur har du det?” frågade hon. ”Jag är lite orolig för dig.”

”Det är lugnt”, sa Gunnar Barbarotti, samtidigt som hans fasta telefon ringde. Han kontrollerade på displayen att det inte var Marianne och lät den ringa. ”Fast jag har inte läst tidningen än. Vad står det egentligen?”

”Det är inte klokt”, sa Backman. ”Löpsedel och allt. Vad var det som hände på riktigt?”

”Den jäveln försökte tränga sig in hos mig igår kväll. Jag knuffade ut honom i trapphuset.”

”Tänkte väl det. I tidningen står det att du slog ner honom och kastade honom utför trappan. Han lyckades bli skadad också, tydligen. Jonnerblad sitter i en ny liten presskonferens just nu, men han vill ha ett samtal med dig sedan.”

”Jag har förstått det.”

”Bra.”

”Och jag är avkopplad?”

”Tills vidare såvitt jag förstår. Och det är nog lika bra att du ligger lite lågt, tror jag. Stämningen är en aning upphetsad.”

”Verkligen?” sa Barbarotti. ”Hur går det med utredningen, då?”

”En smula framåt, faktiskt”, förklarade Eva Backman och han hörde att hon ansträngde sig för att låta optimistisk.

”Framåt?” sa han.

”Ja, vi har fått fram att det där paret, Henrik och Katarina Malmgren, tydligen ska ha åkt till Danmark på semester, och alldeles nyss berättade Sorgsen att de nog tog sena kvällsbåten till Fredrikshavn… i söndags, om jag fattade det rätt. Men det är nånting som är oklart, jag tror han sitter och pratat med rederiet just nu.”

”Aha?” sa Barbarotti. ”Och vad är det som är oklart?”

”Jag vet inte än. Jag kan ringa och berätta för dig när jag har snackat med Sorgsen. Men analysen av de tre första breven är klar. Linköping meddelar att det inte finns vare sig fingeravtryck eller en gnutta saliv… vår vän mördaren tycks vara rätt noggrann, men det visste vi väl redan.”

”Hade det på känn”, instämde Barbarotti. ”Jaha, du kan väl hälsa Jonnerblad att han kan ringa mig på mobilen om han vill nånting. Jag tror jag sätter på den i fem minuter efter varje hel och halvtimme, det är lite för mycket skit i luften för att jag ska kunna ha den igång hela tiden.”

”Jag förstår det”, sa Eva Backman. ”Om du inte tycker jag låter blödig i överkant, så tycker jag faktiskt lite synd om dig.”

”Nu låter du blödig i överkant”, sa Barbarotti.

”Ja, antagligen”, sa Eva Backman och skrattade till. ”Fast du glömmer att jag är kvinna också. Vi har liksom en sån där empatisk ådra som ni karlar saknar.”

”Empa…? Vad sa du att det hette?”

”Strunt i det. Hursomhelst tänkte jag titta in till dig när jag åker från jobbet idag. Har lite svårt att utbyta tankar med gänget här… om du inte har nånting emot det, alltså?”

”Du är välkommen”, sa Gunnar Barbarotti. ”Jag bjuder på en öl på balkongen. Hur blir det med din semester?”

”Den tycks vara uppskjuten några dagar”, förklarade Eva Backman. ”Och Ville hotar med att komma hem från stugan, gossarna har börjat klaga över kosthållningen, tydligen."

"Poliser skulle inte ha semester överhuvudtaget", sa Barbarotti. "Det krånglar bara till rutinerna. Men nu har jag inte tid med dig längre. Måste ut och skaffa en kvällstidning, sedan ska jag lägga mig på soffan och softa några timmar."

"Jag tar tillbaka det där jag sa om att det var synd om dig", sa Eva Backman och de avslutade samtalet.

Det var värre än han föreställt sig.

Ändå hade han föreställt sig rätt mycket. Han sjönk ner vid köksbordet, bredde ut tidningen framför sig och märkte till sin förvåning att han kände sig spyfärdig.

Han prydde hela förstasidan. Hälften var rubrik i tumshöga bokstäver.

HÄR SLÅS EXPRESSENS REPORTER
MEDVETSLÖS AV POLISEN

Den andra hälften var en stor och grynig bild, som den där blixtnissen till fotograf uppenbarligen lyckats knäppa exakt i det ögonblick då han körde knytnävarna i bröstet på Göran Persson. Det såg inte snyggt ut; den detalj som hade bäst skärpa på hela fotot var Barbarottis eget ansiktsuttryck, och det påminde inte så lite om en karatekung som med full beslutsamhet utdelar det dödande slaget på sin försvarslöse motståndare.

Och den förbannade reportern såg verkligen ut att falla handlöst baklänges.

Men medvetslös? Av ett par knytnävar i bröstet?

Han bläddrade fram till sidan åtta, där sanningen om

detta färska fall av polisbrutalitet avslöjades och utmålades i sina allra mest hårresande detaljer. Den rutinerade och erkänt skicklige kriminalreportern Göran Persson hade i högst fredliga avsikter försökt få en kommentar från polismannen Gunnar Barbarotti, boende i en trerumslägenhet i centrala Kymlinge – med anledning av det faktum att gärningsmannen bakom de två mord som nyligen ägt rum i staden skrivit brev till just sagda polisbefäl, något som det berättats utförligt om redan i måndagens tidning. Alldeles oprovocerad hade Barbarotti härvid attackerat den stackars värnlöse journalisten med kraftiga slag och vidare kastat honom utför en brant stupande trappa, så att han blev medvetslös och bröt två ben i kroppen.

I kroppen? tänkte Barbarotti. Ja, var skulle de annars sitta?

Svårt chockad och skadad hade Göran Persson med hjälp av tidningens fotograf lyckats ta sig från platsen och sedan tillbringat natten på Kymlinge sjukhus. Händelsen hade polisanmälts och hela affären lade förstås en mörk sordin och en hämsko på den utredning som för närvarande bedrevs – hittills utan varje spår av framgång – av Kymlingepolisen med förstärkning från Göteborg och Rikskrim i jakten på den brevskrivande mördaren, som hittills av allt att döma hade två liv på sitt samvete.

Sordin och hämsko? tänkte Barbarotti. Kanske hade han dunkat i huvudet en smula ändå? För ovanlighetens skull framgick det inte vem som författat artikeln, kanske hade någon på tidningen insett att det vore att placera Göran Persson på alltför många stolar om hans namn också stått under reportaget.

Spaningsledaren, kriminalintendent Jonnerblad, hade sent på måndagskvällen inte varit anträffbar när Expressen försökt nå honom för en kommentar till inspektör Barbarottis hänsynslösa angrepp på det fria ordet och dess företrädare. I en hastigt genomförd gallup bland människor i Kymlinge med omnejd sade sig så många som sextiosex procent ha litet eller inget förtroende för polisens förmåga att komma till rätta med den tilltagande kriminaliteten. Under sommaren hade till exempel inte ett enda av sammanlagt tjugotvå anmälda villainbrott i distriktet bringats till sin lösning. Man kunde fråga sig vad polismyndigheten egentligen sysslade med.

På sidan fem fanns ytterligare bilder på kombattanterna Persson och Barbarotti, han kunde inte begripa var de fått tag på fotot av honom själv; han såg ovårdad ut, som om han just vaknat upp efter att ha sovit ruset av sig i ett dike, med djupa skuggor under ögonen och inte helt olik framlidne Christer Pettersson. Reportern å sin sida hade sprucken läpp, ett blåmärke under ena ögat samt ett blodfläckat bandage om huvudet, och erinrade i grova drag om en emfysempatient som nyss blivit överkörd av en väghyvel.

Fan och hans mormor, tänkte kriminalinspektör Barbarotti. Om jag får syn på den jäveln igen ska jag verkligen nita honom ordentligt.

Och han förstod att det var just den typen av tankar som var så karaktäristisk för våldsverkare i gemen.

Han körde in pekfingret i bibeln.

Samma ställe. Det var märkligt. Hur stor var den sannolikheten egentligen? Fast kanske hade den legat uppslagen en stund just här förra gången, han kom ihåg att det fanns korttrick som fungerade på det viset. Och gamla böcker föll kanske alltid upp på de mest lästa sidorna om man överlät det åt slumpen? Eller ett pekfinger.

Matteus, alltså.

... men om ditt öga är fördärvat blir det mörkt i hela din kropp. Om nu ljuset inom dig är mörker, hur djupt blir då inte mörkret.

Han kikade på de omgivande texterna och insåg att det var rätt centrala saker det rörde sig om. Både Fader Vår och Gud och Mammon stod alldeles intill – men ändå, tänkte han, *mitt öga fördärvat*? Vad innebar det? Vad var det för lärdom han förväntades dra?

Att det kändes rätt mörkt för tillfället behövde han ingen högre vägledning för att begripa.

Med en suck slog han igen bibeln och satte på mobiltelefonen.

Fyra nya röstmeddelanden, men framförallt: ett SMS från Marianne. Äntligen, tänkte han och fumlade med fingrarna över knapparna. Nu går mitt liv runt ett hörn.

Hon bad om tid.

Ville man tolka det positivt, kunde man beskriva det så. Med anledning av vad hon läst i dagens Expressen, behövde hon fundera, skrev hon. *Jag har läst, behöver tänka.* Fel att kasta sig in i någonting förhastat. Men han fick gärna ringa.

Det var det hela. Han vankade omkring i rastlös obeslutsamhet en kvart innan han tog mod till sig. Hon svarade inte. Han vankade tio minuter till. Försökte igen, nu var hon på plats.

"Du får inte tro på vad de skriver i tidningen", sa han. "Det var inte så det gick till."

Han tyckte själv att det lät ovanligt blekt. Som när en notorisk missbrukare försöker motivera att han slagit sin fru för trettiofjärde gången. *Det var inte mitt fel.* Hon dröjde med att kommentera, men han hade åtminstone sinnesnärvaro att inte komma med fler dåliga bortförklaringar under de olycksbådande tysta sekunder som flöt förbi.

”Ja, jag vill verkligen veta vad det var som hände”, sa hon till slut. ”Naturligtvis. Men det gäller barnen också. Kanske framförallt dem, de har läst tidningen och har lite svårt att fatta att det är du. Jag vet inte vad jag ska säga till dem.”

Han svalde. Barnen? För några timmar sedan hade Helena sagt nästan samma sak till honom.

”Jag förstår”, sa han. ”Så här var det. Den där reportern försökte tränga sig in hemma hos mig. Jag knuffade ut honom genom dörren, det är alltihop.”

”Alltihop?”

”Ja.”

Tystnad. Han kände hur en knuten hand vred sig i magen på honom.

”Du tror mig inte?”

”Snälla Gunnar, jag vet inte vad jag ska tro.”

”Du föredrar att tro på vad som står i Expressen?”

”Nej, det gör jag naturligtvis inte. Jag säger bara att... att det är svårt att få barnen att begripa sådant här.”

”Jag hör att du säger det. Och hur blir det med... oss?”

Hon dröjde igen. Mörka sekunder seglade förbi på väg mot ett ingenmansland. Eller en gravplats. Eller ett inferno. Var kommer alla bilder ifrån? hann han tänka. Återigen dessa bilder och rotlösa tankar.

”Jag vet inte hur det blir med oss”, sa hon till slut. ”Du måste ge mig lite mera tid.”

”Säger du det här bara för det som står i Expressen idag?”

”Nej...”

”Jag skulle vara tacksam om du svarade ärligt, Marianne. Jag friade faktiskt till dig förra veckan. Du lovade mig svar på onsdag i den här veckan. Idag är det tisdag.”

”Jag vet vilken dag det är.”

”Bra. Då ringer jag dig imorgon som vi kom överens om.”

”Om du ringer imorgon är svaret nej. Du har ingen rätt att pressa mig på det här viset.”

”Allright, då ringer jag inte. Vill du ge mig ett nytt datum eller ska jag räkna det här som ett avslutat kapitel?”

”Varför pressar du mig, Gunnar? Jag kan inte fatta något beslut just nu, tycker du det är så konstigt?”

Han hejdade sig och funderade – och samtidigt kände han sig en smula stolt över att han faktiskt lyckades göra just det. Hejda sig. Jag har blivit lite mognare, tänkte han. Hade det varit på Helena-tiden skulle jag ha slängt på luren i det här läget.

”Förlåt, jag har en dålig dag idag”, sa han. ”Jag är utmålad som en buse över hela Sverige. Jag är polisanmäld, jag har just fått sparken och den kvinna jag älskar vill inte ha mig.”

”Har du fått sparken?”

”Order om att inte komma till jobbet åtminstone.”

”Så kan dom väl inte…?”

”Jodå, det kan dom. Och det är nog rätt så naturligt med tanke på läget. Eller hur?”

Hon andades bekymrat i luren en stund. Att man kunde identifiera det bekymrade i en andedräkt, tänkte han. Att det kunde höras på telefon. Av någon anledning kändes det trösterikt.

”Gunnar, kan vi göra så här?” sa hon. ”Ring mig på lördag, så får vi se. Jag ska prata igenom det här med Johan och Jenny, jag måste faktiskt göra det… klarar du det?”

”Jag tror det”, sa Gunnar Barbarotti. ”Jag behöver kanske också lite tid att reda ut ett och annat.”

”Lördag, alltså?”

”Lördag.”

När de avslutat samtalet mådde han i alla fall lite bättre än han gjort innan han ringde. Försökte han intala sig åtminstone. Han stängde av telefonen utan att lyssna av de andra meddelandena.

Mitt inre? tänkte han. Mörker eller ljus? Gravplats eller inferno?

Han knycklade ihop Expressen och tryckte ner den i soppåsen; gick ut och satte sig på balkongen med ett korsord istället.

20

Inspektör Backman dök upp vid halvsjutiden och hon medförde tre tjocka, röda mappar.

”Tänkte du kunde behöva lite stimulans”, sa hon.

”Tack”, sa Barbarotti.

”Så du slipper gå till Stadsparken och mata duvor.”

”Precis.”

”Om du läser igenom dem ikväll, så kan jag hämta dem på väg till jobbet imorgon bitti? Det är väl i stort sett vad vi har i fallet till dags dato. Det mesta vet du förstås redan.”

”Är Jonnerblad och Asunander med på det här?”

”Jag frågade dem aldrig”, sa Eva Backman.

”Smart”, sa Barbarotti. ”Vi går ut på balkongen och sätter oss. Du har väl tid för en öl.”

”Alla gånger”, sa Backman. ”Mina karlar har inte gjort allvar av sitt hot om att komma hem än. Och det är ju en fin kväll.”

”Det är några som håller på och dukar upp till kräftkalas nere på granngården”, sa Barbarotti. ”Vi kan snylta lite på deras stämning.”

Inspektör Backman log.

”Perfekt”, sa hon och sjönk ner i den ena av de två vilstolarna. ”Du har verkligen tänkt på allt.”

”Man gör så gott man kan”, sa Barbarotti. Han gick ut i köket och återvände med två öl och höga glas. Den här balkongen är visserligen liten, men den är nog byggd för två, tänkte han ofrivilligt.

”Men i gengäld vill jag ha en ordentlig uppdatering”, sa han. ”Muntligt och pedagogiskt innan jag börjar läsa. Det är inte så att ni har löst fallet under dagen?”

”Inte riktigt”, medgav Backman. ”Fast det där Göteborgsparet ligger nog rätt illa till, är jag rädd.”

Barbarotti hällde upp, de höjde glasen mot varandra och drack var sin djup klunk.

”Jaså?” sa Barbarotti. ”Illa till?”

”Ja”, sa Backman och lutade sig tillbaka. ”Fan, vad skönt det är att sitta på en balkong och jobba istället för i ett polishus. Jag tror många utredningar skulle vinna på att skötas på det här viset istället.”

”Vi kan permanenta det här”, föreslog Barbarotti. ”Så länge jag är avstängd åtminstone. Om du kommer hit och informerar mig om läget varje kväll, så får du en öl för besväret.”

”Varför inte?” log Eva Backman.

”Illa till?” påminde Barbarotti.

Hon harklade sig och blev allvarlig. ”Ja, det lutar nog ditåt. Paret Henrik och Katarina Malmgren tog av allt att döma sena kvällsfärjan från Göteborg till Fredrikshavn i söndags, och rätt mycket tyder på att de inte gick iland på den danska sidan.”

”Rätt mycket tyder på...?” sa Gunnar Barbarotti. ”Vad betyder det i klartext?”

”Att deras bil stod kvar på bildäck, till exempel”, sa Eva Backman. ”Ja, det är väl det enda indiciet egentligen, men det väger liksom rätt tungt. Eller vad säger du?”

”De körde aldrig iland bilen?”

”Nej, just det. En semesterpackad Audi stod kvar, det är naturligtvis möjligt att de valde att strunta i bilen och bagaget och gick iland till fots, men ingen i spaningsgruppen har hittills kommit upp med någon tänkbar förklaring till varför man skulle bete sig på det viset. Men det kanske du kan göra?”

Gunnar Barbarotti rynkade pannan. ”Du menar att de ska ha blivit mördade ombord på färjan? Och...?”

”Och kastade i havet, ja. Det är en teori. En annan är att de blivit mördade och instuvade i något annat fordon... för att så småningom grävas ner i ett kärr i Danmark. Eller någonstans på kontinenten, det är bara att välja.”

”Passera gränser med lik i lasten? Låter lite magstarkt.”

”Finns inga gränser i Europa längre”, sa Backman. ”Men visst, jag håller med, det är mer sannolikt att de blivit lämpade överbord i skydd av mörkret.”

”Fy fan”, sa Gunnar Barbarotti. ”Tror ni verkligen på det här?”

”Vad drar du själv för slutsatser?” sa Eva Backman.

”Jag vet inte riktigt”, sa Barbarotti.

”Två människor kör ombord på färjan i sin bil. När alla gått iland och båten är tom fyra timmar senare, står bilen kvar. Ergo?”

Barbarotti svarade inte. Satt tyst och betraktade de tre röda utredningsmapparna på bordet en stund. Viftade undan en geting som kom snokande.

”Och sambandet med de andra offren?”

”Vi har knappt hunnit börja med det än. Finns inga uppenbara kopplingar i alla fall. Henrik Malmgren är docent i filosofi vid Göteborgs universitet. Hans fru Katarina är narkossköterska på Sahlgrenska. Trettiosju respektive trettiofyra år gamla, inga barn och inga noteringar i brottsregistret.”

”Det där vet jag redan”, sa Barbarotti. ”Har ni gjort någon husundersökning än?”

Hon såg på klockan. ”De har just börjat. Tallin, Jonnerblad och Astor Nilsson är på plats. Åklagaren tog lite tid på sig, men bilen är också tagen i beslag, ja, det här är ett huvudspår, för att citera Rikskrim.”

”Huvudspår? Vi håller på och letar efter offer. Jag trodde begreppet huvudspår syftade på gärningsmannen?”

”Trodde jag också”, sa Eva Backman och drack en klunk öl. ”Nåja, vi lokalsnutar har knappast anledning att förhäva oss, vi heller. Han tog dig i försvar inför pressen i alla fall, intendent Jonnerblad, och jag har på känn att du blir lite återupprättad i Aftonbladet imorgon.”

”Jag hörde det”, nickade Barbarotti.

”Hörde?”

”Jag talade med Jonnerblad för ett par timmar sedan. Men vem läser en dementi?”

”Inte många”, sa Backman.

”Nej, just det. Jag har gett polisvåldet ett ansikte i den här stan i alla fall, det kommer nog att finnas kvar några år. Och han släpper inte in mig i gruppen igen, Jonnerblad, han menar att det skulle vara otaktiskt i det här läget.”

Eva Backman nickade.

”I varje fall så länge Expressen inte drar tillbaka sin polisanmälan… provocerande mot det allmänna rättsmedvetandet, påstod han.”

”Det finns ett annat skäl att hålla dig utanför också”, sa Eva Backman.

”Jaså? Vilket då?”

”Det är till dig mördaren skriver. Kan tyckas att det jävar dig en smula.”

”Så om han skrev till polishuset, skulle alla vara tvungna att stå utanför?”

”Nja…”

”Vi skulle vara tvungna att hyra in snutar från Estland?”

Eva Backman skrattade till. ”Kanske det. Nej, det är väl snarare det andra som gör att du är utvisad. Du blev lite väl exponerad idag, det är precis som du säger och folk behöver tid för att glömma. Några dagar åtminstone.”

”Det skulle inte hindra mig från att sitta på mitt rum och utreda.”

”Visserligen inte. Men det är ju mycket skönare här, det har jag ju förklarat för dig.”

”Allright”, suckade Barbarotti. ”Vill du ha en öl till?”

Eva Backman skakade på huvudet. ”Tänkte faktiskt hinna springa en runda, och två öl i kroppen är lite för mycket.”

Barbarotti nickade och knackade med knogarna på mapparna. ”Ge dig iväg”, sa han. ”Jag ägnar kvällen åt att gå igenom materialet. Du får mina synpunkter imorgon bitti om du kommer förbi.”

Inspektör Backman reste sig och i samma stund intonerades *Helan går* nerifrån granngården. ”Jahaja”, sa hon och kastade ett öga över balkongräcket. ”En gång får nog du och jag också gå på kalas, ska du se.”

”Man kan alltid hoppas”, sa Gunnar Barbarotti. ”Förresten, hur gick det med din semester?”

”Uppskjuten tills vidare”, förklarade inspektör Backman. ”Vad trodde du?”

Ungefär tre timmar och ett dussin snapsvisor senare hade han läst igenom alla tre mapparna. Mörkret hade fallit och en gul- och blodmarmorerad augustimåne hade seglat upp över Katedralskolans oregelbundna koppartak. Alla kajor hade tystnat, utom fyllkajorna på granngården. Han satt kvar ute på balkongen; en viss kvällskyla hade kommit smygande, men en yllekofta och en filt över benen höll den stången.

Det var ett märkligt fall. Det visste han i och för sig redan innan han började ta sig igenom utredningsmaterialet, men han kunde inte låta bli att konstatera det ännu en gång när han var klar. Ett av de märkligaste han varit med om, sannolikt.

Och skrämmande. I synnerhet när man försökte föreställa sig själva gärningsmannen. Måla upp bilden av en sådan människa.

Om Henrik och Katarina Malmgren verkligen också var mördade, hade han nu fyra liv på sitt samvete. Bara detta, antalet offer, gjorde honom smått unik. Det fanns inte många mördare i landet med fyra lik i lasten, det visste Barbarotti. De flesta som nu satt och avtjänade sina straff på Hall eller Österåker eller Kumla hade bara ett, några få hade två eller tre. När man hade tagit livet av fyra människor spelade man onekligen i högsta ligan.

Eller lägsta, beroende på vilken måttstock man ville anlägga.

Och att ha skrivit brev och tipsat polisen i samtliga fyra fall gjorde honom säkert mycket ovanlig även i ett internationellt perspektiv, trodde Barbarotti. Lillieskog hade påstått att han inte kände till några liknande fall av den här förvarningstypen – det var därför han varit osäker beträffande profileringen. All profilering byggde på erfarenheten, och om det inte fanns någon erfarenhet, ja, då byggde man naturligtvis på ett gungfly. Så var det med den precisionen.

Bland alla papper i mapparna fanns också ett uttalande från en känd kriminolog som hävdade att ”man kanske för en gångs skull hade att göra med en mördare som hade lite potens bakom pannbenet, och att det var därför som poliskåren för tillfället fann sig sittande med skägget i brevlådan” – och Barbarotti kände att han nog var böjd att hålla med om denna grovt tillyxade hypotes.

En smart jävel, helt enkelt. Kanske tidigare ostraffad. Kanske genomsyrad av en benhård beslutsamhet att utföra sin plan och att inte åka fast. Precis som Lillieskog faktiskt hävdat.

Inga slumpmord. Ingen seriemördare, trots det höga antalet offer. När han väl dödat dem han tänkte döda, skulle det vara över. Frågan var bara hur många han hade på sin lista. Och framförallt: vad var det för samband mellan personerna på denna lista?

Det fanns förstås andra frågor. Skulle de lyckas stoppa honom innan han var klar, till exempel? Innan han hunnit mörda alla han hade för avsikt att mörda? Skulle de lyckas stoppa honom överhuvudtaget?

Och Hans Andersson? Vad betydde det att – för att använda gärningsmannens egna ord – ”Hans Andersson får leva vidare”? Hade det någonsin funnits ett påtänkt offer med detta namn eller var det bara en bluff? En rökridå som behövts mitt i bataljen av någon anledning?

Och var verkligen Henrik och Katarina Malmgren döda? I mappen hade funnits fotografier av bägge två: en man med magert ansikte och uttunnat hår, glasögon och ett utseende som Barbarotti inte hittade något annat ord för än ”alldagligt” – Katarina Malmgren var mörk, såg vitalare ut på det hela taget, vacker på ett lite sydländskt, kraftfullt vis. Hade en koppling till Kymlinge dessutom. Tydligtvis hade hon bott i stan under en femårsperiod nere i tonåren; slutet av åttiotalet, ute i Kymlingevik. Det var förstås också en viktig fråga: vad betydde Kymlinge i sammanhanget? Hade mördaren samma lokala anknytning som tre av hans offer?

Fanns han här i stan, kort sagt? Åkte han bara iväg några mil för att posta breven? Och för att mörda makarna Malmgren, kanske?

Och om man nu utgick ifrån att de faktiskt var döda, hur hade han burit sig åt i så fall? Låg det till som Backman påstått, måste han – ovanpå allt annat – vara en sällsynt kallblodig typ, tänkte Barbarotti. Att döda en man och hans hustru ombord på en båt och sedan bara hiva kropparna överbord – utan att bli upptäckt – ja, det kunde inte vara alldeles okomplicerat i varje fall.

Och varför välja just en sådan metod?

Som vanligt förstod Gunnar Barbarotti också att alla dessa små men betydelsefulla frågor, som... hur var det han formulerat det häromdagen?... som hakade i varandra lika slumpartat som skeva metallgalgar i en mörk garderob?... att dessa frågor egentligen gick att sammanfatta under en enda gemensam rubrik: *Varför?*

Varför begicks dessa mord? Vilken var orsaken... för det måste väl finnas en orsak? Ett nav och en kärnpunkt, som när de i sinom tid fick tillräcklig inblick skulle göra allt begripligt. Det var ju det det gick ut på. Att begripa. Fatta det som var fattbart och lämna resten därhän.

När Gunnar Barbarotti gick i grundskolan på det liberala sjuttiotalet hade han fått lära sig att det var viktigare att kunna ställa de rätta frågorna än att känna till de rätta svaren. Han hade många gånger önskat att hans skolgång ägt rum under något annat decennium.

Medan han åhörde hur en av kräftdeltagarna exekverade *Knockin' on heaven's door* – till eget gitarrackompanjemang och rätt så egen ackordsättning – började han också fundera över breven och tidsaspekten. Hur var det, gav mördaren verkligen polisen någon chans? Var det inte snarare så att meddelandena om de tilltänkta offren alltid kom för sent för att man skulle hinna rädda några liv? Ens ha en teoretisk möjlighet att göra det? Barbarotti betraktade en duva som kom och slog sig ner på grannens balkongräcke, medan han backade tillbaka i minnet. Det senaste brevet hade anlänt med måndagens post; om paret Malmgren verkligen var mördade måste dådet – dåden – rimligen ha skett under natten till måndagen. Visserligen hade mördaren med största sannolikhet postat brevet innan han skred till verket, men han måste ha vetat att när polisen fick det i sina händer hade han redan fullgjort sina avsikter.

Och dessutom: han måste ha varit absolut säker på att han skulle lyckas.

Fanns det någon möjlighet att komma över försändelserna tidigare? De hade diskuterat att blanda in postverket – men det hade stannat vid en tanke. För hur skulle det gå till i så fall? Skulle alla sorterande brevbärare i Västsverige – varifrån hittills samtliga brev varit avsända – göras uppmärksamma på adressatens namn och den aktuella typen av kuvert och instrueras att, om de anade ugglor i mossen, sätta sig i förbindelse med polisen i Kymlinge? Eller *med närmaste polismyndighet*, som det brukat heta i de gamla efterlysningarna på radion? Nej, tänkte Gunnar Barbarotti, det verkade ogörligt. Verkade vara att spela mördaren ännu mer i händerna.

Han uttryckte sig alltid i futurum, så var det – meddelade att han hade för avsikt att döda den eller den – men när inspektör Barbarotti väl fått kännedom om saken hade den redan sjunkit genom tempusen ner till... vad hette det?... preteritum? Det hade redan hänt. För sent att göra någonting åt.

Kanske var det en lingvistisk aspekt på det hela som skulle ha tilltalat Axel Wallman.

Han suckade och lyssnade förstrött till de matta applåderna, vilka tacksamt förkunnade att den beskänkte trubaduren slutat upp med att knacka på Pärleporten. Barbarotti erinrade sig sin dröm från morgonen och antog att han inte blivit insläppt.

Han tog mapparna under armen och lämnade balkongen. Klockan var över elva, och om inte annat, tänkte Gunnar Barbarotti, om inte annat så har jag sluppit att tänka på Marianne och på mitt inre mörker under några timmar. Alltid något.

Arbete är det enda verkningsfulla medlet mot ångest, hade han läst någonstans. Kanske var det riktigt. Och hade man fått sparken – om än tillfälligt – så var det väl ingenting som hindrade att man ägnade sig åt en smula privatspaning?

I synnerhet inte om man råkade vara den ende som stod i direktkontakt – om än en smula enkelriktad – med mördaren.

Avkopplad? tänkte inspektör Barbarotti. Munkavlad? Varför köper jag inte en restresa till Medelhavet och skiter i det här?

Ännu en bra fråga.

21

På onsdagens morgon vaknade han tidigt, och han förstod att han sovit illa. Det surrade dovt i huvudet och kroppen kändes stickig. När han dragit ut Lokaltidningen ur brevinkastet, förstod han också att han inte skulle behöva gå ner till närbutiken för att få läsa om sig själv. Även Kymlinges röst i världen hade uppmärksammat måndagskvällens kontrovers mellan ordningsmakten och det fria ordet. Både på första sidan och längre in i tidningen.

Till skillnad från Expressen hade man dock valt att inte publicera vare sig namn eller bilder på de inblandade, det omtalades bara att en reporter från en kvällstidning varit i bråk med en polisman och att det resulterat i en anmälan. Det stod inte ens vem som anmält vem, och Gunnar Barbarotti tänkte att det var synd att Lokaltidningen bara hade ungefär tiondelen så många läsare som skandalbladet från kungliga huvudstaden. GT, som var mer eller mindre identisk med Expressen, oräknad.

Däremot stod det en hel del om själva morden och brevskrivandet, men ingenting som han inte redan läst i Backmans röda mappar, och han märkte att han kände en viss tacksamhet inför detta faktum. Tidningarna visste i varje fall inte mer än polisen.

Vad är det med mig? tänkte han. Det är väl ingenting att vara tacksam över? Har jag så dålig tilltro till spaningsledningen sedan de tappat sitt ess, att jag tror det finns mer att hämta i tidningarna än i utredningsmaterialet? Hör jag också till de där sextiosex procenten?

Håller bestämt på att tappa greppet.

Backman dök upp för att hämta sina mappar strax efter klockan åtta, och lovade att hålla honom underrättad om utvecklingen under dagen.

”Om du kommer över en stund ikväll kan du få lite käk också”, erbjöd Barbarotti. ”Inte bara bira och kräftlukt.”

Eva Backman funderade ett ögonblick, sedan tackade hon ja. Försåvitt inte situationen nere i den blekingska sommarstugan blev så alarmerande att Ville kom hemfarande med ungarna under dagen, reserverade hon sig. Man kunde aldrig veta, det var en smula avhängigt av vädret också och för tillfället såg det lite grått ut. Fast det var förstås skillnad på Kymlinge och Kristianopel.

”Fick du några idéer av det här då?” ville hon veta när han räckt över utredningsmapparna.

Barbarotti skakade på huvudet. ”Nej”, sa han. ”Jag fick inte det. Inga omedelbara i varje fall.”

”Synd”, sa Eva Backman.

”Fast det ligger och mal i bakhuvudet, jag är rätt säker på att det kommer ett genombrott när man lägger makarna Malmgren till de två tidigare offren. Har ni bara genomfört husundersökningen ordentligt, kommer ni att hitta sambandet nu under förmiddagen.”

”Ni?” sa Eva Backman.

”Ni”, sa Gunnar Barbarotti.

Hon gav honom ett bekymrat ögonkast. ”Och om vi inte gör det?”

”Om ni inte gör det”, sa Barbarotti och gnuggade med knogarna över sina svirrande tinningar, ”så kan det bara betyda en sak.”

”Att det inte finns något samband?”

”Exakt. Det kan vara svårt att hitta skärningspunkten mellan två människors livsbanor, men lägger man till en tredje och en fjärde kommer den gemensamma nämnaren att flyta upp ganska raskt. Åtminstone om det är kompetenta utredare som sitter vid rodret.”

”Du försöker slå i mig att vi inte spelar med det starkaste laget?”

Gunnar Barbarotti fick till ett skevt leende. ”Nu använder frun innebandymetaforer och sånt vet jag ingenting om.”

”Bullshit”, sa Eva Backman. ”Nåja, vi får se om du har rätt. Jag hör av mig, som sagt.”

”Det är jag tacksam för”, sa Barbarotti.

Hon lämnade honom, han diskade undan frukostdisken och sedan visste han plötsligt inte hur han skulle få minuterna och timmarna att gå.

Sitta och vänta har sin tid, tänkte han, men idag har jag myrkrypningar både i kroppen och i själen. Gode Gud, se till att det blir lite fjutt på saker och ting, så jag slipper vanka omkring sysslolös i min trerumsbur som en äggsjuk isbjörnshona. Två poäng, okej?

Vår Herre suckade, kastade en vindil och några strödda regnstänk mot köksfönstret, men eftersom han hört både det ena och det andra under århundradenas lopp lät han bli att anlägga synpunkter på den hjälpsökandes erbarmliga bildspråk. Hade man gått i skola på sjuttiotalet, så hade man.

Som sagt.

Istället började Vår Herre håva in sina poäng halvannan timme senare. Det skedde inte oväntat med hjälp av inspektör Backman.

”Bad news is good news”, inledde hon kryptiskt. ”Nu ska du höra.”

”Jag hör”, försäkrade Barbarotti. ”Sätt igång.”

”För det första”, sa Backman, ”så har vi hittat Katarina Malmgren.”

”Aj då”, sa Barbarotti.

”Ja. Rättare sagt var det en dansk fiskare som gjorde det tidigt i morse… alldeles i närheten av Skagen. Han skulle gå ut med sin båt och hade inte kommit mer än femtio meter från land förrän han stötte på ett kvinnolik som låg och flöt i vattnet.”

”Hur vet ni att det är hon?”

”Hon är naturligtvis inte säkert identifierad än, men rätt mycket tyder på att det är hon.”

”Som?”

”Som till exempel att hon hade identitetshandlingar i bröstfickan på sin jacka. Plastkort tål vatten rätt bra, hon transporteras just nu tillbaka till Göteborg. Den där systern, jag tror du pratade med henne förresten, är på väg ner från Karlstad för att identifiera henne.”

”Det stämmer”, erinrade sig Gunnar Barbarotti. ”Jag talade faktiskt med en syster till fru Malmgren innan jag blev avpolletterad… halvsyster om jag inte minns fel. Men mannen, honom har man inte hittat än, alltså?”

”Stämmer. Han är fortfarande bara försvunnen. Ligger väl och flyter någon annanstans. Eller också har han fastnat i nåt nät eller kommit i vägen för en propeller, då kan det nog dröja lite.”

”Jag förstår”, sa Barbarotti. ”Och dödsorsaken, hur är det med den? Vad dog Katarina Malmgren av?”

”Strypt med en snara. Märkena på halsen lämnar inga som helst tvivel.”

”Strypt? Han... det betyder alltså att han bytt metod igen?”

”Det verkar så, ja”, sa Backman. ”Det är förstås för tidigt att uttala sig om tidpunkten, men den danske rättsläkaren säger att hon antagligen dog någon gång under natten till måndagen. Bör ha legat i vattnet i ungefär två dygn när Trulsemanden hittade henne.”

”Trulsemanden?”

”Den här fiskaren, han kallas så. Han är sjuttioåtta år.”

”Vänta nu... hur är det, har man inte fullständiga passagerarlistor på färjorna numera? Efter Estonia?”

”I princip”, sa Eva Backman. ”Men tyvärr kräver dom inte legitimation.”

”Vilket betyder?”

”Vilket betyder att du kan boka en biljett i namnet Jöns Jönsson, och när du sedan hämtar ut den behöver du bara säga att du heter så. Du får ut dina färdhandlingar även om du egentligen heter Lars Larsson.”

”Allright”, suckade Barbarotti. ”Vilket i sin tur betyder att vi inte lär ha mördarens namn insmuget i passagerarlistorna?”

”Alldeles riktigt tyvärr”, sa Eva Backman. ”Vi hade samma förhoppning själva i tio minuter ungefär.”

”Fast man kan väl gå igenom listorna ändå... hur många rör det sig om?”

”Lite drygt femtonhundra personer”, sa Eva Backman. ”Jo, det gör vi förstås, men det är ju ett helsikes jobb.”

Gunnar Barbarotti funderade en stund. ”Och husundersökningen?” frågade han. ”Vad hittade ni för intressant hemma hos makarna Malmgren?”

”Det vet vi inte än”, erkände Eva Backman. ”Men vi har fyra kartonger som vi just ska sätta oss och gå igenom. De hade sex skrivbordslådor var plus åtminstone tio fotoalbum.

Och bägge datorerna är tagna i beslag."

"Ni vet väl vad ni letar efter?"

"Vi letar efter rätt mycket. Men framförallt efter sådant som på något sätt kan förbinda Malmgrenarna med Anna Eriksson eller Erik Bergman."

"Eller båda."

"Eller båda. Dessutom jobbar vi för fullt med mobiltelefonitrafiken. Om det dyker upp samma nummer hos någon av Malmgrenarna som hos Eriksson eller Bergman, så går vi vidare med det. Är inspektören nöjd nu?"

Gunnar Barbarotti tänkte efter.

"För tillfället har jag inget att tillägga", sa han. "Är det nånting särskilt du önskar dig till middag?"

"Det var ett tag sedan jag åt hummer", påminde sig inspektör Backman.

Det fanns en fisk- och skaldjursaffär på Skolgatan i Kymlinge; Barbarotti brukade handla där då och då och när innehavaren, en polsk f.d. backhoppare vid namn Dobrowolski, förklarade att han inte ville rekommendera den hummer man för dagen kunde erbjuda – särskilt inte om den skulle anrättas åt en kvinna – lät sig kriminalinspektören övertalas att köpa pilgrimsmusslor och ett par havskräftor istället. Han fick åtta andra ingredienser och receptet på köpet; dessutom namnet på ett vitt vin som var i det närmaste oundgängligt som komplement till den aktuella anrättningen, och följaktligen blev det så att han måste ta vägen över Systembolaget också.

Det kändes märkligt att vara ute och handla den ena lyxartikeln efter den andra en förmiddag mitt i veckan, och det var med ett tydligt stråk av skuldmedvetenhet som han lastade in förnödenheterna i kylskåp och skafferi när han kommit hem. Dessutom var den instundande måltiden förstås något han borde ha lagat åt Marianne, inte åt inspektör Backman, men det var som det var, tänkte Gunnar Barbarotti. Hela tillvaron är ett perverst ekorrhjul och om man inte rantar med, så dör man.

Men det var ändå inte detta milt dåliga samvete som upptog det mesta av hans tankar, naturligtvis inte. Det var på sin höjd en sorts distraktion. Brevskrivaren hade slagit till för tredje – och med största sannolikhet fjärde – gången, och hade gjort det med en kallblodighet som, såvitt Barbarotti kunde bedöma åtminstone, närmast måste betecknas som häpnadsväckande.

Hur var det nu? Han – om man nu, åtminstone för resonemangets skull, kunde förutsätta att mördaren inte var en kvinna? – hade gått ombord på Stena Lines färja från Göteborg till Fredrikshavn. Den hade avgått tidtabellsenligt klockan 23.55 på söndagskvällen, hade inspektör Backman upplyst – och någon gång under den drygt tre timmar långa överfarten till Danmark hade han tagit livet av Henrik och Katarina Malmgren, precis som han utlovat, och lämpat dem överbord. Hur bar man sig åt för att genomföra någonting sådant? tänkte Barbarotti. *Hur?*

Katarina Malmgren hade varit strypt med en snara. Det var inget enkelt sätt att ta död på en människa, i synnerhet inte på en båt som varit fullknökad av passagerare och potentiella vittnen. Han måste ha haft en ganska utstuderad plan. Vetat exakt hur han skulle gå till väga, och dessutom, anade Gunnar Barbarotti, dessutom någonting mer. Han måste... han måste ha varit bekant med paret Malmgren.

Eller hur, var det inte så? För att kunna mörda dem var det väl nödvändigt att först separera dem, och varför skulle ett äkta par låta sig separeras av en främling mitt i natten på en båt? Skulle ha krävts ett visst raffinemang i så fall. Sömnmedel i drinkar eller något ännu mer utstuderat manipulerande.

Fast det var naturligtvis inte säkert att han använt samma metod när det gällde Henrik Malmgren. Han kunde till exempel ha skjutit honom först, för att sedan i lugn och ro kunna ta sig an hustrun. Det var ingen omöjlighet… men ändå, tänkte Barbarotti, ändå låg det rätt mycket i det där med att de måste ha känt igen varandra. Morden borde rimligen ha ägt rum ute på däck någonstans, och varför skulle man följa med en främling ut på däck mitt i natten? Om man reste i sällskap med sin äkta man eller sin hustru. Som sagt.

Först han, sedan hon. Eller tvärtom.

Båda på en gång?

Nej, det föreföll helt enkelt inte möjligt.

Fast att de var bekanta med varandra, mördaren och offren, var förstås ingen nyhet. Man hade ju bestämt sig för att det låg någon sorts motiv i botten på alltihop, hade man inte det? Att det inte bara rörde sig om slumpvis utvalda måltavlor.

Kommen så långt i sina funderingar hörde Gunnar Barbarotti hur det rasslade till ute i tamburen. Dagens post hade anlänt, och fem minuter senare visste han inte om han verkligen haft en föraning eller om det bara var inbillning.

Att Vår Herre kammat hem två välförtjänta poäng kunde det däremot inte råda något tvivel om.

Handskar på igen, och så kuvertet lutat mot fruktskålen på köksbordet.

Ljusblått och avlångt, precis som nummer tre och fyra.

Hans namn och adress textat på samma vis, med samma klumpiga versaler. Frimärke från samma skärgårdsserie, en stiliserad segelbåt mot blått hav och blå himmel.

Han försökte räkna efter hur många dagar som gått sedan han höll det första brevet i sin hand, den där morgonen när han tog emot det av brevbäraren ute i trapphuset på väg till Gotland och Marianne. Tjugotvå, kom han fram till. Det rörde sig faktiskt bara om lite drygt tre veckor. Fyra brev så här långt, fyra mord. Åtminstone om man räknade in Henrik Malmgren och det kunde man nog göra.

Och nu nummer fem. En femte människa väntade på att dödas – eller hade redan blivit dödad, om man skulle vara realist. Visserligen var gärningsmannens kallblodighet vid det här laget väldokumenterad, tänkte Barbarotti, men att det skulle finnas ett namn på en person som fortfarande var i livet – och som på något sätt var relaterad till de tidigare offren – inne i det där kuvertet, som han ännu inte öppnat, ja, det hade han svårt att föreställa sig. Mycket svårt.

Oöppnat, som sagt. *Ännu ej uppsprättat och ännu ej läst.* Vad göra?

Ja, vad göra?

Här, tänkte kriminalinspektör Barbarotti, här har vi pudelns kärna. Inget snack om saken. *Vad göra?* Om han såg till sin framtida karriär – och sina befordringsmöjligheter inom kriminalpolisen – rådde det ingen oklarhet om hur han borde handla. Ringa upp intendent Jonnerblad på momangen och be dem komma och hämta brevet. Sedan han avfördes från utredningen hade han inte fått några nya instruktioner om hur han skulle förfara med ytterligare brevförsändelser, inga uttryckliga i varje fall, men det skulle ändå bli svårt att hävda att han öppnat det i god tro. Både Jonnerblad och Tallin skulle bli skitförbannade om han gjorde samma sak en gång till. De skulle uppfatta det som att han körde sitt eget race, stick i stäv mot hur de ville ha det – och om det fanns någonting poliser i chefsställning tyckte illa om, så var det underlydande som körde egna race. Det visste varenda konstapel, de skulle aldrig släppa in honom i gänget igen.

Han stirrade på kuvertet på köksbordet. Plötsligt dök Birgit Cullberg upp i huvudet på honom. Han undrade först vad i hela friden hon hade där att göra, han hade absolut ingen relation vare sig till henne eller till modern dans överhuvudtaget – men så förstod han. För några år sedan hade han råkat se en intervju med den gamla danslegenden på teve, hon hade fått en så kallat listig och lite svårmanövrerad fråga av den unge reportern, hon hade funderat på sitt svar en god stund, det rörde sig antagligen om någon invecklad kulturpolitisk abrovinkel, där det gällde att hålla tungan rätt i mun.

Till slut hade hennes ansikte spruckit upp i ett stort leende och hon hade levererat det sublimaste av svar.

"Det skiter väl jag i."

Så ska dom tas, tänkte Gunnar Barbarotti. *Det skiter väl jag i*! Tack, Birgit Cullberg. Jag skyller på dig när dom börjar sätta åt mig.

Han drog på sig handskarna, gick och hämtade en kökskniv och sprättade upp kuvertet. Jag ska ändå byta jobb, konstaterade han för hundrafemtionde gången sedan han kom tillbaka från Gotland och Gustabo. Ska bli dödgrävare eller nånting sånt i Helsingborgstrakten.

Tog ut det sedvanliga dubbelvikta papperet och läste.

VET INTE OM DU HITTAT MALMGRENARNA ÄN. NU HAR JAG BARA EN KVAR, GUNNAR. TACK FÖR DIN MEDVERKAN.

Han satt kvar orörlig i fem minuter. Läste om. Räknade orden. Arton stycken. Läste igen, försökte förstå, men det var… det var någonting i själva hans varseblivning som tycktes klicka; eller i hans förmåga att förstå skriven svenska, kanske? Vad betydde meddelandet? Vad var det för information som dessa arton ord förmedlade?

Egentligen.

Nu har jag bara en kvar, Gunnar. Det stod ett kommatecken mellan orden *kvar* och *Gunnar.* Vilken mening gav det åt påståendet?

Fanns det ett offer kvar som hette Gunnar?

Eller var detta *Gunnar* ett direkt tilltal till honom själv, Gunnar Barbarotti? Från mördaren.

Eller… och det var sannolikt på grund av denna häpnadsväckande tolkningsmöjlighet som hans varseblivning och språkförståelse bringades i gungning… eller avsågs…?

Tack för din medverkan?

Plötsligt svartnade det för ögonen på inspektör Barbarotti; köket krängde till, han blev tvungen att hålla sig fast i bordskanten och den känsla som därefter långsamt bredde ut sig inuti honom påminde om is som lägger sig över en sjö en mörk och kall novembernatt.

Efter en tidsrymd som han inte riktigt kunde bedöma – kanske tio minuter, kanske mer – lyckades han resa sig från bordet och ta sig fram till telefonen.

22

”Förlåt, vad sa du?”

Han upprepade det han sagt utan att ändra ett ord.

”Ett till?”

”Mm.”

”Och du öppnade det?”

”Mm.”

”Är du inte riktigt klok?”

”...”

”Jag frågade om du är riktigt klok?”

Han harklade sig och försökte få fatt i några vettiga ord, men det ville sig inte.

”Det blev så.”

”Det blev så?”

”Ja.”

”Vad fan sitter du och säger? Vem är det jag pratar med egentligen?”

”Hm.”

”Herregud, vad är det med dig?”

”Jag... jag fick en hjärnblödning. Du kan hälsa Jonnerblad det.”

Hon satt tyst en stund. Han fäste blicken på sin vänstra hand, den låg framför honom på det mörkbetsade köksbordet och för ett ögonblick fick han för sig att den tillhörde en helt annan människa. Hur skulle man kunna veta?

”Allright, jag ska hälsa honom det. Först fick du ett brev,

sedan fick du en hjärnblödning. Blir det bra så?"

"Mm."

"Gunnar, du... du menar väl inte allvar?"

"Nej."

"Och vad står det alltså i brevet den här gången? Försök ta dig samman. Är du inte nykter?"

"Klart som fan jag är nykter."

"Bra. Äntligen känner jag igen din röst. Vet du, jag tror jag kommer över och hämtar det där brevet personligen."

"Tack."

"Jag är hos dig om en kvart."

"Tack."

"Du kan låna mina handskar. Du tog väl inte med några egna?"

"Gunnar, vad är det som har hänt?"

"Jag vet inte. Jag skulle tro att jag... fick någon sorts psykisk kollaps."

"Psykisk kollaps? Varför då?"

"Ingen aning. Jag brukar inte få det. Det kändes som..."

"Ja?"

"Som om jag frös fast."

"Frös fast? Var då?"

"Här vid köksbordet. Jag satt här i säkert en kvart innan jag lyckades ringa till dig. Kunde inte röra mig."

"Och nu då? Är det bättre?"

"Ja. Jag håller på och tinar upp."

"Du ser faktiskt rätt vissen ut."

"Tack."

"Du måste gå till doktorn. Det kan... det kan vara nånting neurologiskt."

"Det tror jag inte. Läs brevet nu istället."

Kriminalinspektör Eva Backman betraktade honom kritiskt ytterligare några sekunder, sedan gjorde hon som han sagt. Läste den korta texten, rynkade pannan, kastade en blick på honom tvärs över bordet och läste igen.

”Gunnar?” sa hon. ”Han skriver bara Gunnar.”

”Mm.”

”Och att han skulle vara den siste?”

”Mm.”

”Eller också är det bara så att han vänder sig till dig. Så kan det också vara.”

Gunnar Barbarotti nickade. Inspektör Backman satt tyst en stund, sedan såg han att hon kom att tänka på någonting. Hon drog ett djup andetag och knäppte händerna framför sig på bordet. Lutade sig en aning närmare honom.

”Ska han döda en till som heter Gunnar? Eller ska han döda en till som heter vadsomhelst?”

”Jag vet inte.”

”Eller...?”

Han ryckte till. ”Vad då?”

Hon betraktade honom hastigt, nästan skyggt, sedan flyttade hon blicken till brevet och studerade det noggrant ännu en gång.

”Nej”, sa hon. ”Låt oss utesluta den möjligheten. Jag tror...”

”Vad tror du?”

”Jag tror han tänker döda en till och att det är någon som heter Gunnar. Eller att han redan gjort det, snarare.”

Han trummade försiktigt med vänstra handens fingrar på bordsskivan, och hon såg på honom med den där moderliga kvinnoblicken igen. Vad är det för möjlighet hon pratar om? tänkte han. Vad är det med mig? Jag känner mig som om jag låg i ett akvarium.

”Du håller väl med om den tolkningen?”

”Javisst.”

Hon lutade sig ännu närmare honom. Han kunde känna doften av nytvättat hår.

”Gunnar, har din... det här du beskrev som hände dig... har det något samband med det här brevet? Det inträffade just som du satt och läste det, eller hur?”

Han nickade.

”Du ser inte riktigt normal ut.”

”Det har jag aldrig gjort, det är ärftligt.”

”Nej, jag menar inte så. Men du är faktiskt alldeles likblek, igår var du solbränd.”

”Säger du det?” sa Gunnar Barbarotti.

”Har du en plastpåse?”

Han plockade fram en ur en kökslåda och hon släppte ner brevet i den. Tog av sig handskarna och knöt igen.

”Hur mår du nu?”

Han ryckte på axlarna. ”Lite bättre. Men det är stumt på nåt vis.”

”Kan du följa mitt pekfinger med blicken?”

Hon rörde det från höger till vänster framför hans ansikte. ”Nej, utan att vrida på huvudet.”

Han gjorde henne till viljes utan protester men hon kommenterade inte utfallet av testet. Vad håller hon på med? tänkte han. Tror hon verkligen på det där med hjärnblödning?

Fast vad han själv trodde var lika dolt i dunkel, det. Hon satt kvar och såg på honom över köksbordet en kort stund, sedan tycktes hon fatta ett beslut och reste sig.

”Gunnar, jag kontaktar Olltman. Du stannar hemma, jag ringer dig inom en timme, okej?”

Han dröjde med svaret. Olltman? tänkte han. Ja, det är kanske riktigt. Varför inte?

Han hade inte träffat Olltman på länge. Inte sedan han och Eva Backman hjälpt Kristoffersson, en kollega, till hennes mottagning en tidig höstmorgon för fyra eller fem år sedan – efter att kollegan suttit öga mot öga med en laddad älgstudsare under tio timmar ute i en sommarstuga i närheten av Kvarntorpa. Det hade slutat med att en annan kollega, Nyman, hade skjutit bort halva älgstudseägarens huvud. En del av det hade landat i knät på Kristoffersson, kom Barbarotti ihåg.

Olltman var bra. Alla visste att hon var bra. Även om man sällan talade om henne.

Han nickade, men han förstod att han inte skulle ha gått med på saken om inte Olltman varit kvinna. Under inga förhållanden, han undrade varför.

23

Hennes mottagning låg på Badhusgatan, mittemot tennisbanorna, och han kom tjugo minuter för tidigt. Blev sittande med ett gammalt nummer av National Geographic i händerna medan han väntade. Det handlade om späckhuggare; han visste inte mer om späckhuggare när doktor Olltman kom och tog honom i hand efter en kvart, än vad han gjort när han anlände.

”Välkommen Gunnar”, sa hon och visade in honom i ett rum som gick i grönt och ökensand. ”Jag tror vi har träffats ett par gånger tidigare.”

”En gång åtminstone”, sa Barbarotti. ”Men det var några år sedan.”

Hon nickade, de satte sig i var sin Bruno Mathssonfåtölj. En skål med vindruvor och en klocka stod på ett minimalt bord mellan dem.

”Berätta varför du är här.”

”Jag är här därför att min kollega Eva Backman skickade hit mig.”

”Skickade?”

”Tyckte jag skulle gå hit.”

”Men du motsatte dig inte hennes förslag?”

Han funderade.

”Nej.”

”Bra. Kan du beskriva hur du känner dig?”

”Jag tror... jag kanske är en smula deprimerad.”

”Deprimerad?”

”Ja.”

”Hur yttrar sig det?”

”Jag mår inte bra.”

”Jag förstår. Jag kommer att ställa en del frågor till dig som jag ställer till alla som kommer. Det är för att jag så snabbt som möjligt ska försöka få en bild av hur du har det. Du kanske inte tycker allting är relevant, men det är bra om du ändå svarar så ärligt du kan. Är du med på det här?”

”Ja.”

”Du känner dig alltså nedstämd?”

”Ja... jag tror det.”

”Hur länge har det varit så?”

”Inte så länge. Några veckor kanske.”

”Äter du ordentligt?”

”Nja... jo.”

”Frukost, lunch och middag.”

”Oftast.”

”Alkohol? Hur mycket dricker du?”

”Inte särskilt mycket.”

”Okej. Hur har du det med koncentrationen?”

”Koncentrationen? Jag vet inte riktigt...”

”Har du märkt om du har svårt att fokusera ordentligt? Svårt att fatta beslut?”

Han tänkte efter. ”Jo, det stämmer nog. Jag är inte lika skärpt som jag brukar vara.”

”Det har tilltagit den senaste tiden?”

”Jag tror det.”

”Allright. Några sömnproblem?”

”Inga direkta. Fast...”

”Fast?”

”Fast inatt sov jag nog lite illa.”

Hon skrev någonting i sitt block och han kunde inte hålla tillbaka en gäspning.

”Har det hänt någonting den senaste tiden som du sätter i samband med att du inte mår så bra?”

Han nickade. ”Ja, det har hänt en del. Du kanske läser tidningar?”

Hon drog på munnen en halv sekund. ”Ja, men inte Expressen.”

”Men du har blivit informerad?”

”Ja. Och du sätter alltså den här historien med reportern i samband med att du mår dåligt?”

Han ryckte på axlarna. ”Har inte fått mig att må bättre i varje fall. Dessutom...”

”Ja?”

”Jag slog aldrig till honom, jag puttade ut honom genom dörren, bara.”

”Och det blev till misshandel i rubrikerna?”

”Ja.”

”Du måste ju ha varit irriterad på honom i alla fall. Har du känt dig extra irriterad den senaste tiden?”

”Jag tror inte det. Att vara irriterad på kvällspressen ser jag som ett friskhetstecken.”

”Varför då?”

”Därför att de är som de är.”

”Vad betyder det?”

Han funderade hastigt och formulerade sig.

”De håller ju på och infantiliserar hela befolkningen. De och dokusåporna, folk kommer att vara idioter i det här landet om tjugo år.”

Hon log igen och han antog att de hade ett samförstånd i den frågan.

”Dessutom är de självutnämnda åklagare och domare och inpiskare i en enda röra.”

”Jag kan hålla med om en del av det där”, sa Olltman. ”Men det hände någonting akut idag också, var det inte så?”

”Jo.”

”Vad då?”

Han harklade sig och bytte ställning i stolen. ”Jag vet inte vad det var som hände. Det blev liksom... svart. Och sedan kunde jag inte röra mig. Jag har svårt att beskriva det.”

”Var befann du dig?”

”Hemma. Jag satt vid mitt köksbord.”

”Och åt frukost?”

”Nej... nej, jag hade just läst ett brev.”

”Ett brev?”

”Ja. Du har tystnadsplikt?”

”Javisst.”

”Åt alla håll och i alla lägen?”

”Ja.”

”Är du bekant med de här mordfallen som har ägt rum här i Kymlinge den senaste tiden?”

”Någotsånär.”

”Känner du också till att mördaren skriver brev och berättar vem han tänker mörda?”

”Jag har läst om det, ja.”

”Det är till mig han skriver.”

”Jag har förstått det.”

”Jag fick ett nytt sådant här brev imorse. Jag tror det var det som utlöste... vad det nu var som hände.”

”Jag förstår. Du fick ett brev där det stod att ett nytt mord är att vänta?”

”Ja.”

”Någonting mer?”

”Ja. Vi har dessutom just fått två offer från Göteborg bekräftade. Vi är uppe i fyra mördade människor… plus den här femte som jag läste om idag. Det är lite mycket.”

Hon nickade eftertänksamt, strök med pekfingret utefter sin ena kind. Han kom på sig med att undra hur gammal hon kunde vara. Mellan femtiofem och sextio, antagligen, men eftersom hon var så spädlemmad kunde man ta henne för betydligt yngre. Åtminstone om man försökte bedöma henne på lite håll.

Men nu satt hon inte på lite håll, nu satt hon en och en halv meter ifrån honom. Han såg att han hade oroat henne. Han var naturligtvis ingen vanlig patient, det insåg han; satt här och pladdrade om fem döda människor som om det vore vardagsmat, och det var inte fråga om några fantasifoster. Det var den aktuella verkligheten. Ändå… ändå var det inte dessa människor det gällde, tänkte han, just för stunden gällde det faktiskt honom själv. Den tillfälligt entledigade kriminalinspektören Gunnar Barbarotti. På något vis kändes det som om han behövde påminna sig om detta med jämna mellanrum.

”Kan du berätta lite noggrannare om hur du upplevde det här som hände vid köksbordet?”

Han gjorde det en gång till. Tyckte inte att han hittade några vettiga ord, men hon lyssnade och nickade som om hon förstod någonting. Eller kanske ville hon bara uppmuntra honom.

”Vad stod det i det där brevet? Du behöver förstås inte avslöja det helt och hållet, men skilde det sig på något sätt från de tidigare? Du har ju fått… hur många är det nu?”

”Fem stycken. Det här var det femte. Ja, det skilde sig en smula.”

”Hur då?”

”Dels skrev han att det var det sista brevet, att det bara fanns en person kvar att mörda... dels fick jag för mig att han vände sig mer direkt till mig än tidigare.”

”Jag förstår inte riktigt.”

”Förlåt. Nej, det är bara det att jag för ett kort ögonblick inbillade mig att det var jag som stod på tur.”

”Att det var dig han tänkte döda?”

”Ja, fast det är nog inte så. Och jag förstod det inte riktigt då. Men det sköljde över mig, och... ja, sedan påpekade min kollega den här möjligheten. Eller i varje fall tror jag att hon påpekade den.”

”Det låter lite oklart.”

”Det är det också, men hursomhelst kan det ha varit den tanken som utlöste förlamningen.”

”Förlamningen? Tycker du att det är ett bra uttryck för att beskriva hur du kände dig?”

Han tänkte efter.

”Ja, det stämmer ganska bra.”

Ny nickning, som om hon diskret belönade honom för att han svarat rätt på flera svåra frågor i följd.

”Tycker du det är plågsamt att sitta och prata om det här?”

”Inte särskilt. Jag... jag har förtroende för dig.”

”Tack. Jag måste också fråga dig en annan sak... om vi går tillbaka till din nedstämdhet. Har du någon gång känt dig så deprimerad att du funderat på att ta livet av dig?”

”Nej”, sa Barbarotti.

”Nu eller tidigare?”

”Nej, jag tror faktiskt inte det skulle falla mig in.”

”Du har aldrig haft tankar åt det hållet?”

”Nej.”

”Om vi tittar lite på din situation i övrigt. Finns det andra faktorer som du bedömer spelar roll för att du känner dig nedslagen? Saker som inträffat i ditt liv den senaste tiden?”

Nu dröjde han med svaret, men hon manade inte på honom. Satt alldeles lugnt och stilla, bara, tillbakalutad i fåtöljen med det högra benet lagt över det vänstra, och väntade tålmodigt. Han tänkte att det var en egenskap han beundrade, tålmodighet. Kanske för att han själv inte ägde särskilt mycket av den varan.

”Hrrm, ja”, sa han till slut. ”Det finns kanske ett och annat om man tänker efter. Fast jag brukar inte tänka efter.”

Hon log hastigt.

”Det händer att män inte gör det”, sa hon. ”Men det kanske är dags nu. Kan du berätta för mig om vad det är som påverkat dig negativt på sistone?”

”Min dotter, till exempel”, sa han.

”Vad är det med din dotter?”

”Hon har flyttat hemifrån. Hon är nitton, tog studenten i våras, nu bor hon i London och har fått ihop det med nån lurvig musiker.”

”En lurvig musiker?”

”Jag vet inte, jag har aldrig sett honom.”

”Men det oroar dig?”

”Ja.”

”Mycket?”

”Det oroar mig så inihelvete. Jag är frånskild sedan snart sex år. Sara har bott hos mig sedan min fru och jag separerade och nu saknar jag henne. Jag har två söner också, men de bor i Danmark med sin mor och hennes nya karl.”

”Du har bättre kontakt med Sara än med dina söner?”

”Ja.”

”Hur länge ska Sara stanna i London?”

Han ryckte på axlarna. ”Vem vet? Nej, hon är nog utflugen, det begriper jag, men jag är orolig för henne. Hon tänker väl komma hem och plugga så småningom, det är ett sådant här friår som dom brukar unna sig nuförtiden. Det är ingenting märkvärdigt, jag förstår att alla föräldrar har det så här.”

”Har du varit och hälsat på henne?”

”Tänkte åka nu i september.”

”Bra. Jag har en son som stack till Genève efter gymnasiet. Jag oroade mig också, men när jag väl träffat honom därnere gick det över.”

”Det är värre med flickor.”

”Kan jag hålla med om. Men jag tror det är bra om du får träffa henne på hennes nya hemmaplan. Finns det andra orosmoment?”

Han tuggade i sig tre vindruvor innan han svarade.

”Jag har friat till en kvinna, men jag är rädd att hon kommer att säga nej.”

”Aha? Har du känt henne länge?”

”Ett år ungefär.”

”Och du vill gifta dig med henne?”

”Varför skulle jag annars ha friat?”

”Allright. Bor hon också här i Kymlinge, alltså?”

”Helsingborg. Hon bor i Helsingborg.”

”Jag förstår. Och när friade du?”

”För en vecka sedan. Hon skulle ha svarat idag, men eftersom jag är polisanmäld för att ha slagit ner en reporter från Expressen, har hon skjutit upp det till på lördag.”

Doktor Olltman såg förvånad ut för ett ögonblick, sedan bytte hon ben. Lade det vänstra över det högra istället och tycktes fundera.

”Finns det fler negativa inslag i ditt liv?”

”Slagsmålet med reportern var inte bra. Folk tror att jag är en polisbuse.”

”Mhm?”

”Jag är avstängd från jobbet.”

”Du jobbar inte längre med utredningen?”

”Nej.”

”Mer? Finns det ännu mer?”

”Jag vet inte om jag verkligen vill vara polis längre. Jag... jag sitter ensam i min förbannade lägenhet och vantrivs som en gris på asfalt.”

Hon skrattade till. ”En gris på asfalt, det har jag inte hört förut.”

”Inte jag heller, jag kom just på det. Fast jag är inte säker på att grisar verkligen vantrivs på asfalt. Jag vet nästan ingenting om grisar.”

”Där kan vi ta varann i hand.”

Han märkte att hon hade svårt att hålla sig för skratt, men så drog hon ett djupt andetag och blev allvarlig. Satt tyst några sekunder och betraktade honom med intensiva blå ögon. Intressant att man fortfarande kan ha så blå ögon när man är så pass gammal, tänkte han. De ser mera ut att höra hemma i skallen på en artonåring.

”Om jag får sammanfatta en smula”, sa hon och sträckte på sig i stolen, ”så finns det alltså flera olika saker som påverkat ditt liv negativt de senaste månaderna. Din dotter har flyttat hemifrån. Du känner dig ensam och är inte tillfreds med ditt jobb. Du har hittat en ny kvinna, men du är osäker på om hon verkligen vill leva med dig. Du får egendomliga brev från en mördare. Du är polisanmäld för att du har slagit en journalist och du har blivit avstängd från jobbet. Stämmer det i stora drag?”

Han funderade på om han skulle lägga till att han undrade över meningen med livet, men lät det vara. ”Ja, det är väl riktigt på det stora hela”, sa han.

Hon log och det blå i hennes ögon spillde över litegrann. ”Tycker du det är så konstigt att du mår dåligt… om vi tänker på omständigheterna?”

Han funderade. ”Nej, det har du kanske rätt i. Men det vore ändå bra om det gick att göra nånting åt det.”

”Vi kan alltid försöka. Om du skulle vikta alla de här sakerna, vilket är det som känns allra värst?”

”Marianne”, svarade han omedelbart. ”Eller Sara… fast Sara ligger liksom utom räckhåll.”

”Hon måste få leva sitt eget liv?”

”Jag antar det.”

”Men Marianne är alltså den kvinna som du friat till?”

”Ja.”

”Och hon kommer att ge dig besked på lördag?”

”Jag hoppas det.”

”Vad är det värsta som skulle kunna hända?”

”Att hon säger nej, förstås.”

Doktor Olltman knäppte händerna. ”Men om hon säger ja, då kan du leva med allt det andra?”

”Ja…”

”Mördarens brev och Expressenjournalisten och det otillfredsställande läget på jobbet…”

”Ja, i så fall kan jag leva med det.”

”Bra”, sa doktor Olltman. ”Jag tror jag förstår hur du har det. Om jag sjukskriver dig i två veckor, och så träffas vi en timme på fredag igen, tror du det skulle passa? Samma tid?”

”Inga mediciner?”

”Vi väntar med det till efter lördag. Men jag vill att du tar med dig det här formuläret hem och fyller i det ikväll eller imorgon. Det är en sorts skattningsskala över hur du känner dig. Det tar tio-femton minuter men det är viktigt att du gör det i lugn och ro och på allvar. Så kan vi titta på resultatet i övermorgon, är du med på det?”

Hon räckte över en bunt sammanhäftade papper. Han tog emot dem, rullade ihop dem till ett rör och stoppade det i kavajfickan.

”Och så vill jag att du ringer mig omedelbart om du känner att det blir för jobbigt. Eller om du får någon sorts ny attack, mitt mobilnummer står på sista sidan av formuläret. Hur känner du dig nu?”

”Som en gris i en lergrop.”

Hon skrattade igen. Jag har i alla fall fått henne på gott humör, tänkte inspektör Barbarotti.

”En sak till”, sa hon när de redan stod ute i väntrummet igen. ”Om du har någon god vän som du kan bo hos under ett par dagar, så vill jag rekommendera det.”

”Jag ska tänka på det.”

”Då ses vi på fredag.”

”Det gör vi.”

De tog i hand och skildes åt.

24

När han kom hem hade klockan hunnit bli halv fyra. Han hade haft mobilen avstängd i nästan tre timmar, men när han satte på den var där bara ett enda meddelande. Inga arga spaningsledare. Inga journalister. Berömmelse, din tid är kort, tänkte Barbarotti.

Meddelandet var från Eva Backman och hon sa att han kunde ringa om han hade lust. Han bryggde kaffe och tog med koppen ut på balkongen, innan han knappade in hennes nummer.

”Hur mår du?” ville hon veta.

Barbarotti bestämde sig för att det inte var läge för en ny grismetafor och sa att han mådde efter omständigheterna väl.

”Jag har tyvärr fått förhinder ikväll”, sa hon.

”Ville och ungarna kommer hem?”

”Nej, Jonnerblad påstår att vi måste jobba över. Till nio, förmodligen längre.”

”Det gör ingenting, jag hittade ändå ingen hummer. Men det betyder alltså att ni börjar komma någonstans?”

”Kan jag ringa dig om en halvtimme, jag har ett förhör om fem sekunder?”

Barbarotti förklarade att det gick bra, hämtade sitt gamla korsord och drack upp kaffet. Märkte att han fortfarande inte kände sig riktigt hemma i sitt eget huvud och efter tio minuter hade han inte löst ett enda ord.

Märkte också att ett stråk av irritation höll på att smyga sig över honom. Varför satt han här och glodde som en förtidspensionerad arkivarbetare? Varför satt inte han också borta på polishuset och förhörde någon? Hur länge skulle han hållas utanför utredningen?

Han insåg att han förmodligen hade fått svar på den sista frågan åtminstone, eftersom doktor Olltman sjukskrivit honom i två veckor. Hade de haft en överenskommelse, hon och Jonnerblad? Nej, en sådan lumpen konspiration verkade ändå inte trolig. Men vem visste hur läget såg ut om två veckor? Med både det ena och den andra.

Bäst att ta en dag i taget, tänkte inspektör Barbarotti. En timme i taget, en minut; livet tickar faktiskt fram på det viset, i sekunder och minuter, även om man inte så ofta tänker på det. Eftersom man oftast inte har tid till sådana enkla reflektioner. Men svalan som ritar ett streck på himlen gör det faktiskt just nu, inte igår eller imorgon.

Fast för tillfället... för tillfället hade svalan redan försvunnit, noterade han lite sorgset... och vad det nu gällde var att Eva Backman blev klar med sitt förhör, tog fatt i telefonen och såg till att uppdatera honom en smula.

Allt annat var onödig väntan och allt har sin tid.

”Vad sa Jonnerblad om brevet?”

”Du menar om det faktum att det var öppnat?”

”Ja.”

”Inte mycket. Jag förklarade läget.”

”Förklarade läget?”

”Ja.”

Hon nöjde sig med det svaret och efter en kort betänketid gjorde han det också. Det fanns förmodligen viktigare saker att avhandla.

”Nå?” sa han. ”Tänker du informera mig eller inte?”

För bråkdelen av en sekund fick han för sig att hon skulle säga nej. Att hon skulle lyda någon sorts order och säga att tyvärr... tyvärr innebar inspektör Barbarottis tillfälliga avstängning och sjukskrivning också att han inte skulle ha någon insyn i utredningen.

Men Eva Backman var inte av den ullen. ”Jo, det har börjat röra på sig”, sa hon. ”Vi har faktiskt hittat ett och annat.”

”Till exempel?”

”Till exempel en del fotografier hos paret Malmgren. Det är faktiskt rätt intressant.”

”Ja?”

”Noga räknat är det sju foton det rör sig om, de satt alltså inklistrade i ett av deras album. Vill du höra?”

”Klart som fan jag vill höra.”

”Allright. Vi tror för närvarande att det rör sig som sommaren 2002, men där är vi osäkra. Typiska semesterbilder kan man väl säga, det finns ungefär tjugo stycken som antagligen är från samma resa, men det är alltså de här sju som är de intressantaste.”

”Varför då?”

”Därför att de övriga mest är naturbilder. Ensam Henrik Malmgren mot blått hav, ensam Katarina Malmgren sittande på stor stenbumling... ja, du vet.”

”Jag vill inte veta varför de övriga är ointressanta. Jag vill veta varför de sju är intressanta.”

”Nu låter du nästan som vanligt”, konstaterade Eva Backman. ”Jo, på de här sju bilderna finns det en del andra människor också. Och om vi inte är alldeles tappade bakom en vagn, så har vi lyckats identifiera två av dem. Är du med?”

Gunnar Barbarotti nickade, vilket förmodligen inte uppfattades av Eva Backman eftersom de talade i telefon.

”Det rör sig om Anna Eriksson och Erik Bergman.”

”Va? Anna och...? Jag menar, bägge två?”

”Yes box. Anna Eriksson och Erik Bergman. Och Malmgrenarna. Vi har alla fyra offren på samma bild. Vad säger du om det?”

”Det var som...”

”Svär inte. Det är precis som du förutspådde, vi hittade sambandet idag. De här fyra människorna umgicks uppenbarligen under en resa för ett antal år sedan... förmodligen bara då också, eftersom varken herr Bergman eller fröken Eriksson finns i något av de andra albumen.”

”Jag förstår. Vad var det du sa om årtalet?”

”Vi gissar på 2002 eftersom det står 2002–2003 på ryggen av albumet... ja, det har med årstider och sånt att göra. Om de har klistrat in bilderna kronologiskt, så borde det röra sig om sommaren 2002. Vi tror... ja, vi är ganska säkra på att det är fråga om Frankrike också.”

”Frankrike? Var det inte det som Sorgsen påstod?”

Eva Backman gjorde en kort paus och drack någonting. ”Jo, faktiskt, Gerald ligger på plus idag. Och den här gamla bilden som han gick på, den där vi möjligen trodde att det var Erik Bergman och Anna Eriksson på en bänk, den verkar komma från samma filmrulle. Kanske har Malmgrens skickat den till henne.”

Hon tystnade och han kunde höra hur hon bläddrade i några papper.

”Fyra offer på en semesterresa”, sa han. ”Det var som fan. Jaha, hur har ni gått vidare med det här, då?”

”Det är lite komplicerat”, förklarade Backman. ”Det är alltså inte bara den här kvartetten på de sju fotona. Det finns ett par andra människor också.”

”Andra människor?”

”Ja. Och vi vet inte riktigt om de hör till gänget, så att säga. Fast vi börjar nog få kläm på det... bilderna är tagna vid tre olika situationer. Ett restaurangbesök, en boulebana i en park... det är bland annat därför vi sätter våra pengar på Frankrike... och så två från en klippa invid ett hav. Kan i och för sig vara en sjö också, men det måste vara en ganska stor sjö i så fall, och det verkar inte särskilt troligt om man tänker på att det uppenbarligen finns hav på en del av de övriga foto...”

”De här andra personerna”, avbröt Barbarotti, ”vad har du att säga om dom?”

”Jag kommer till det”, sa inspektör Backman. ”Det är ju det som är det intressanta. Finns det någon av dem som skulle kunna vara mördaren? Finns det någon av dem som...?”

”... heter Gunnar?” fyllde Barbarotti i.

”Det är svårt att se på ett fotografi att någon heter Gunnar”, förklarade Backman tålmodigt. ”Men vi tror att vi har en väg in i problemet. Vi har en kille som är med på fyra av bilderna, och på en av dem håller han armen om Anna Eriksson. Det skulle alltså kunna vara så att...”

”Anna Eriksson”, sa Barbarotti. ”Bra, jag är med. Och just nu håller ni på och förhör hennes bekanta en omgång till?”

”Vi har just börjat”, sa Eva Backman. ”Tyvärr är det inte så att folk dyker upp på polisstationen bara för att man tänker på dom. Men jag och Astor Nilsson pratade just med en tjej, Linda Johansson, jag vet inte om du kommer ihåg henne... hon påstår i alla fall att Anna Eriksson hängde ihop med en kille en tid för några år sedan, och att det skulle kunna vara han på fotona.”

”Jaha? Och?”

”Hon tror han hette Gunnar, men hon minns inte efternamnet.”

Gunnar Barbarotti tänkte efter.

”Inte Barbarotti i alla fall?”

”Nej, den här killen är nog tio år yngre än du. Lite lik Zlatan faktiskt.”

”Då är det inte jag”, sa inspektör Barbarotti. ”Men jag tror det är jävligt vitalt att ni hittar honom.”

”Tack för tipset”, sa Eva Backman. ”Ja, det var väl det hela så här långt. Fast nu måste jag fortsätta arbeta. Säkert att det gick bra hos Olltman?”

”Det gick utmärkt”, försäkrade Barbarotti ännu en gång. ”Hon sa att det var viktigt för mitt tillfrisknande att du håller mig underrättad på det här viset.”

”Det tror jag inte på.”

”Jag tolkade henne så”, sa Barbarotti. ”Jobba på nu och ring mig så snart du kör fast.”

”Kyss mig”, sa Eva Backman.

”Jag har en annan”, sa Barbarotti.

Det tog en timme och trekvart att anrätta havskräftorna och pilgrimsmusslorna enligt Dobrowolskis anvisningar – och knappt tio minuter att äta upp dem.

Åtminstone om man käkade ensam. Vinet räckte å andra sidan lite längre; när han plockat ner disken i maskinen tog han med glaset och flaskan ut på balkongen; vädret hade varit grått med passerande regnskurar under hela dagen, men nu när klockan var nästan nio bjöd västerhimlen plötsligt på en storslagen solnedgång. Han bestämde sig för att inte ringa till Backman en gång till och fråga hur det gick, även om det kliade i fingrarna. Istället drack han värdigt och utan brådska ur hela vinflaskan. Önskade då och då att han inte slutat röka för tolv år sedan, det skulle ha passat bra med en cigarrett eller två just nu, när hans balkong badade i ett apokalyptiskt ljus under purpurfärgade moln, belysta underifrån av en sol som inte längre syntes ovanför horisonten. Man kunde nästan förvänta sig att en stege skulle fällas ner från himlen, tänkte Barbarotti – och att en hoper mulliga änglar i gyllene skrudar skulle uppenbara sig med harpor och diverse andra saligheter. Vad hette den där svulstiga måleritraditionen... Düsseldorfskolan, var det inte så?

Nöjd med denna konsthistoriska reflektion vände han tankarna mot mörkare ting.

Betydligt mörkare; svart expressionism, så att säga. Fyra människor hade dödats. Fyra människor som träffats under en semesterresa i Frankrike... vad hade Backman sagt... 2002?

Och detta, denna semester, skulle vara bakgrunden till att de fem år senare mister livet? Blir mördade en efter en av en gärningsman som också roar sig med att skriva brev till en kriminalinspektör i Kymlinge och förklara vilka han tänker döda?

Varför?

Han drack lite vin. Det kändes inte som om detta *Varför?* blivit mindre sedan det här sambandet kommit i dagen, tänkte Barbarotti. Sannerligen inte.

Men det gick att ställa nya frågor, en annan sorts frågor.

Hur hade de träffats, till exempel? Dessa fyra och deras mördare. Hade de givit sig iväg från Sverige tillsammans? Eller hade de stött på varandra först nere i Frankrike?

Kunde det röra sig om något slags charterresa?

Han funderade. Det senare föreföll inte alls orimligt, och i så fall kunde det finnas åtskilligt fler människor som satt inne med informationer om den här kvartetten som mist livet fem år senare.

Om det exempelvis rört sig om en bussresa; Barbarotti

skulle för egen del aldrig välja ett sådant sätt att ta sig fram i världen, men han visste att det fanns folk som gjorde det. Inte bara för att åka till Stockholm och gå på teater eller besöka glasbruk i Småland. Man kunde komma både till Rom och Lissabon. Gardasjön och Amsterdam och gudvetvad.

Femtio människor i en buss. Tio eller femton dagar i Europa. Någonting inträffar och någon bestämmer sig för att ta lagen i egna händer?

Fem år senare? Why on earth? tänkte Gunnar Barbarotti och drack en klunk vin. Och förresten, varför prata om en kvartett, om det nu i själva verket rörde sig om en kvintett? Den här Gunnar – som tack och lov antagligen inte var identisk med honom själv – var ju utan tvivel också en given kandidat på dödslistan. Vilket skulle kunna innebära att det var sex personer inblandade i hela härvan. Fem offer och en gärningsman.

Fler ändå? Kanske inte, brevskrivaren hade påstått att Gunnar skulle bli den siste att mista livet, så förhoppningsvis skulle det stanna vid fem döda. Illa nog, sannerligen illa nog.

Hans Andersson, då? Högst oklart, tänkte Barbarotti. Att det skulle finnas någon som varit inblandad och som mördaren först tänkt döda, men som han senare bestämt sig för att låta löpa... det var en märklig strategi minst sagt. Om denne Hans Andersson verkligen hörde till det franska gänget, borde det ju – om inte annat – innebära att han skulle kunna peka ut mördaren? Om han nu överhuvudtaget existerade, alltså.

Eller hur? tänkte Barbarotti och i samma stund kom ett gigantiskt moln av kajor insvepande över balkongen och fick honom att tappa tråden. Borde ha penna och papper, tänkte han. Borde försöka vara lite systematisk.

Borde ägna mitt arma huvud åt någonting helt annat,

tänkte han när kajorna försvunnit. Jag deltar inte längre i den här utredningen.

Han drack ytterligare av vinet och såg på klockan. Tjugo över nio. Kanske hade Backman slutat för dagen vid det här laget? Kanske kunde han slå henne en signal när allt kom omkring?

Men han höll sig. Gick in i lägenheten istället och letade reda på det där skattningsformuläret han fått av Olltman. Återvände ut till sommarkvällen och det sista vinglaset.

En fråga, tänkte han, en fråga måste de ju snart ha svar på i alla fall.

Vem den där Gunnar var. Det fanns ju ett och annat som talade för att han låg lite illa till.

Sedan lutade han sig tillbaka i stolen och tittade på första sidan av formuläret.

Institutionen för klinisk neurovetenskap, sektionen för psykiatri, Karolinska Institutet, Stockholm, stod det högst upp.

Jag har blivit ett fall för vetenskapen, tänkte Gunnar Barbarotti och tog fram pennan. Mamma skulle ha varit stolt över mig.

Men medan han satt och försökte diagnosticera sin förmenta själ – nedbruten till begrepp som livslust, oroskänslor, sinnesstämning, koncentrationsförmåga och känslomässigt engagemang – mörknade den apokalyptiska himlen till en nyans som påminde om koagulerat blod, ett kallt vinddrag svepte in över balkongräcket och den där morgonstunden med mördarens brev över köksbordet kom smygande tillbaka in i huvudet på honom.

Tack för din medverkan?

Gunnar?

Han märkte att han frös.

25

På väg ut till Axel Wallman på torsdagsmorgonen, stannade han till för att proviantera på ICA Basunen i Kymlingevik, och fick syn på löpsedlarna.

NÄSTA OFFER HETER GUNNAR
POLISEN STÅR MAKTLÖS

stod det på den ena.

GUNNAR,
DU ÄR DÖDENS

förkunnade den andra.

Ser man på, tänkte Barbarotti. Han har vänt sig till bägge två den här gången, vill ha full uppmärksamhet i finalen, tydligen.

Han insåg att han glömt bort att fråga inspektör Backman hur det gått med förhöret av Göran Persson. Huruvida denne envist vägrat lämna ut sin källa, eller om det helt enkelt var så att han inte visste vem källan var. Man kunde kanske förutsätta att det sistnämnda var fallet. Mycket gick att säga om infantiliseringspressen, men att de medvetet skulle hålla en mördare om ryggen var förhoppningsvis lite för mycket.

Fast det kunde förstås ändå vara värdefullt att veta på vilket sätt gärningsmannen meddelade sig med dem. Skedde det genom brev på samma sätt som när han vände sig till polisen, eller hade han en annan metod när det gällde tredje statsmakten? Eller fjärde, som det hette i demokratier med lite större spännvidd än Sveriges.

Barbarotti gjorde en minnesanteckning om att ta upp saken med Backman när han fick nästa briefing. Om det gick som han hoppades, skulle hon komma ut till Wallmans stuga under kvällen – han hade inte talat med henne, bara SMS:at och fått ett halvt löfte till svar, men man kunde förstås aldrig veta. Innebandygänget kunde komma hemfarande eller Jonnerblad kunde beordra kvällsjobb igen, det verkade vara läge för både det ena och det andra. Hursomhelst skulle han ringa henne under dagen och höra efter.

Men han köpte varken Aftonbladet, GT eller Expressen. Så fan heller, tänkte han. Inte en krona till för att underhålla den där skandalfabriken.

Däremot handlade han mat och öl, tillräckligt för att det skulle räcka åt inspektör Backman också, om hon nu tog mod till sig. Medan han var inne i affären ringde två olika journalister och föreslog var sin längre intervju för att han skulle få ge sin syn på saker och ting – en av dem hummade också om pekuniär ersättning – men han avböjde rutinerat. Förstod att han ånyo börjat klättra på hitlistorna med anledning av Dödens Gunnar.

Under den tjugo minuter långa bilresan ut till Wallman ringde telefonen ytterligare tre gånger, men han brydde sig inte om att svara. Kontrollerade bara att det inte var inspektör Backman eller Marianne som ville komma i kontakt med honom, och det var det alltså inte.

Axel Wallman hade inte förändrats märkbart på fyra dagar. Han hade bytt till en orange t-shirt under blåställdet, det var väl det hela.

”Vad gör du här?” ville han veta.

”Jag ringde ju”, sa Barbarotti. ”Du sa att jag var välkommen.”

”Jag minns det där”, sa Axel Wallman.

”Klart du gör, det är ju bara två timmar sen.”

”Avbryt mig inte. Jag sa att du var välkommen, det hindrar väl inte att jag frågar vad du gör här? Rätta mig om jag har fel, Saarikoski.”

Hunden slog två slag med svansen. ”Han säger att jag har rätt”, tolkade Wallman. ”Nå? What brings you here, vi kan ta en öl medan vi utreder den saken.”

De öppnade varsin öl och slog sig ner i plaststolarna. Barbarotti mindes att en av doktor Olltmans frågor varit om han konsumerade mycket alkohol, och det var med ett stänk av dåligt samvete som han förde burken till munnen. Klockan var inte mer än kvart över elva på förmiddagen, det var onekligen i tidigaste laget.

Men nu var omständigheterna som de var. ”Jag har haft det lite tungt”, sa han. ”De sista dagarna.”

”Rätt åt dig”, sa Wallman. ”Och din mördare springer lös, förstår jag?”

Barbarotti nickade.

”Borde du inte vara ute och jaga honom istället för att sitta här och dricka öl och lata dig?”

”Jag är suspenderad”, sa Barbarotti.

”Det begreppet känner jag till”, sa Wallman. ”På den tiden jag fortfarande arbetade var jag ofta suspenderad. Det är ingenting att hänga läpp för.”

”Tack”, sa Barbarotti. ”Nej, jag hänger inte läpp heller.

Men jag mår inte bra. Har varit hos en psykiatriker. Såna känner du väl också till, får jag förmoda?"

"Har träffat många", bekräftade Axel Wallman. "Felet med dom var att dom var obotliga allihop. Jag ställde den ena fulländade diagnosen efter den andra, men vad fan hjälpte det? Inte betalade de mina räkningar heller."

"Livet är inte lätt", sa Barbarotti.

"Så du har kommit till mig och Saarikoski för att få frid i sinnet?" sa Axel Wallman och kliade sig i armhålorna. "På inrådan av din doktor... ja, det kan ju tyda på att han är en klok karl när allt kommer omkring. På sophögen äro vi alla lika. Små och obetydliga förvisso, men lika."

"Det är en kvinna", sa Barbarotti. "Min doktor, alltså."

"Hu då", sa Wallman. "Berättade jag att jag fortfarande är oskuld?"

"Du nämnde det."

"Situationen därvidlag har inte förändrats sedan i söndags."

Barbarotti funderade ett ögonblick.

"Jag tror jag tar en promenad", sa han. "Behöver röra på mig lite, det går väl en stig utefter sjön åt det där hållet?"

"Det gjorde det igår åtminstone", sa Wallman. "Fast idag har vi bestämt oss för att vara utan promenad, Saarikoski och jag. Så du får klara dig på egen hand."

"Jag ska göra mitt bästa", sa Gunnar Barbarotti.

Efter ungefär en halvtimme, när han tagit sig ett gott stycke bort utefter sjökanten och hunnit bli en smula svettig, surrade telefonen på nytt till i hans ficka. Det fanns ett nytt SMS att läsa. Ännu en reporter på jakt efter sanningen, tänkte Barbarotti, men han stannade ändå upp och tryckte på yes-knappen.

Tänker på dig. Marianne

Marianne? tänkte inspektör Barbarotti. Hon tänker på mig. Wow, tack gode Gud!

Han sjönk ner på en sten vid sjökanten. Kände hur en plötslig matthet kom över honom. Det var inte alls samma sak som över köksbordet, det påminde mer om... om champagne? Och det gick över på tre sekunder. *Tänker på dig.* Att tre ord kan vara så tunga. En skock kanadagäss – även de tämligen tunga – låg och gonade sig i solskenet några meter ifrån honom, men tycktes inte bli störda av hans närvaro. Dessa mina minsta bröder, tänkte Barbarotti. Måste svara, nu gäller det. Några väl valda ord och min själ är i hamn.

Det tog en god stund att komponera budskapet. Till slut knappade han in det med darrande fingrar.

Och jag på dig. Gunnar

Han var nöjd med avvägningen. Inga stora ord; små ord som uttrycker stora tankar är bättre än tvärtom, hade hans svensklärarinna på gymnasiet försökt inskärpa i klassen (Underdrifter är betydligt verksammare än hyperboler i de flesta av livets skeden, kom ihåg det, små frön!) – och han passade på att sända henne en tacksamhetens tanke nu.

Sedan blev han sittande kvar på stenen ett slag, funderade över tillvarons märkliga koreografier, över det där formuläret han fyllt i på balkongen igår kväll, över den knaggliga vägen fram till hans nuvarande position i livets koordinatsystem, över Marianne – och på om det skulle komma något mer surrande.

Det gjorde det inte. Nåja, tänkte Gunnar Barbarotti, det är gott nog ändå. Jag har tagit mig ett stycke bort från dödsskuggans dal, man ska inte begära för mycket. Han reste sig och började vandra tillbaka mot Axel Wallmans hemman.

Inspektör Backman ringde vid femtiden och meddelade att hon tänkte dyka upp ett par timmar senare. Barbarotti började genast fyra av sitt batteri av ackumulerade frågor, men hon avbröt honom och förklarade att han fick ge sig till tåls tills de sågs öga mot öga. Det fanns en del att förtälja, dagen hade inte varit bortkastad ur utredningssynpunkt, hur stod det till med honom själv? Och var det verkligen meningen att hon skulle behöva träffa den där egendomlige Wallman?

”Jo, det ingår”, tillstod Barbarotti. ”Just idag i alla fall, jag stannar här över natten, men det behöver inte du göra. Frisk luft och stärkande skogspromenader, av dessa löv väver jag min läkedom.”

”Vackert.”

”Ja, fast tyvärr är det ett citat. Kan inte önska mig bättre, hursomhelst... jo, förresten, min hjärna har hört av sig, den säger att den behöver nånting att sätta tänderna i.”

”Jag kommer med den varan”, lovade Eva Backman. ”Och du har inte drabbats av några fler attacker?”

”Inte tillstymmelsen”, sa Barbarotti.

”Välkommen till Soptippen Paradiset, min sköna”, kostade Axel Wallman på sig när hon äntligen dök upp strax efter halv åtta. ”Jag föredrar kvinnliga poliser liksom jag föredrar kvinnliga präster.”

Barbarotti hade förberett henne på Axel Wallman, så långt det nu var möjligt.

”Tack”, sa hon enkelt. ”Har ni måltiden klar som ni lovade?”

”Självklart”, sa Barbarotti.

”Du är förstås gift?” sa Wallman.

”Stor stark karl och tre barn”, sa Backman.

”Själv är jag singel”, sa Wallman.

”Jag gissade det”, sa Backman.

”Hur fan kunde du gissa det?”

”Min kvinnliga intuition.”

”Det är det som skrämmer mig”, sa Wallman. ”Ni fruntimmer kan liksom se rakt igenom en. Ni är en gåta, hur känns det att vara så gåtfull?”

Det tog en timme att äta och konversera, inklusive ett par kortare diktuppläsningar av värden, därefter drog sig denne och Saarikoski tillbaka och lämnade de bägge polisinspektörerna i fred ute på verandan. Backman plockade upp en mapp ur sin portfölj, denna gång var den blå.

”Först vill jag gratulera”, sa hon.

”Varför då?” sa Barbarotti.

”Du är inte längre misstänkt för något brott. Expressen har dragit tillbaka sin anmälan. Du kan i princip återinträda i tjänst imorgon bitti.”

”Bra”, sa Barbarotti. ”Fast såvitt jag förstår är jag sjukskriven. Hur har det gått med pressen och källorna, jag såg löpsedlarna när jag åkte hit?”

”De har berättat hur det gått till”, sa Backman. ”Både Expressen och Aftonbladet. Han kör med brev där också.”

”Handskrivna med vänster hand?”

”Nej, faktiskt inte. Vanliga utskrifter från en skrivare. Till namngivna reportrar, Göran Persson respektive Henning Clausson. Men det lär inte gå att spåra. I det här sista fallet var det identiska kopior till bägge tidningarna, drygt en halv A4-sida per styck… har du läst vad de skriver?”

Gunnar Barbarotti skakade på huvudet.

”Nåja, strunt i det. Jag vågar påstå att vi har hittat den Gunnar det gäller i alla fall, det är huvudsaken. Vi har pratat med gamla bekanta till Anna Eriksson hela dagen, och det stämmer alltså att hon hade ett förhållande med en kille som heter Gunnar Öhrnberg."

"Öhrnberg?"

"Ja. De var ihop större delen av 2002, tydligen. Bodde aldrig under samma tak, men betraktades ändå som ett par... från mars fram till någon gång strax före jul av allt att döma. Han bodde i Borås på den tiden, hon här i Kymlinge. Och de åkte till Frankrike tillsammans på sommaren, någonstans i Bretagne, ett par av väninnorna fick vykort, på ett av dem står det Quimper."

"Utmärkt", sa Barbarotti.

"Ja, och vittnen i Göteborg påstår att Malmgrens också ska ha varit i Bretagne någonstans den sommaren... fem år sedan, alltså."

"Bretagne", sa Barbarotti. "Har du varit där?"

"Nej", sa Eva Backman. "Har du?"

Han nickade. "Faktiskt. Fint landskap, lite raggigt, häftiga klippor... skaldjursparadis. Hortensior överallt, såna där stora, blomkålsartade blommor. Vi var där en gång innan pojkarna föddes, början av nittiotalet, bara Helena, Sara och jag... fortsätt."

Eva Backman bläddrade i sin mapp. "Där fanns ett par bilder på Gunnar Öhrnberg i Anna Erikssons album också, men det visste vi ju inte då... en nakenbild till och med."

"Du sa att ni hade hittat honom?"

"Beror på vad man menar med hittat. Vi vet det mesta om honom, han är 37 år och bor i Hallsberg numera, arbetar som lärare på en gymnasieskola som heter Alléskolan. Historia och samhällskunskap, de hade terminsstart i måndags... bara för lärarna, alltså... men tyvärr dök han inte upp."

"Dök inte upp?" sa Barbarotti.

”Nej, han gjorde inte det. I själva verket tycks det som om ingen sett till honom på en vecka.”

”Du menar...?”

Hon stirrade ut i mörkret en kort stund innan hon svarade.

”Man kan ju misstänka det, ja. Han har ingen familj. Har varit ute och rest under sommarlovet, tydligen. Västkusten företrädesvis, han är dykinstruktör också, brukar hålla till på ett ställe vid Kungshamn. Men han kom hem till Hallsberg alldeles i början av augusti, det vet vi med säkerhet. Vi åker upp ett par stycken och går igenom hans lägenhet imorgon... Jonnerblad sa att du kunde hänga med om du hade lust.”

”Vilka är det som åker?”

”Jag och Astor Nilsson. Tekniker från Örebropolisen möter upp.”

Barbarotti funderade i två sekunder.

”Allright”, sa han. ”Har visserligen en date med min psykiatriker, men jag bokar av den.”

”Det skulle glädja mig personligen om du hänger med.”

”Tack”, sa Barbarotti. ”Du är en fin snut. Om än lite blödig... någonting mer?”

Hon skrattade till. ”Ja, det har varit en del prat om att utredningen borde skötas av Göteborgspolisen istället, eller att Rikskrim skulle ta över helt och hållet. Men eftersom vi redan har folk från bägge ställena, så bestämde Sylvenius att vi kör på som tidigare. Fast vi har fått mer hjälp från Göteborg när det gäller Malmgrenarna, förstås.”

”Utmärkt. Man ska inte byta lag mitt i matchen. Hur är det med maken förresten, han har inte flutit upp någonstans?”

”Min?”

”Nej, inte din. Henrik Malmgren naturligtvis.”

”Okej. Nej, han har inte flutit upp än. Inte min heller, för övrigt.”

”Jag förstår. Och de där fotografierna, du har väl med dig dom?”

Eva Backman tog ut en bunt papper ur mappen. ”Det är inte originalen, du får nöja dig med inscannade kopior. Men de är lika skarpa.”

Hon bredde ut dem på bordet. Barbarotti lutade sig framåt och började studera dem.

Sju stycken, det var som hon sagt. Sju bilder från en semesterresa, lite amatörmässiga, lite dålig skärpa på ett par av dem. Format tio gånger femton centimeter. Om man nu inte krympt eller förstorat dem av misstag vid scanningen. Tre av dem, dessa var alla förhållandevis skarpa, kom från en uteservering – en restaurang. Mitt på dagen av ljuset att döma. Människor runt ett bord, andra människor i bakgrunden. En blommande klängväxt mot en vägg. Utan en sekunds tvekan kunde han identifiera fyra av personerna; det var de fyra offren: Erik Bergman, Anna Eriksson, Henrik och Katarina Malmgren.

”Vem är Gunnar Öhrnberg? Den här?”

Han pekade på en vältränad man i trettioårsåldern med mörkt hår och kraftigt markerad näsa. Mindes vad hon sagt om Zlatan Ibrahimovic. Hon nickade.

Han kontrollerade de andra bilderna. Gunnar Öhrnberg förekom på sammanlagt fyra av dem, men det var bara ett enda där hela kvintetten fanns med, en av restaurangbilderna. Det var också det enda där Katarina och Henrik Malmgren syntes tillsammans.

”Det var deras kamera… eller hur? Malmgrens, alltså.”

Eva Backman ryckte på axlarna. ”Vi tror det.”

”Det finns en sjätte kille här, han är med både på restaurangen och vid boulebanan.”

Backman nickade och såg på klockan. ”Den sjätte mannen, ja.”

Gunnar Barbarotti höjde ett frågande ögonbryn.

”Vi har döpt honom till det. Vet du, Gunnar, jag har stirrat på de här bilderna hela dagen. Om vi ska köra upp till Hallsberg imorgon bitti, skulle jag behöva en god natts sömn. Jag lämnar dig så får du studera och dra slutsatser i lugn och ro. Sedan kan vi diskutera i bilen imorgon. Är det okej för dig?”

”Gärna det”, sa Barbarotti. ”Hur dags åker vi?”

”Åtta nollnoll från polishuset. Ska du verkligen sova här inatt? Jag menar… *här*?”

”Det är lugnt”, sa Barbarotti. ”Jag har delat lägenhet med den här grobianen i tre år, jag är på plats klockan åtta imorgon bitti. Åk hem och sov nu, jag sitter en stund till och löser det här pusslet.”

”Behöver jag gå in och ta farväl av… grobianen?”

”Skulle inte tro det, han sover eller sitter och tolkar dikter och vill inte bli störd. Jag hälsar från dig imorgon bitti.”

Eva Backman betraktade honom ett par sekunder med ett v-tecken mellan ögonbrynen, så reste hon sig och försvann ut i mörkret. Han hörde henne starta bilen, såg ljuskäglorna spela en kort stund mellan träden medan hon backade runt, och en halv minut senare hade tystnaden åter tagit herraväldet över Soptippen Paradiset.

26

Han bestämde sig för en smula systematik, det kunde inte skada. Tog fram penna och anteckningsblock ur portföljen han haft med sig och numrerade de sju fotografierna 1–7. Bilderna från restaurangen blev 1 till och med 3, boulebanan 4 och 5, klipporna 6 och 7.

Noggrannhet är en dygd, tänkte han. Bild för bild, det kan finnas en mördare gömd här.

Slog upp en ny sida i blocket och började skriva.

Bild 1

Miljö	Restaurang, uteservering. Bord med en liten grupp av människor. En vägg med blommande klängväxt. Tallrikar med mat, vinflaskor och glas på bordet.
Tid	Dag.
Personer	Erik Bergman, Anna Eriksson, Gunnar Öhrnberg, Henrik Malmgren, Katarina Malmgren.
Fotograf	Oklart. Kan vara Sjätte mannen?
Övrigt	En del andra restauranggäster skymtar i bakgrunden, även en halv servitör i svart och vitt. Alla runt bordet ser in i kameran utom Anna Eriksson som verkar betrakta någonting ovanför fotografens huvud. Alla ler på det sätt man gör när man vet om att man fotograferas, lite ansträngt. Det finns en tom stol på högra sidan av bordet närmast fotografen, kan vara dennes?

Bild 2

Miljö	Samma restaurang.
Tid	Något senare. Det står kaffekoppar på bordet.
Personer	Erik Bergman, Anna Eriksson, Gunnar Öhrnberg. Dessa tre sitter bredvid varandra på bordets vänstra sida, i samma positioner som på bild 1.
Fotograf	Henrik eller Katarina Malmgren. Eller Sjätte mannen. Bilden är tagen från deras sida av bordet.
Övrigt	De är inte medvetna om att de fotograferas. Erik Bergman tittar åt höger mot någonting utanför bilden. Gunnar Öhrnberg tänder en cigarrett åt Anna Eriksson. En hand och en halv underarm från någon, sannolikt en man, syns i bildens nedre högra hörn. En okänd kvinna står lite framåtböjd alldeles bakom Erik Bergman, men hon tillhör antagligen inte sällskapet.

Bild 3

Miljö	Samma.
Tid	I stort sett samma som på bild 2.
Personer	Henrik Malmgren, Sjätte mannen, Gunnar Öhrnberg.
Fotograf	Katarina Malmgren?
Övrigt	Bilden är tagen snett från bordets kortsida. Ingen av personerna verkar medveten om att man blir fotograferade. Gunnar Öhrnberg sitter inte på samma sida av bordet som de bägge andra männen, han syns eftersom han lutar sig framåt, tycks säga något till Sjätte mannen.

Barbarotti gjorde en paus och såg ut i mörkret. Försökte erinra sig titeln på en film han sett en gång, en rysare – det hela hade gått ut på att identifiera personer på gamla fotografier och på det viset hitta en mördare – men namnet undgick honom. Han kom inte ihåg mycket av själva filmen heller, det hade rört sig mycket om uppförstorade, gryniga bilder, ansikten på främmande men betydelsefulla människor som hängde kvar i betraktarens minne. Det gåtfulla i ett anletes identitet, det där märkliga som hände när det levande fixerades och blev en fast punkt i tidens ström. Måste vara åtminstone tjugo år sedan han såg filmen, svartvit om han inte mindes fel, kanske var det en riktigt gammal rulle?

Han sköt undan funderingen och böjde sig fram över bordet. Fäste blicken på den okände, den sjätte måltidsgästen. Det var utan tvivel på bild nummer 3 han syntes bäst. En ganska lång och solbränd man i trettioårsåldern. Vit, kortärmad skjorta, solglasögon uppskjutna på hjässan. Kortklippt brunblont hår och smalt ansikte med rätt så markerade drag; bred mun, ganska lång näsa, regelbundet hakparti.

Han ser ut, tänkte inspektör Barbarotti, han ser ut som vem som helst.

Precis vem som helst. Han tog fatt i pennan och systematiken igen.

Bild 4

<u>Miljö</u>	En park.
<u>Tid</u>	Tidig kväll.
<u>Personer</u>	Åtminstone tjugo personer syns på bilden, de flesta på lite avstånd. En grupp herrar spelar boule, två äldre kvinnor sitter på en bänk och samtalar, en lurvig hund nosar på en trädstam. I förgrunden, på fyra-fem meters håll från fo-

tografen står Henrik Malmgren, Anna Eriksson och Erik Bergman. Anna Eriksson slickar på en glass, Henrik Malmgren drar just ett bloss på en cigarrett.

Fotograf Katarina Malmgren?

Övrigt Till vänster på bilden syns ett hörn av en mindre byggnad och en flik av en bredrandig markis, kanske är det en glasskiosk. De tre väntar möjligen på att de övriga skall bli klara med sina glassköp. Skärpan på fotografiet är lite dålig.

Bild 5

Miljö Samma park.

Tid Samma eller något senare.

Personer Erik Bergman, Anna Eriksson, Gunnar Öhrnberg, Henrik Malmgren, Sjätte mannen. De står på linje och betraktar boulespelet, några boulespelare och några övriga människor syns också på bilden.

Fotograf Katarina Malmgren?

Övrigt Dålig skärpa här också. Gunnar Öhrnberg håller armen om Anna Eriksson. Det finns en sorts enhetlighet över de fyra männen. Samtliga bär kortärmade ljusa skjortor, knälånga shorts och sandaler utan strumpor. Relativt brunbrända, alla i trettioårsåldern. Möjligen avviker Henrik Malmgren en smula, han är lite kortare än de andra tre, är också den ende som bär glasögon. Anna Eriksson har fortfarande en glass i handen.

Bild 6

Miljö	En klipphäll invid havet.
Tid	Dag.
Personer	Anna Eriksson, Erik Bergman, Katarina Malmgren. Alla tre i badkläder, sitter lutade mot en klippvägg och solar.
Fotograf	Henrik Malmgren?
Övrigt	Typisk semesterbild. Alla tre blundar mot solen. De sitter på några bastmattor, handdukar och väskor syns i nederkant, hav och horisont till vänster i bakgrunden. Erik Bergman och Anna Eriksson bär solglasögon, Katarina Malmgren håller en ihopslagen pocketbok i ena handen.

Bild 7

Miljö	Samma som på bild 6 fast på längre avstånd.
Tid	Dag.
Personer	Erik Bergman, Anna Eriksson, Gunnar Öhrnberg, Katarina Malmgren. Några badande syns i vattnet. Längre ut en segelbåt.
Fotograf	Henrik Malmgren?
Övrigt	Också typisk semesterbild. Det syns sand framför klippan. De fyra sitter och äter någonting, Anna Eriksson tittar mot fotografen och vinkar, hennes hand är suddig. Båda kvinnorna bär bikini, bägge två röda men i något olika nyanser.

Det var det hela. Gunnar Barbarotti lade ifrån sig pennan och svepte med blicken över alla sju fotografierna. Viftade undan en senkommen mygga. Vad håller jag på med? tänkte han. Går det att utläsa någonting ur det här? Vad var det som hände med de här människorna?

Berättigade frågor utan tvivel. I synnerhet den sista. Han lutade sig tillbaka och blundade. Funderade.

Bakom varje brott fanns en historia, det var den det gällde att blottlägga. Det var detta nästan allt kriminalarbete gick ut på, att göra förutsättningarna synliga. Och *bakåt*, alltid en baklängesrörelse, ett sökande och ett trevande efter det avgörande tidsavsnittet.

I det här fallet, således, om inte alla tecken var fel: fem människor på en semesterresa i Bretagne. Sommaren 2002... det var väl den sommaren? Han hade glömt att fråga Backman om de fått den uppgiften bekräftad. Två par, tydligen: Henrik och Katarina Malmgren från Göteborg, Anna Eriksson från Kymlinge och Gunnar Öhrnberg från Borås. Och så en femte: Erik Bergman från Kymlinge.

Och en sjätte? Vem var han? Gunnar Barbarotti öppnade ögonen. Lutade sig framåt och tittade på bilderna igen. Den sjätte fanns med på restaurangen och han fanns i bouleparken. Men han förekom inte på fotografierna från klipporna. Vad betydde det?

Trams, tänkte Gunnar Barbarotti, det betyder förstås ingenting. Han kanske bara var ute och simmade; bild nummer 6 och 7 kunde mycket väl vara tagna med bara någon minuts mellanrum.

Överhuvudtaget, insåg han, medan han lät blicken glida först över fotografierna på bordet, sedan ut över den mörka sjön och skogsranden som avtecknade sig mot den något ljusare himlen på andra sidan, överhuvudtaget var det svårt att ställa vettiga frågor. Så var det faktiskt. Han hade varit borta från utredningen i tre dagar, säkert fanns det mängder av nya omständigheter som han inte kände till.

Var? till exempel. Var i Bretagne var dessa bilder tagna? Om bekanta till paret Malmgren kände till att de åkt på den där semesterresan – hade inte Backman sagt att det var så? – ja, då måste väl spaningsgruppen också ha fått fram fler detaljer. Massor av detaljer. Hur reste de? I egen bil eller på någon sorts gruppresa? Mellan vilka datum var de borta? Fanns det kanske någon koppling mellan Malmgrenarna och Gunnar Öhrnberg? – ja, särskilt den frågan måste naturligtvis ha blivit utredd så långt det var möjligt.

Och när nu sambandet mellan morden av allt att döma blivit klarlagt, så borde man förhoppningsvis också ha satt igång med nya förhör av de bägge första offrens vänner och bekanta.

Och – förhoppningsvis – fått reda på ett och annat matnyttigt.

Nej, tänkte Gunnar Barbarotti. Det är ingen mening för mig att sitta här och spekulera. Jag ligger för många steg efter. Bättre att dra ett streck nu och se till att få en ordentlig uppdatering imorgon på vägen till Hallsberg.

Han samlade ihop fotografierna och sina anteckningar. Stoppade ner alltihop i portföljen och såg på klockan. Fem minuter över elva – hög tid, som sagt.

Han satte mobilväckningen på halv sju, funderade ett ögonblick och ändrade till kvart i sex. Varför inte unna sig en tidig simtur när man nu för en gångs skull hade en sjö på tjugo meters avstånd?

I synnerhet med tanke på gästsängkläderna på Soptippen Paradiset. Han hade svårt att tro att Axel Wallman gjort någonting åt dem sedan sist.

Så fick det bli, tidigt uppe, sent i säng.

Och den där mördaren, var det inte på tiden att man plockade in honom snart?

V.

Anteckningar från Mousterlin

Den 8–9 juli 2002

Jag somnade där i vilstolen på terrassen, väcktes av Erik när han kom hem ett par timmar senare.

"Hur är läget?" ville han veta.

Jag förstod inte riktigt vilket läge han avsåg. Om han undrade hur jag mådde eller om han undrade om jag inte tänkte ge mig av snart. Eller om det kanske gällde nattens händelser. Jag antog att han menade det sistnämnda men jag föredrog att svara på det förstnämnda.

"Bra", sa jag. "Lite trött men annars är det allright."

Han blev stående och såg på mig med ett uttryck jag inte sett hos honom tidigare. Som om han först nu insåg att jag var en person av större komplexitet än han anat. Att det fanns någonting hos mig han inte förstod. Men så är han ju heller inte van att försöka sätta sig in i andra människors motiv och omständigheter. Erik är sig själv nog, när han nu stod och tittade på mig med oscillerande ögon och käkarna lätt malande, såg han ut som om han just höll på att tappa kontrollen över någonting – någonting som han visserligen inte brukade eller ville ha kontroll över, men som ändå råkat hamna i hans händer.

"Dom bjuder på middag ikväll", sa han till slut. "Borta på Thalamot i Beg-Meil. Så får vi diskutera. Men det gick som det skulle inatt, alltså?"

"Ja", svarade jag. "Det gick som det skulle."

Han satte sig vid bordet. Jag steg upp från vilstolen och

såg på klockan. Den var halv fem. ”Jag går och tar en dusch”, sa jag. ”Hur dags ska vi vara där?”

”Klockan åtta”, sa Erik. ”Vi kan väl gå härifrån vid halv ungefär.”

”Låter bra”, sa jag. ”Vad är det vi ska diskutera?”

Han såg lite konfunderat på mig. ”Det begriper du väl?” sa han. ”Vi kan ju inte bara lämna det här bakom oss utan vidare.”

”Jaså, på det viset”, sa jag.

Han satt tyst en stund, så tände han en cigarrett.

”Vad är du för en människa egentligen?” sa han.

”Jag är väl som vem som helst”, svarade jag. ”Jag förstår inte vad du menar.”

Han drog ett par bloss. ”Då så”, sa han. ”Ja, det vet du kanske bäst själv. Ska vi säga att vi går vid halv åtta, då?”

”Gärna för mig”, sa jag.

Le Thalamot var tomt sånär som på ett sällskap tyskar som satt runt ett bord och åt havskräftor och musslor. Fortfarande har turistsäsongen inte riktigt börjat, trots att vi befinner oss ett stycke in i juli; jag antar att det kommer att se annorlunda ut här om ett par veckor. På stränderna, utmed vandringslederna i poldern, på restaurangerna och crêperierna.

Och campingplatserna. Men då kommer jag att vara långt härifrån, exakt var vet jag inte – men söderut i alla händelser, jag kommer att bege mig söderut. Sedan en tid har jag haft på känn att jag vill dö vid Medelhavet; kanske Mellanöstern eller varför inte Kairo eller Alexandria. Det finns någonting på dessa breddgrader som väcker en genklang inuti mig, jag förstår inte vari denna resonans egentligen består eller vad den uttrycker, men det är heller inte nödvändigt att förstå allting. Det viktiga är vägen och känslan, inte målet och syftet.

Kvartetten hade redan kommit och satt och väntade på oss vid ett bord längst in i lokalen, invid ett öppet fönster som vette in mot en trädgård och på betryggande avstånd från tyskarna. Jag noterade att de hade klätt upp sig en smula, alla fyra; bägge damerna bar klänningar jag inte sett tidigare, Anna en ljusgrön, Katarina en röd, herrarna hade nystrukna, kortärmade bomullsskjortor. De hade beställt in var sin drink som de satt och smuttade på, och när Erik och jag kom in reste sig både Gunnar och Henrik.

”Trevligt”, sa Gunnar. ”Slå er ner. Vill ni ha en drink?”

Med tanke på att vi för mindre än ett dygn sedan suttit och svurit åt varandra över en död flicka tyckte jag det lät formellt i överkant, och jag förstod att det var en annan sorts regi som gällde ikväll. En regi som mejslats fram och skrivits under dagens rådslag, var det nu ägt rum. Jag kände hur ett inre, ironiskt leende ryckte i mig.

”Javisst”, sa Erik. ”Gin och tonic för mig.”

Jag sa att jag nöjde mig med ett glas vitt vin och vi slog oss ner. Erik mellan Anna och Henrik, jag mellan de bägge kvinnorna. Också detta föreföll uträknat i förväg, även om jag inte förstod vad som skulle vara poängen med det.

När Erik och jag fått in våra glas skålade vi. Jag kunde inte upptäcka några leenden hos någon av de andra, snarare var det ett ögonblick av allvarstyngd samhörighet och gemenskap som flöt förbi. Därefter ägnade vi omständligt lång tid åt att beställa från menyn, som vanligt var det Katarina som skötte samtalet med kyparen, och i väntan på att maten kom på bordet pratades det om franska viner, franska ostar, vilka dagar och månader som bör undvikas när man tänker äta skaldjur; överhuvudtaget, tänkte jag, överhuvudtaget var alltihop en upprepning – fast tråkigare, mindre glättad och förhoppningsfull – av den konversation som ägt rum under den där första lunchen i gamla hamnen i Bénodet. Tio dagar sedan om jag inte räknar fel.

Vi drack dessutom betydligt mindre vin, vi beställde fisk och kött istället för skaldjur och inte förrän vi fått desserten på bordet kom Gunnar äntligen till saken.

”Vi vill tacka dig”, sa han och vände sig till mig. ”Tacka dig för att du tog på dig ett mycket obehagligt uppdrag och fullföljde det.”

Han gjorde en paus. Jag hade ingen kommentar.

”För jag antar att du fullgjorde det på bästa sätt?”

Jag väntade några sekunder. Kunde känna hur allas blickar vilade på mig. ”Du vill veta om jag grävde ner flickan ordentligt?” frågade jag.

Både Gunnar och Henrik såg sig oroligt omkring och det slog mig att det verkade rätt dumt att vi satt i en offentlig lokal och pratade, om de nu var rädda för främmande öron.

”Det är ingen fara”, sa Erik. ”Finns ingen här som förstår svenska.”

”Vill ni veta var?” frågade jag.

”Nej, nej”, försäkrade Gunnar. ”Det behövs naturligtvis inte. Men det känns viktigt för oss att veta att allt gick som planerat.”

Planerat? tänkte jag.

”Att det inte finns någonting som vi bör veta om”, flikade Katarina in.

Jag funderade på vad de egentligen var ute efter. Om det bara rörde sig om någon sorts allmän försäkran om att de kunde känna sig trygga, eller om det var någonting annat också. Vad det i så fall skulle vara, kunde jag dock inte göra mig någon föreställning om.

”Allt gick som jag hade tänkt mig”, sa jag. ”Ni kan fortsätta att dricka ert vin i lugn och ro.”

”Det är inte så jag menar”, sa Gunnar. ”Jag menar bara att det är viktigt att veta att det här är ett avslutat kapitel nu.”

”Det är det”, sa jag. ”Ett avslutat kapitel.”

”Det är också nödvändigt att vi håller samma strategi om polisen trots allt skulle dyka upp”, sa Henrik. ”Vi kommer ju att vara kvar härnere ett par veckor till, och...”

”Hur länge tänker du stanna?” undrade Katarina och försökte le mot mig.

”Jag ger mig av i övermorgon”, sa jag.

”På onsdag”, sa Gunnar. ”Utmärkt. Hursomhelst är det viktigt att vi förnekar till hundra procent att vi hade med oss flickan ut till öarna igår. Också att vi träffade henne. Hon var tillsammans med oss några timmar en eftermiddag i förra veckan, det är allt. Mer än så behöver vi inte komma ihåg.”

”Hur gick det med båten?” frågade jag.

”Med båten var det inga problem”, sa Henrik.

”Så bra”, sa jag. ”Ja, en flicka mer eller mindre spelar väl inte så stor roll, antar jag.”

Jag kände hur Anna, som satt alldeles intill mig, ryckte till, och att hon antagligen tänkte säga något. Men Gunnar höjde ett finger och gav henne en blick. Det räckte, hon höll tyst. Överhuvudtaget hade inte Anna sagt mycket under hela kvällen. Inte Erik heller. Det var Gunnar, Henrik och Katarina som skötte konversationen, säkert var det ingen tillfällighet.

Vi bröt upp redan vid kvart i tio. Gunnar och Henrik delade på notan och vi vandrade tillsammans hemåt längs ridvägen mellan strandbrinken och poldern. Erik och jag vek av upp till vårt hus utan postludier, vi drack var sitt glas calvados på terrassen innan vi gick till sängs och vi tycktes inte ha mycket att samtala om.

”Jaså, onsdag?” sa han.

”Ja”, sa jag. ”Jag ger mig iväg på förmiddagen.”

”Det är kanske lika bra”, sa han.

”Säkert”, sa jag.

Han skrattade till för en kort sekund. ”Flickans namn”, sa han.

”Ja?”

”Henrik kom på vad det betydde.”

”Betydde?”

”Ja, eller vad det stod för i alla fall. Om du stavar det och tar varje bokstav. T-R-O-A-Ë… på engelska, kan du räkna ut det?”

Jag funderade en stund och skakade på huvudet.

”The Root Of All Evil”, sa Erik. ”Bra, va?”

”The root of all evil?” sa jag. ”Det låter som om det skulle finnas en fortsättning i så fall. På den här historien, alltså.”

Jag vet inte riktigt vad jag menade med just det, och Erik svarade inte. Fimpade sin cigarrett, bara, och betraktade mig med det där undrande uttrycket i ögonen igen.

Sedan önskade vi varandra god natt och gick till sängs.

På tisdagens morgon gick jag till bageriet och köpte Ouest France. Bläddrade igenom tidningen från första till sista sidan. Trots min bristfälliga franska kunde jag säkert avgöra att där inte stod ett ord om någon försvunnen flicka.

Vädret var vackert och jag förstod att Erik redan givit sig av ner till stranden. Antagligen åt Bénodet-hållet, han har kommit underfund med att man får sola naken där och det tilltalar honom uppenbarligen. Jag beslutade mig för att stanna kvar i huset, ordna med min packning och skriva ytterligare några sidor.

Summera mina intryck. Det första som slår mig är hur mycket som styrs av slumpen – eller av mekanismer utanför vår kontroll åtminstone. När Erik plockade upp mig på den där bensinstationen utanför Lille hade jag stått och liftat i exakt femtioåtta minuter; jag minns det tydligt för jag hade bestämt mig för att stå i en timme innan jag återvände in till caféet. Hade han kommit bara två minuter senare, skulle vi aldrig ha träffats överhuvudtaget. Jag skulle ha rest i en helt annan bil och hamnat någon helt annanstans.

Skulle Troaë ha fått leva i så fall? Det vore lätt att svara ja på den frågan, men jag tror det vore att förenkla verkligheten. Det finns förstås inga mänskliga medel att avgöra detta; kanske skulle hon ha dykt upp den där morgonen i alla fall och kanske hade hon följt med svenskarna ut till Les Glénan. Kanske skulle samma händelser ha inträffat; en sak är säker, vädret skulle i varje fall ha varit detsamma, regnet skulle ha kommit, antagligen skulle också motorn ha havererat – men skulle flickan ha blivit illamående under hemvägen, skulle båten ha gått över samma förrädiska vågtopp och skulle någon annan ha tappat taget om hennes hand? Jag kan inte lösa denna gåta men tankarna och frågorna vill inte lämna mig någon ro. I vilken grad deltar jag faktiskt i händelser och skeenden i världen? Finns det olika alternativ – och olika tänkbara aktörer – på väg mot ett givet mål?

Kanske skulle Henrik Malmgren kunna vägleda mig i de här sakerna, jag förstår att det rör sig om problem som hör hemma inom filosofin, alla vetenskapers urmoder, men jag har inte för avsikt att fråga Henrik Malmgren till råds. Jag förutsätter att jag inte kommer att träffa någon av dem igen, bara med Erik kommer jag väl att utbyta en och annan ytlighet innan jag ger mig iväg imorgon. Bland annat måste jag försäkra mig om att jag inte är skyldig honom något; jag tror vi ligger i balans vad gäller matkontot, och för utfärden till Les Glénan har jag också betalat min beskärda del. Även ifråga om reda pengar. För övrigt förstår jag att jag för framtiden gör klokast i att betrakta hela denna vistelse i Finistère som en parentes, någonting som i viss mening aldrig hänt. Det måste vara tillåtet med sådana perioder i alla människors liv, det kan inte vara avsikten att vi ska behöva stå till svars för allt, för varje olycklig omständighet och varje sekund som slirat ur sin bana.

Ja, kommer jag bara härifrån, skall jag göra mitt bästa för att glömma dessa två veckor. Jag skall radera ut vandringen med flickans kropp ur minnet, hennes starka närvaro och hennes märkliga lätthet, jag har alltid fått beskrivet för mig att döda kroppar skall vara så tunga, men när det gäller Troaë stämmer det verkligen inte alls. Jag skall förtränga de fasansfulla minuterna i vattnet och jag skall aldrig försöka erinra mig hur marken och jorden slöt henne i sin famn. Dessa anteckningar kommer jag förstås att bevara, men det betyder inte att jag också behöver återvända till dem och läsa dem på nytt; det räcker med vetskapen om att de existerar och att om jag någon gång i framtiden skulle behöva dem, så finns de ändå där.

Kanske borde jag också ägna några rader åt de här människorna som befolkat min tillvaro dessa två veckor, men jag känner att jag inte har lust. Det bjuder mig starkt emot, och om de hade minsta aning om – någon av dem – vilket djupt förakt jag hyser för dem, skulle det säkerligen förvåna dem en hel del. Men mitt inre står inte skrivet i mitt yttre, på gott och ont, så har det alltid varit. Jag minns att doktor L och jag diskuterade den omständigheten tämligen ingående, han menade till en början att det var ett inslag och en faktor i min sjukdomsbild, men jag tror vi till slut enades om att det mera var fråga om ett legitimt karaktärsdrag. Att bära sin själ i ansiktet behöver inte vara ett friskhetstecken, det är i varje fall inget att sträva efter om man inte har det naturligt.

Jag städade mitt rum och gjorde i ordning min packning under eftermiddagen. Tog en kortare promenad inåt land under halvannan timme, passerade bageriet och passade på att köpa en kvällstidning. Inte ett ord om någon försvunnen flicka nu heller. När jag återkom till huset var Erik fortfarande inte hemma, jag antog att han anslutit sig till de övriga svenskarna, kanske tycker han inte om att vara i min närhet längre. Ja, vid närmare eftertanke gissar jag att det förhåller sig på det viset, och att det förmodligen gäller dem alla fem. De går och väntar på att jag skall komma iväg, så att de i lugn och ro kan återgå till sitt triviala strandliv och glömma vad som hänt. Jag leker en stund med tanken på att göra dem till viljes och fortsätta min resa redan ikväll. Men det går ingen buss in till Quimper förrän imorgon bitti, och att ställa sig och börja lifta på vägen mellan Mousterlin och Fouesnant förefaller föga tilltalande. Det skulle till och med kunna väcka uppmärksamhet, och uppmärksamhet är antagligen vad som behövs allra minst just för tillfället.

Erik kommer hem medan jag sitter på terrassen och antecknar dessa rader. Han frågar om jag vill gå med och äta middag på Le Grand Large, de har fått in färska musslor. Jag säger att jag behöver ordna lite med min packning och att jag nöjer mig med en smörgås. Erik tar en dusch, byter om och ger sig iväg igen. Klockan är halvåtta när jag lägger ifrån mig pennan och går in till kylskåpet.

Jag står vid spisen och steker två ägg. Försöker följa med i nyhetssändningen som strömmar ur transistorradion på fönsterbrädet. Min franska har förbättrats en del under den tid jag vistats här och jag förstår det mesta av vad som sägs. Vattnet i kokaren bubblar just upp och apparaten stängs, när jag hör harklingen utifrån terrassen. Jag lägger ner stekspaden i pannan och lyfter den av gasen. Torkar av händerna på en kökshandduk och går ut.

Det står en äldre kvinna under parasollet. Hon är klädd i svart, ser ut nästan som en grekisk änka; fast tygsjoken är tunnare, håret är korpsvart, säkert färgat, och hon bär en vidbrättad, blodröd stråhatt. Hon är liten och tunn, på sin höjd hundrasextio centimeter, men hennes ansikte är kraftfullt. Exotiskt på något vis med mörka ögon, skarp näsa och envist hakparti. Hon ser på mig med lätt kisande blick, möjligen är hon en smula närsynt.

”Troaë!” säger hon.

”Oui?” säger jag.

”Troaë? Var har ni gjort av Troaë?”

Hon talar en konstig franska med kraftiga tungspets-r. Jag försöker säga att jag inte förstår vad hon talar om.

”Petite Troaë. Jag är hennes farmor. Jag vet att hon är med er. Men nu är det dags att hon kommer hem.”

Jag slår ut med händerna som om jag fortfarande inte har en aning om vad hon är ute efter. I ögonvrån får jag syn på den stora skiftnyckeln som ligger på en av plaststolarna. Erik har lämnat den där, låtit den bli liggande efter att han försökte få ordning på den gamla rostiga cykeln ute i redskapsboden. Det var för fyra eller fem dagar sedan och det lyckades inte. Han ställde tillbaka cykeln men glömde skiftnyckeln. Jag minns att vi pratade om den, den är faktiskt svensk, en Bahco, jag kommer till och med ihåg typnumret.

08072. Jag betraktar kvinnan ett ögonblick. Hennes ögon är bara tunna strimmor, hennes ansikte ser ut lite som en katts och hon har ställt sig med båda knytnävarna i sidorna. Tror antagligen att hon är oövervinnlig, jag känner igen typen.

”Troaë?” säger jag, samtidigt som jag tar ett steg åt vänster och fattar tag i skiftnyckeln. ”Det måste vara ett misstag.” Jag blir tvungen att leta några sekunder efter ordet misstag – *erreur* – men jag hittar det.

”Det är inget misstag”, säger hon. ”Hon pratade om er i flera dagar och när hon gick hemifrån i söndags sa hon att hon skulle leta upp er och tillbringa dagen med er.”

Jag tvekar inte. Svingar skiftnyckeln i en vid båge och träffar henne med full kraft snett över vänster öra. Hatten flyger av henne och hon faller ihop på terrassgolvet som ett nedskjutet villebråd.

Kommentar, augusti 2007

Ord betyder så lite, handlingar så mycket mer. Ändå omger vi oss med ord, ord, ord. De verkligt viktiga punkterna i en människas liv är få och de kan ligga utspridda långt ifrån varandra med stora mellanrum. År och hela årtionden. När vi en dag skall summera märker vi tydligt det här förhållandet; hur lite allt vi sagt och skrivit väger, hur tunga de där verkligt avgörande handlingarna framstår. Det är inte för orden vi kommer att ställas till svars, jag förstår inte riktigt varför vi ständigt flyr in i deras skyddande hägn. Varför vågar vi inte vila i tystnaden och våra tankar? I stunder och ögonblick då vi inte tillmäter våra handlingar deras rätta vikt och betydelse föröder vi våra liv, det är ingen nyhet, men allt skulle utan tvivel se annorlunda ut om vi tog oss mera tid till stillhet och eftertanke.

Mitt dödande går enligt planen, ännu återstår en del, men jag hyser inga tvivel om att jag kommer att fullfölja mina avsikter. Att de inte gick med på en ekonomisk lösning visar ju bara vilka inbilska människor det varit fråga om. Mina krav var på intet sätt orimliga, jag antar att de konfererade med varandra och kom fram till ett gemensamt nej, och på sätt och vis gläder det mig att det blev det här alternativet istället. Pengar erbjuder trots allt ingenting annat än temporära lösningar, kortvariga halvmesyrer, det ligger i villkoren.

De senaste nätterna har jag drömt om flickans farmor, den där lilla bräckliga och utlevade kvinnan med de krävande ögonen och de giftiga orden som beseglade hennes öde. Hon kommer till mig i drömmen i skepnad av en fladdermus, jag förstår inte riktigt symboliken i detta, hon kommer flygande genom en öppen, mörk fönsterrektangel och slår sig ner på mitt knä eller min arm, sedan sitter hon där och betraktar mig med stickande gula ögon, hon säger ingenting, sitter bara där med det diminutiva huvudet vinklat ömsom åt höger, ömsom åt vänster, och efter en stund flyger hon iväg med ett karaktäristiskt vinande. Jag vaknar alltid i just det ögonblicket och det märkliga är att jag då känner mig fylld av en sorts glädje, eller i varje fall tillfredsställelse.

Av allt mänskligt handlande är dödandet det mest avgörande.

17–19 augusti 2007

27

”Du ser pigg ut”, sa inspektör Backman när de klev in i bilen.

”Har simmat femhundra meter nu på morgonen”, tillkännagav Barbarotti. ”Har inte ni gjort det?”

”Klart som fan han är pigg”, sa Astor Nilsson. ”Han har ju haft semester i tre dar. Medan vi andra slitit häcken av oss.”

”Vem kör?” sa Eva Backman.

”Jag”, sa Astor Nilsson. ”Jag hittar till Hallsberg. Jag kände en kvinna där en gång.”

”Verkligen?” sa Barbarotti.

”Jajamen”, sa Astor Nilsson. ”En mörk och mystisk skönhet från vidderna runt Viby. Vi skulle ha gift oss om inte omständigheterna varit som de var.”

”Du kanske skulle passa på och söka upp henne”, föreslog Backman. ”Man vet aldrig.”

”Tror inte det”, sa Astor Nilsson. ”Om jag inte tar fel så ligger hon på kyrkogården.”

”Då låter vi det vara”, sa Backman. ”Dessutom har vi nog jobb så det räcker ändå.”

”Säkert”, suckade Astor Nilsson och svängde ut på Norra Kungsvägen. ”Det här fallet har redan gjort mig till en sämre människa.”

”Ärligt talat blir jag nästan sömnlös av det”, konstaterade han tio minuter senare när de tagit sig ut ur staden och Eva Backman klarat av diverse instruktioner till sina barn på mobilen. ”Tror ni vi kommer att hitta ett lik till däruppe?”

Eva Backman ryckte på axlarna. ”Om vi hittar nånting vill jag låta vara osagt. Men rätt mycket pekar på att Gunnar Öhrnberg är död, eller hur?”

”Undrar vad han kört med för metod den här gången”, sa Astor Nilsson. ”Vad tror ni om förgiftning, det har han inte provat än?”

”Vi vet inte hur Henrik Malmgren dog”, påpekade Eva Backman. ”Och han har inte skjutit någon än, om jag minns rätt.”

”Ursäkta mig”, sa Gunnar Barbarotti, som frivilligt hade intagit baksätet. ”Jag skulle behöva bli lite uppdaterad. Om man nu tagits till nåder igen och förväntas göra lite nytta.”

”Jag ska lära dig allt jag kan”, sa Astor Nilsson och flinade mot honom i backspegeln. ”Du nitade aldrig den där reportern, va?”

”Nej”, sa Barbarotti. ”Jag gjorde inte det.”

”Synd”, sa Astor Nilsson. ”Fast lika bra för din del, kanske. Nå, var vill du att vi ska börja? Känner att jag skulle behöva någon med lite ordningssinne som satte struktur och fason på det här.”

”Tack så mycket”, sa Eva Backman. ”Jag förstår piken. Och själv tycker jag ändå att det börjat klarna en hel del.”

”Kvinna”, sa Astor Nilsson. ”Upplys oss.”

”Kan alltid försöka”, sa Eva Backman. Drog ett djupt andetag och rätade upp stolsryggen en smula. ”Vi vet ju trots allt rätt så mycket, det måste väl herrarna hålla med om? Vi vet till exempel att alltihop på något vis hänger samman med händelser som inträffade i Bretagne sommaren 2002...”

”Vet?” sa Astor Nilsson.

”Allright”, sa Backman. ”*Vet* är kanske inte riktigt rätt ord, men vi är *tämligen övertygade* om att det ligger till på det viset i alla fall. Vi har hittat en enda beröringspunkt mellan de fyra offren, och det är just att de befann sig på samma plats under några veckor... ja, vi känner inte till exakt hur länge... den där sommaren. Tycker ni att vi ska tvivla på att det här är rätt spår?”

”Jag har försökt tvivla på det”, sa Astor Nilsson. ”Hela natten. Men det är svårt att tro att det inte skulle vara så. Fast det beror också på att det är det enda vi har.”

”Vad menar du?” sa Backman.

Astor Nilsson viftade med ett pedagogiskt pekfinger.

”Vi har hittat ett enda samband. En enda punkt. Klart som fan att vi utgår från den punkten. Det jag vill säga är bara att om det fanns flera punkter skulle det vara ett annat läge.”

”Säkert”, instämde Barbarotti från baksätet. ”Men om det finns fler samband, borde de väl dyka upp? Under arbetets gång.”

”Borde redan ha gjort det i så fall”, sa Backman. ”I varje fall tycker jag gott vi kan tro på Frankrikelösningen så länge ingenting stöter till som talar emot den. Eller hur?”

”Kör i vind”, sa Astor Nilsson. ”Bretagne 2002, vi säger så. Vad fan var det som hände, då?”

Det blev tyst några sekunder.

”Vi vet fortfarande inte exakt var heller”, konstaterade Backman sedan och vred huvudet mot baksätet. ”Vi har hittat en del kartor och broschyrer hos Malmgrenarna och vi tror att de vistades någonstans på sydsidan, i Finistère. Men kanske reste de runt en del, och... ja, det är oklart, som sagt.”

”De andra?” frågade Barbarotti.

”Hos de andra har vi inte hittat mycket matnyttigt, men vi håller på och undersöker med resebyråer och sådant. Tyvärr hinner rätt mycket försvinna på fem år.”

”Mitt hår försvann på tre”, sa Astor Nilsson.

”Fotografierna”, sa Barbarotti.

”Ja”, sa Backman. ”Om vi ska vara ärliga så är det ju det enda indiciet vi har. Jag tänkte på en sak igår kväll. Vad tror ni om tidsaspekten? Över hur många dagar är de här bilderna tagna?”

”Va?” sa Astor Nilsson.

”Jo, jag menar”, sa Backman, ”kan det till exempel vara så att det rör sig om en enda dag och att de... ja, att de kanske bara träffades under den enda dagen?”

Barbarotti funderade medan han plockade fram bilderna ur portföljen. ”Nej”, sa han. ”Jag tror det är åtminstone två olika dagar. De har bytt kläder och så där. Kanske till och med tre. Men jag förstår varför du tar upp det.”

”Det gör jag också”, sa Astor Nilsson. ”Stötte de bara ihop en dag eller umgicks de under en lite längre tid? Det är väl ganska uppenbart att de inte kände varandra i förväg. Vi har ingenting som tyder på att de gjorde det i alla fall.”

”Nej”, sa Backman. ”Det var inte planerat att de skulle träffa varandra. Men någonting måste ha hänt, alltså, det är det vi inbillar oss. Under de där dagarna inträffade någonting som... ja, som fem år senare resulterar i att de mister livet alla fem. Om vi nu utgår ifrån att Dödens Gunnar verkligen är dödens.”

”Just precis”, sa Astor Nilsson och gäspade. ”Jag har också kommit fram till att det är det vi utgår ifrån. Och om jag inte tar fel är det också därför vi sitter i den här bilen på väg till Hallsberg.”

Det blev tyst en stund igen. Barbarotti försökte på nytt skärskåda de sju fotografierna.

”Den sjätte mannen?” sa han. ”Vad tror ni?”

”Det är just det”, sa Astor Nilsson.

”Vad då?” sa Barbarotti.

”Det är han”, sa Eva Backman. ”Jag menar, jag tror det är han som är vår man.”

Barbarotti kliade sig i nacken och betraktade ett gäng brokiga kor som just passerade revy utanför bilfönstret. ”Vad menar du med att det är just det?” frågade han Astor Nilsson.

Astor Nilsson släppte för ett ögonblick greppet om ratten och slog ut med händerna i en irriterad gest. ”Bara att det är så förbannat självklart”, sa han. ”Och jag är inte särskilt förtjust i självklarheter. Men visst, jag håller med om att det måste vara han. Synd att han ser ut som precis vem som helst.”

Barbarotti nickade. ”Jo, jag tycker också det. Dessutom är han lite suddig. Och det har gått fem år. Har ni bestämt hur vi ska göra med det här?”

”Jonnerblad tvekar”, sa Backman. ”Sylvenius och Asunander också. Det brukar liksom alltid gå snett när man börjar publicera bilder på misstänkta mördare.”

”Man behöver inte tala om att det gäller en mördare”, sa Barbarotti.

”Jaså?” sa Astor Nilsson.

”Man kan säga att polisen är angelägen att komma i kontakt med mannen på bilden. Eller med folk som kan ge upplysningar om honom.”

Astor Nilsson grymtade. ”Dom kommer att skriva att det är mördaren ändå, det begriper du väl? Eller låta läsarna förstå det, åtminstone. Trodde du hade lärt dig litegrann om hur tidningsvärlden fungerar?”

Barbarotti suckade och stoppade tillbaka bilderna i portföljen. ”Så vad tusan ska vi göra, då?”

”Vi kommer att publicera i vilket fall som helst”, sa Astor Nilsson. ”Det ska bara gå några dagar, så herrarna hinner tveka färdigt först.”

”I see”, sa Barbarotti. ”Ja, så blir det förstås.”

”Försåvitt ingenting oförutsett dyker upp och löser fallet innan dess”, sa Backman. ”I metropolen Hallsberg till exempel.”

”Till exempel”, sa Astor Nilsson.

”Hans Andersson, då?” frågade Barbarotti efter en ny kort paus. ”Jag antar att ni diskuterat möjligheten att han heter så?”

”Mannen på bilden eller mördaren?” sa Backman och log hastigt.

”Det är just det”, sa Astor Nilsson.

”Nu sa du det igen”, sa Backman.

”Det är jag medveten om”, sa Astor Nilsson. ”Men det är just det. Om det finns nånting som irriterar mig mer än allt annat i den här historien, så är det den här förbannade Hans Andersson. Om det funnes någon som helst logik i soppan, så borde han också vara död. Vem han nu är. Och om det är så att...”

Han kom av sig.

”Du menar att du önskar dig ett lik till?” sa Eva Backman och bjöd runt ur en ask Läkerol. ”Tycker du inte vi har tillräckligt många som det är?”

”Nej”, sa Astor Nilsson och kastade in fyra pastiller i munnen. ”Du avbröt mig. Det jag skulle säga var att om... *om* Sjätte mannen till exempel visar sig heta Hans Andersson, så är han antagligen inte identisk med mördaren. I så fall har vi alltså inte gärningsmannen på bild, den här sjätte killen är bara någon stackars Hasse som fanns med i... ja, i periferin, och eftersom han bara finns i periferin och dessutom inte kan identifiera mördaren, så klarade han sig."

Barbarotti och Backman begrundade detta en stund.

"I så fall", sa Backman. "I så fall vore det jävligt intressant att komma i kontakt med honom."

"Utan tvivel", sa Astor Nilsson. "Men jag tror inte killen på bilden heter Hans Andersson."

"Varför då?" sa Eva Backman.

"Vet inte riktigt", sa Astor Nilsson. "Om vi spelade Cluedo, eller vad fan det heter, skulle han säkert heta Hans Andersson, men såvitt jag känner till spelar vi inte Cluedo."

"Där är vi överens", sa Gunnar Barbarotti. "Jag har också kommit fram till att vi inte spelar Cluedo."

I höjd med Götene började det regna. Samtidigt ringde inspektör Backmans mobil. Hon svarade, sa "ja" fem gånger, "nej" två gånger, sedan stängde hon av.

"Från Örebropolisen", meddelade hon. "Dom kommer att vara på plats klockan elva. En inspektör som heter Ström och två tekniker."

"Bra", sa Astor Nilsson. "Då behöver vi bara en död kropp för att det ska gå som planerat."

"Hur pass väl kartlagd är den här Gunnar Öhrnberg?" frågade Barbarotti. "Han har varit osynlig en tid, alltså?"

"Tio dagar", bekräftade Backman. "Fast man upptäckte det inte förrän i måndags när det var terminsstart för lärarna. Ja, det var väl ingen som trodde att han var försvunnen då heller, men när vi ringde och dom började kolla, visade det sig att ingen sett till honom sedan i tisdags i förra veckan... ja, det blir tio dagar idag, faktiskt."

"Och han är ensamstående?"

”Lite svårt att vara försvunnen en vecka utan att bli avslöjad, om man är gift”, sa Astor Nilsson och log skevt i backspegeln.

”Jo, antagligen”, medgav Barbarotti. ”Vilka har ni talat med?”

”Egentligen bara med en enda person”, sa Backman. ”Men hon verkar rätt kompetent. Studierektor på skolan, hon gjorde en liten utredning på egen hand när hon förstod läget, jag tror vi kan ta hennes ord för gott.”

”Och inga andra kopplingar mellan Öhrnberg och de andra offren? Mer än Bretagne, alltså?”

”Nej”, fortsatte Backman. ”Men han var ju tillsammans med Anna Eriksson. De höll ihop en stor del av 2002, om vi får tro på våra vittnen. Inget vidare förhållande, tydligen, det har flera sagt. Gunnar kunde vara ganska dominerande, de bodde aldrig ihop och ingen var särskilt förvånad när det tog slut. Fast man ska komma ihåg att det är Annas bekanta som står för alla uppgifter.”

”Han jobbade på en skola i Borås på den tiden, var det inte så?”

”Jo. Fast bara i tre terminer. Och vi har inte hittat någon kollega som minns Anna Eriksson.”

”Han kanske inte tog med henne på lärarfesterna?”

”Nej, han gjorde väl inte det.”

De passerade Hova och regnet upphörde.

”Jag har en dröm”, sa Astor Nilsson.

”Har du?” sa Eva Backman. ”Jag trodde du slutat sova?”

”Det är en dagdröm”, förklarade Astor Nilsson tålmodigt. ”Hursomhelst går den ut på att han är i livet, den här magister Öhrnberg, och att vi kan sätta oss och snacka med honom i fyra timmar i eftermiddag och reda ut allting.”

”Jag är med på den linjen”, sa Barbarotti. ”Vad är klockan?

Jag glömde ta av mig min när jag simmade i morse och den stannade."

"Tjugo över nio", sa Astor Nilsson. "Vi kommer att vara en halvtimme tidiga i Hallsberg. Vad säger ni, ska vi stanna och ta en fika och se efter vad som står i Expressen idag?"

"För min del nöjer jag mig med fikat", sa Gunnar Barbarotti.

"GPS:n är trasig", konstaterade Astor Nilsson när de svängt av E 20 och närmade sig den forna järnvägsmetropolen. "Men om jag minns rätt finns det bara en gata."

Det visade sig vara en sanning med en smula modifikation. Visserligen löpte Storgatan genom hela samhället utmed järnvägsspåren, men det fanns en och annan parallellgata och en och annan övergång också. Astor Nilsson stannade utanför Stigs bokhandel, steg in i butiken och fick genast hjälp på traven av en entusiastisk, mustaschprydd herre i sextioårsåldern. Klockan fem minuter över elva parkerade man utanför ett mindre hyreshus på Tulpangatan 4. En lång man med rakat huvud skyndade dem genast till mötes.

"Ström. Har resan gått bra?"

De tog i hand och presenterade sig. Astor Nilsson försäkrade att resan gått som en dans. Inspektör Ström tecknade med hela handen mot två yngre män som just klev ur en blå Volvo. "Jag tog med mig två tekniker, som vi sa. Om det skulle vara nåt. Jönsson och Fjärnemyr."

De hälsade på Jönsson och Fjärnemyr också. Jönsson saknade ett halvt pekfinger på höger hand, noterade Barbarotti, men det gick säkert utmärkt att arbeta som brottsplatstekniker ändå.

"Vaktmästaren har redan varit och låst upp", förklarade Fjärnemyr. "Det är bara att kliva på."

Ström tog täten uppför trapporna. Det var en trevåningsfastighet av typiskt sextiotalssnitt. Men prydlig och antagligen rätt så nyrenoverad. Två lägenheter på varje våningsplan, Öhrnbergs låg högst upp. Inspektör Ström stannade utanför dörren och inväntade de övriga.

”Ursäkta”, sa Eva Backman. ”Jag tror jag vill gå in först. Det är dumt om vi klampar in allihop.”

Barbarotti såg att Ström ryckte till. Aha? tänkte han. En man av den gamla skolan. Han kunde knappast vara mer än fyrtio, men uppenbarligen störde det honom att det var den enda kvinnan i halvdussinet som tog befälet.

”Föralldel”, sa han och höll upp dörren.

Eva Backman tog ett stort steg över drivan av post och tidningar som låg på hallgolvet. Öppnade andra dörrar till höger och vänster och rakt fram och gick runt i lägenheten under en dryg minut. Kom tillbaka till de andra.

”Nix”, sa hon. ”No body, no nothing. Att det luktar lite illa beror på soppåsen i köket. Han har inte varit hemma på mer än en vecka och det är rötmånad.”

”Vad vill ni göra?” frågade inspektör Ström och vandrade med blicken mellan Astor Nilsson och Barbarotti. Ett slags demonstration uppenbarligen, medveten eller omedveten.

”Kan vi lägga upp det så här?” sa Astor Nilsson. ”Ni lämnar oss i fred här ett par timmar, så får vi se vad vi hittar. Det är onödigt att vi springer i vägen för varandra. Om du är här med vaktmästaren...” Han såg först på klockan, sedan på Ström. ”... ska vi säga halv två? Så kan vi redovisa vad vi tar med oss och slå igen lägenheten. Okej?”

Inspektör Ström nickade. Teknikerna Jönsson och Fjärnemyr nickade.

”Då så”, sa Barbarotti. ”Hej med er så länge.”

Gunnar Öhrnberg hade varit – alternativt *var* – en tämligen ordningsam man, det var en av de slutsatser de kunde dra efter att ha gått igenom hans lägenhet under halvannan timme. Alla tre rummen var städade och prydliga. Han hade välfyllda bokhyllor, företrädesvis med litteratur från sina ämnesområden, historia och samhällskunskap, men även en hel del skönlitteratur. Skrivbordet i arbetsrummet var närmast minutiöst välorganiserat med dator och modern multiskrivare. Hyllor med pärmar och tidskriftshållare, allt noggrant etiketterat. Fast man skulle förstås hålla i minnet, tänkte Barbarotti, att skolterminen ännu ej startat.

Kanske skulle den heller aldrig mer starta för Gunnar Öhrnberg, men det var för tidigt att uttala sig med säkerhet i den frågan. Alldeles för tidigt. Han kunde ju ha stuckit iväg på en restresa i sista minuten och glömt bort att han skulle börja arbeta. Eller gått vilse på en fjällvandring. Eller... ja, vad? frågade sig Barbarotti när han stängde dörren till det fullpackade linneskåpet. Blivit kidnappad? Fått en stroke under svampplockning ute i skogen och tappat minnet?

På en ekskänk i vardagsrummet stod en rad inramade fotografier. Sex okända människor, två av dem var äldre – gissningsvis föräldrarna – två av dem var barn. En pojke och en flicka, båda mörka. Ett bröllopspar dessutom; mannen påminde en smula om Gunnar Öhrnberg, så Barbarotti gissade att det rörde sig om en broder och att de bägge barnen var brorson och brorsdotter. Bakom en dörr i samma ekskänk stod inte mindre än tio flaskor whisky, samtliga Single Malt, sju av dem öppnade. En smula connaisseur, av allt att döma. En humidor med sex cigarrer också.

Men ingenstans några fotoalbum. Och ingenstans några uppenbara hål i bokhyllorna där de kunde ha stått.

”Verkar inte som om han fotade, han heller”, sa Eva Backman. ”Ingen kamera någonstans.”

”Vi plockar med datorn”, sa Astor Nilsson. ”Kan finnas där. Kan finnas allt möjligt annat också.”

”Handskriven adressbok i alla fall”, sa Barbarotti. ”Anna Eriksson finns med, ingen av de övriga.”

”Någon Hans Andersson?” frågade Astor Nilsson.

Barbarotti skakade på huvudet. ”Tyvärr inte. Men vi tar med den ändå.”

”Självfallet”, sa Astor Nilsson och drog upp persiennerna i balkongdörren.

Både teven och musikanläggningen var Bang Olufsen, CD-skivorna som stod i moderna skyskrapeställningar uppgick till några hundra; mycket jazz men också rätt mycket skit, konstaterade Astor Nilsson, och DVD-rullarna som också återfanns i den innehållsrika ekskänken var inte mer än trettio till antalet. Ungefär hälften av dem pornografiska.

”Är man ungkarl så är man”, sa Astor Nilsson.

”Egen erfarenhet?” undrade Eva Backman.

”Tyvärr inte”, sa Astor Nilsson. ”Önskar att jag kunde bli lite upphetsad av sån där skit, men det funkar inte.”

”Ursäkta”, sa Backman. ”Jag menade inte att snoka i ditt privatliv.”

”Gör inget”, sa Astor Nilsson. ”Hela jag är en öppen bok. Hursomhelst tycks han ha varit en välorganiserad jävel, den här magistern. Han borde ha kastat soporna, men han kanske inte hajade att han skulle bli mördad.”

”Man kan inte hålla koll på allt”, sa Barbarotti. ”Men han blev i varje fall inte mördad här hemma. Den slutsatsen tror jag vi vågar dra.”

”Vore bra om vi visste *att* han blivit mördad, innan vi talar om var han *inte* blivit mördad”, sa Eva Backman.

”Det där var komplicerat”, sa Astor Nilsson. ”Men tycker ni inte vi ska lägga av nu? Vi ska ju hinna med att snacka med lite folk också.”

”Källarförrådet?” sa Barbarotti. ”Ska vi gå ner och ta en titt? Vi har ju nyckeln, trots allt.”

Backman nickade. ”Gör det du. Vi börjar lasta ut det vi vill ha under tiden. Vi väntar på Ström och kompani därnere. Skulle vara bra om vi hann käka lunch också, tycker ni inte det?”

”Absolut nödvändigt”, sa Astor Nilsson. ”När jag är hungrig är jag Sveriges sämsta polis. Jag hör inte vad folk säger, helt enkelt.”

”Va?” sa Barbarotti och Backman log.

28

”Gav ingenting, antar jag?” frågade Astor Nilsson. ”Förrådet, menar jag.”

Barbarotti skakade på huvudet. ”En massa dykarutrustning. Och skidor. Och långfärdsskridskor. Vandringskängor och ryggsäckar, han sportade en del också, tydligen, satt inte bara och drack whisky och rökte cigarr.”

”Jag tycker inte om att du talar om honom i förfluten tid”, sa Eva Backman. ”Jag vet att det låter fånigt, men jag gillar det inte.”

”Du gör likadant”, sa Barbarotti.

”Jag vet”, sa Eva Backman. ”Jag gillar inte det heller.”

”Där är en kinarestaurang”, sa Astor Nilsson. ”Duger det åt herrskapet?”

”Det duger”, sa Barbarotti. ”Om inte annat så brukar det gå fort.”

Det gjorde det. Gunnar Barbarotti hann till och med slinka in i en uraffär och köpa sig en ny armbandsklocka. Den kostade bara 249 kronor men expediten lovade på brutal närkingska att den var tillverkad för evigheten.

”Dä där ä inga skitklocka bara för att ho ä billi. Du kommer å kunna ha na på din begravning.”

Barbarotti betalade och tackade. Det fanns en polisstation på Västra Storgatan i Hallsberg, men han hade gjort upp om att träffa Tomas Wallin inne på järnvägscaféet. Det var i och för sig glädjande att man höll sig med en polismyndighet på en liten ort som den här, tänkte han, men ett café var ändå ett café. Ett förhörsrum brukade sällan vara mer än ett förhörsrum.

Tomas Wallin såg solbränd och välmående ut, men han inledde genom att förklara att han var fruktansvärt orolig.

”Det måste ha hänt honom någonting. Gunnar skulle aldrig hålla sig borta på det här viset.”

Barbarotti betraktade honom hastigt. En ganska kortväxt, kraftig man, någonstans mellan trettiofem och fyrtio. Rödblont, centimetersnaggat hår, ärliga blå ögon.

”Jag tänkte spela in det här”, sa Barbarotti och satte på bandspelaren. ”Så vi inte missar någonting viktigt.”

”Ojdå”, sa Tomas Wallin och drack en klunk av sitt vatten.

”Du heter alltså Tomas Wallin och är god vän med Gunnar Öhrnberg. Kan du uppge din fullständiga adress och ditt telefonnummer.”

Wallin gjorde så.

”Örebro, alltså?”

”Ja.”

”Allright. Kan du berätta hur länge du känt Gunnar Öhrnberg?”

”Sjutton-arton år. Vi träffades när vi gjorde lumpen i Arvidsjaur.”

”Fjälljägare?”

”Ja.”

”Och sedan dess har ni hållit kontakten?”

”Till och från. Mest under de här senaste åren faktiskt, sedan Gunnar flyttade hit till Hallsberg.”

”Du har bott i Örebro hela tiden?”

Wallin skakade på huvudet. ”Tio år ungefär. Född och

uppväxt i Gävle, sedan har jag bott i Umeå en period."
"Vad jobbar du med?"
"Jag är tandläkare."
Barbarotti svalde sin förvåning. Skulle han ha gissat hade det antagligen blivit gymföreståndare eller någonting i den stilen. Han hade lite svårt att förknippa Tomas Wallins kompakta gestalt med en tandläkares flinka fingerfärdighet.
"Men numera träffas ni en del, alltså?" sa han.
"Ja", sa Wallin. "Vi har gemensamma fritidsintressen också."
"Vilka då?" frågade Barbarotti.
"Dykningen är väl det främsta. Vi är instruktörer båda två. Brukar jobba en vecka eller två på ett dykcenter nere vid Kungshamn. Vi har gjort några resor också, förstås. Röda havet, Filippinerna och så. Och så brukar vi gå i fjällen."
"Varje år?"
"De tre senaste i varje fall."
Gunnar Barbarotti tänkte efter. "2002", sa han. "Kommer du ihåg hur det var 2002?"
"Om vi gick i fjällen då?"
"Ja."
Tomas Wallin funderade i några sekunder. Sedan skakade han på huvudet. "Nej, inte då. Vi gick ett par gånger i början av 90-talet... och så de här senaste somrarna, alltså."
"Men inte i år?"
"Vi räknar med fyra dagar i september."
Optimist, tänkte Barbarotti. "Och dykjobbet?"
"Hur ofta?"
"Ja tack. Och gärna vilka år, om du kan erinra dig det."
Wallin funderade en stund igen. "Ja, vi var ju där nu i juli, förstås. Och förra året och förrförra..."
"2002?"

”2002 var vi också där. Jag tror bara vi missat ett år på 2000-talet, det var 2001.”

”Vilken tid på sommaren brukar ni vara där?”

”Alltid sista veckan i juli”, svarade Wallin omedelbart. ”Ibland första i augusti också.”

Barbarotti kände en plötslig liten darrning. ”Jag förstår”, sa han. ”Vi ska prata om hur det varit den här sommaren strax, men jag skulle vilja att vi kunde koncentrera oss en smula på sommaren 2002 först. Tror du att du kan minnas hur det var då?”

Tomas Wallin ryckte på axlarna. ”Om du menar dykveckan så vet jag inte. Skulle det ha varit någonting särskilt med 2002, alltså?”

”Det är det jag vill fråga dig om”, sa Barbarotti. ”Gunnar hade ett förhållande med en kvinna som hette Anna det året. Anna Eriksson. De var tillsammans i Frankrike på sommaren, det måste ha varit alldeles innan han träffade dig på det här dykcentret.”

Tomas Wallin rynkade pannan. ”Någon Anna minns jag inte. Men det stämmer att han hade varit i Frankrike. I Bretagne, tror jag, han hade med sig en flaska calvados och jag påpekade för honom att man inte tillverkar calvados i Bretagne, utan i Normandie... nåja, hursomhelst drack vi ett par glas efter ett nattdyk, det kommer jag ihåg.”

”Utmärkt”, sa Barbarotti. ”Pratade ni någonting om vad han haft för sig i Bretagne?”

Wallin slog ut med händerna.

”Antagligen. Men jag minns ingenting speciellt.”

”Vilka han hade träffat och så där?”

”Nej.”

”Får jag be att du tar tid på dig och funderar över det här. Det kan vara viktigt.”

Tomas Wallin drack lite mer vatten. Satt tyst en stund och såg ut genom fönstret. ”Varför kan det vara viktigt?” frågade han.

”Jag kan tyvärr inte berätta det för dig för tillfället”, sa Barbarotti.

”Det är inte så att det har att göra med...?”

”Med vad då?”

”Med de här morden nere hos er. Dödens Gunnar och allt det där... ja, man lägger ju ihop ett och ett även om man inte är polis.”

Gunnar Barbarotti nickade. ”Jag förstår att du gör det”, sa han. ”Men du inser säkert också att jag inte kan prata med dig om allting?”

”Naturligtvis”, sa Tomas Wallin. ”Ursäkta, jag är så orolig för Gunnar, bara.”

Jag måste fråga honom om han är gift, tänkte Barbarotti plötsligt. Hoppas han inte missuppfattar det.

”Hur är det, har du familj?” sa han.

”Fru och två döttrar”, sa Tomas Wallin. ”Den minsta har just fyllt ett.”

Skönt, tänkte Gunnar Barbarotti. Sund manlig vänskap, bara.

Jag är precis lika fördomsfull som vanligt, tänkte han sedan. Och kanske avundsjuk för att jag inte har en vän som Tomas Wallin?

Han kontrollerade bandspelaren och koncentrerade sig igen. Räckte över sitt kort. ”Om du kommer på någonting angående 2002”, sa han. ”Du kan ringa direkt till mig i så fall. Minsta bagatell, bara det rör sig om Frankrike eller den här Anna.”

Wallin nickade och stoppade ner kortet i sin plånbok.

”Då så”, sa Barbarotti. ”Då går vi över till nutid, så att säga.

När såg du Gunnar Öhrnberg senast?"

"Två veckor sedan", svarade Wallin omedelbart. "Förrförra lördagen. Han var inne hos oss i stan och käkade lite. Låg över och åkte hem på söndagsmorgonen."

Gunnar Barbarotti tittade i sin almanacka. "Lördagen den fjärde augusti, alltså?"

"Stämmer", sa Tomas Wallin. "Vi kom tillbaka från Scorpius måndagen före, så vi bjöd in honom då."

"Vi?" sa Barbarotti. "Scorpius?"

"Emma och jag. Min fru, alltså. Ja, jag hade med familjen till Scorpius den här gången. Det är det här dykcentret, ligger på en liten holme mellan Kungshamn och Smögen. Min hustru tog Advanced."

Gunnar Barbarotti förmodade att det var någon sorts kvalificerat certifikat, men brydde sig inte om att fråga. "Okej", sa han istället. "Märkte du om det var någonting särskilt med Gunnar? Under dykveckan eller när han var hemma hos er på lördagen?"

"Ingenting. Han var precis som vanligt."

"Säkert?"

"Ja."

"Inte orolig för någonting?"

"Nej."

"Uppträdde inte nervöst?"

"Nej, nej."

"Och, om du tänker tillbaka, det kan inte vara så att han dolde någonting för dig? Om du känt honom så länge, borde du kunna upptäcka sånt."

Han var beredd på ytterligare ett bestämt nej, men istället tvekade Tomas Wallin en sekund och kliade sig lite nervöst över halsen. Det var små tecken, men Barbarotti förstod att någonting skulle komma.

”Nja”, sa han. ”Det har nog ingenting med det här att göra, men jag tror han träffade en ny kvinna.”

”En ny kvinna?” sa Barbarotti och kunde inte dölja sin besvikelse. ”Han hade inget förhållande sedan tidigare, då?”

Wallin skakade på huvudet och tog på sig en min som antagligen var avsedd att urskulda kamraten. ”Nej, det blev liksom aldrig på riktigt för Gunnar med kvinnor. Inbiten ungkarl och allt det där. Sedan han flyttade upp till Hallsberg har det nog inte funnits någon. Han har i varje fall inte sagt någonting.”

”Men nu sa han något?”

”Inte direkt”, sa Tomas Wallin. ”Men han åkte bort två kvällar under dykveckan och kom inte tillbaka förrän på morgonen. Vore liksom konstigt om det inte rörde sig om en kvinna.”

”Men du frågade honom inte?”

”Min fru gjorde det. Då, när han var hos oss. Han svarade undvikande och Emma påstår att han gjorde det för att han ville hålla det hemligt. Att det skulle röra sig om en gift kvinna… ja, hon är bra på att se sådant här, min fru.”

Ja, tänkte Barbarotti. Och hon är inte den enda kvinnan i världen som besitter den förmågan heller.

”Men du såg inte till Gunnar efter morgonen den femte, alltså?”

”Nej.”

”Pratade du i telefon med honom?”

”En gång”, sa Tomas Wallin. ”På måndagen.”

”Vad gällde det?”

”Ingenting, egentligen. Han ringde och tackade för senast… jo, förresten, han sa att han eventuellt skulle åka och fiska ett par dagar med en kollega.”

”Med en lärarkollega?”

”Jag uppfattade det så.”

”Sa han något namn?”

”Nej, jag är rätt säker på att han inte gjorde det.”

Gunnar Barbarotti kastade en blick ut genom fönstret och såg ett X 2000-tåg bromsa in på spår 1. De stannar fortfarande här i alla fall, tänkte han. Ett och annat åtminstone.

”När förstod du att Gunnar var försvunnen?” frågade han.

”I tisdags. De ringde från skolan och undrade om jag hade sett till honom.”

”Så man känner till på skolan att ni är goda vänner?”

Tomas Wallin ryckte på axlarna. ”Tydligen.”

”Och du har inga som helst idéer om vart han har tagit vägen?”

”Inga som helst. Det är helt obegripligt både för mig och min hustru.”

Barbarotti funderade en stund. ”Jag tror inte jag har mer för tillfället”, sa han. ”Får jag ringa dig om jag skulle behöva fråga om någonting mer?”

”Självfallet”, utbrast Tomas Wallin. ”Jag vill ju ingenting hellre än att...”

Han tycktes inte hitta någon bra fortsättning. Kanske för att det inte fanns någon, tänkte Barbarotti dystert och stängde av bandspelaren.

”Och du hör av dig till mig om du kommer på någonting?”

”Självfallet”, upprepade Wallin och började resa sig.

”Särskilt om den där sommaren... 2002.”

”Jag har förstått det”, sa Tomas Wallin och så skildes de åt.

De var tillbaka i bilen.

Eva Backman hade redogjort för sitt samtal med den ensamstående kvinna som bodde granne med Gunnar Öhrnberg på Tulpangatan. Många ensamstående nuförtiden, hade Backman konstaterat. Två i det här gänget till exempel, hade Astor Nilsson bidragit med.

Kvinnan hette Gunnel Pekkari. Hon var 35 år, frånskild och levde med sin 5-åriga dotter och en katt. Hon såg bra ut, hade inspektör Backman förklarat inledningsvis, i varje fall enligt dagens sätt att se: stora bröst, rådjursögon och nyfyllda läppar. Backman höll det inte för otroligt att hon haft ett kortare förhållande med Öhrnberg. Eller att hon varit i säng med honom ett par gånger åtminstone. När de nu ändå bodde vägg i vägg, det gällde att vara lite praktisk också.

Men inte på senare tid, tyvärr. Gunnel Pekkari hade inte kunnat bidra med någonting. Jo, en detalj, hon hade mött sin granne i trappan vid sjutiden på tisdagskvällen, den sjunde alltså, och hon kunde gå ed på att han varit levande vid tillfället. Men han hade haft bråttom och de hade bara hälsat, han på väg ut, hon in.

För övrigt tyckte hon att Gunnar Öhrnberg var snygg, bra hållning, kanske lite för stor näsa; om hans inre egenskaper hade hon inte haft någonting att säga.

”Utmärkt”, sa Astor Nilsson. ”Han var i livet på kvällen den sjunde i alla fall. Då vet vi det.”

Därefter hade han satt igång att berätta om sitt besök hos studierektor Manner-Lind på Alléskolan. Hon hade verkligen gjort sitt bästa för att få fatt i Gunnar Öhrnberg sedan i tisdags, då hon börjat ana ugglor i mossen. Att någon lärare missade första planeringsdagen hände väl allt som oftast, hade hon låtit förstå – men inte två, det brukade de inte våga, och särskilt inte lärare av Öhrnbergs kaliber.

Inte för att han inte vågade, utan för att han var den han var. Nästan aldrig sjuk och en klippa i alla väder. Omtyckt av elever, kolleger och föräldrar. Och av skolledningen. Behövdes det vikarie ställde han alltid upp. Övertimmar? No problem. Frivillig ledare på en skolresa? Öhrnberg anmälde sig genast.

Så studierektor Manner-Lind hade pratat med både den ene och den andre. Med Josefsson och Pärman, som hon kände till att Öhrnberg brukade umgås en smula med privat. Med Rosander, som skulle ha åkt och fiskat Vätternröding med Öhrnberg, men det hade blivit inställt eftersom Rosanders fru skulle in på operation för sin höft. Med Öhrnbergs bror i Östersund och med hans föräldrar i Kramfors.

Med vännen Wallin i Örebro också, jodå, men ingen visste besked och ingen enda hade kunnat komma med minsta ledtråd om vart den försvunne läraren tagit vägen.

Så till slut hade hon kontaktat polisen.

”Jag fick en olustig känsla när vi pratat klart”, sa Astor Nilsson.

”Jaså?” sa Barbarotti, som valt baksätet på hemvägen också. ”Vad då för känsla?”

”Jo”, sa Astor Nilsson. ”Om inte ens studierektor Manner-Lind lyckas snoka upp en, då är det nog rätt stor chans att man ligger död nånstans.”

”Jag tycker det mesta pekar på att...” började Barbarotti, men avbröt sig när Backmans mobil ringde.

Hon svarade. Sa ”ja” ett antal gånger, sedan tittade hon ut genom fönstret och sa ”Laxå, tror jag”, sedan svor hon till, nickade och hummade omväxlande ”ja” och ”nej” en stund. Avslutade med ett ”javisst, naturligtvis”, och klickade bort samtalet.

”Vad fan var det där?” sa Astor Nilsson.

”Det var Jonnerblad”, sa Backman. ”Du kan köra in på macken därframme. Vi får vända.”

”Varför då?” sa Barbarotti.

”Därför att dom har upptäckt ett manslik på en veteåker utanför Kumla. Det finns en del som talar för att det är Gunnar Öhrnberg.”

”Vad var det jag sa?” sa Astor Nilsson.

”En veteåker?” sa Barbarotti.

Backman nickade. ”Bonden hittade honom när han tröskade. Han lär vara lite tilltygad.”

29

Gunnar Öhrnberg *var* lite tilltygad.

Det var det minsta man kunde säga. Den aktuella veteåkern låg på en plats som tydligen hette Örsta. På en smal grusväg som ledde ut till en lite bredare asfaltväg stod en rad bilar, fyra polis-, fyra vanliga, liksom ett antal människor, en motorcykel och en ivrigt skällande hund. Trettio meter ut på fältet befann sig en stillastående, grön skördetröska och ytterligare en folkklunga. Solen hade just gått ner när Barbarotti, Backman och Astor Nilsson anlände, i väster syntes silhuetten av staden Kumla, med kyrkogården och kyrkan i förgrunden och en bebyggelse som klättrade uppför en rullstensås med en gulröd kvällshimmel i fonden. Barbarotti tittade automatiskt efter någonting som skulle kunna föreställa en fängelsemur, men blicken fastnade istället på ett gammalt, vackert rundat vattentorn.

”Man kan undra varför inte Ström ringde direkt till oss”, sa han när de klivit ur bilen. ”Verkar lite onödigt att gå omvägen över Jonnerblad.”

”Vet du”, sa Astor Nilsson. ”Jag får nästan intrycket att han inte gillar oss, den där inspektören.”

”Märkligt”, sa Eva Backman.

De eskorterades ut på åkern av en kommissarie Schwerin, och när de äntligen ställdes inför kvarlevorna av gymnasieläraren Gunnar Öhrnberg trodde Barbarotti under ett kritiskt ögonblick att han skulle kräkas. Men de två korvarna med mos som han inmundigat innan de lämnade Hallsberg vände halvvägs upp och stannade kvar i magen på honom.

Lantbrukaren hette Mattsson och hade inte riktigt fått stopp på sin stora skördetröska i tid. Därav tilltygningen. Förr i världen talade man om liemannen, tänkte Gunnar Barbarotti; kanske var det här sinnebilden för den moderna tiden. Döden som skördade med tröska.

"Ja, det ser lite smetigt ut", sa kommissarie Schwerin. "Men han har ett kulhål i huvudet också, han var stendöd när bonden mejade ner honom."

"Kulhål?" sa Astor Nilsson.

"Jajamän", sa inspektör Ström som anslutit sig. "Tvärs igenom skallen. Ingång vänster tinning, utgång höger."

Eva Backman tittade på klockan. "Hon är halv nio", konstaterade hon. "Hur dags var det som han... hittade honom?"

"Kvart i sex ungefär", sa Schwerin. "Han blev lite chockad. Hade mobilen med sig men lyckades inte hantera den. Det var frun som ringde tio över sex."

"Elva minuter över sex", sa Ström.

"Ström, kan du gå och se efter hur det går för Bengtsson och Linder", sa Schwerin.

Inspektör Ström nickade och lämnade dem. Gunnar Barbarotti försökte överblicka den makabra scenen. Ungefär hälften av åkern återstod fortfarande att skörda. Bonden hade arbetat sig utifrån och inåt, och tröskan stod strandad som ett gigantiskt urtidsdjur som plötsligt inte orkade röra sig längre. På en rektangel stor som en fotbollsplan stod säden alltjämt vajande i den milda kvällsbrisen. Midjehög och mogen. Polisen hade spärrat av ett litet område med blåvita plastband; runt tröskan och Öhrnbergs sargade kropp kravlade läkare, tekniker och fotografer omkring, och utanför banden fanns åtminstone trettio personer.

”Vilka är alla de här människorna?” frågade Gunnar Barbarotti.

Kommissarie Schwerin ryckte på axlarna. ”Det spred sig. Grannar och intresserade. Tidningarna är också här. Det händer inte så mycket sånt här i våra trakter.”

”Du har inte bett dom avlägsna sig?”

”Jodå. Men de flesta var redan här när vi kom. Och vi har ju allemansrätt och en fri press.”

Barbarotti betraktade kommissarien. En liten stillsam herre i sextioårsåldern. Tycktes ta det hela med en sorts upphöjt lugn, kanske var det rätt melodi när allt kom omkring. Han kände sig inte särskilt hågad att sätta igång och fösa hem alla dessa människor. Säkert hade de redan hunnit trampa ner alla eventuella spår i den bördiga Närkeleran.

”Har ni hittat någon kula?” frågade Astor Nilsson.

”Nej, men vi letar. Fast jag tror inte vi kommer att hitta någon.”

”Varför då?”

Schwerin log ett milt leende. ”Därför att han antagligen sköts någon annanstans. Svårt att tänka sig att gärningsmannen tar med sig offret, promenerar ut på en veteåker och verkställer dådet där. Lättare att tänka sig att man skjuter honom först och sedan släpar ut kroppen.”

Barbarotti funderade. Han har rätt, tänkte han. Naturligtvis hade det gått till så. ”Och ni är säkra på att det är Öhrnberg?” frågade han. För egen del var han långtifrån säker. Huvudet var så illa tilltygat att det i stort sett skulle ha kunnat tillhöra vem som helst.

”Rätt så säkra”, sa Schwerin. ”Han hade plånbok och legitimation på sig.”

Barbarotti nickade.

”Går det att säga någonting om hur länge han legat här?” frågade Astor Nilsson.

”Läkaren gissar på minst en vecka”, sa Schwerin. ”Ja, det lär ju hamna på ert bord, det här. Kanske bäst att skicka kroppen till Göteborg?”

”Ja, gör det”, sa Astor Nilsson. ”Men se till att samla ihop den ordentligt först.”

Backmans mobil ringde. Hon gick lite avsides. Kom tillbaka efter en minut. ”Jonnerblad”, förklarade hon. ”Ja, han vill att vi skickar honom till Göteborg. Vill att vi stannar kvar här under morgondagen också...”

Hon nickade mot kommissarien. ”Så vi får en första samlad bild med oss ner, så att säga.”

En samlad bild och en samlad kropp, tänkte Barbarotti. Schwerin log milt igen. ”Hade tänkt spela golf imorgon”, sa han. ”Men det får väl anstå. Jag tycker egentligen inte om golf, det är mest frun faktiskt... ja, det måste väl till ett och annat förhör och sådant, förstår jag?”

”Ett och annat”, bekräftade Astor Nilsson. ”Hur är det med den där bonden, är han talbar?”

”Ni kan alltid försöka”, sa Schwerin och pekade. ”Han står där borta. Körde över ett rådjur förra året, men det här var visst värre.”

”Smart”, sa Eva Backman. ”Att lägga honom i veteåkern.”

”Vad menar du med det?” sa Barbarotti.

De hade ställt sig ett stycke vid sidan av medan augustihimlen blånade mot svart och Astor Nilsson pratade med lantbrukare Mattsson. Barbarotti tuggade på ett vetekorn.

”Jo, om han vill gömma undan honom men ändå vara säker på att vi hittar honom så småningom. Vem kliver ut i ett sädesfält? Han ligger garanterat dold tills det är dags att skörda."

Barbarotti pillade loss ett nytt korn från axet och stoppade det i munnen. "Det har du rätt i. Fast det borde bli ett spår där man går ut på fältet?"

"Inte mycket", sa Backman. "Är man lite försiktig tror jag det mesta rätar upp sig också. Som efter ett regn. Ja, jag kan inte låta bli att tycka att det är lite smart."

"Jovisst", sa Barbarotti. "Vi har väl en del som talar för att det är just det han är, den här snubben vi har att göra med? Lite smart."

Eva Backman nickade och blickade ut över det mörknande fältet. "Fem människor, kan du fatta det? Han har tagit livet av fem människor under en sommar och vi har inte gjort ett skit för att stoppa honom. Han skriver brev till oss och tipsar både oss och tidningarna. Vad har vi betalt för egentligen?"

"Jag vet", sa Barbarotti. "Men vi kommer att ta honom. Och de där tipsen ger jag inte mycket för."

"Jaså?" sa Eva Backman och snöt sig. "Fy fan, jag tror jag är allergisk också. Tål inte att trava omkring på nyskördade åkrar."

"Det är ingen ände på plågorna", sa Barbarotti. "Hursomhelst måste ju Öhrnberg ha varit död långt innan jag fick brevet om Dödens Gunnar. Tipsen kommer inte ens i rätt ordning. Malmgrenarna tog färjan i söndags, han sköt Öhrnberg flera dagar innan dess, eller hur?"

Eva Backman tänkte efter. "Stämmer", sa hon. "Jag har ett tidsschema för alltihop på mitt rum. Vi får kolla det när vi kommer hem."

Barbarottis mobil ringde.

Det var en journalist från Aftonbladet. En ung kvinna,

hon hade hört att man hittat ett nytt lik på en rågåker utanför Karlskoga.

”Vete”, sa Barbarotti. ”Och Kumla. Men något lik vet jag ingenting om.”

Han klickade bort samtalet. Måste byta mobilnummer endera dagen, påminde han sig.

Kommissarie Schwerin hade föreslagit Stora Hotellet i Örebro och de hade följt rekommendationen. De köpte var sin öl i receptionen och slog sig ner vid ett bord i matsalen som vette ut mot Svartån och slottet. Serveringen hade upphört och de var ensamma i den stora, halvt nedsläckta lokalen.

”Det där är Sveriges näst vackraste slott”, sa Astor Nilsson och tecknade ut genom fönstret.

Barbarotti och Backman betraktade den gamla stenborgen och smuttade på ölen.

”Vilket är det vackraste?” frågade Barbarotti.

”Kalmar”, sa Astor Nilsson.

”Du tycks ha sett dig omkring en del”, sa Backman.

”Det har jag ju förklarat”, sa Astor Nilsson. ”Min chef skulle skicka mig till Paris bara för att slippa se mig. Nå, ska vi summera den här skiten, då?”

”Vi kan alltid försöka”, sa Barbarotti. ”Ska jag?”

”Varsågod”, sa Eva Backman.

”Tack. Gunnar Öhrnberg blev alltså skjuten genom huvudet med grovkalibrigt vapen. Ungefär en Pinchmann eller en Berenger. Sannolikt cirka onsdag i förra veckan. Sannolikt någonstans i Närke. Ja, då har jag väl summerat klart, tror jag.”

”Inte riktigt”, sa Astor Nilsson. ”Instuvad i något slags fordon också, förslagsvis skuffen på en bil. Ivägkörd till en veteåker på den fagra men gudsförgätna platsen Örsta utanför den forna skostaden Kumla. Utsläpad på sagda åker för att i sinom tid skördas av lantbrukaren Henrik Mattson. Smart att lägga honom på ett sädesfält, faktiskt.”

”Smart?” sa Barbarotti.

”Vi har redan diskuterat det”, sa Eva Backman.

”Då så”, sa Astor Nilsson. ”Vet ni hur det blir med tidningarna imorgon från det ena till det andra?”

”Jag pratade med Schwerin”, sa Barbarotti. ”Det kommer att stå en helvetes massa, framförallt i Nerikes Allehanda. Vi ber om hjälp där också. Mystiska bilar i Örstatrakten och så vidare. Liksom i trakten av Tulpangatan i Hallsberg. Ja, telefonerna kommer att gå varma hos kollegerna, de har ett par speciella tipsnummer, tror jag. Vi får väl se vad det ger.”

”Bra”, sa Eva Backman. ”Varenda människa i det här landet måste ju ha läst om det här fallet. Vore på tiden att någon hade sett något också.”

”From förhoppning”, sa Astor Nilsson. ”Fast om man skjuter någon i en skog klockan tre på natten, och dumpar honom på en åker en timme senare, så är det inte säkert att det finns så många vittnen.”

”Jävla pessimist”, sa Eva Backman. ”Nu dricker vi ur och går och lägger oss, tycker jag.”

Gunnar Barbarotti såg på sin klocka. Den hade stannat.

När han kom ut ur duschen på lördagsmorgonen ringde Marianne.

”Var är du?” inledde hon, precis som man inledde vart och vartannat samtal nuförtiden. I den globala eran strax före Harmageddon, hade han läst i någon bakåtsträvande tidningskrönika för inte så länge sedan. När människorna förlorat sina rötter och förvandlats till en svärm gräshoppor som irrade planlöst över jorden.

”Örebro”, tillkännagav han. ”Står och tittar ut över Sveriges näst vackraste slott.”

”Jag vet”, sa hon. ”Jag har sett det. Men Kalmar är faktiskt vackrare.”

Någon sorts allmänt vedertagen sanning, således? tänkte Barbarotti förvånat. ”Jo, det tycker jag också”, sa han.

”Vad gör du där?”

”Du har inte läst tidningen?”

”Nej.”

”Bra. Gör inte det. Jag älskar dig.”

På något egendomligt vis hade han lyckats förtränga att det var lördag. *Den* lördagen. Jag är visst inte riktigt klok, tänkte Barbarotti. Hur har jag kunnat glömma det? Jag har fått en guldfiskhjärna istället för en människohjärna.

Men han mindes läget när han blev påmind om det. Alltid något.

”Vill du gifta dig med mig?” sa han.

Hon skrattade. Han höll på att dela ut en poäng till Vår Herre av pur glädje. För det fanns någonting i hennes skratt som sa att... ja, vad då, närmare bestämt?

Jo, att det skulle fixa sig till slut. Det hördes, helt enkelt. Det skulle bli han och Marianne, come rain, come sleet or snow, eller hur fan det hette? Plötsligt var det som om all tvekan var bortblåst över världens kant, och han kunde inte begripa varför han någonsin tvivlat.

Och denna glasklara insikt på bara en sekund. Medan hennes korta skratt fortfarande smekte ur luren.

”Vill träffa dig i alla fall”, sa hon. ”Tänkte föreslå nästa helg. Hur har du det då?”

”Jag är ledig”, sa Gunnar Barbarotti. ”För dig är jag alltid ledig.”

”Och brevmördaren?”

”Jag kommer att ha löst fallet till nästa helg”, lovade Barbarotti. ”Vill du att jag kommer ner till dig?”

”Nej”, sa hon, ”jag tänkte faktiskt komma och hälsa på dig. Om det går bra. Barnen ska vara hos sin pappa i Göteborg, så jag kan lämna och hämta dom på vägen.”

”You have a deal”, sa Barbarotti. ”Du ska få hummer, jag har ett bra recept. Fredag kväll, alltså?”

”Fredag kväll. Gunnar?”

”Ja?”

”Jag tror jag älskar dig också. Jag glömde visst säga det.”

När han kom ner till frukostbuffén log han fortfarande.

”Är du full eller har du löst fallet?” undrade Eva Backman.

”Ingetdera, tyvärr”, sa Barbarotti.

”Han har väl varit ute och simmat igen”, föreslog Astor Nilsson och nickade ut mot Svartån. För egen del såg han ut som om han försökt para sig med en motvillig björnhona hela natten. ”Satan, jag har inte fått en blund i ögonen, den här utredningen tar knäcken på mig.”

”Nu tar vi tre koppar svart kaffe och biter ihop”, sa Eva Backman. ”Här kommer Schwerin, förresten.”

Kommissarien såg lika milt avspänd ut som under gårdagen ute på åkern. ”Tänkte passa på och diskutera läget med er innan vi åker till polishuset”, förklarade han. ”I lite lugn och ro, så att säga. Tycker ni inte vi har ett vackert slott?”

”Sveriges näst bästa”, sa Barbarotti. ”Jo, det passar väl bra att vi byter några ord.”

”Har ni sett Nerikes Allehanda?” frågade Schwerin och räckte över en tidning.

Barbarotti tittade på förstasidan. DÖDENS SKÖRD, stod det i tre centimeter höga bokstäver över en bild av den strandade, blixtbelysta skördetröskan och en grupp mörka gestalter i bakgrunden. Det såg olycksbådande suggestivt ut, mera som en filmaffisch egentligen, tänkte Barbarotti.

"Ja jäklar", sa Eva Backman. "Är han namngiven och allt?"

"Nej", sa Schwerin. "Men hans föräldrar kommer och identifierar honom nu på morgonen. De bor i Kramfors. Vi tog honom till USÖ, sedan skickar vi honom till Rättsmedicinska i Göteborg som vi sa."

"USÖ?" sa Backman.

"Universitetssjukhuset Örebro", sa Schwerin.

"Då så", sa Astor Nilsson. "Nu sätter vi oss och äter frukost."

De slog sig ner vid samma bord som de druckit kvällsöl vid. Det bläddrades under tystnad en stund i två exemplar av Nerikes Allehanda, där det makabra fyndet på åkern utanför Kumla skildrades vältaligt – liksom kopplingen till de tidigare kända morden i Västsverige. Efter ett par minuter harklade sig kommissarie Schwerin försiktigt.

"Hur är det, är ni någon på spåret eller i vilket skede befinner sig utredningen egentligen?"

Astor Nilsson slutade tugga och såg för en sekund vindögd ut.

"Det går sakta framåt", sa Eva Backman.

"Jag frågar med tanke på presskonferensen", klargjorde Schwerin. "Den är klockan tre. Det lär komma rätt mycket folk, skulle vara bra om ni sitter med då."

"Självfallet", sa Barbarotti. "Inspektör Backman och jag tar hand om det medan kommissarie Nilsson här sover middag."

Astor Nilsson log och fortsatte att tugga.

"Hur lägger vi upp dagen i övrigt?" frågade Backman.

Schwerin tog fram en svart anteckningsbok. ”Fyra man tar hand om grannarna i Hallsberg”, förklarade han. ”De är nog redan på plats, tanken är att vi ska ha en första preliminär rapport från dem i tid för konferensen. Vi har en samling klockan två. Då bör vi också ha pratat med bönderna runtomkring Örsta... kanske ni skulle...?”

”Absolut”, sa Astor Nilsson. ”Vi åker runt i gårdarna och hör efter.”

”Bra. Ja, sedan kommer vi antagligen att få in en del tips som vi måste värdera och bearbeta. Jag ska försöka bevaka det tillsammans med Ström, som ni redan träffat, och en annan inspektör. Ja, så hade jag tänkt, men ni kanske har andra synpunkter?”

”Det blir utmärkt”, sa Barbarotti.

”Lysande”, sa Astor Nilsson.

Backmans mobil ringde. Det var Jonnerblad som undrade om han och Tallin skulle komma upp till Örebro. Backman förklarade att det inte behövdes och lovade att hålla honom underrättad om händelseutvecklingen under dagen.

”Det är väl lika bra att vi tar ett prat med bonden också”, sa Barbarotti. ”Om han möjligen lade märke till att det var lite nedtrampat någonstans... om vi vet vilken väg mördaren tog sig ut på fältet, så är det ju faktiskt inte omöjligt att det går att hitta ett och annan fotavtryck. Öhrnberg måste väl ha vägt 75 kilo i alla fall?”

”Betyder att mördaren inte är en späd liten kvinna”, sa Astor Nilsson. ”Men det visste vi kanske redan?”

”Det var rätt mycket folk som trampade omkring därute igår kväll”, sa Backman. ”Men naturligtvis, vi får inte försumma möjligheten.”

”Kan vi få med oss en tekniker till Örsta?” frågade Barbarotti.

”Absolut”, sa Schwerin. ”Någonting annat?”

”Vi får se vad som dyker upp under arbetets gång”, sa Astor Nilsson. ”Men genomgång på polishuset klockan två, alltså?”

”Klockan två”, bekräftade Schwerin.

”Det råkar inte ligga någon uraffär i närheten av hotellet?” frågade Gunnar Barbarotti. ”Jag skulle behöva köpa en klocka.”

”Snett över gatan”, sa Schwerin. ”Men de öppnar nog inte förrän tio.”

”Allright”, sa Barbarotti. ”Det kan vänta.”

30

Kommissarie Schwerin inledde samlingen genom att fråga om det var någon av de närvarande som läst den finske författaren Mika Waltaris bok *Sinuhe, egyptiern*.

Det var det inte. Schwerin berättade då att boken bland annat handlade om en egyptisk hjärnkirurg som levde mer än 1000 år före Kristus – och om hur man såg på saker och ting på den tiden. Till exempel skalloperationer; om alla korrekta åtgärder vidtagits och allt gått som det skulle, räknades operationen alltid som lyckad. Även om patienten dog. Kommissarien ville likna morgonens och förmiddagens polisinsatser vid detta; allt hade förlöpt enligt planerna och var och en hade gjort sitt bästa, men det hjälpte tyvärr inte: man hade inte sett skymten av någon mördare.

Intressant jämförelse, tänkte Gunnar Barbarotti och bytte en blick med Eva Backman, som såg ungefär till hälften road, till hälften oroad ut, tyckte han.

Fast det var förstås för tidigt att utvärdera och alla rapporter var i högsta grad preliminära, det var Schwerin noga med att understryka. Det hade talats med sammanlagt femtiotvå personer, en kortlek jämnt, trettio i Hallsberg – främst grannar och kolleger till Öhrnberg – sjutton i trakten av Örsta utanför Kumla, och en handfull bekanta i Örebro. Samtliga hade sagt sig vara chockade, i varierande grad. Ingen hade – åtminstone vid en första grovbedömning – haft något för utredningen väsentligt att bidra med. Den person som antagligen varit den sista som sett den mördade i livet, förutom gärningsmannen, var en kvinna som arbetade i en närbutik femtio meter från Öhrnbergs bostad på Tulpangatan. Han hade varit inne och handlat yoghurt, juice och bröd strax före klockan halv tio på tisdagskvällen.

Tisdagen den 7 augusti, reflekterade Barbarotti. En vecka innan han fick brevet. Tack för tipset, som sagt.

Till polisens speciellt upprättade telefonsluss hade hittills (klockan 13.50) inströmmat ett hundratal samtal. Dessa var av högst varierande art. Fyra av de uppringande hade kallats till förhör med anledning av de uppgifter de lämnat, bara ett av dessa förhör hade ännu genomförts och ansågs inte ha innehållit någonting av värde. Det fanns dock inspelat och skulle skrivas ut under eftermiddagen.

Barbarotti noterade att Astor Nilsson hade somnat. Han satt omedelbart till höger om honom själv, tillbakalutad med armarna i kors över bröstet och hakan vilande i halsgropen. Han hade skrudat sig i mörka glasögon också, så det var inte säkert att det märktes. Barbarotti hoppades att han skulle hålla huvudet på plats och inte börja snarka; rummet var fullt av unga, ambitiösa polismän och det skulle inte se bra ut med en sovande medlem av spaningsledningen.

När Schwerin släppte ordet fritt efter cirka en halvtimme, fanns det bara en enda fråga. Det var en spenslig aspirant som försynt frågade om liket blivit vederbörligen identifierat ännu.

”Ursäkta”, sa kommissarien. ”Jag glömde den detaljen. Jo, det är otvivelaktigt Gunnar Öhrnberg som är vår man.”

Då så, tänkte Gunnar Barbarotti och gav Astor Nilsson en armbåge i veka livet.

När det kom till kritan insåg man att det var bäst om presskonferensen sköttes av lite färre personer. Förslagsvis två. Förslagsvis kommissarie Schwerin och inspektör Backman.

Barbarotti stod tryckt intill väggen längst bak i det knökfulla rummet, och när han iakttog de två kollegerna framme vid det mikrofonbemängda bordet, förstod han att det varit ett riktigt val. Den lugne, förtroendeingivande kommissarien. Den skarpa, kvicktänkta Backman.

Äldre man, lite yngre kvinna, det var inget nytt recept.

Antalet journalister, vars chefer hade hörsammat kallelsen, låg runt femtio. De svettades. Tre videokameror surrade. Lokalen var antagligen avsedd att rymma runt trettio personer, och om det fanns ett ventilationssystem, så var det i alla händelser ur funktion. Temperaturen låg och pendlade någonstans runt trettiostrecket; allt var som skräddarsytt för att man skulle vilja lämna lokalen så fort som möjligt. Barbarotti undrade i sitt stilla sinne om den milde kommissarien var *så* infernaliskt rutinerad. Det skulle inte förvåna honom.

Frågorna var legio. Om Öhrnberg. Om de andra morden. Om spårläget.

”Är det en seriemördare vi har att göra med?” frågade en mörklagd man från TV4.

”Nej”, svarade Eva Backman. ”Vi tror att han har mördat färdigt nu. Det var de här fem människorna han var ute efter, tyvärr lyckades han i sitt uppsåt.”

”Hur vet ni att det inte blir fler?”

”Vi har en del indicier som pekar åt det hållet.”

”Vad är det för indicier?”

”Vi kan tyvärr inte gå in på det.”

”Att han själv påstått det i sina brev?”

”Bland annat.”

Och så vidare. Barbarotti såg sig om men kunde inte upptäcka sin gamle antagonist från Expressen någonstans, men han förstod att just *den frågan* förr eller senare skulle komma på tapeten. Det gjorde den också; efter ungefär en kvart reste sig en lång man och presenterade sig som Petersson från Agenda.

”Det var en incident om polisvåld mot en reporter i början av veckan. Hur vill ni kommentera det?”

”Inte alls”, sa Eva Backman. ”När den ordinarie konferensen är slut, kommer den aktuelle polismannen själv att besvara eventuella frågor i det ärendet.”

Hon hade övertalat honom till det. Det hade i och för sig inte varit särskilt svårt; han visste att det inte fungerade att sticka huvudet i sanden gentemot reportrar. Bara formuleringen ”vill inte kommentera” signalerade ju skuld och skam lång väg. Men han kände en lätt oro när han tog plats bakom mikrofonerna efter fyrtiofem svettiga minuter.

”Det var alltså du?” inledde en mörkhårig kvinna i femtioårsåldern.

”Som vad?” sa Gunnar Barbarotti.

”Som slog ner Persson på Expressen?”

”Nej”, sa Barbarotti. ”Jag slog inte ner honom.”

”Men du blev anmäld för det i alla fall”, konstaterade en kraftig herre på första bänk.

”Expressen drog tillbaka sin anmälan efter mindre än ett dygn”, påminde Barbarotti.

”Skulle du kunna berätta för oss vad det var som hände?” frågade en röst med finsk brytning från bakre delen av rummet.

”Gärna”, sa Barbarotti. ”Klockan var nio på kvällen. Jag befann mig i mitt hem. Skulle just sätta mig för att äta efter att ha arbetat i tolv timmar. Då kom reporter Persson och försökte tränga sig in hos mig.”

”Hur då?” frågade någon.

”Han ringde på dörren. Jag öppnade. Han ville komma in och ställa frågor. Jag sa att jag inte hade tid, han hade redan pratat med flera andra poliser under dagen. Jag hade haft en lång intervju med honom föregående dag.”

”Men du kastade ut honom handgripligen?”

”Nej. Han hindrade mig från att stänga dörren. Till slut blev jag trött på honom. Knuffade ut honom i trapphuset och låste dörren.”

”Men han ramlade ju nerför trappan?” återtog den första frågeställaren.

”Jag förstår inte hur han lyckades med det”, sa Barbarotti. ”Men för Expressen är kanske ingenting omöjligt?”

Ett par försiktiga skratt hördes i lokalen.

”Tycker du att du handlade riktigt?”

”Förmodligen inte”, sa Barbarotti. ”Men av två onda ting valde jag det minst onda. Det var naturligtvis inte meningen att han skulle göra sig illa.”

”Vilket var det andra onda tinget?”

Gunnar Barbarotti funderade ett ögonblick.

”Jag vet att de flesta av er är seriöst arbetande journalister”, sa han. ”Jag hoppas att er kåranda inte förbjuder er att se på det här med lite sunt förnuft. Arbetsmetoder som Göran Perssons bidrar inte till en bra press i det här landet.”

”Är Expressen representerade i det här rummet?” undrade någon.

”Jag”, svarade en ljus kvinna i trettioårsåldern.

”Har du någon kommentar till varför din tidning först polisanmälde och sedan drog tillbaka anmälan?”

”Nej”, sa kvinnan. ”Tyvärr inte. Jag hoppade in på det här idag. Jag tror Göran Persson har semester, faktiskt.”

”Schack matt”, mullrade en mörk mansröst. ”Nu tycker jag vi skiter i det här och går ut i friska luften.”

Förslaget antogs enhälligt, Gunnar Barbarotti tömde en halv flaska Loka och drog en lättnadens suck.

Klockan fem styrde de kosan sydvästerut igen. Astor Nilsson lade beslag på baksätet och somnade innan man passerat avfarten till Kumla. Eva Backman körde. Barbarotti hade plockat fram de sju fotografierna från Bretagne igen och satt och stirrade på dem. Eller på tre av dem åtminstone. Försökte kisa och få Sjätte mannen att framträda lite tydligare. Det fungerade dåligt. Den lilla suddighet som vidlådde hans ansikte på alla tre fotona ville inte ge med sig.

”Att folk inte kan lära sig ställa in skärpan ordentligt”, sa han.

”Hur tycker du det är med vår egen skärpa?” sa Eva Backman.

”Inget vidare”, erkände Barbarotti. ”Vad sa Jonnerblad om publiceringen?”

De hade varit i kontakt med Kymlinge ett halvdussin gånger under dagen. Berättat om sina egna samtal med olika lantbrukare i Kumlatrakten, om det bortkastade sökandet efter fotspår på Dödens åker (det var förstås logiskt att Dödens Gunnar fått sluta sina dagar på Dödens åker, det hade åtminstone Nerikes Allehandas rubriksättare förstått) och om det övriga spaningsarbetet runtom i Närke. De hade fått reda på åtminstone en ny detalj från Jonnerblad i gengäld: att det fanns ett okänt uppringande mobiltelefonnummer – samma nummer – registrerat både hos Anna Eriksson och Gunnar Öhrnberg. Kontantkort, ospårbart, det såg ut att bara ha använts vid dessa två tillfällen. Men datumen var intressanta. Till fröken Eriksson tisdagen den

31 juli. Klockan 10.36. Antagligen samma dag som hon dog. Till Öhrnberg nästan exakt en vecka senare: tisdagen den 7 augusti, klockan 13.25. Båda samtalen var cirka en minut i längd. Var det mördaren som ringde och bokade tid?

Det föreföll inte alldeles orimligt. Varför skaffade man ett kontantkort för att bara använda det två gånger? hade Jonnerblad velat veta. Om man inte var ute i onda avsikter?

Men ospårbart, som sagt.

”Vad sa du?” sa Backman.

”Jag frågade om Jonnerblad och Tallin tvekat färdigt”, sa Barbarotti. ”Om dom inte tycker det är dags att gå ut med det här ansiktet i media snart?” Han knackade irriterat med pennan på bilderna.

”Jag tror han sa måndag”, sa Backman. ”I tidningarna på tisdag i så fall. Ja, vi måste väl gå den vägen, antar jag?”

”Tycker du att det är fel?”

”Jag vet inte vad jag tycker”, sa Eva Backman. ”Men jag vet hur läget blir när vi gör det. Och jag börjar känna mig lite trött, faktiskt. Tror jag ska klippa till en journalist snart, så jag får några dagars semester.”

”Jag är inte säker på att det är rätt väg att gå”, sa Barbarotti.

Astor Nilsson svor till i sömnen i baksätet. ”Satans jävla bagare”, lät det som.

”Vad har han för otalt med bagare?” frågade Barbarotti.

”Ingen aning”, sa Backman. ”Men han kan nog bli osams med vem som helst, bara han vill.”

Barbarottis mobil ringde. Han tittade på displayen. ”Sorgsen”, sa han. ”Nu ska du se att vi har fått ett genombrott.”

Genombrott var mycket sagt.

Ett litet steg i rätt riktning låg sanningen närmare.

”Vi har hittat huset som Malmgrens hyrde.”

”Bra”, sa Barbarotti. ”Var, alltså?”

”Finistère. Ett par mil från Quimper”, sa Sorgsen. ”Om du vet var det ligger.”

”Jag tror det”, sa Barbarotti. ”På ett ungefär i alla fall.”

”Platsen heter Mousterlin”, sa Sorgsen. ”Närmaste lite större samhälle Fusnong, eller hur det nu ska uttalas.”

Det lät som en nysning, tyckte Barbarotti. ”Hur stavas det?” frågade han.

”F-o-u-e-s-n-a-n-t”, sa Sorgsen.

”Jag är med”, sa Barbarotti. ”Hur fick ni reda på det?”

”En kille ringde hit”, sa Sorgsen. ”Han har en förmedling i Göteborg som hyr ut hus i Frankrike. Mest i Bretagne, tydligen. Har varit på semester själv nu i augusti, men när han kom hem och läste tidningarna kollade han i sin dator. Och hittade Malmgrens. De hyrde det här huset i Mousterlin under tre veckor i juni och juli 2002, alltså.”

Barbarotti funderade. ”Vad hade han mer att säga?”

”Inte mycket”, sa Sorgsen. ”Men vi har inte hört honom ordentligt än. Han ringde för två timmar sedan, kommer hit imorgon.”

”Men det var bara Henrik och Katarina Malmgren som bodde där? Ingen av de andra?”

”Vi vet inte. Och det gör nog inte den här uthyraren heller. Han ska försöka höra efter med ägaren därnere. Men det finns sex sovplatser i huset, så det är väl inte omöjligt.”

”Tänk om det är så”, sa Barbarotti när han sagt tack och adjö till Sorgsen och berättat nyheten för Backman. ”Tänk om de bodde hela gänget i den där kåken.”

Eva Backman funderade.

”Varför i hela friden skulle de göra det?” sa hon. ”De kände ju inte varandra, det trodde jag vi kommit fram till?”

”Malmgrens kanske hyrde ut i sin tur”, föreslog Barbarotti. ”På nätet eller så, det kan man väl göra?”

”Skulle du välja att bo med fyra okända människor i ett sommarhus på din semester?” sa Backman. ”Då är jag hellre utan semester.”

”Jag skulle inte göra det”, sa Barbarotti. ”Och inte du. Men man vet aldrig. De kanske behövde få det lite billigare?”

”Han var docent och hon narkossköterska.”

”Allright”, sa Barbarotti. ”Jag ger mig. De bodde inte i samma hus allihopa.”

”Du ska inte vara ledsen för det”, sa Eva Backman. ”Vi behöver bara vänta på att några andra förmedlare också kommer hem och läser tidningar. Eller vad tror du?”

”Vänta är vi bra på”, sa Barbarotti och stoppade undan fotografierna som han fortfarande hade liggande i knät. ”Vad ska du göra imorgon?”

”Vara med mina nära och kära”, sa Backman. ”Hela konkarongen kommer hem idag. På tiden också, det sägs att skolorna börjar på måndag.”

Barbarotti kände ett plötsligt sting i hjärttrakten. Skolstart? Varför kunde inte Sara vara född ett år senare? Då skulle han också haft en skolstart att se fram emot.

Måste ringa henne ikväll, tänkte han. Hon sitter säkert och undrar varför jag aldrig hör av mig.

Eller kanske var det bättre att vänta tills imorgon? Trots allt. Söndag förmiddag; ikväll var det lördag, han hade ingen lust att lyssna till det där rökiga klirrandet av flaskor en gång till. Ingen lust alls.

Hellre ägna en stund åt Vår Herre ikväll, kanske? Det var nog snarare han som satt på sin molntron och undrade varför han aldrig hörde någonting från den där trevlige kriminalinspektören från Kymlinge nuförtiden.

Ja, alldeles säkert förhöll det sig på det viset.

31

Men det blev varken det ena eller det andra.

Inget samtal med Sara och inget med Vår Herre. När Eva Backman släppte av honom utanför hans port på Baldersgatan – efter att först ha satt Astor Nilsson på Göteborgståget – var klockan tjugo minuter över åtta. Han var hungrig som en varg och insåg att han inte hade mycket att sätta tänderna i i kylskåpet.

Lite smörgåspålägg, ett och annat ägg och en halv liter tvivelaktig mjölk, om han bedömde saken rätt. Inte lönt att gå upp och se efter ens.

Följaktligen tog han en promenad bort till Rockstagrillen, köpte sina vanliga två grillade korvar med mos och gurkmajonnäs, och eftersom han också hade sin portfölj att släpa på, slog han sig ner på en bänk i Brandstationsparken medan han käkade upp anrättningen.

Och medan han satt där började förstås utredningen rumstera runt i huvudet på honom. Eller fortsatte att rumstera, snarare, det var lika oundvikligt som en spricka i ett revben eller en trasig tand.

Alla offren. Alla breven.

Alla resultatlösa förhör och all spretig möda som hade lagts ner. Frankrike? Vad hade Sorgsen sagt att den där platsen hette? Mosterline? Han bestämde sig för att se efter i en kartbok så snart han var hemma.

Och vad betydde det att mördaren ringt till två av offren

men inte till de andra? Om det nu verkligen var så? Eller hade han använt andra ospårbara telefonnummer när det gällde Malmgrenarna och Erik Bergman? Om han nu behövde komma i kontakt med dem innan han dödade dem.

Och gårdagskvällens groteska scen ute på den där åkern, den var heller inte lätt att få ur skallen. Hade gärningsmannen föreställt sig den när han placerade ut sitt offer? Att upphittandet skulle komma att se ut ungefär på det viset? *Ville* han att kroppen skulle bli halvt massakrerad av en skördetröska? En varm och vacker augustikväll med en måne i fjärde kvarteret. Fanns det någon mening med just detta? Och i så fall – vad i hela friden var det för perverterad typ man hade att göra med?

Inspektör Barbarotti tog en tugga korv, gjorde en ansträngning och sköt frågorna ifrån sig. Här sitter jag på en parkbänk och äter lördagsmiddag, tänkte han istället. Korv med mos. Så långt har jag kommit i mitt 47-åriga liv.

Nåja, det var en vacker kväll ikväll också och det smakade inte så illa. Och så kom tankarna på Marianne, de infann sig per någon sorts automatik så snart han skapat utrymme åt dem. Flög in i hans omtumlade hjärna som en freds- och kärleksduva från en helt främmande kontinent. En hel flock duvor, noga taget. Svärmade runt och fyllde honom in i minsta skrymsle. Konstig bild, men det var ju så det stod till med hans själsförmögenheter nuförtiden. Han ruskade på huvudet för att bli av med fåglarna. När vi väl har gift oss, konstaterade han istället, då, då kommer jag aldrig mer i mitt liv att sitta och käka korv på en parkbänk.

För det måtte väl bli så? Det blir väl hon och jag?

Kanske är det i själva verket sista gången jag gör det? tänkte han sedan och svalde både tvivlet och den sista korvsnutten. Allra sista gången?

Han skrapade i sig resten av moset och majonnäsen också, knycklade ihop brickan och tryckte ner den i papperskorgen. Kände att han blivit lite törstig av måltiden, och bestämde sig för en öl på Älgen innan han vände hemåt.

När han nu ändå var ute och rörde på sig.

Det blev tre öl istället för en.

Det hade sin förklaring. Två av hans gamla gymnasiekamrater, Sigurd Sollén och Viktor Emanuelsson, hade båda blivit gräsänklingar och var ute och gjorde sig en glad kväll. Som det brukade heta. Så fort de fick syn på Barbarotti insisterade de på att han slog sig ner vid deras bord och pratade skit om gamla lärare en stund. Om det skulle vara så att en eller annan fallit dem själva ur minnet.

Det gick bra en timme, sedan började Sigurd Sollén bli en smula slirig och tyckte att de skulle tala om årtiondets mordgåta istället. Han hade en del tips och idéer som han gärna delade med sig av. Men också några frågor.

Barbarotti drack sin sista klunk öl för kvällen och förklarade att både Sollén och Emanuelsson skulle få sig varenda detalj serverad i andra delen av hans memoarer – Ett snutliv i backspegeln – som beräknades utkomma någon gång i anslutning till bokmässan i Göteborg 2023.

Plus minus något år.

”Schatan ockschå”, sluddrade Sollén. ”Har du gått och blivit schlöddig?”

”Slöddig?” sa Emanuelsson.

”Jag scha schtöddig”, sa Sollén.

”Är du full, din jävel?” sa Emanuelsson förvånat, men då hade Gunnar Barbarotti redan lämnat bordet.

När han klev in genom dörren till sin lägenhet hade klockan hunnit bli tio minuter i elva, något som inspektör Barbarotti inte hade någon uppfattning om, eftersom han fortfarande – av någon anledning – bar det trasiga evighetsuret från Hallsberg runt handleden.

Men han insåg att han inte varit hemma sedan i fredags morse – vilket noga räknat var föregående dag, när han som hastigast bytte kläder inför resan upp till Närke med Backman och Astor Nilsson.

Han insåg också att det var just dessa kläder som han fortfarande hade på sig och att han för tillfället nog passade rätt så bra på en parkbänk. När allt kom omkring.

Men fredagens post låg på hallgolvet och han bestämde sig för att ta itu med den innan han gick och ställde sig i duschen.

Tre räkningar, en premiekupong från Statoil och ett tjockt, brunt kuvert i A4-format, det var det hela. Han väntade med det stora kuvertet till sist.

Hans namn och adress var textat med spetsiga, lite ojämna versaler. Svart bläck. Det satt en radda frimärken av utländsk härkomst längs nästan hela övre långsidan. Det tog några ögonblick innan han lyckades tyda avsändningsorten.

Kairo.

Kairo? tänkte Gunnar Barbarotti. Vad fan? Han mindes att Egypten varit på tapeten en gång tidigare under dagen, men kunde inte erinra sig sammanhanget. Datumstämpeln var klar och tydlig. 14.08.07.

Fyra dagar sedan. Han tog fram brödkniven. Satte sig vid köksbordet och sprättade.

Tog ut en bunt tättskrivna ark. Datorutskrift, enkelt radavstånd. Sextio-sjuttio sidor, verkade det som, de var inte numrerade.

Tittade högst upp på första sidan.

Anteckningar från Mousterlin, stod det.

Vad i helvete? tänkte inspektör Barbarotti.

Köksklockan, som inte var trasig, visade på tio minuter över tre, när han äntligen klev in i duschen.

VI.

Anteckningar från Mousterlin

Den 8–9 juli 2002

”Du gjorde vad då?” skriker Erik.

”Jag dödade henne”, förklarar jag på nytt. ”Hon ligger borta vid redskapsskjulet om du vill titta på henne.”

Erik stirrar på mig. Hans mun öppnar sig och sluter sig. Det löper små ryckningar i ansiktet och över halsen på honom, jag förstår att han är mycket upprörd.

”Jag tyckte det var lämpligt”, säger jag. ”Vad skulle jag annars ha gjort?”

”Du är inte…”

Han vänder ryggen åt mig, går två steg och ångrar sig. Snurrar runt och försöker se bort mot redskapsskjulet, men det är för mörkt. Det går inte att urskilja om det verkligen ligger någon kropp där.

”Varför?” säger han. ”Varför i helvete?”

Jag beskriver händelseförloppet en gång till för honom. Medan jag gör det sjunker han ner på en stol, lutar sig framåt med armbågarna på knäna och huvudet i händerna. ”Vad fan ska vi göra?” stönar han när jag är klar. ”Förstår du inte vad du ställt till med?”

”Ställt till med?” säger jag. ”Hon visste ju. Det var det enda jag kunde göra. Vad skulle du ha gjort?”

Han stirrar på mig igen. Så får han syn på skiftnyckeln som ligger på det vitkaklade terrassgolvet.

”Med den där?” säger han.

Jag nickar. ”Bahco 08072”, säger jag. ”Jag hade inget annat till hands.”

Vi betraktar den båda två under några sekunder, det syns lite nästan intorkat blod runt själva huvudet, och ett par mörka fläckar på golvet. Jag har inte brytt mig om att göra rent efter mig, bara flyttat undan kroppen. Erik tar upp sin mobiltelefon.

”Jag ringer efter de andra”, säger han. ”Fy fan, jag trodde vi var klara med det här.”

”Trodde jag också”, säger jag. ”Men sammankalla de andra, du, det är nog bäst.”

Han ser på mig när han slagit numret och sitter och väntar på svar, och för första gången tycker jag mig ana rädsla i hans blick.

Efter mindre än en halvtimme är alla fyra på plats. Klockan är tjugo minuter i elva på kvällen, men det är ändå inte riktigt mörkt. Kvällsljuset i de här trakterna är berömt, vi behöver ingen lampa när vi står i en halvcirkel och betraktar den döda kvinnan invid redskapsskjulets vägg. Det syns tydligt att hon ligger där. När hon inte längre lever ser hon ännu mindre ut, jag tvivlar på att hon väger särskilt många fler kilo än sin sondotter. Det är inte alls kallt i luften men jag lägger märke till att båda kvinnorna står och huttrar.

”Fy fan”, säger Gunnar. ”Vad i helvete har du ställt till med?”

”Ställt till?” säger jag. ”Jag trodde vi var överens om att sopa igen spåren efter flickans död?”

Anna viskar något till Katarina, jag kan inte höra vad. Henrik röker frenetiskt på en cigarrett och har svårt att stå stilla. Trampar omkring och muttrar osammanhängande och obegripligt.

”Du dödade henne”, säger Gunnar.

”Ja”, säger jag. ”Jag dödade henne.”

”Mördade”, säger Katarina.

”Fy fan”, säger Henrik.

”Igår tackade ni mig för att jag tagit på mig ett obekvämt uppdrag”, påminner jag. ”Vad tror ni skulle ha hänt om den här kvinnan gått till polisen?”

”Vad sa hon?” frågar Gunnar. ”Varför kom hon hit överhuvudtaget?”

”Jag tror jag förklarade det”, säger Erik.

”Jag vill gärna höra det från mördarens egen mun”, säger Gunnar.

”Kan vi inte gå och sätta oss på terrassen?” föreslår Anna. ”Jag vill inte stå här längre, jag mår illa.”

Vi går och sätter oss runt bordet. Erik tänder två lyktor och hämtar en flaska rött vin. ”Jag antar att alla vill ha ett glas?” säger han.

Ingen tackar nej till detta, han tar fram glas och häller upp. Jag lägger märke till att det är ovanligt mycket fladdermöss ikväll, de svirrar genom det tunna mörkret. Dyker upp och försvinner, dyker upp och försvinner, snabbare än tankar.

”Nå?” säger Gunnar. ”Kan du vara snäll och förklara det här ordentligt. Innan vi går till polisen och anmäler dig.”

”Jag tror inte ni kommer att gå till polisen”, säger jag.

”Var inte för säker på det”, säger Henrik och dricker nervöst av vinet.

”Allright”, säger jag. ”Men om jag inte hade dödat henne skulle vi sitta hos polisen allihop vid det här laget. Jag trodde vi hade en överenskommelse.”

”Vi hade en överenskommelse om att hålla tyst om vad som hände i söndags”, säger Gunnar. ”Inte om att döda en gammal kvinna.”

”Mörda”, säger Katarina.

”Herregud, slog du bara ihjäl henne utan vidare?” frågar Anna. Det finns ett stråk av hysteri i hennes röst.

”Jag har aldrig gjort någonting sådant här tidigare”, säger jag. ”Jag har aldrig begravt en drunknad flicka och jag brukar inte slå ihjäl gamla damer med skiftnyckel. Jag förstår faktiskt inte vad det är ni anklagar mig för.”

Det blir tyst en stund runt bordet. Henrik och Anna tänder nya cigarretter. Erik har tagit på sig solglasögon av någon anledning, trots att klockan är elva på kvällen. Jag ser på Gunnar och Henrik att de sitter och grubblar intensivt, och jag förstår att de bägge två, var och en för sig, börjar inse att det ligger en viss poäng i vad jag sagt. Och gjort. Mot sin vilja inser de detta, det är det som är problemet; *deras* problem, de vill inte erkänna att mitt handlande är en konsekvens av vad vi tidigare kommit överens om. Att förtiga vad som hände under båtfärden ut till Les Glénan. Att flickan Troaë drunknade och att det var när vi beslöt att hemlighålla detta, som vi slog in på den väg vi nu vandrar. Det är inte bara mitt ansvar, det är deras också, ja, jag kan se hur den beska sanningen långsamt sipprar in i deras lätt berusade hjärnor, och att de nu sitter och letar efter ord att bearbeta och bekämpa den med.

”Du är fan inte klok”, säger Anna.

”Håll tyst, Anna”, säger Gunnar. ”Vi måste fundera ut hur vi ska hantera det här.”

”Hantera?” säger Anna. ”Vad fan då hantera?”

”The Root Of All Evil”, säger Erik och skrattar plötsligt till. ”Jag ger mig fan på att dom visste vad dom gjorde när dom döpte henne.”

Jag hör på Erik att han börjar bli berusad. Henrik fimpar sin cigarrett och vänder sig till mig. ”Jag skulle vilja påstå att du missuppfattat läget”, säger han och blåser det sista av röken i ansiktet på mig, jag vet inte om det är medvetet eller omedvetet. ”Rätt så rejält dessutom.”

”Jaså?” säger jag. ”På vilket vis har jag missuppfattat det?”

”På följande vis”, säger Henrik och jag ser att han blir lite upphetsad av att få argumentera, precis som om det rörde sig om någon sorts akademisk dispyt. ”Du påstår att vi alla har samma ansvar i det här, men så är det naturligtvis inte. I själva verket... ja, i själva verket är det du som bär skulden till allting och vi har valt att tiga för att inte sätta dig i klistret. Det var du som tappade flickan från båten så att hon drunknade, det var du som grävde ner henne istället för att gå till polisen och berätta vad som hänt, det var du som mördade hennes farmor. Förstår inte du att om vi berättar allt nu, så är det du ensam som kommer att stå med all skuld. Det är vi som skyddar dig, och vi har inga som helst åtaganden eller skyldigheter gentemot dig.”

”Precis”, säger Katarina.

Jag funderar ett ögonblick. Ser mig omkring runt bordet. ”Allright”, säger jag. ”Om det är så ni uppfattar det, så kan vi gärna gå till polisen med en gång.”

Henrik har sett ganska nöjd ut efter sin utläggning, men nu tappar han masken. ”Du är inte klok”, säger han. ”Jag tror tamejfan inte du är riktigt klok.”

”Det är ju det jag säger”, påpekar Anna.

Ingen av de andra tycks ha något att invända gentemot denna analys. Katarina skakar på huvudet och ser ut i mörkret. ”Ovanligt mycket fladdermöss ikväll”, säger hon. ”Undrar vad det beror på.”

”De är kanske dödens kunskapare”, säger jag.

Gunnar rynkar pannan och betraktar mig intensivt. Det är bara Erik, bakom sina mörka glasögon, som jag inte kan läsa av. Henrik lutar sig på nytt fram emot mig, tvärs över bordet. Som om allt det här vore någonting mellan honom och mig.

”Vad är det du vill?” säger han.

”Förlåt?”

”Gå till polisen? Är det det du vill göra?”

”Inte nödvändigtvis”, säger jag.

”Vad menar du med det?”

”Jag är beredd att följa ett gemensamt beslut”, säger jag. ”Den här gången också. Men jag accepterar inte rollen som syndabock.”

Henrik lutar sig tillbaka. Byter ett ögonkast med Gunnar. ”Har du något förslag?” frågar han.

Jag skakar på huvudet.

”Han är galen”, säger Anna. ”Herregud, fattar ni inte att han är galen?”

Gunnar reser sig. Tar med sig Anna och går avsides med henne. Inte i riktning mot redskapsskjulet utan åt andra hållet. Bort till soptunnan och äppelträdet. Erik frågar om han ska öppna en flaska vin till, Henrik säger att det nog är lika bra. Alldeles ofrivilligt kommer jag att tänka på Annas ansikte, som hon såg ut efter nakenbadet den där första kvällen. Jag förstår inte varför just denna bild klamrat sig fast i mitt medvetande med så skarpvässade klor. Den kommer och går på min näthinna, kommer och går.

Kanske, tänker jag, är det för att jag vet att om jag hade tagit henne vid handen i just det ögonblicket, så skulle hon utan att tveka ha följt med mig ner på stranden för att ligga med mig. Jag tror Gunnar är en fruktansvärt dålig älskare.

Gunnar och Anna kommer tillbaka till bordet. ”Vi måste bestämma hur vi ska göra”, säger Gunnar.

”En god idé”, säger Erik. ”Det är inte bra om hon ligger kvar där när monsieur Masson kommer och ska klippa gräset imorgon bitti.”

Gunnar ignorerar hans kommentar. ”Hade du en flaska vin till, eller hur var det?”

Erik går och hämtar en. Anna sätter sig bredvid Katarina och tänder en cigarrett. Jag förstår att hon fått order om att vara tyst i fortsättningen. Katarina och Henrik viskar någonting till varandra som jag inte kan uppfatta. Det är heller inte meningen att jag skall uppfatta det.

”Vill ni att jag lämnar er i fred en stund?” frågar jag. ”Om det är så att ni behöver hålla rådslag igen?”

”Det är inte nödvändigt”, säger Gunnar. ”Jag har ett förslag.”

”Bra”, säger Katarina.

”Jag tänker så här”, säger Gunnar och försöker spänna ögonen i mig. ”Vi är beredda att hålla tyst en gång till, om du ser till att göra dig av med kroppen. Vi går inte till polisen, och om de av någon anledning söker upp någon av oss, så känner vi inte till någonting. Vare sig om flickan eller hennes farmor. Du reser härifrån imorgon bitti, och vi behöver aldrig mer ses igen.”

Han gör en paus och utbyter blickar med de andra. ”Kan alla gå med på det här?”

Anna och Katarina nickar. Erik också, och slutligen Henrik.

”Och du?”

”Kan jag få lite mera vin?” säger jag.

Erik rycker nästan till. Så häller han upp, först åt mig, sedan åt de övriga. Jag sitter och snurrar glaset i min hand en stund, betraktar det röda vinet som dansar runt, runt, det har inte samma färg som färskt blod, gammalt stelnat, eller intorkat, snarare. Jag dricker en djup klunk och ställer ner glaset framför mig på bordet.

"Jag accepterar förslaget", säger jag. "Men jag behöver någon som bär spaden."

Gunnar bär spaden. Jag trodde det skulle falla på Eriks lott, men av någon anledning blev det Gunnar. Kanske för att han är lite större och kraftigare än Erik. Man vet ju aldrig.

Men jag bär kvinnan. Vi säger ingenting, jag går före, Gunnar två steg bakom. Tar först till höger in på den smala grusvägen, sedan, efter ett par hundra meter, till vänster mot Menez Rouz utefter den smalare stigen. Det är samma väg som förra gången, kvinnan hänger över min högra axel på samma vis som Troaë hängde där för två dygn sedan. Två gånger gör vi paus, jag lägger ner henne på marken och vilar lite. Jag tänker att jag vill begrava henne i närheten av flickan, inte alldeles intill men på samtalsavstånd. Det känns som en mening att flickan har sin farmor inom räckhåll även i döden. Men bara inom räckhåll, det var ju tydligen så att de inte drog särskilt jämnt.

När vi kommit fram till det lilla fältet, det är blekt upplyst av ett tveksamt månljus, tecknar jag åt Gunnar att stanna. Jag lägger varligt ner kroppen på stigen, Gunnar räcker mig spaden.

"Jag går tillbaka", säger han. "Det är onödigt att jag stannar och väntar."

"Gör det, du", säger jag. "Det kommer att ta en stund."

Han lämnar mig och på bara någon sekund är han uppslukad av mörkret. Jag är ensam med kroppen, spaden och sumpängen.

Och fladdermössen. Det börjar kännas som en vana.

När jag kommer tillbaka till Eriks hus är klockan kvart över två, men alla är fortfarande kvar.

”Vi har diskuterat lite”, säger Gunnar. ”Och vi har kommit fram till en sak.”

”Jaha?” säger jag.

”Vi tycker det är bäst att du ger dig av med en gång. Henrik och jag skjutsar dig en bit på väg, och så kan du fortsätta vart du vill imorgon bitti. Det ljusnar om ett par timmar, bara.”

Jag ställer ifrån mig spaden mot räcket som löper runt halva terrassen. ”Jaså, ni har kommit fram till det?” säger jag. ”Ja, det är kanske den bästa lösningen.”

”Bra att du också tycker det”, säger Katarina.

”Jag behöver tvätta av mig lite först”, lägger jag till.

”Ta en dusch”, säger Erik. ”Jag gör i ordning kaffe åt er under tiden.”

”Vilken bil ska vi åka i?” frågar jag.

”Ni får gärna ta min bil”, säger Erik. ”Inga problem, den är fulltankad. Ni kan åka till Rennes fram och tillbaka om ni vill.”

Jag nickar. Lämnar de övriga ute på terrassen och går in och ställer mig i duschen. Sköljer lukten av jord och förruttnelse av min kropp.

Vi åker mot gryningen. Gunnar kör, Henrik sitter på passagerarplatsen i framsätet. Jag och min stora ryggsäck i baksätet. Ortsnamnen glimtar förbi ur det allt tunnare mörkret. *Concarneau. Pont-Aven. Quimperle,* här kommer vi upp på motorvägen och hastigheten ökar. Vi säger nästan ingenting, ingen av oss. Jag funderar på hur pass mycket alkohol Gunnar har i blodet. Det skulle vara ironiskt om vi blev stoppade av en polispatrull och åkte fast för *den* sakens skull.

Men det är nästan tomt på vägen den här tiden på dygnet. *Lorient. Auray. Vannes.* De har frågat mig om jag föredrar Rennes eller Nantes. Bägge två ligger långt bort från Mousterlin; jag förstår att de verkligen vill ha mig på ordentligt avstånd. Jag har sagt att jag föredrar Nantes. Det är en större stad, och den ligger längre söderut än Rennes.

Jag vet inte hur lång körsträcka vi har tillryggalagt, men klockan är kvart över sex på morgonen när vi svänger in till ett motorvägscafé utanför Nantes. De sista fyrtiofem minuterna har jag slumrat och jag tror Henrik gjort det också. Gunnar har svarta halvmånar under ögonen och hans blick är lemurartad.

”Då så”, säger Henrik. ”Då skiljs våra vägar åt.”

”De gör väl det”, säger jag.

”Ibland går saker och ting snett”, säger Gunnar och får en plötslig hostattack. Jag förstår att han vill säga någonting allmängiltigt och en smula överslätande. Att vi trots allt är offer för olyckliga omständigheter, eller någonting sådant.

Men hostan sätter stopp för det. Han bromsar in och stannar alldeles utanför entrén till caféet. Knäpper inte upp sitt bilbälte; tydligen vill han inte ens dricka en kopp kaffe i mitt sällskap innan vi tar avsked – även om det är uppenbart att han skulle behöva det för att klara återresan.

Fast kanske är det Henriks tur att köra. Kanske letar de upp ett annat café, bara de blivit av med mig. Ja, antagligen är det så enkelt; de vill inte se mig en sekund längre än nödvändigt. En annan sorts ironisk tanke slår ned i mig medan jag lyfter ut ryggsäcken: den av dem som kör tillbaka till Mousterlin somnar bakom ratten och de omkommer bägge två när bilen dundrar in i en bergvägg. Vilket makabert efterspel, jag kan inte låta bli att fundera på hur de övriga tre skulle försöka förklara vad de bägge männen haft för sig hundra eller hundrafemtio kilometer från Mousterlin så tidigt på morgonen.

”Vi åker nu”, säger Henrik. ”No hard feelings.”

De kliver inte ens ur bilen. Jag går runt den och tar bägge två i hand genom nervevade sidofönster.

”Kör försiktigt”, säger jag. Svingar upp ryggsäcken på ena axeln och går in på caféet.

Jag ser mig inte om.

Jag sitter vid ett fönsterbord och skriver. Närmar mig det sista parentestecknet efter händelserna i Mousterlin. Har ätit en galette med ägg och bacon, nu har jag en stor kopp svart kaffe framför mig; jag är nästan ensam i den ödsliga lokalen, bara ett par långtradarchaufförer sitter hukade över stabbiga frukostar vid var sitt eget fönster. Kanske kunde jag be dem om lift – den ene eller den andre – men jag vill sitta kvar ännu en stund. Formulera dessa slutrader först, kanske klara av en rudimentär morgontoalett också. Klockan är fortfarande bara några minuter över sju, jag känner mig allt annat än redo för en ny dag.

Begrundar en stund det faktum att de antagligen inte ens vet vad jag heter, dessa svenskar i förskingringen i Mousterlin. Under de tolv dagar som gått har jag aldrig någonsin uppgivit mer än mitt förnamn. Kanske betyder också denna omständighet någonting.

På något vis bär jag flickan inom mig. Farmodern också, men hon känns inte lika närvarande. Jag vet att jag drömde om Troaë under de där korta stunderna när jag lyckades sova i bilen. Hennes livliga oskuldsfullhet och hennes intensitet den där första dagen på stranden och på Le Grand Large. Hennes hjälplöshet i vågorna. Hennes ännu större hjälplöshet när jorden slöt sig om hennes kropp.

Jag är inte säker på att jag kommer att bli av med henne. Hon håller redan på att äta sig fast i mig, om det är någonting som oroar mig inför framtiden så är det just detta. Finge jag i en utopisk domstol fälla ett avgörande, skulle jag låta henne leva, kvitta hennes liv mot de fem andras. Farmoderns också, förresten. Utan en sekund av tvekan skulle jag göra detta; jag beklagar litegrann att doktor L inte sitter på andra sidan bordet, det skulle utan tvivel vara intressant att höra hans synpunkter på en sådan ekvation.

Men jag avslutar detta nu. Med ovan nämnda oro. Anteckningarna får sin givna plats längst ner i ryggsäcken. Senare idag eller imorgon kommer jag att köpa ett nytt häfte att skriva i.

Jag dricker ur mitt kaffe. Beslutar mig för att hoppa över toalettbestyren, tar ryggsäcken över axeln och går ut mot parkeringen. Solen skiner, det kommer att bli en varm dag.

Måste vidare. Söderut.

Kommentar, augusti 2007

Så, nu är det överstökat. Jag hade en plan, jag följde den, det lyckades.

Alla fem är döda. Jag vet inte om man funnit Gunnar ännu, och jag lär kanske aldrig få reda på det. Det enda som irriterar mig en smula är att Katarina Malmgren kom upp till ytan. Det var inte meningen, jag fäste tyngder på båda kropparna, men på något vis måste hennes knutar ha gått upp. Jag ville ha haft dem bägge två på havets botten, där kunde de ha fått ligga och reflektera över Troaës kamp i vågorna innan hon drunknade. De som aldrig lämnade båten och försökte rädda henne. Det gjorde inte Erik heller, men Erik satt i styrbrunnen och jag var tvungen att döda honom först. Skiftnyckeln har jag redan kommenterat, den vilar stilenligt på havets botten numera; jag skulle helst ha velat använda den på Gunnar också, men det fungerade inte. Med Gunnar behövde jag samtala innan jag förpassade honom till andra sidan, och då krävs ett skjutvapen.

Det blev också ett intressant samtal. Särskilt tillfredsställande var det att se honom krypa omkring på marken, böna och be för sitt liv. All storhet föll av honom som ett gammalt uttjänt skinn, det var precis som jag hade hoppats. Han hade redan kissat på sig när jag sköt honom.

Jag har slutat drömma om farmodern. Sedan en tid drömmer jag istället åter om flickan, men nu är drömmarna ljusa. Framförallt ser jag henne där hon står på stranden och målar av oss med ett koncentrerat leende i ansiktet.

Men tavlan hon målar ser jag inte. Jag såg den aldrig då, och de människor den föreställer finns inte mer.

Parentesen är sluten, det är hög tid för mig att gå vidare.

20–27 augusti 2007

32

När inspektör Barbarotti klev in på sitt tjänsterum måndagen den 20 augusti, var det nästan jämnt en vecka sedan han lämnade det.

Det tog ett par sekunder för honom att inse att det faktiskt var så. Förra måndagskvällen hade han knuffat till Expressenreportern Persson i bröstet, därefter hade han varit suspenderad i tre dagar, tillbringat två i Närke – samt en söndag i Kymlinge under ett moln av tankar, funderingar och frågetecken.

Han hade läst *Anteckningar från Mousterlin*, dessa 64 tättskrivna sidor, två gånger, han hade talat med inspektör Backman i telefon i en och en halv timme, med Astor Nilsson nästan lika länge och med Jonnerblad i åtminstone tjugo minuter.

De andra hade också läst. Redan vid niotiden på söndagsmorgonen hade Sorgsen kommit hem till honom och hämtat manuskriptet för kopiering och sedan omedelbar leverans till Statens Kriminaltekniska Laboratorium i Linköping. Alla hade fått var sin kopia; åklagare Sylvenius och Asunander, Jonnerblad, Tallin, Astor Nilsson, Sorgsen och Backman. Och han själv.

”Jag förbereder mig för ännu en sömnlös natt”, hade Astor Nilsson anförtrott honom vid tiotiden på kvällen från Kymlinge Hotell. ”Men jag har i alla fall lektyr att sätta tänderna i. Fan i helvete.”

Barbarotti hade inte sovit särskilt gott, han heller. Hade brottats med en egendomlig dröm om skördetröskor som höll på att sjunka ute i Atlanten, och hur han ingått i en räddningsstyrka som inte lyckats få fatt i alla nödställda passagerare som drev omkring i de upprörda vågorna. I synnerhet var det en liten flicka som de letade efter, och när han vaknade vid halvsjutiden dröjde det några ögonblick innan han förstod att hans säng inte var en flotte och att det enda vatten som förekom var regnet som smattrade mot cykelställets tak inne på gården.

Han betraktade sitt rum. Ingen hade städat det under hans frånvaro. Han mindes både det äpple han ätit förra måndagseftermiddagen och den halva ostsmörgås han låtit bli att äta, men han kände inte riktigt igen någon av tingestarna. Uppenbarligen hade han också druckit kaffe ur fyra olika muggar och två öppnade flaskor svart vinbärsdryck stod på fönsterbrädet.

Men papperskorgen var tömd, man fick vara tacksam för det lilla. Han suckade och började städa undan, men efter mindre än en minut stack inspektör Backman in huvudet och förklarade att det var dags för genomgång. Gunnar Barbarotti nickade, ställde upp en vädringsspringa och följde med.

”Jag räknar med att den här genomgången kommer att pågå åtminstone fram till lunch”, inledde intendent Jonnerblad. ”Vi kommer att få kaffe vid kvart över tio ungefär.”

Barbarotti såg på sin klocka; han hade hittat ett gammalt armbandsur hemma i sin skrivbordslåda, det var så uråldrigt att man var tvungen att vrida upp det, men hitintills hade det visat alla tecken på att fungera. Just nu visade det till exempel på nio minuter över nio.

Alla såg ovanligt samlade ut. Det brukade visserligen folk göra på måndagsmorgnarna, det gällde att hålla sig med hög svansföring och en smula tillförsikt när fredagen låg på ljusårs avstånd, det var ingenting konstigt med det. Men idag var det någonting extra. Vi ser ut som ett idrottslag som tränat i tre år för en enda tävling, tänkte Barbarotti. Och nu är vi där. Nu skall allt avgöras.

Varför sitter jag och kläcker dessa fåniga tankar? tänkte han sedan. Vi har ju faktiskt jobbat med det här fallet i snart en månad, och nu har vi äntligen kommit någonstans. Inte så underligt om alla är lite sammanbitna och lite förväntansfulla.

”Vi har jobbat med det här fallet i snart en månad”, sa Jonnerblad. ”För första gången har vi fått en bild av vad det handlar om. Det här är vårt viktigaste möte hittills, det är vitalt att vi behåller skärpan idag, det behöver jag säkert inte påminna om. Tallin.”

Tallin tog över. ”Jag har personligen läst igenom mördarens redogörelse två gånger”, började han. ”Jag vet att alla andra också gjort det. Åtminstone en gång. Det är ju en ohygglig historia han berättar, det tror jag vi är ense om. Uppenbarligen är han övertygad om att vi aldrig kommer att få honom fast. Vi måste naturligtvis arbeta efter den motsatta förutsättningen. Det vill säga att vi kommer att spåra upp honom och ställa honom till svars. Är det någon som har någon omedelbar synpunkt på det här?”

Eva Backman sträckte upp en penna.

”Slutet?” sa hon. ”Innan vi går vidare skulle jag vilja fråga hur ni uppfattar slutet.”

”Jag har samma fråga”, sa Astor Nilsson. ”Han skriver att ingen av människorna på den där tavlan är i livet. Inkluderar inte det honom själv?”

”Mycket möjligt”, sa Jonnerblad. ”Men vi kan naturligtvis inte lägga ner utredningen bara för att vi tror att gärningsmannen är död. Om vi *vet* att han är död blir det förstås en annan sak.”

”Jag har aldrig påstått att vi skulle lägga ner utredningen”, sa Astor Nilsson.

”Det skulle kunna vara så att han vill få oss att *tro* att han är död”, sa Sorgsen.

”Det är ju det som är så förbannat underligt”, sa Astor Nilsson. ”Varför skriver han till oss överhuvudtaget? Först alla dessa brev och så det här dokumentet. Om han bara dödat de här fem människorna och sedan dragit sig tillbaka... ja, varför nöjde han sig inte med det?”

”Betydande fråga”, sa Asunander oväntat. För ovanlighetens skull satt kommissarien med vid bordet, stod inte bara och bevakade tillställningen som en tyst och lite missnöjd skugga.

”Han har uppenbarligen ett behov av att berätta varför han gjorde det”, sa Eva Backman. ”Jag tror det är oerhört viktigt för honom att hans motiv kommer fram.”

Jonnerblad harklade sig. ”Vi ska diskutera gärningsmannens karaktär lite noggrannare i eftermiddag”, förklarade han. ”Lillieskog kommer hit tillsammans med en rättspsykiatriker då. Naturligtvis är det en ovanligt knepig individ vi har att göra med, det är väl alla överens om?”

Han såg sig om runt bordet. Knepig? tänkte Barbarotti. Ja, det var väl det minsta man kunde säga.

”Han skriver bra”, sa Astor Nilsson. ”Det är snudd på litteratur.”

”Precis”, sa Eva Backman. ”Jag tänkte också på det. Men även om han förstås ger oss just den information han vill ge, så är ju historien fruktansvärd. Och han sätter inte sig själv i särskilt ljus dager heller.”

”Tycker inte han sätter sig i någon dager alls”, sa Astor Nilsson. ”Jag får inget grepp om honom.”

”Det kanske inte är hans avsikt att du ska få grepp om honom”, sa Eva Backman.

”Säger du det?” sa Astor Nilsson.

”Det är ju tydligen skrivet just medan det pågick”, konstaterade Tallin efter en liten paus. ”Utom de här kommentarerna, ja, vi kommer förhoppningsvis att få rätt mycket verifierat under dagen. Att paret Malmgren verkligen bodde på den där orten visste vi ju redan.”

”Han måste ändå ha skrivit rent det”, påpekade Barbarotti. ”Han skrev alltihop för hand 2002, det är i alla fall vad han påstår. Sedan dess har han lagt in det på dator.”

”Javisst”, sa Jonnerblad. ”Men jag förstår inte vad det spelar för roll.”

”Säkert ingen alls”, sa Barbarotti. ”Kunde vara intressant att veta när han gjorde det, bara. Om det var för fem år sedan eller strax innan han började ta livet av dem?”

”Mhm jaha…” muttrade Jonnerblad och bläddrade i en bunt papper. ”Ja, det är som sagt många frågor som anmäler sig. Som ni märker spelar vi in den här genomgången också, det är viktigt att vi inte glömmer bort någon enskild fråga som dyker upp.” Han tecknade mot den diminutiva bandspelaren som stod mitt på bordet. ”Fler synpunkter?”

”Har vi varit i kontakt med den franska polisen än?” frågade Backman.

”Vi kommer att ta ett första samtal med dem i eftermiddag”, sa Tallin. ”Men vad säger ni om den information han ger om sig själv i de här anteckningarna? Det är inte så värst mycket vi får reda på, eller hur?”

”Det var bland annat det jag avsåg”, sa Barbarotti. ”Han

berättar överhuvudtaget ingenting om sig själv, jag tror att han retuscherat bort allt sådant från de ursprungliga, handskrivna anteckningarna.”

”Inte omöjligt”, sa Astor Nilsson. ”Den här doktor L som han nämner några gånger, hur ska vi hitta honom, då?”

”Jag tror inte det är meningen att vi ska hitta honom”, sa Eva Backman. ”Och jag tycker det här att han döljer allting, eller nästan allting åtminstone, om sig själv, ändå tyder på att han inte tagit livet av sig. Om han vore död, skulle det ju inte spela så stor roll.”

”Han kanske inte vill att det ska komma fram i alla fall”, sa Sorgsen. ”Efter hans död, alltså.”

”Men han berättar ju alltihop”, sa Backman. ”Han vill dölja sin identitet, men jag får inget intryck av att han skäms över vad han gjort. Eller ångrar sig. Tvärtom, han står för vad han har uträttat.”

”Utom vad gäller flickan”, sa Sorgsen.

”Ja, men där är han ju faktiskt oskyldig”, sa Backman. ”Men han måste döda de här människorna efter det som hände i Bretagne för fem år sedan – och han måste få förklarat varför han gör det. Det är därför han skriver. Är det inte det här som är kärnpunkten?”

”Bra synpunkter”, sa Jonnerblad. ”Vi tar upp dem med den psykiatriska expertisen i eftermiddag. Backman, har du med dig tidsschemat som jag bad dig om?”

Eva Backman nickade och tog fram ett papper. ”Det gäller alltså hans förehavanden i nutid, så att säga”, förklarade hon. ”Vi har ju redan konstaterat att morden och breven till Barbarotti inte är särskilt synkroniserade, och vad den här Hans Andersson spelar för roll har vi fortfarande ingen aning om. Ska jag dra igenom alltihop?”

”Ja tack”, sa Jonnerblad.

Eva Backman harklade sig. ”Om vi tar mordserien först, så börjar det med Erik Bergman den 31 juli och fortsätter med Anna Eriksson senare samma dag. Sedan har vi Gunnar Öhrnberg, där är vi osäkra, men någon gång runt den 7 augusti förefaller rimligt, och slutligen Henrik och Katarina Malmgren natten mellan den 12 och 13 augusti. Om vi jämför tidpunkterna för när Barbarotti tar emot breven, så kan det vara intressant att notera att det berömda Dödens Gunnar-brevet kommer i onsdags, det är poststämplat i Göteborg den 13:e, alltså i måndags, och det borde ha anlänt till Kymlinge på tisdagen, men vi kan nog skylla den lilla försinkningen på Postverket.”

Hon drack lite vatten och fortsatte.

”Sedan har vi brevet från Kairo, det här sista. Det skickades från flygplatsen i Kairo i tisdags, den 14:e, vilket innebär… rätta mig om jag har fel… att vår gärningsman antingen åkte tillbaka till Sverige efter att han dödat makarna Malmgren på färjan, eller att han postat Dödens Gunnar-brevet innan han gick ombord. Personligen tror jag på det sistnämnda, i synnerhet som han befinner sig i Kairo redan på tisdagen. Är ni med?”

”Jag tror det”, sa Astor Nilsson. ”Men om han flög direkt från Kastrup till Kairo på måndagen, då har vi honom i passagerarlistorna. Det kan inte gå så många plan per dag.”

”Jag är rätt övertygad om att han inte flög direkt till Kairo”, sa Eva Backman. ”Han åkte till London eller Paris eller Frankfurt, sedan köpte han en ny biljett därifrån.”

”Pass?” sa Sorgsen. ”Han måste ha visat sitt pass. Eller legitimation åtminstone?”

”Det är nästan inte nödvändigt numera”, sa Tallin. ”Till Kairo kanske, men inte inom EU.”

Jonnerblad skakade på huvudet. ”Om han gått och burit

på den här historien i fem år, har han nog haft tid att skaffa sig ett falskt pass också. Han ordnade ju ett vapen utan problem, det vet vi ju."

"Inte fem år", sa Barbarotti. "Det här med att han försökte få pengar av dem, som han skriver om i näst sista kommentaren... ja, det var ju bara för ett halvår sedan, åtminstone uppfattade jag det så. Tror ni inte att det var efter det som han bestämde sig?"

"Det förefaller troligt", sa Jonnerblad. "Men han hade gott om tid ändå."

"Tillräckligt", sa Barbarotti. "Jag har en helt annan fråga. Hur gör vi med bilden och tidningarna?"

Jonnerblad rätade på ryggen och stoppade en penna i en bröstficka. "Jag och Tallin har pratat om det", sa han. "Och vi tycker faktiskt inte att det här ändrar någonting. Åklagaren är av samma mening, vi vill att media får bilden av hans ansikte i eftermiddag. Vi vet alla vilket tryck det kommer att bli, men såvitt jag ser det, är det den snabbaste vägen vi har för att få honom identifierad."

"En viktig aspekt", fyllde Tallin i, "är ju att de här fotografierna i stort sett är det enda vi har som vi inte fått genom mördarens försorg."

"Betydande fråga", upprepade Asunander, lika oväntat den här gången, och det blev tyst i rummet några sekunder. En tanke som han inte riktigt fick fatt i passerade genom huvudet på Barbarotti, den kändes samtidigt välbekant och främmande, men den försvann lika hastigt som en fladdermus. Men det var någonting.

"Ja, fy fan", sa Astor Nilsson. "Det kommer att bli jävligt synd om femhundra stackare som liknar honom, men det är antagligen riktigt att gå ut med det. Har vi tur, har vi hans identitet på en vecka."

”Vore skönt att ha hans namn i alla fall”, sa Eva Backman. ”Även om vi aldrig hittar honom personligen.”

”Kan man hitta gamla nazister efter femtio år, kan man nog hitta en femfaldig mördare efter en månad också”, sa Astor Nilsson.

”Sex”, sa Sorgsen. ”Du glömde en.”

”Ursäkta”, sa Astor Nilsson. ”Ja, det svenska stålet bet ju en gammal fransk kvinna också.”

”Men flickans liv har han inte på sitt samvete”, sa Eva Backman.

”Inte på samma sätt i alla fall”, sa Tallin. ”Ja, hursomhelst är det en fruktansvärd historia.”

Det blev tyst igen. Jonnerblad krafsade runt i sina papper och Asunander reste sig och öppnade ett fönster. ”Varmt”, förklarade han.

”Man undrar om de blev förhörda”, sa Eva Backman.

”Va?” sa Jonnerblad. ”Vilka då?”

”Våra offer. Då i Frankrike efter att han givit sig iväg. Och om polisen upptäckte att flickan varit tillsammans med dom eller inte... om de gjorde det, måste de ju ha förhört dom också.”

”Det där får vi svar på i eftermiddag”, sa Tallin. ”Eller rätt snart i alla händelser. Ja, jag håller med, man undrar ju om de verkligen klarade sig från påhälsning. Måste ha haft en del tur i så fall.”

”De var faktiskt oskyldiga”, påpekade Astor Nilsson. ”Vi kanske inte ska glömma bort det.”

”Oskyldiga?” sa Eva Backman.

”Till mord i varje fall”, preciserade Astor Nilsson. ”Hur det är med deras moraliska skuldbörda kan förstås diskuteras.”

”Den var tillräckligt tung för att de skulle mista livet”, sa

Barbarotti. ”Alla fem.”

”I mördarens ögon, ja”, sa Tallin. ”Jag hoppas ingen runt det här bordet tycker likadant, bara. Eller köper hans bekännelser rakt av. Det är ju ingen alldeles normal hjärna vi fått stifta bekantskap med, eller hur?”

Han knackade med en penna på Mousterlindokumentet, som låg framför honom på bordet.

”Nej”, sa Eva Backman. ”Jag hade föreställt mig någonting ganska otäckt, men det här... ja, på något vis är det ännu värre. Så... ja, sorgligt också.”

Barbarotti kastade en ofrivillig blick på inspektör Sorgsen, och mindes plötsligt att det var han som hittat det första lilla spåret som ledde in i Frankrike. Den där blå färgen på den där papperskorgen.

Det kändes som hundra år sedan. Han insåg att det i själva verket rörde sig om ungefär två veckor.

”Hur gör vi?” frågade han. ”Kommer vi att skicka ner någon, eller?”

”Jag håller det inte för omöjligt”, förklarade intendent Jonnerblad. ”Inte omöjligt alls.”

Den senare delen av genomgången gick i de obesvarade frågornas tonart, och tillsammans med inspektör Backman tog sig Barbarotti tid att slinka över till Kungsgrillen under lunchtimmen. Det kändes som om det behövdes lite traditionell husmanskost efter alla korvar och allt kletigt pulvermos.

”Vad menade du med sorglig?” frågade han när de slagit sig ner med var sin Dagens: pepparrotsgädda med skirat smör och kokt potatis.

”Tycker inte du det?” frågade hon förvånat. ”Att det är sorgligt?”

"Jo, kanske", sa Barbarotti. "När det gäller flickan och hennes farmor, åtminstone."

"Jag tycker själva gärningsmannen känns sorglig också", sa Backman. "Alltihop är ju så..."

Hon tvekade.

"Så vad då?"

"Så fruktansvärt slumpartat. Det skulle inte ha behövt hända. Han tappade greppet om en liten flickas hand och nu har sju människor mist livet för den sakens skull."

Barbarotti funderade. "Åtta, om han tagit livet av sig själv också."

"Tror du han har gjort det?" frågade Backman.

"Nej", sa Barbarotti. "Av någon anledning gör jag faktiskt inte det. Fråga mig inte varför."

"Okej", sa Backman. "Jag tror inte heller han är död. Men vem är han?"

"Bra fråga", sa Barbarotti.

"Har han något yrke? Hur har han levt de här fem åren sedan det hände... sedan han sitter på det där motorvägscaféet? Och var?"

"Vad gjorde han innan?" sa Barbarotti.

"Det också. Han vandrar och han skriver och han pratar om doktor L. Jag har stirrat på den här bilden av honom när de sitter på restaurangen, det kanske är den där första dagen som han berättar om? När de just träffats, vad var det platsen hette?"

"Bénodet", sa Barbarotti. "Gamla hamnen i Bénodet."

"Just det. Han ser ju så... ja, vanlig ut."

Barbarotti nickade. "Tycker jag också. Men han skriver faktiskt att hans inre inte syns i hans yttre. Ler och smilar, ler och smilar, jag tror det är Hamlet, faktiskt... han måste ha studerat, tror du inte det?"

”Jo”, sa Eva Backman och stirrade för ett par sekunder rakt ut i tomma intet, som om hon just höll på att få fatt i en alldeles ny tanketråd. Antagligen tappade hon bort den för hon skakade på huvudet och lade ifrån sig besticken. ”Jo, jag får nog det intrycket. Det är som Astor Nilsson sa, de här anteckningarna är ju litterära på något vis. Men var kommer han ifrån i början? Har han verkligen suttit på psyket? Han står och liftar där på motorvägen utanför Lille, och så...”

”Och så finns han i två veckor på den där platsen i Bretagne”, fyllde Barbarotti i. ”Och försvinner igen.”

”Söderut.”

”Söderut, ja.”

Ny tystnad. Barbarotti tänkte att han borde ha tagit med sitt frågepapper, det som han komponerat under den andra genomläsningen av Mousterlindokumentet. För att få en smula struktur; på något vis kändes det som om man bara satt och upprepade samma frågor och samma häpna konstateranden gång efter annan.

Men papperet låg kvar hemma på skrivbordet på Baldersgatan.

”Hans fru?” sa Backman. ”Vad tror du om henne? Han skriver att hon dött för några år sedan. Men hon och doktor L är de enda människor ur sitt förflutna han nämner. Eller hur?”

”Stämmer”, sa Barbarotti. ”Vi vet i stort sett ingenting om honom idag, men om vi hittar honom... ja, du kan väl föreställa dig hur mycket man kommer att vända ut och in på honom. Vi kommer att ha namnet på hans första skolfröken och veta vad hans rörelsehindrade kusin i Bengtsfors har för skonummer. Och alla kommer att tala ut i Expressen.”

Eva Backman skrattade till. ”Ja, antagligen. Bilden av en mördare är…”

”Ja?”

”Det mest kittlande som finns för vår fantasi, helt enkelt. Det har varit så i hundratals år, ja, tusentals, förresten, och det är likadant idag. Kvinnor kommer att bli förälskade i honom, precis som dom blev i Clark Olofsson och Hannibal Lecter… man kan undra varför.”

”Är det inte därför du är polis?” frågade Barbarotti. ”För att få träffa de här typerna och få dina mörka drifter tillfredsställda på naturlig väg?”

”I helvete heller”, konstaterade Eva Backman nyktert. ”Där bet du dig i tummen, konstapeln. Har inte du en ny tid hos Olltman snart, från det ena till det andra?”

”Jag tror hon har friskskrivit mig”, sa Barbarotti. ”Men jag ska kolla upp det.”

”Gör det”, sa Eva Backman. ”Nej, börjar det inte bli dags för andra halvlek nu?”

”Jo, sannerligen”, sa Barbarotti.

33

Rättspsykiatrikern hette Klasson och var en kvinna i 45-årsåldern. Hon och Lillieskog hade ett gott samarbete sedan flera år, förklarade hon, men hon tvivlade på att någon av dem kunde ha särskilt mycket att bidra med i det här fallet.

Men hon hade läst in sig på det, i synnerhet Mousterlinanteckningarna, och var ändå beredd att göra en försiktig analys av den man, man var på jakt efter.

Empatiskt störd, det var det första hon ville sätta fingret på. Hans sätt att uttrycka sig om de människor han senare mördade tydde på det. Även de nutida kommentarerna vittnade om en person som hade svårt att begripa sig på andras känslor. Och mordet på flickans farmor pekade ju på en utpräglad känslokyla hos gärningsmannen. Han uttryckte överhuvudtaget ingen ånger eller ruelse över dådet, såg det bara som ”en logisk konsekvens”, citerade Klasson.

”Men för flickan visar han ju känslor”, påpekade Backman.

”Riktigt”, sa Klasson. ”Oerhört starka känslor dessutom, men det är också intressant hur han talar om dem. Han säger att hon ’biter sig fast i honom’, om jag inte minns fel. Det är en process som han inte verkar förstå, det ligger utanför hans kontroll på samma sätt som alla känslor verkar ligga utom honom. Han är inte i riktig kontakt med dem.”

”Det är ju också känslorna för flickan som utlöser alltihop", sufflerade Lillieskog. "Så småningom. Vi kanske kan säga att hans känsloliv är dåligt balanserat?"

"En rätt vanlig störning", fortsatte Klasson. "Överreaktioner och underreaktioner. Men jag vill verkligen betona att vi har väldigt lite att gå på i det här fallet. Den redogörelse han lämnar är ju också oerhört välskriven, man får nästan intrycket att han har en författarådra inom sig. Vilket förstås i sin tur innebär att han ger oss den bild av sig själv han vill ge. Även om han alltså aldrig skönmålar. Jag tror ändå att han skriver i något slags ärligt uppsåt. Han vill berätta den här historien och förklara varför han – i sina egna ögon – blivit tvungen att döda de här fem människorna."

"Varför stannar han kvar hos dem, när han tycker så illa om dem?" frågade Sorgsen. "Det är en fråga jag har svårt att begripa."

"Ja, säg det", sa Klasson. "Men han är tydligen van vid att aldrig höra hemma någonstans, han skriver ju om det här alldeles i början. Redan i första meningen. Vi har säkert att göra med en mycket ensam människa, det vågar vi nog påstå."

"Men utifrån det han berättar kan man inte ställa någon psykiatrisk diagnos på honom?" frågade Tallin.

"Nej", sa Klasson. "Det går förstås att spekulera hit och dit. Han har ju uppenbarligen varit i kontakt med psykvården, kanske till och med varit intagen. Men vad som står i hans journal vill jag låta vara osagt."

"Du är vanare att ställa diagnos på folk som du sitter öga mot öga med?" frågade Astor Nilsson.

"Utan tvivel", sa Klasson och kostade på sig ett hastigt leende. "Profilering är Lillieskogs gebit, men vi brukar samarbeta en del, som sagt."

Lillieskog nickade. "Man får alltid revidera profilen när

man hittat människan bakom masken", sa han. "Och då lär man sig oftast någonting nytt. En sak som jag personligen hajade till inför, när jag läste anteckningarna, är hans hustru. Han nämner henne två gånger, men i oerhört kortfattade ordalag. Vi får veta att hon är död. Fem år innan de här Bretagneveckorna, av allt att döma. Hur dog hon? Finns det ett trauma här? Hon kan ju inte ha varit särskilt gammal, kanske inte mer än tjugofem? Det kan ligga en olycka eller någonting ännu värre gömt här."

"Ännu värre?" sa Astor Nilsson.

"Ja", sa Eva Backman. "Jag får också en olustig känsla när han nämner hustrun. Kanske var det här det började?"

"Mycket möjligt", sa Klasson. "Men det vet vi ännu så länge ingenting om."

"Det är inte mycket vi vet någonting om", sa Astor Nilsson med en tung suck. "Trots att han har gett oss en 64-sidig redogörelse."

"Stämmer", sa Klasson. "När ni hittar honom är jag villig att ta mig an honom ett par veckor, men innan dess vet jag inte riktigt vad jag ska säga om honom. Han är faktiskt något av en gåta för mig också, som jag antar att han är för er."

Genomgången fortsatte en dryg halvtimme till, men Gunnar Barbarotti tyckte inte att någonting nytt kom i dagen. Ingenting som inte redan blivit sagt, på det ena eller andra sättet, och antagligen var det Klassons ord som sammanfattade gärningsmannens karaktär allra bäst.

En gåta.

Lite senare på eftermiddagen skickades två mejl till den franska polisen. Först ett kortare på franska – det visade sig att Tallin inte var alldeles obevandrad i språket – sedan ett längre på engelska. Samtidigt arbetade också Barbarotti och Backman fram en sex sidor lång sammanfattning av fallet på engelska, inkluderande en summering av Mousterlinanteckningarna; den mejlades vid halvfemtiden upp till Rikskrim för språkgranskning, och klockan fem var det dags för presskonferensen och offentliggörandet av bilden av Sjätte mannen.

Gunnar Barbarotti deltog inte i konferensen, men visste att man skulle betona att det inte var fråga om någon efterlysning av mördaren. Bara att polisen var ytterst angelägen att komma i kontakt med den inringade mannen på bilden.

Den var tagen sommaren 2002 i Bretagne i Frankrike, och de upplysningar som han kunde tänkas sitta inne med antogs vara av vital betydelse för utredningen av de fem mord som ägt rum runt om i Sverige – men med Kymlinge som en sorts dyster medelpunkt – den senaste månaden.

Så skulle det presenteras och sedan var det fritt fram för reportrar, läsare, lyssnare och tittare att tolka budskapet efter bästa förmåga.

From förhoppning, tänkte Gunnar Barbarotti när han drog ut sin Crescent ur cykelstället och började trampa hemåt. För egen del närde han inga illusioner, och han hade inte svårt att se morgondagens rubriker för sitt inre öga.

MÖRDAREN?

Och så bilden av Gunnar Öhrnberg, Henrik Malmgren och Sjätte mannen vid det där restaurangbordet.

De båda förstnämnda mördade. Kanske av den tredje, han, vars ansikte var inringat av en tydlig vit cirkel.

Ingen gloria. Tvärtom.

När jag kommer hem ska jag ringa till både Marianne och

Sara, bestämde sig Gunnar Barbarotti för. Måste sluta tänka på det här. Få det ur skallen, helt enkelt, annars spricker den.

Men innan han hann ringa till vare sig den ena eller den andra, kom ett samtal från den tredje kvinnan i hans liv.

Helena. Hans före detta hustru. Det tog en bråkdels sekund innan han kom ihåg att hon faktiskt existerade, och han undrade vad det berodde på.

”Hej”, sa han. ”Så trevligt.”

”Jag hoppas att du tycker det”, sa hon. ”För jag behöver tala lite allvarligt med dig om en sak. Men bara om du har tid.”

”Jag har tid”, försäkrade han och sjönk ner i soffan. Erinrade sig förra veckans samtal efter Göran Persson-incidenten, och antog att det fortfarande var den som var på tapeten.

Men det var det inte.

”Ulrich har fått ett fantastiskt erbjudande.”

Jaha? tänkte han. Och vem fan är Ulrich?

Han sa det inte och det var nog lika bra, för Ulrich var förstås Helenas nye man, hans söners nuvarande far. När han tänkte efter, visste han förstås också att det var just så han hette – inte Torben som han hade haft för sig – han hade bara råkat förtränga det.

”Dom vill att han ska ta hand om ett helt nytt yoga-center i Budapest. Han får ett tvåårskontrakt och en lägenhet mitt i stan. Det passar ju så bra också, vi kommer aldrig att få en sådan här chans och vi måste bestämma oss inom en vecka.”

Vad är det hon pratar om? tänkte Barbarotti. ”Varför passar det så bra?” frågade han.

”Därför att Ulrich pratar ungerska, förstås?”

”Varför i hela friden pratar han ungerska?”

”Därför att han är ungrare, dumskalle.”

”Det har du aldrig berättat.”

”Det har jag visst.”

”Jag var säker på att han var dansk. Hur fan kan en ungrare heta Ulrich?”

”Hans mamma är danska. Men han är född i Debrecen och han bodde där tills han var tio.”

”Okej”, sa Barbarotti. ”Jag tror dig. Vad har jag med det här att göra, då?”

Han kände att han började härskna till och drog ett djupt andetag för att lugna ner sig.

”Pojkarna, förstås.”

”Pojkarna?”

”Ja. Vi har pratat fram och tillbaka om det här, och det verkar faktiskt lite opraktiskt att släpa med dom till Budapest. Det gör verkligen ont i mig, det gör det, lägenheten är bara på två rum och kök dessutom. Men det är en fantastisk utsikt över Donau.”

”Så du menar...?”

”Ja. Jag tror Lars och Martin skulle må bra av att bo med dig i två år. Men bara om du är med på det, förstås. Nu när Sara flyttat ut och allting, jag tänkte det kunde vara bra för alla parter.”

Alla parter? tänkte Gunnar Barbarotti. Jag vet nog vilken part du representerar.

Men han drog två djupa andetag och tänkte efter. Den mognad som börjat drabba honom den senaste tiden höll i sig. Lugn och fin som en filbunke i livets alla skeden.

”Jag förstår”, sa han. ”Vad säger dom själva?”

”Vi har inte nämnt det för dom än. Jag ville prata med dig först.”

”Jag tyckte du sa att ni hade diskuterat fram och tillbaka?”

”Ulrich och jag har diskuterat, inte barnen.”

”Allright”, sa Gunnar Barbarotti. ”Prata med Lars och Martin ikväll, då, och be att dom ringer mig. Jag kanske kommer att gifta mig snart, men det möter väl inga hinder?”

Det blev så tyst i luren att han trodde förbindelsen brutits.

”Hallå?”

”Jag är kvar. Varför har du inte sagt nåt?”

”Jag ville diskutera det med min blivande fru först.”

Det var onödigt snorkigt och han bet sig i tungan.

”Okej. Om du vill ha det på det viset, så får det väl vara så. Men jag ska tala med pojkarna. Om den detaljen också. Har hon ett namn?”

”Marianne.”

”Marianne? Så hette ju den där tjejen du just gjort slut med när vi träffades. Det är väl inte hon?”

”Nej”, sa Gunnar Barbarotti. ”Det är inte hon.”

”Bra. Då hör vi av oss senare ikväll.”

”Hälsa pojkarna att jag skulle tycka om att ha dom hos mig.”

Helena lovade att göra detta och så lade de på.

Jag sa ingenting om att jag kanske ska flytta till Helsingborg, tänkte Barbarotti och gick ut i köket för att sätta på pastavatten.

Fast å andra sidan låg förstås inte Helsingborg i Ungern.

När han ätit och just satt sig ner för att slå Saras nummer, ringde Tallin.

”Godkväll”, sa han. ”Tallin här. Ursäkta att jag stör.”

”Föralldel”, sa Barbarotti. ”Hur gick konferensen?”

”Bra”, sa Tallin. ”De fick ju sitt köttben, så det var över på en halvtimme. Hur är din franska?”

”Jag kan räkna till tjugo om jag har en bra dag”, sa Barbarotti. ”Varför frågar du?”

”Därför att du och jag flyger ner imorgon förmiddag. Vi får med oss en kvinna som talar flytande för säkerhets skull. En inspektör från Göteborg.”

”Ni har pratat med polisen därnere?”

”Bara mejlat. Men det verkar fungera bra. Vi ska till Quimper och träffa en *commissaire* som heter Leblanc.”

”Jaha?” sa Barbarotti. ”Varför... varför åker inte Jonnerblad?”

”Därför att hans fru opereras för cancer på onsdag. Han åker upp till Stockholm imorgon kväll.”

”Aj då”, sa Barbarotti. ”Jag visste inte...”

”Inte jag heller. Han berättade det imorse. Ja, vi får hoppas att det går bra.”

”Ja”, sa Barbarotti och insåg plötsligt hur oerhört lite han visste om dessa tillresta kolleger. Ingenting om familj, ingenting om hobbies och fritidsintressen. Inte ens vilket lag de hejade på i fotboll.

Nästan som med mördaren själv, slog det honom.

”Vi räknar med tre dagar”, sa Tallin. ”Åker hem på fredag. Funkar det här för dig?”

”Jag har en väldig viktigt sak på fredag kväll”, sa Barbarotti.

”Inga problem”, sa Tallin. ”Vi är hemma då. Planet imorgon går 10.50 från Landvetter. Det kommer en bil och hämtar dig kvart över åtta. Vi tar all planering och sådant på vägen ner. Då säger vi så.”

”Vi gör väl det”, sa Barbarotti.

Efter samtalet med Tallin märkte han att han inte var i form för att prata med vare sig Sara eller Marianne. Istället satte han på en fadoskiva, gjorde i ordning en kopp te och började läsa Mousterlinanteckningarna för tredje gången. Lika bra att vara så förberedd som möjligt, tänkte han. Om man nu skulle vandra omkring i mördarens fotspår.

Han fortsatte ända till slutet den här gången också, och klockan hade hunnit bli över tolv innan han kröp i säng. Just som han släckte lampan kom han på att han inte hört någonting från Lars och Martin.

Detta enkla faktum höll honom vaken åtminstone en timme till.

34

På Landvetter fick han syn på de första löpsedlarna, och de stämde rätt så väl överens med vad han föreställt sig.

Men det stod faktiskt inte ”Mördare” på någon av dem. Man körde med ”Efterlyst”, ”Efterspanad” och ”Vem är du?” istället. Alltid något, tänkte Barbarotti. Kanske hade Jonnerblad och Tallin lyckats lägga ett besinningens balsam under gårdagens konferens, trots allt.

Eller kanske hade de helt enkelt ljugit.

”Skönt att åka härifrån just idag”, kommenterade Tallin. ”Se, där har vi vår fransyska.”

Carina Morelius såg inte ut som en fransyska. Barbarotti hade omedvetet föreställt sig en spädlemmad men skarp liten kvinna med kortklippt, svart hår och själfulla ögon; inspektör Morelius erinrade mer om en norsk skiddrottning. Eller *före detta* norsk skiddrottning åtminstone; hon såg ut att vara i fyrtioårsåldern, lång, blond och kraftfull.

”Det var fint att du kunde ta dig tid”, sa Tallin när presentationen var överstökad. ”Det sägs att vår commissaire därnere talar engelska, men man vet ju aldrig.”

”Nöjet är mitt”, sa Carina Morelius. ”Och som princip tackar jag aldrig nej till en resa till Frankrike. Så du är den berömde Barbarotti?”

Hon lyckade säga det utan ironi eller undertoner och han tog emot det utan garderingar. ”Oui”, sa han. ”Han som gör processen kort med uppnosiga reportrar och har gett polisvåldet ett ansikte.”

Hon skrattade. ”Det finns alla sorter, antar jag. Både när det gäller poliser och journalister.” Sedan blev hon allvarlig. ”Men det är ju en förskräcklig historia, det här. Jag har förstås bara fått det via teve och tidningar, men jag tänker att ni hinner sätta mig in i läget på vägen ner.”

”Det kan du lita på”, försäkrade Tallin och såg på klockan. ”Det är sex timmar tills vi landar i Quimper och du kommer att behöva den tiden. Vi har ett studiematerial på 64 tättskrivna sidor bland annat.”

”Det ser jag fram emot”, sa inspektör Morelius och Barbarotti kunde inte urskilja någon ironi nu heller.

Det regnade på flygplatsen i Quimper.

De möttes av en ung uniformerad kvinna med en skylt som det stod *Talain* på, och inspektör Morelius satte omedelbart igång att konversera med henne på en franska som verkade närmast infödd. Åtminstone såvitt Barbarotti kunde bedöma. Men så hade hon också bott i Lyon i fem och ett halvt år, varit gift med en fransk proffscyklist men lämnat honom för en massör från Partille. Om detta och en del annat hade hon berättat på planet mellan Göteborg och Paris; de hade haft platserna bredvid varandra – från Charles de Gaulle till Quimper hade det varit knökfullt och onumrerat och de hade suttit utspridda.

Fast större delen av flygtiden hade förstås gått åt till information och studier, precis som kommissarie Tallin hade förutskickat.

Denne passade för övrigt också på att sticka in en och annan fras till den unga poliskvinnan medan hon lotsade dem in mot stan; han hade ju redan visat att han behärskade språket en smula. Barbarotti, för sin del, satt under hela färden och stirrade ut mot regnet genom sidorutan i baksätet. Vad gör jag här? tänkte han. Vad snackar dom om? Jag kommer att vara den korkade kusinen från landet i tre dagar.

Men commissaire Leblanc talade verkligen engelska. Med påtaglig fransk brytning visserligen, men ordförrådet var det inget fel på. Han var kortväxt och flintskallig, bar runda, oinfattade glasögon och erinrade Barbarotti om en skådespelare som han glömt namnet på. Han hälsade vältaligt, bjöd på kaffe och förklarade att kriminalavdelningen vid polisprefekturen i Quimper, där han var chef, skulle göra allt som stod i deras makt för att bistå sina svenska kolleger i deras arbete.

Men han behövde bli mer insatt i fallet. Han hade läst de bägge faxen liksom Barbarottis och Backmans sammanfattning, men kände att det behövdes mer kött på benen. More meat on the bones, yes?

Tallin och Barbarotti hjälptes åt med detta – med ett och annat franskt inpass från inspektör Morelius – under en dryg halvtimme; när de var klara tog Leblanc av sig glasögonen, började putsa dem med en liten grön duk som han plockade upp ur skrivbordslådan och förklarade att han kände sig en smula förbryllad.

”Dérouté. Betwixted, yes?”

”Förbryllad”, avgjorde Carina Morelius. ”Han säger att han är lite förbryllad.”

”Varför då?” frågade Tallin.

”Därför att”, sa Leblanc och kontrollerade glasögonputsen genom att syna den mot lysröret i taket, ”därför att jag inte kommer ihåg något fall med två försvunna personer från sommaren 2002.”

Det blev tyst i rummet. Kommissarie Tallin höjde sin högra hand och sänkte den igen.

”Det måste finnas ett sådant fall”, sa Barbarotti.

Leblanc slog ut med händerna i en mycket fransk gest.

”Jag förstår att ni tycker det”, sa han. ”Men jag har kontrollerat saken i våra arkiv och där finns helt enkelt ingen sådan anmälan.”

”Ingen försvunnen flicka med en försvunnen farmor?”

”Nej.”

”Märkligt”, sa Tallin.

”Kanske inte ändå”, sa Barbarotti.

”Vi hade ett fall med ett par holländska turister som rapporterades saknade den sommaren, det minns jag”, fortsatte Leblanc. ”En pojke och en flicka, men de dök senare upp nere i trakten av Perpignan. Det var en del narkotika med i bilden, om jag inte tar fel.”

”Det är väl ändå inte möjligt att två människor försvinner utan att det anmäls?” frågade Tallin.

”Tyvärr är det nog inte så omöjligt som man skulle önska”, förklarade Leblanc med ett beklagande tonfall och satte glasögonen på plats igen. ”De kan ju också ha anmälts till någon annan polismyndighet. Men hur är det, har ni uppfattningen att den här flickans farmor skulle ha haft ett eget hus i närheten av Mousterlin?”

”Javisst”, sa Tallin.

”Jag är inte så säker på det”, invände Barbarotti. ”Jag tror faktiskt att det kan finnas andra varianter.”

”Varianter?” sa Leblanc.

”Ja”, sa Barbarotti. ”Det är bara flickan som berättar om det här huset första gången de träffas. Sedan antyds det på olika sätt att flickan nog inte är riktigt pålitlig. Jag läste igenom anteckningarna en gång till igår kväll, och...”

”Jag vet inte riktigt om jag håller med om det här”, avbröt Tallin men Leblanc ignorerade honom.

”Kan hon ha hyrt ett hus?” frågade han. ”Om de var här på semester, alltså?”

”Möjligt”, sa Barbarotti.

”Men farmoderns namn nämns aldrig?”

”Nej.”

”Och inte var hennes bostad skulle ha varit belägen?”

”Nej.”

Barbarotti kastade en blick på Tallin och denne nickade vagt bekräftande. ”Det här med husfrågan är faktiskt oklart”, medgav han. ”Kanske förutsatte jag när jag läste anteckningarna att farmodern och flickan bodde i ett hus i närheten av Fouesnant, och att farmodern faktiskt ägde detta hus, men det är givetvis inte omöjligt att inspektör Barbarotti har rätt.”

”Han skriver på ett ställe att han misstänker flickan för att vara mytoman”, påpekade Barbarotti. ”När jag läste redogörelsen första gången trodde jag en stund att det kanske inte ens fanns någon farmor, att det bara var något flickan hittade på. Men när hon sedan dök upp, försvann naturligtvis misstanken.”

”Dök upp och blev mördad”, sa Tallin.

”Det är en horribel historia”, sa inspektör Morelius på franska.

”Allright”, sa Leblanc. ”Jag tror jag börjar få bilden klar för mig. Om en kvinna som har ett hus i Fouesnant försvinner med sitt barnbarn, måste saken naturligtvis förr eller senare komma till vår kännedom. Men om vi alltså antar att det inte var farmodern som flickan uppfann, utan bara huset, var hamnar vi då?”

Barbarotti kliade sig i huvudet och utbytte ännu en tom blick med Tallin. ”Ja, var hamnar vi då?” upprepade han. ”Det skulle till och med kunna förhålla sig så, att de inte bodde i något hus överhuvudtaget, utan…?”

”På en campingplats?” fyllde Tallin i. ”Det finns rätt gott om dem i området, eller hur?”

”Mais oui”, sa Leblanc entusiastiskt. ”Mellan Bénodet och Beg-Meil, området innanför Mousterlin, alltså, finns det åtminstone tjugo stycken. Just den här tiden, mitten av juli till slutet av augusti, har vi oerhört många turister här. Tusentals campare, bland annat. De flesta fransmän, naturligtvis, men också många från andra länder. England, Holland och Tyskland. Några från Skandinavien, jag hoppas verkligen ni får lite tid att se vår vackra natur, inte bara arbete. Oh la, le travail, le travail, toujours du travail… det är så vi har det i den franska polisen, jag förmodar att ni lever under samma förbannelse i ert land?”

”Det händer”, sa inspektör Morelius på franska. ”Ça arrive.”

”Vi stannar till på fredag”, förklarade Tallin. ”Någonting ska vi väl ändå hinna se. Men om vi alltså leker med tanken att flickan bodde med sin farmor på en campingplats… vad ändrar det i så fall? Deras försvinnande borde väl ha rapporterats i alla händelser?”

Leblanc vände handflatorna mot taket. ”Givetvis. Någonstans i landet har det säkert kommit in en anmälan. Men att försvinna från ett hus är ändå en helt annan sak än att försvinna från ett tält.”

Barbarotti begrundade denna bistra sanning ett ögonblick. ”Kan det vara så att de inte ens var registrerade på någon camping?” frågade han. ”Fast de ändå bodde där, menar jag?”

”Jag vet inte”, sa Leblanc och ryckte på axlarna. ”Naturligtvis är det meningen att alla som campar skall uppge sina identiteter i receptionen när de slår upp sina tält eller parkerar sina husvagnar, men... ja, det är väl inte omöjligt att det slarvas med det där. Det finns bönder som brukar upplåta ett par ängar under den mest hektiska tiden också. Det är lättförtjänta pengar, och det är inte möjligt att kontrollera all sådan här verksamhet. Kanske inte önskvärt heller, och vem kan faktiskt förbjuda någon att sätta upp ett tält på sin åker?"

Barbarotti nickade. "Men om vi antar att det skulle vara på det viset", sa han, "så måste de ju ändå ha lämnat saker efter sig. Tält och kläder och sådant, eller hur?"

Leblanc tänkte efter en stund.

"Givetvis", sa han sedan. "Givetvis borde någon ha rapporterat det här till oss under alla förhållanden. Men jag kan alltså konstatera att ingen har gjort det. Tyvärr, jag beklagar."

"Ett kvarglömt tält på en åker är kanske inget större polisärende", sköt Morelius in.

"Inget större", sa Leblanc och log hastigt.

"Men om den här hypotesen stämmer", sa Barbarotti med en suck, "så betyder det egentligen bara att fallet ligger hos någon annan polisprefektur i landet. Eller hur?"

"Alldeles säkert, ja", sa Leblanc.

"Var?" frågade Tallin.

Leblanc strök med handen över sitt kala huvud. "Det beror helt och hållet på vem som saknade dem", förklarade han tålmodigt. "Och *var* de saknades, förstås. Om det till exempel inte var känt var flickan och farmodern höll till på sin semester... ja, då blev de antagligen anmälda som försvunna i sin hemstad. Paris, eller hur var det?"

"Paris", bekräftade Barbarotti. "Åtminstone om vi ska tro på flickan. Men hur kom de hit i så fall? Vänta lite. Det råkar... det råkar inte vara så att en övergiven bil hittades i närheten av Mousterlin den där sommaren? Det är förstås mycket begärt efter fem år, men...?”

Leblanc skrattade till, kort och kärvt. ”Ja, jag kan visserligen sätta en man på det, men jag tror det vore dumt att förvänta sig någonting. Kanske bonden behöll den också, förresten? Varför inte?”

Det blev tyst några sekunder.

”Ni menar att det skulle kunna vara så?” frågade Barbarotti klentroget. ”Att flickan och farmodern tältade hos en bonde, och när han en dag märker att de är försvunna, så lägger han beslag både på tältet, deras saker och deras bil?”

”Det är en teori”, sa Leblanc och sköt upp glasögonen i pannan. ”Jag vill inte gärna tro på den, men vad... ja, vad skall man i så fall tro på?”

Tallin harklade sig. ”Hur tog hon sig till Eriks hus den där kvällen?” frågade han. ”Farmodern, vill säga. Jag fick inte uppfattningen att hon körde bil i alla fall.”

”Inte jag heller”, sa Barbarotti. ”Nej, hon kom säkert gående, annars måste ju hennes bil ha blivit stående utanför huset, och då...”

”Då måste någon av de andra ha tagit hand om den”, fyllde Tallin i. ”Ja, det är förstås inte omöjligt att de gjorde det, eller hur?”

”Nej”, erkände Barbarotti. ”Faktiskt inte.”

Herregud, tänkte han. Det kunde förstås vara så. Att svenskarna också sett till att sopa igen spåren efter allt-ihop. Det var ju ingenting Sjätte mannen kunde ha någon kännedom om i så fall, eftersom han lämnat trakten redan morgonen efter att han begravt den gamla kvinnan inne i poldern.

”Men om vi antar att hon kom till fots den där kvällen”,

återtog Leblanc, ”och om vi antar att hon ändå var en ganska gammal kvinna, så borde det ju innebära att de bodde någonstans i närheten. Och vi känner ju till vilka hus de bodde i, alla de här svenskarna, är det inte så?”

”Det vet vi”, sa Tallin. ”Vi fick det sista bekräftat sent igår kväll. Planen är att vi ska besöka alla tre imorgon. Men att flickan och hennes farmor inte är inrapporterade som saknade här i distriktet är onekligen ett streck i räkningen. Hur fort går det att kontrollera det här med Paris?”

”Några dagar, skulle jag tro”, sa Leblanc och ryckte på nytt på axlarna. ”Det är förbaskat synd att vi inte har deras namn, men jag kommer omedelbart att skicka ut en sökning över hela landet.”

”Troaë”, påpekade Barbarotti. ”Det har vi ju åtminstone.”

”Om hon verkligen hette så, ja”, sa Leblanc och satte glasögonen på plats igen. ”Jag har aldrig stött på det namnet tidigare. Nåja, är de anmälda som försvunna någonstans i Frankrike, kommer ni att veta det i nästa vecka. Kanske redan innan ni åker hem. Deras riktiga namn också.”

”Bra”, sa Tallin. ”Det är vi tacksamma för. Utomordentligt tacksamma.”

”Har ni några andra frågor som jag möjligen kan besvara?” frågade Leblanc.

Tallin bytte en blick med Barbarotti innan han ruskade på huvudet. ”Inte för tillfället. Men vi ber att få återkomma.”

”Naturligtvis”, sa Leblanc och sträckte på sig. ”Brott skall aldrig få löna sig. Inte i något läge och inte i något land.”

Efter dessa kloka ord vred han på huvudet och såg ut genom fönstret. ”Det ser ut som om regnet tagit slut”, sa han. ”Får jag föreslå en liten middag i gamla staden innan vi kör er till ert hotell? Mademoiselle?”

"Madame", rättade Carina Morelius och log. "Je vous en prie, monsieur le commissaire."

De åt utomhus på ett litet oregelbundet torg som hette Place Beurre. Smörtorget, det förstod till och med Barbarotti.

Gratinerad getost. Marinerade musslor. Någon sorts utomordentligt mört kött med sås på vitt vin och senap. Ett par ostar, roquefort och en tvåårig comté. Crème brulée.

Ett alsacevin och en bordeaux. Ett glas calvados och en liten café noir. Måltiden tog två och en halv timme, Barbarotti bestämde sig för att han aldrig mer i sitt liv skulle besöka Rockstagrillen.

Commissaire Leblanc konverserade hela tiden. Berättade om staden Quimper. Dess konsttraditioner, dess arkitektur. Dess skönhet, särskilt den gamla staden där de just nu befann sig, omsluten av både vallgrav och murar. Katedralens månghundraåriga och skiftande historia.

Men inte ett ord om fallet. Inte ett ord om polisarbete överhuvudtaget; Barbarotti tänkte att det var så här man skulle fungera. Stänga av jobbet i samma ögonblick som man stängde dörren till sitt tjänsterum.

Så här han *måste* fungera, noga taget, om han ville behålla sin själsliga hälsa, och om Marianne skulle stå ut med att leva med honom. Inte som han fungerade för tillfället – och inte som Astor Nilsson, som tydligen inte kunde sova om nätterna, ens.

Intressera sig för andra saker, helt enkelt. Skaffa sig ett liv, som det brukade heta i ungdomsprogrammen på teve.

Lätt sagt. Svårare omsatt, antagligen. När han kom upp på sitt hotellrum – bara på fem minuters promenadavstånd från Place Beurre, för övrigt – packade han upp sin väska och stack ett finger i bibeln.

Det var första gången någonsin han tagit med den på en resa.

Ordspråksboken. Han kände en hastig tacksamhet över att slippa det fördärvade ögat.

20:5
Planerna i en mans hjärta är som djupt vatten;
En man med förstånd hämtar upp dem.

Jaha? tänkte Barbarotti. Och vad är det som avses här, då? Vems planer? Mina egna eller någon annans?

Han satt på sängkanten och försökte väga orden en stund, men hänvisningen till utredningen kändes så tydligt att han bestämde sig för att släppa tråden. Det var ju det han just lärt sig av Leblanc. Han tog fatt i telefonen istället, klockan var visserligen över elva, men i krig och kärlek var det aldrig för sent.

”Hej”, sa han. ”Väckte jag dig?”

”Nej då”, sa Marianne. ”Har inte kommit i säng, ens. Jenny har börjat i en ny klass och behövde lite uppmuntran, det tog en stund.”

Javisst ja, tänkte Barbarotti. Skolstart.

”Vad gör du själv? Du har väl inte ändrat dig om fredag?”

”Ingen risk”, sa Barbarotti. ”Men jag är i Frankrike.”

”I Frankrike?”

”Jag letar efter ett bra vin till hummern.”

”Va?” sa Marianne.

”Jag bara skojar”, sa Barbarotti. ”Jag åkte hit i jobbet. Vi tror vi är honom på spåret nu.”

”Jo, jag har sett tidningarna idag”, sa Marianne. ”Och Rapport, det har visst kommit in rätt så många tips. Är det...

är det mördaren, den här inringade mannen på bilden?"

"Jag vet inte", sa Barbarotti och han märkte att det inte kändes som om han ljög när han sa det. "Nej, jag vet faktiskt inte, det är lite komplicerat. Hursomhelst ville jag önska dig god natt och passa på att säga att jag älskar dig."

"Tack", sa Marianne. "Det var snällt av dig. Jag ser fram emot att träffa dig på fredag. Se till att du inte blir kvar därnere, bara, vi har viktiga saker att prata om."

"Jag kommer att ta emot dig med rosor, mjölk och honung", försäkrade Barbarotti. "Och vin, som sagt. Fast du får gärna önska mig lycka till härnere också om du vill."

"Lycka till, min älskade", sa Marianne. "Var rädd om dig och sov gott, du med."

Men det gjorde han inte. Alla goda föresatser till trots. Så snart han släckt lampan, fylldes hans huvud med tankarna på vad som framkommit under eftermiddagens samtal med commissaire Leblanc.

Aldrig efterlysta? Vad tusan betydde det?

Och de där spekulationerna om att flickan och farmodern kunde ha bott på någon sorts icke officiell campingplats. Hur trovärdigt var det egentligen?

Och hur trovärdig var flickan Troaë? Den där tanken han fått om att hon var en liten mytoman hade onekligen fått förnyad bärkraft under dagen.

Och Mousterlindokumentet överhuvudtaget? Vad fanns det för poäng med att skriva det? Och att låta dem läsa det? Var det inte det som var själva grundproblemet? Den fråga de först och främst borde försöka hitta svaret på? I myllret av andra frågor.

Planerna i en mans hjärta, med andra ord.

Inspektör Barbarotti suckade och kom plötsligt att tänka

på vad Axel Wallman brukat hävda när de bodde tillsammans i Lund. Att skillnaden mellan nobelpristagaren och den lallande och dreglande idioten när allt kom omkring inte var så stor – eftersom den förstnämnde antagligen lyckats ta till sig ungefär en procent av all möjlig kunskap, medan idioten stannade på en halv.

En smula tröst i bedrövelsen, var det inte?

När han sista gången lyfte huvudet från kudden och betraktade teveapparatens röda digitalsiffror hade de hunnit fram till 01:56.

35

Leblanc hade ställt en bil, en svart Renault som fick Barbarotti att tänka på konjak, till deras förfogande. De körde ut ur Quimper vid niotiden och efter en halvtimmes färd längs slingriga vägar genom ett grönskande, här och var nästan igenvuxet, landskap, befann de sig vid Cap de Mousterlin. Udden stack ut som en näsa i havet och på bägge sidorna av den bredde långa sandstränder ut sig; det var ebb och vattenbrynet låg för tillfället femtio-sextio meter nedanför den gräsbeväxta strandvallen, som skyddade poldern där innanför. Det liknade inte alls det Bretagne där Barbarotti tillbringat ett par sommarveckor för femton år sedan. Då hade det varit norra kusten som gällt, Côtes-d'Armor, med dramatiska klippor, små skyddade vikar, grottor och egenartade stenformationer. Han mindes plötsligt de märkliga ortsnamnen: Tregastel, Perros-Guirec, Ploumanach.

Men här på sydsidan var det flackt, alltså, precis som det beskrivits i Mousterlinanteckningarna. Och varmt, åtminstone den här dagen; solen lyste från en obarmhärtigt blå himmel och temperaturen låg säkert mellan tjugofem och trettio – trots att det bara var morgon och trots att skolorna hemma i Sverige hade startat. Ännu var stränderna nästan tomma, men han tvivlade inte på att här skulle vara fullt av folk om några timmar. Han ångrade att han inte packat med ett par shorts trots allt, hans svarta jeans kändes plågsamt varma – men det var någonting med poliser och kortbyxor som inte gick ihop.

Inkompatibelt, som det hette nuförtiden.

Åt höger, västerut, tog stranden slut borta vid den lilla hamnstaden Bénodet; åt vänster, österut och på tre kilometers avstånd, fanns Beg-Meil.

Barbarotti tittade på klockan och Tallin nickade. Dags att bege sig till Le Grand Large, restaurangen som enligt uppgift skulle ligga ett par hundra meter åt Beg-Meil-hållet. Det var här svenskarna suttit med flickan Troaë den där dagen då de träffat henne på stranden för första gången. Barbarotti insåg att det var ett hopplöst företag, och han visste att Tallin och Morelius också insåg det. Men de skulle prata med personalen där och de skulle lämna över sina bilder. Sina visitkort också, och direktnummer till commissaire Leblanc – om nu någon, mot förmodan, skulle erinra sig något så småningom.

De möttes i och för sig av både vänlighet och intresse, men också av beklagande huvudskakningar. Endast en i den nuvarande styrkan hade jobbat på restaurangen 2002, och eftersom hon sett inte mindre än elva somrar komma och gå på denna ljuvliga plats, och förmodligen någonstans mellan fyrtio och femtio tusen mat- och bargäster, så bad hon om ursäkt för att hon faktiskt inte kunde komma ihåg de här människorna på fotografiet.

De fortsatte till Bénodet. Hittade utan större problem restaurangen nere vid Gamla hamnen, den hette Le Transat; hittade också med rätt stor sannolikhet just det bord och den vägg, där de sex svenskarna suttit en lördag för fem år sedan – och hade ett ganska långt samtal med ägaren till stället. Han var två meter lång, hade en bror som arbetade hos polisen i Marseille och älskade för egen del kriminalromaner över allt annat på jorden. Möjligen undantagandes sin fru och sina barn.

Trots det kunde han inte hjälpa dem. Han studerade och begrundade fotografierna från 2002 både länge och väl, men, tänkte Barbarotti, även om han hade fått en snilleblixt och erinrat sig det här sällskapet och den här lördagen från fem år tillbaka i tiden – vad skulle egentligen ha varit vunnet med det? Så länge inte Sjätte mannen glömt kvar sitt körkort på bordet eller på annat sätt basunerat ut sin identitet, stod de fortfarande och stampade på samma fläck. Kanske inte ruta ett, men något målsnöre var det definitivt svårt att få syn på.

Ägaren frågade om de inte ville äta lunch åtminstone, men eftersom klockan ännu inte var mer än halv tolv, beslöt de att klara av den detaljen på förmiddagens tredje krog.

Le Thalamot i Beg-Meil.

Här skulle jag vilja bo om jag vore rik, tänkte Gunnar Barbarotti plötsligt när han klev ur bilen. Och om jag kunde prata franska.

Ja, inte precis på Le Thalamot, kanske, men i närheten. I något av de stora, muromgärdade stenhusen, som verkade utgöra kärnan i samhället Beg-Meil. Tinnar och torn, blå fönsterluckor och djup grönska; splendid isolation och havet bara på några meters avstånd.

Men jag blir nog aldrig rik, tänkte han sedan. Och framförallt kommer jag aldrig att kunna lära mig franska. Man måste vara gift med en cyklist i Lyon för att klara av det.

De presenterade sina frågor och sina fotografier för tredje gången, och möttes för tredje gången av beklagande leenden och huvudskakningar. Beställde sallader och var sin omelett istället, med varierande innehåll, och eftersom de ändå var där de var, passade de också på att prova var sitt glas av traktens cider.

Den smakade gammal jäst äppelmust, Barbarotti mindes att det hade varit likadant för femton år sedan på Côtes-d'Armor, och ingen av dem bad om påfyllning.

”Namnen stämmer i alla fall”, sa Tallin när de fått in kaffet. ”Platserna finns och krogarna finns. Och människorna, allting stämmer. Vi behöver i varje fall inte tvivla på själva historien.”

”Kanske inte”, sa Barbarotti. ”Det är riktigt att allting finns på plats. Men det ligger en ung flicka och en gammal kvinna begravda inne i marsklandet också, och de försvann utan att någon brydde sig om det. Det är en smula irriterande, det tycker åtminstone jag.”

”Vi har inte hört vad Leblancs efterlysning får för resultat än”, påpekade Morelius. ”Har vi tur har vi deras namn ikväll eller imorgon.”

”En nåd att stilla bedja om”, sa Tallin.

Barbarotti noterade att han började se trött ut, den gode kommissarien. Till och med han.

”Troaë”, sa han. ”Leblanc sa att han aldrig hört ett sådant namn förr.”

”Jag har heller aldrig hört det”, sa Morelius.

”The Root Of All Evil”, suckade Tallin. ”Ja, herregud.”

”Någonting nytt från hemmaplan?” frågade Barbarotti för att byta spår. ”Min mobil har varit tyst sen igår kväll.”

Tallin drack ur sitt kaffe och såg ut att försöka rycka upp sig en smula. ”Jo, jag pratade med Asunander imorse”, sa han. ”Fyrahundrafemtiofem namn bara igår. Det är antagligen rekord och ett tiotal kommer att stämma oss för att de känner sig utpekade. Men de håller på och sorterar, vi får väl se var det slutar.”

Barbarotti nickade. ”Hoppas de är nere i sju-åtta stycken tills vi kommer hem. Då är det lite mer hanterbart.”

”Hoppas kan man alltid”, sa Tallin. ”Nej, ska vi betala och ge oss ut och titta på husmarknaden nu?”

Denna visade sig också stämma väl överens med Mousterlin-dokumentet, som de lite motvilligt börjat kalla det. Det hus som paret Malmgren hyrt genom förmedlaren i Göteborg låg ett par hundra meter väster om Mousterlinspetsen, alldeles innanför vallen. De hade inte gjort upp med ägaren om någon husesyn, framförallt beroende på att det inte var samma ägare som för fem år sedan. Monsieur Diderot – det lät bekant, tyckte Barbarotti – som hyrt ut sitt hus till det svenska paret, hade dött 2004, det hade därefter gått i arv, därefter sålts till en schweizisk bankman.

Men det låg där, ett trivsamt vitkalkat hus innanför en låg stenmur. Skiffertak, som på nästan alla hus i trakten, en stor terrass, ett par cypresser och rhododendronbuskar och hortensior i stora drivor. Barbarotti kände sig inte alldeles hemma på dessa växter, men Morelius tolkade även dessa till svenska.

Gunnar Öhrnbergs och Anna Erikssons bostad tog lite längre tid att leta sig fram till. Den visade sig ligga ungefär mittemellen Mousterlin och Beg-Meil, och de cirklade omkring en god stund inne på grusvägarna som löpte kors och tvärs genom polderlandskapet, innan de hittade rätt. Inte heller här hade de avtalat något möte med ägaren; Leblanc och Morelius hade pratat med honom på telefon tidigt på morgonen, men han påstod att han hyrt ut sin kåk till så många tokiga turister genom åren att han inte längre kunde skilja den ene från den andre. Dessutom skulle han ut och fiska och hade inte för avsikt att låta snuten lägga några hinder i hans väg. Des flics et des touristes! Jamais de la vie!

Snutar och turister, aldrig i livet, översatte Morelius.

När de kom fram till Le Clos, som det tredje – och enligt alla välgrundade förhoppningar viktigaste – huset hette, var klockan fyra på eftermiddagen och fortfarande fanns det inte ett moln på himlen. Ägaren, en monsieur Masson, hade lovat att dyka upp vid femtiden, men hade också sagt att om de kom tidigare, så var det bara att knalla in och slå sig ner så länge. Det låg ett bageri ett stenkast bort, precis som det stod i dokumentet, och man hade just öppnat efter lunchstängningen; de traskade dit, köpte vatten, frukt, en dagstidning och tre pain au chocolat. Återvände till Le Clos, slog sig ner under parasollet på terrassen och väntade. Barbarotti gjorde bedömningen att det var åtminstone 33 grader i skuggan, och om de inte haft en kvinnlig inspektör i släptåg skulle han ha tagit av sig i bara kalsongerna.

Det fanns ingen insyn, nämligen. En hög och tät rhododendronhäck omgav i tre väderstreck, i det fjärde, åt havet till, bredde en äng med meterhögt gräs ut sig. Barbarotti noterade att man kunde höra havet, trots att det måste ligga flera hundra meter bort, han gissade att tidvattnet var på väg in.

Själva huset påminde om det malmgrenska. Vitt med grå stengavlar och blå luckor. Två våningar. Terrass med vitt plastmöblemang, ett blått och gult parasoll. Som om IKEA gjort ännu en inmutning. Grinden hade exakt samma blå nyans som Sorgsens papperskorg.

”Så det här är själva mordplatsen?” sa inspektör Morelius och bröt nacken av en banan.

Barbarotti såg sig om. ”Förmodligen”, sa han. ”Ja, det måste ha skett just här på terrassen... och där”, pekade han, ”där borta har vi redskapsskjulet.”

Det låg halvt dolt under ett yvigt lövträd. Såg ut som en kastanj, tyckte Barbarotti, men bladen var småflikiga. Han tog en klunk vatten, reste sig och begav sig dit. Märkte att det var svalare i skuggan under grenverket och blev stående en stund; en svag vind letade sig in hit också. Tänkte att om han själv bodde här, skulle han utan tvivel tillbringa en sådan här dag i en vilstol under just det här trädet, vad det nu var för sort.

Och här hade alltså den gamla kvinnan legat död, tänkte han sedan. Medan svenskarna satt där borta på altanen och resonerade om vad de skulle göra med hennes kropp.

En liten bräcklig kvinna med huvudet krossat av en svensk skiftnyckel. Han stirrade ner i gräset invid skjulets korrugerade plåtvägg. Just här, antagligen, just på den här lilla plätten av gräs och jord hade hon legat, en svartklädd fransk kvinna med blodröd stråhatt och... en plötslig känsla av svindel drog igenom honom, eller kanske var det solsting, ett utslag både av hettan och av den här obegripliga, mörka historien, förmodligen, denna undanglidande och samtidigt högst påtagliga berättelse med en huvudperson som... ja, som vad då?

Som det inte gick att bli klok på, tänkte Barbarotti. Det var väl det minsta man kunde säga? Som hade bott ett par veckor i det här fridfulla lilla huset en sommar för fem år sedan och som hade sju människors liv på sitt samvete. Kanske sitt eget också.

Vem är du? tänkte han. Eller vem *var* du? Vad är meningen med din berättelse?

Och åter kom gårdagens bibelord för honom.

Planerna i en mans hjärta är som djupt vatten; En man med förstånd hämtar upp dem.

Eller var det inte så komplicerat när allt kom omkring? Han hade varit tvungen att ta hämnd för att få upprättelse, och han hade varit tvungen att förklara sig. Precis som han skrev. Kunde man inte låta sig nöja med den förklaringen?

Mobilen ringde. Han ryckte till, fick upp telefonen ur bröstfickan och svarade.

”Hej pappa! Det är Lars.”

”Hej Lars!”

”Vad gör du?”

Under en sekund utspann sig en tänkbar fortsättning på samtalet i huvudet på honom. Om man nu skulle hålla sig till sanningen.

”Jag är i Frankrike, Lars.”

”Vad gör du där?”

”Jag står på en gräsmatta och tittar på en fläck.”

”Vad är det för en fläck?”

”Det är fläcken där man lade en mördad kvinna för fem år sedan.”

”Varför då?”

”Det vet jag inte, Lars.”

”Varför gjorde man så? Har dom tagit bort henne nu?”

”Javisst. Nu skiner solen och allt är frid och fröjd.”

Nej, sanningen var inte alltid rätt medicin när man talade med sina barn.

”Jag är ute och reser lite”, sa han istället. ”Vad har du och Martin för er?”

”Vi har just kommit från skolan. Pappa, vi vill komma och bo hos dig. Får vi det?”

”Det är klart att ni får. Jag blir jätteglad om ni gör det, det begriper du väl?”

”Vad bra. Då gör vi det. Jag ska berätta för mamma och Martin att du blir jätteglad.”

”Gör det”, sa Gunnar Barbarotti. ”Hälsa mamma att hon ringer mig, så får vi bestämma när ni ska komma och så.”

”Schysst, pappa”, sa Lars och tryckte bort samtalet.

Så var det med det, tänkte Barbarotti. Liv och död.

Han stoppade undan mobilen och återvände till altanen.

Henri Masson anlände ett par minuter över fem och han medförde en flaska lokal cider och en bretonsk kaka att utspisa sina långväga gäster med.

Han var i sjuttioårsåldern, hade halmhatt och en mustasch som var så dristig, att man utan svårighet kunde se den även när han vände ryggen till.

Men det var bara medan han stängde grinden och tittade i brevlådan som han vände ryggen till. I övrigt var han framåtriktad och älskvärd. Och villig att dra sitt strå till stacken. Leblanc hade informerat honom i grova drag om vad saken gällde, och möjligen var det Leblanc han citerade när han hällt upp i fyra höga glas och utbringade en skål.

”Pour la lutte contre la criminalité! För kampen mot kriminaliteten!”

Han kunde inte ett ord engelska, men fattade omedelbart tycke för inspektör Morelius och fann uppenbarligen ett stort nöje i att få allt han sa översatt av en så förtjusande och parant kvinna.

”Nåväl”, sa Tallin. ”Det gäller alltså en svensk som hyrde det här huset mellan den 27 juni och den 25 juli 2002. Han hette Erik Bergman, han hade eventuellt någon annan boende hos sig här, och vi är tacksamma för alla upplysningar vi kan få.”

”Jag minns”, förklarade Henri Masson inte utan ett stråk av stolthet. ”Jag har hyrt ut det här huset i många år, ända sedan 1970-talet, men sommaren 2002 var faktiskt den sista. Jag hade bara en hyresgäst efter monsieur Bergman.”

Äntligen, tänkte Barbarotti när Morelius översatt färdigt, äntligen har vi en smula medgång i den här motsträviga soppan.

”Jag lämnar naturligtvis alltid gästerna i fred”, fortsatte Masson och tvinnade mustaschspetsarna mellan tumme och pekfinger. ”Men jag kommer och klipper gräset och hämtar soptunnan en gång i veckan. Jag och min fru bor inne i Fouesnant, alltså.”

”Varför slutade ni hyra ut efter 2002?” frågade Barbarotti.

”Jag vann på fotbollslotto”, deklarerade Masson och såg ännu stoltare ut. ”Behövde inte pengarna längre. Numera låter jag mina barn och deras familjer bo här. Det försvann ett gäng igår, men det kommer nya på fredag. Jag har fem barn och tretton barnbarn, bara de städar efter sig, så skiter jag i vad de har för sig.”

”Den här monsieur Bergman”, påminde Tallin. ”Vad är det ni minns av honom, alltså?”

Masson ryckte på axlarna. ”Inte så mycket, förstås. Jag tog emot dem när de kom, jag såg dem när jag klippte gräset en gång och jag kontrollerade städning och sådant när han åkte härifrån. Min fru var med vid det sista tillfället, kvinnor har naturligtvis bättre ögon för sådana här saker än vi karlar.”

Han blinkade menande åt inspektör Morelius, som rutinerat blinkade tillbaka.

”Ni säger ’dem’?” sa Tallin. ”De var två stycken som bodde här, alltså?”

”De var i varje fall två i början”, sa Masson. ”Men när monsieur Bergman åkte härifrån var han ensam.”

”Den här andre, var det också en man?” frågade Barbarotti.

”Oui. Det var en man. De var väl i trettioårsåldern bägge två. Jag har aldrig brytt mig om några andra sexuella preferenser än mina egna, så... ja, inte rör det mig i ryggen.”

Ny blinkning till Morelius. Ny blinkning i retur.

”Menar ni att de var ett homosexuellt par?” sa Barbarotti.

”Nej, tvärtom. Jag menar att jag inte brydde mig om att tro någonting.”

”Vi förstår”, sa Tallin. ”Vad hette den här andre mannen?”

Barbarotti blundade och knöt händerna. Nu, tänkte han. Ja eller nej?

Henri Masson ryckte på sina breda axlar. ”Ingen aning.”

Morelius hade inte behövt översätta men gjorde det ändå. Jag hade inte väntat mig någonting annat, tänkte Barbarotti. Varför skulle han ha varit så oförsiktig att han lämnade kvar sitt namn? Också på den punkten rimmade det med Mousterlindokumentet.

”Ni är säker på att ni aldrig fick reda på hans namn?” frågade Tallin och smuttade försiktigt på cidern.

”Absolut säker”, förklarade Henri Masson. ”Jag visste aldrig vad han hette, alltså har jag heller inte glömt det.” Han knackade med ett pekfinger ovanpå halmhattens tak. ”Det var monsieur Bergman som var ansvarig för huset. Det fanns heller ingenting att anmärka på när han gav sig av.”

”Ni lade inte märke till om det saknades en skiftnyckel ute i redskapsboden?” frågade Barbarotti.

”En skiftnyckel? Nej, verkligen inte. Men det ligger så mycket skräp därute, så det skulle ändå inte märkas.”

”Jag förstår”, suckade Barbarotti.

”Den här andre mannen”, sa Tallin. ”Skulle ni känna igen honom om ni såg honom?”

Henri Masson drack en rejäl klunk cider och funderade.
"Förmodligen", sa han. "Ja, jag tror faktiskt det."

Inspektör Barbarotti tog försiktigt fram ett av fotografierna ur mappen. Sköt det tvärs över bordet till Masson.

"Finns han med på det här fotografiet?" frågade Tallin.

Henri Masson ursäktade sig, plockade upp ett par glasögon ur ett blankt metalletui och placerade dem omständligt längst ut på sin kraftiga näsa. Fattade bilden mellan tumme och pekfinger och studerade den i fem sekunder.

"Oui", sa han och pekade. "Ja, det är han där. De bägge andra känner jag inte igen."

Gunnar Barbarotti märkte att han hållit andan under hela proceduren.

36

När Gunnar Barbarotti vaknade på torsdagen var himlen täckt av mörka moln och han mindes att det varit likadant under den där sommaren på 90-talet. Strålande, molnfria dagar omväxlande med åskväder och kalla atlantvindar. Påminde lite om Helenas humörsvängningar, faktiskt. Medan han gjorde morgontoalett började han fundera på hur deras samvaro skulle ha sett ut om de inte hade skilts åt för snart sex år sedan.

Det kändes inte som någon särskilt passande tankegång för en ny, optimistisk dag, och han bet huvudet av den efter en kort stund. Insåg att han vaknat och stigit upp onödigt tidigt; han hade kommit överens med Tallin och Morelius om att äta frukost vid halvniotiden, och när han var färdigklädd var klockan inte mer än åtta. Dumt att sitta och äta croissanter en halvtimme för sig själv, konstaterade han, och så dök en annan tanke upp i huvudet på honom.

Han hade inte talat med Sara på... ja, det måste vara två veckor vid det här laget. Han hade varit på väg att ringa henne flera gånger, men det hade alltid kommit någonting emellan.

Men nu hade han tid över. Visserligen var det väl rätt så troligt att hon fortfarande låg och sov, men ingenting kunde väl – å andra sidan – mäta sig med att få starta en dag genom att bli väckt av sin omtänksamme och kärleksfulle far?

Han slog numret. Sex signaler gick fram, sedan kopplades svararen på. Han tryckte bort hennes röst och ringde en gång till.

Nu svarade hon.

Åtminstone trodde han att det var hon. Det lät ungefär som när man trampar sönder en maräng. Inte för att han brukade trampa sönder maränger, men ändå.

”Det är jag”, sa han. ”Din snälle far.”

”Pappa?”

”Jajamen.”

”Varför... varför ringer du... vad är klockan? Sju! Varför ringer du mig klockan sju på morgonen? Har det hänt någonting?”

”Klockan är åtta”, förklarade han.

”I England är hon sju”, påstod Sara. ”Det vet du väl?”

”Javisst ja”, kom Barbarotti på. ”Ja, jag tänkte bara att jag inte hört ifrån dig på ett tag, och så hade jag en halvtimme över.”

”En halvtimme över? Har du så himla mycket att göra?”

Han tänkte efter. ”Ja, faktiskt”, sa han. ”Det har varit lite snärjigt. Men vi kan lägga på om du behöver sova. Jag ringer dig ikväll istället.”

”Nu har du väckt mig”, sa Sara. ”Och det var en sak, förresten... jag hade faktiskt tänkt ringa dig idag.”

”Jaså?” sa Barbarotti. ”Vad då för sak?”

”Jag... jag skulle behöva låna lite pengar.”

Satan också, tänkte Barbarotti. Nu har det hänt nåt.

”Varför då?” sa han.

Sara brukade inte be om pengar. Det fanns skäl för misstankar och oråd. Betydde inte alls att han var en hönspappa.

”Varför?” upprepade han.

”Jag vill inte... nej, jag vill inte säga det”, svarade hon långsamt och med rösten full av ruelse. ”Men jag tänkte jag kunde betala tillbaka det under hösten. Fram till jul, eller så?”

Jul? tänkte han. ”Hur mycket hade du tänkt dig?” frågade han.

”Fyratusen”, sa hon. ”Eller fem, om det går.”

”Femtusen? Vad i hela friden behöver du femtusen till, Sara?”

”Det är en grej”, sa Sara, och nu lät hon riktigt ledsen, märkte han. Inte bara trött. ”Men jag kan faktiskt inte berätta vad det är.”

”Lilla Sara...”

”Det är bara den här gången. Du vet att jag inte brukar tigga pengar av dig, och jag lovar att betala tillbaka. Jag vill inte ringa mamma heller, för...”

”Jag skulle föredra att veta vad du ska ha dom till”, sa han. ”Det förstår du väl?”

”Om du måste ha reda på det, får jag försöka på annat håll”, sa Sara.

”Herregud”, sa han. ”Nej, det är klart att du får låna. Hur mår du egentligen?”

”Sådär”, sa Sara. ”Men det fixar sig. Du behöver inte oroa dig, pappa.”

”Har du kvar jobbet?”

”Jadå.”

”På den där puben?”

”Javisst.”

”Och den där musikern? Har du kvar honom också?”

Varför frågar jag det? tänkte han. Jag vill ju bara veta om hon säger nej.

”Får jag ringa dig om ett par dagar, pappa?” sa hon. ”Det är lite svårt att snacka just nu.”

Varför då? tänkte han. Varför var det svårt att snacka? För

att Malin just vaknat och låg och lyssnade? Eller för att den där... vad tusan hette han nu... Robert? Richard?...

Nej, fy fan, tänkte Gunnar Barbarotti. Hon får pengarna och en vecka, sedan åker jag över och hämtar henne.

"Jag sätter in pengarna idag", sa han. "Jag har ditt kontonummer, det är inget problem."

"Tack, pappa", sa Sara. "Jag älskar dig."

"Jag älskar dig också", sa Gunnar Barbarotti. "Försök och somna om nu."

Sedan lade de på. Han tittade på klockan. Kvart över åtta. Han hade inte ens berättat att han var i Frankrike.

Men det fanns tillräckligt med tid för att ringa till bankservicen i Sverige och föra över femtusen kronor. När han frågade den vänliga kvinnan hur mycket han hade kvar på kontot, förklarade hon att det rörde sig om sextiotvå kronor och femton öre.

Eftersom Leblanc var upptagen av sitt eget brottsbekämpande under förmiddagen, hade de ett par timmar över till sightseeing – men eftersom regnet brakade loss i samma ögonblick som de var klara med frukosten, skrinlades planerna. De samlades på Tallins rum istället, beställde en kanna kaffe och satte sig för att dryfta läget.

"Någon av er som fått några nya idéer under natten?" undrade Tallin. Det hade han undrat redan vid frukostbordet, men någonting hade hänt med Tallin, tänkte Barbarotti. Luften verkade ha gått ur honom sedan de anlänt till Bretagne, han hade noterat det under gårdagen och det hängde tydligen i idag också. Som om han hade tandvärk eller just förlorat hela sitt sparkapital på poker.

"Nej, som sagt", sa Carina Morelius och hällde upp kaffe. "Men jag betraktar mig mera som en åskådare till det här.

Och tolk, förstås. Ni har ju jobbat med fallet snart en månad, är det inte så? Var det inte den 25:e juli det började?"

"Den 24:e eller den 31:a", sa Barbarotti. "Det beror lite på hur man räknar."

"Nya idéer?" upprepade Tallin envist.

"Ja, vad ska man säga?" sa Barbarotti. "Vi har väl ändå fått bekräftat att Sjätte mannen verkligen bodde hos Erik Bergman... och att det är han på fotot. Eller hur? Det borde ju vara ett genombrott, men jag har lite svårt att se att det verkligen är det."

"Har du tvivlat på att det här skulle stämma?" frågade Tallin.

"Nej", sa Barbarotti. "Egentligen inte. Nåja, vi får väl se hur det går i eftermiddag, men om flickan och farmodern inte är rapporterade som saknade någonstans i Frankrike, framstår ju hela historien som... ganska komplicerad. I varje fall i mina ögon."

"Mina också", sa Tallin. "Fan också, jag har jobbat mer än trettio år i det här gebitet och kan faktiskt inte erinra mig något liknande."

"Det där med farmoderns accent", sa Barbarotti efter några sekunders tung tystnad. "... och flickans också vid ett tillfälle... jag vill helst inte tänka på det, men om de alltså kom från något annat land, ja, då vidgas ju perspektivet rätt ordentligt."

"Jag vet", suckade Tallin. "Nej, jag håller med. Låt oss glömma det alternativet för tillfället."

"Hur går det med fantombilden där hemma?" frågade Morelius. "Har det kommit några nya uppgifter?"

"Över femhundra på listan", konstaterade Tallin. "Fast någon fantombild är det inte frågan om, kom ihåg det. Det är faktiskt ett riktigt fotografi."

”Ursäkta”, sa Morelius.

”Föralldel”, sa Tallin. ”Hursomhelst kontrolleras samtliga tips och sorteras in i angelägenhetsgrupper. Ett, två och tre. I ettan, de mest troliga, hade de fått ihop fyrtiofem stycken nu imorse. De kommer att sätta igång med förhören efter lunch idag. Ja, har vi tur får vi förstås genombrottet den vägen. Oavsett vad den här Frankriketrippen ger, alltså.”

”Det krävs inte mycket för att få alibi, eller hur?” frågade inspektör Morelius.

”Jag har också tänkt på det”, sa Barbarotti. ”Förutom sommaren 2002 måste du haft möjlighet att befinna dig på fyra olika mordplatser runtom i Sverige den senaste månaden. Bland annat måste du ha varit ombord på Danmarksfärjan just den där natten… ja, hittar vi någon stackare som saknar alibi för allt det här, så ligger han antagligen rätt illa till.”

”Om han dessutom ser ut som killen på bilden?”

”Dessutom det, ja.”

”Men den här charmknutten Masson verkade väl trovärdig i alla fall?” sa Morelius och log.

”Jo, jag fick det intrycket”, sa Barbarotti. ”Fast han hade ju inte så många att välja på, förstås. Vi kanske skulle ha skött det där utpekandet lite bättre?”

”Varför då?” frågade Tallin irriterat. ”Tror du han kommer att bli kronvittne i rättegången, eller vad menar du?”

Vad är det med honom? tänkte Barbarotti. Han börjar tappa stilen, Tallin.

”Jag skulle behöva ringa ett par samtal”, ljög han. ”Vi ses nere i receptionen om en timme, då?”

”Behöver jag också”, förklarade inspektör Morelius och de lämnade Tallins rum tillsammans.

”Verkar lite putt”, sa hon när de kommit ut i korridoren. ”Din vän kommissarien, alltså.”

”Ja”, sa Barbarotti. ”Men jag känner honom inte, egentligen. Han är från Rikskrim.”

”Jag vet”, sa Carina Morelius och sänkte rösten till en förtrolig viskning. ”Men *jag* känner honom. Vi hade faktiskt ett förhållande för några år sedan.”

”Men vad i...?” sa Barbarotti och stannade upp.

”Jaja, det var bara under några veckor. Förhållande är fel ord, förresten. Affär är bättre, vi hade en *affär*.”

”Han är väl åtminstone femton år äldre än du?”

”Tretton”, sa Morelius. ”Men det var inte åldern det hängde på.”

”Så du menar att... att han hade vissa förväntningar på den här resan?”

”Det där är din tolkning”, sa Morelius och slank in på sitt rum.

Det är mycket man inte vet, tänkte inspektör Barbarotti. Väldigt mycket.

”Varje år rapporteras cirka 60 000 människor som saknade i det här landet”, förklarade commissaire Leblanc. ”Six-zero-zero-zero-zero.”

Barbarotti antecknade.

”Det är förstås en oerhört hög siffra, men det är ändå bara en promille av befolkningen. De flesta försvinner inte. Enkelt uttryckt skulle man kunna säga att var tusende människa försvinner. Om vi fortsätter på den statistiska vägen, innebär det att vi har i runda tal 5 000 försvinnanden varje månad.”

”Vi har en ganska hög sådan här statistik i vårt land också”, påpekade Tallin. ”Jag läste en artikel om det för inte så länge sedan, och där påstods det att per capitasiffran ligger rätt så lika mellan de flesta länder i Västeuropa.”

”Det är nog riktigt”, bekräftade Leblanc. ”Men vi måste komma ihåg att av de här 5 000 månatliga försvinnandena är det bara en bråkdel som fortfarande är försvunna ett år senare. Runt 15 procent i själva verket. Folk dyker upp, kommer hem igen eller hittas döda. Det ligger något brottsligt i botten i mindre än 10 procent av fallen, och siffran för dem som fortfarande är försvunna efter fem år är ungefär lika hög – knappt 10 procent. Vad jag vill säga är att ungefär 6 000 personer går upp i rök varje år. Man brukar anta att ungefär hälften av dem är döda, och av de återstående 3 000 finns säkert inte mer än något hundratal kvar inom landets gränser. Folk flyr, helt enkelt, och de gör det av olika skäl. Obetalda skatter är väl det vanligaste.”

Barbarotti vände blad i sitt block och bestämde sig för att sluta anteckna. ”Hur många försvann i juli 2002?” frågade han.

”Det är dit jag kommer nu”, sa Leblanc och log hastigt. ”Ursäkta sifferexercisen, men jag ville ge er en bakgrund.”

”Utmärkt”, sa Tallin.

”Enligt vad jag förstått skall flickan Troaë och hennes farmor ha dött i början av juli, jag har för säkerhets skull tittat på de två månaderna mellan den 5 juli och den 4 september det året, då hade skolorna kommit igång på de flesta platser, och under det tidsintervallet har 12 682 anmälningar om försvunna personer lämnats in – i hela landet. En statistisk normalsiffra, således, fler människor brukar försvinna under sommaren, men det här året var det tydligen marginellt.”

Han gjorde en kort paus medan han putsade glasögonen och konsulterade sina papper.

”Av de här människorna är vid dags dato 1 035 oredovisade.”

”Det vill säga alltjämt försvunna?” frågade Barbarotti.

”Exakt”, sa Leblanc. ”Och av dessa dryga tusen finns det inte två stycken som anmälts av samma person.”

”Ett ögonblick”, sa Barbarotti. ”Det ni säger är alltså att ingen kan ha anmält flickan och farmodern som försvunna tillsammans?”

”Korrekt”, sa Leblanc.

”Men det innebär väl helt enkelt att ingen anmält dem överhuvudtaget? Varför skulle två *olika* personer rapportera att de var borta?”

”Det låter ju högst rimligt att en och samma person anmäler, om det faktiskt rör sig om en farmor och hennes sondotter”, instämde Leblanc och drog fram ett nytt papper. ”Men om vi ändå leker med tanken att vi har att göra med två separata anmälningar, och om vi också är generösa när det gäller åldersbestämningen… låt oss säga att flickan var mellan tio och femton år gammal, och farmodern mellan femtio och åttio… ja, håller ni med om att det innebär tillräckligt stora säkerhetsmarginaler?”

”Utan tvivel”, suckade Tallin. ”Hur många hamnar vi på till slut, alltså?”

Leblanc harklade sig. ”I hela landet, jag betonar *hela landet*, har vi under den aktuella tvåmånadersperioden, juli-augusti 2002, sexton stycken kvinnor i det övre spannet som fortfarande är saknade och elva stycken flickor i det nedre.”

”Och vi har namnen på dem allihop?” frågade Barbarotti.

”Naturligtvis”, sa Leblanc. ”Men vi har inga släktband mellan några av dem och ingen av flickorna heter Troaë.”

Det blev tyst i fem sekunder. Kommissarie Tallin lutade sig tillbaka på sin stol och glodde upp i taket. Barbarotti märkte att han satt och bet sig i kinden så att det gjorde ont.

”En fråga”, sa han. ”Innefattar det här också personer

som upptäckts saknade av någon institution... skola eller skattemyndighet eller så?"

"Ja", sa Leblanc, "det innefattar dem också."

"Men", sa Barbarotti, "i princip finns det ingenting som säger att flickan och farmodern inte finns med bland de här... vad sa ni...?"

"Vingt-sept", sa Leblanc.

"Bland de här tjugosju personerna?"

"Ingenting alls", sa Leblanc. "Jag har begärt in uppgifter om alla de här försvinnandena, jag kommer att skicka upp materialet till er i Sverige så snart jag har fått det. I början av nästa vecka antagligen."

"Merci", sa Tallin. "Merci beaucoup."

"En sak till bara", sa Barbarotti. "Jag antar att det finns en hel del människor utan uppehållstillstånd i ert land. Sådana som myndigheterna helt enkelt inte har några uppgifter om?"

"Sannolikt mellan en halv och en miljon", sa Leblanc. "Från Afrika de allra flesta."

"Och om ett par av dessa...?"

"Givetvis inte", sa Leblanc. "De faller utanför all statistik. Men de var väl ändå inte färgade, den här flickan och hennes farmor?"

"Nej", sa Barbarotti. "Det finns i varje fall ingenting som tyder på det."

"Araber...?" sa Tallin med en grimas. "Varför inte? Flickan var mörk, det står det på flera ställen i anteckningarna."

Det blev tyst igen. Leblanc tog av glasögonen och började putsa dem. Barbarotti kastade en blick ut genom fönstret och konstaterade att det fortfarande regnade.

"Då så", sa Tallin på svenska. "Då kan vi väl anse att vi kört det här i botten då."

Det ansåg han fortfarande sex timmar senare när de ätit middag på en restaurang som hette Kerven Mer. Den låg ett stenkast från hotellet och det var bara han och Barbarotti – inspektör Morelius hade bett om ledigt för att hälsa på en gammal väninna som bodde i Brest – och de hade druckit två flaskor bourgogne. Den var fyllig och god men det skulle ha räckt med en.

”Om du kan upplysa mig om hur fan det här hänger ihop, så ska jag se till att du är kommissarie den första januari”, sa Tallin. ”Tamejfan.”

Barbarotti insåg att det knappast låg inom Tallins befogenhetsområde att åstadkomma någonting dylikt, men han låtsades inte om det.

”Tackar så mycket”, sa han istället. ”Ja, det är väl inte så svårt. Antingen finns flickan och farmodern i det här materialet vi får nästa vecka... helt enkelt. Eller också... ja, eller också så var de turister i en husbil.”

”Va?” sa Tallin.

”Eller zigenare utan uppehållstillstånd”, sa Barbarotti. ”Eller araber, varför inte? Flickan var mörk, farmodern var mörk. Även om de alltså inte var svarta.”

Tallin funderade. ”Är det dom två alternativ du kommer på?” sa han.

Barbarotti funderade också en stund. ”Det finns förstås ett tredje”, sa han. ”Att han ljuger.”

”Ljuger?” sa Tallin.

”Ja, att han hittat på hela historien. Om flickan och farmodern överhuvudtaget existerar, så dog de aldrig.”

Tallin lyfte sitt glas och ställde ner det igen utan att dricka.

”Vad i helvete menar du?” sa han.

”Det är väl inte omöjligt”, sa Barbarotti. ”Han har hittat

på hela historien... ja, inte den om svenskarna förstås, men om flickan och farmodern..."

"Vad ser du för rimlig anledning att hitta på en sådan historia?" sa Tallin, och verkade plötsligt alldeles opåverkad av vinkonsumtionen.

"Ingen alls", sa Barbarotti. "Nej, jag tar tillbaka det. Jag tror mer på något av de andra alternativen."

Men Tallin ville inte släppa tråden. "Han skulle alltså ha dödat de här fem människorna av ett *annat* skäl?" sa han. "Ett skäl som han av någon anledning vill dölja. Är det det du menar?"

"Nej", sa Barbarotti. "Jag menar ingenting. Det låter ju inte klokt."

"Men han måste ju begripa att vi skulle kontrollera det här", fortsatte Tallin envist.

"Det kanske inte spelar någon roll för honom att vi gör det", sa Barbarotti.

Tallin kliade sig i huvudet. "Tycker du det gör saken begripligare? Vad är det för poäng med att berätta en historia som han vet att vi kommer att punktera?"

"Jag är lite full", sa Barbarotti. "Och jag säger ju att jag tror mer på tyskar i en husbil. De har berättat för släkt och vänner att de ska åka till Nordkap, och så lurar de allihop och åker till Bretagne istället. Och sedan råkar de ut för de här svenskarna. När var det jag skulle bli kommissarie, sa du?"

"Jag tänker unna mig kaffe och en konjak också", sa Tallin.

"Ska det vara nödvändigt?" sa Gunnar Barbarotti.

När de just checkat in på flygplatsen i Quimper på fredagsmorgonen, ringde Barbarottis mobil. Det var doktor Olltman.

”Hur har du det?” frågade hon.

Han letade hastigt efter en ny grismetafor men hittade ingen. ”Det är bara fint”, deklarerade han istället. ”Befinner mig nere i Frankrike för tillfället. Jag talade in ett meddelande angående förra fredagen, jag hoppas du fick det?”

”Jodå”, försäkrade Olltman. ”Men jag ringer för att jag skulle vilja boka in ett nytt möte.”

”Saker och ting har förändrats lite”, sa Barbarotti.

”Till det bättre, hoppas jag?”

”Utan tvivel”, sa Barbarotti. ”Men jag har haft ganska ont om tid.”

”Jag läser fortfarande tidningar”, upplyste Olltman. ”Ring mig när du har tid igen. Jag tror det vore bra om vi kunde ses en eller två gånger till.”

”Absolut”, sa Barbarotti. ”Jag hör av mig i nästa vecka när saker och ting lugnat ner sig. Nu är det visst säkerhetskontroll, tror jag.”

”Trevlig hemresa, då”, sa Olltman.

”Tack så mycket”, sa Barbarotti.

Lugnat ner sig? tänkte han när han stängt av mobilen och börjat plocka metall ur fickorna. Jo, det kunde man ju inbilla sig. Jag är nog den sorten som får vila först i graven, om ens då.

När han en minut senare följde efter Tallin och Morelius bort mot gaten, påminde han sig att han måste hinna in på en taxfreebutik på Charles de Gaulle och hitta ett bra vin.

Det hade blivit fredag, trots allt.

37

Det tog två timmar att anrätta hummern och fyra timmar att äta upp den.

Den oväntat långa konsumtionstiden kom sig av att de gjorde paus för att älska mitt i. Det gick liksom inte att hejda.

Inte mycket annat gick heller att hejda.

”Jag har bestämt mig”, sa Marianne. ”Jag vill leva med dig.”

”Då säger vi så”, sa Gunnar Barbarotti.

Marianne skrattade. ”Jag kommer alltid att minnas de orden”, sa hon. ”*Då säger vi så.* När vi vandrar hand i hand på en strand i solnedgången om fyrtio år, kommer jag att påminna dig om dem.”

”Då är jag åttiosju”, sa Gunnar Barbarotti. ”Kommer säkert att behöva bli påmind om en hel del. Men du tycker att vi ska gifta oss på riktigt och allt sånt?”

”Tycker inte du det?”

”Jodå”, försäkrade Barbarotti. ”Naturligtvis. Vill du ha lite mera vin?”

De hade kommit till desserten. Glass och varma hjortron, bara, men hummern hade tagit så mycket tid i anspråk att han inte hunnit med något annat. Men föralldel, i Gunnar Barbarottis värld fanns ingen bättre efterrätt än vaniljglass och varma bär. Inte ens den där brylén i Quimper.

”Behövs inte”, sa Marianne. ”Jag är berusad av kärlek.”

”Det ska jag påminna dig om på den där stranden”, sa Barbarotti.

”Bra”, sa Marianne. ”Men det är säkert att du kan tänka dig kyrka och sådär?”

”Räcker kanske med en ganska liten kyrka”, föreslog Barbarotti. ”Inte femhundra personer och ett ton risgryn?”

”Räcker med dig och mig”, sa Marianne.

”En präst också, kanske?”

”Okej, en liten, då. Vad tror du om våra barn?”

Barbarotti funderade. Han hade inte berättat om det senaste utspelet från Helena i Köpenhamn, och han visste egentligen inte varför. Kanske för att han inte var säker på att det skulle bli så, trots allt. Att han verkligen skulle få hand om Lars och Martin. Han hade varit med förr. Men kanske var det också för att han inte ville prata om Helena med Marianne. Av någon anledning.

”Vi måste väl berätta för dom”, sa han. ”Vi kanske kan säga att dom får komma om dom vill?”

Hon blev allvarlig för ett ögonblick. ”Du inser väl att du kommer att bli tonårspappa?” sa hon och spände sina gröna ögon i honom. ”Johan och Jenny bor med mig och kommer att göra så i fortsättningen också.”

”Klart jag inser”, sa Barbarotti. ”Jag ska lära dom allt jag kan.”

Hon skrattade igen. ”Vet du”, sa hon. ”Det bästa med dig är att jag kan skratta med dig. Med Tommy skrattade jag aldrig.”

”Aldrig? Ni måste ha haft det skoj.”

Hon ruskade på huvudet. ”Nej, vi skrattade aldrig tillsammans, inte den sista tiden i alla fall. Han brukade skratta *åt* mig, men det är ju inte riktigt samma sak. Det tråkiga är att jag tror han skrattar åt sin nya fru också."

"Träffar du henne?"

"Bara när jag lämnar och hämtar barnen. Men hon ser inte glad ut. De har ju två egna också."

"Du tänker väl inte att vi...?"

"Aldrig i livet", utbrast Marianne och slog till honom i magen. "Du har tre, jag har två, vill du ha fler får du välja någon annan."

"Utmärkt", sa Gunnar Barbarotti. "Där är vi helt överens."

"Fast det är en annan sak", sa Marianne efter en sked glass.

"Vad då?"

"Jo, du måste sluta upp att slåss med reportrar. Johan har faktiskt pratat om att han vill bli journalist, han skriver riktigt bra och det skulle vara dumt om han tror att..."

"Jag kommer att sätta mig ner och reda ut den saken med honom nästa gång jag träffar honom", sa Barbarotti. "Om han ska välja den banan, tror jag faktiskt det kan vara nyttigt för honom."

"Bra", sa Marianne. "Då är vi överens på den punkten också."

"Så du skulle tycka om Helsingborg?"

"Vad sa du?"

"Jag frågade om du skulle kunna tänka dig att bo i Helsingborg."

"Jag tror det."

Fortfarande bara fredag.

Men sent. Långt mellan replikerna och en mild vind från den öppna balkongdörren. Utsträckta på golvet och bara ett stearinljus tänt. Cristina Branco ur högtalarna, svagt, svagt. Han hade upptäckt fadomusiken, denna portugisiska blues, för mindre än ett år sedan, men hade redan femton CD-skivor i hyllorna.

Benådat, tänkte Gunnar Barbarotti. Det finns inget annat ord för sådana här ögonblick.

”Hm.”

”Vad menar du med ’hm’?”

”Jag har bott där i tio år, vet du”, sa hon och strök med handen över hans bröst och mage. ”För egen del kunde jag gott tänka mig nåt annat. Så att vi liksom startar på nånting nytt. Fast jag måste förstås prata med barnen om alltihop.”

”Du har inte antytt att vi skulle… flytta ihop?”

”Nej”, sa hon och lät en aning bekymrad. ”Jag måste ju veta säkert själv först. Om jag ska gifta mig igen är det mitt beslut, inte deras. Men de måste få ha synpunkter på var vi ska bo.”

”Naturligtvis”, sa Barbarotti. ”Ska vi inte ta en promenad, apropå det? Så får du se hur den här stan ter sig en ljummen sensommarnatt.”

”Alla gånger”, sa Marianne. ”Tycker du vi ska ta på oss lite kläder först?”

”Jag tror det vore bra”, sa Gunnar Barbarotti.

Hon stannade hela lördagen och halva söndagen. Under lördagskvällen berättade han för henne om de tre dagarna i Bretagne och så småningom om hela fallet. Det var ingenting han hade planerat att göra, men alltihop hade ju på sätt och vis börjat när han öppnade det första brevet den där vackra sommarmorgonen i Gustabo i Hogrän, så hon hade en poäng när hon påstod att hon hade rätt att bli lite informerad.

”Så vad tror du då?” frågade hon när han var klar. ”Egentligen?”

”Det är det som är det värsta”, sa han. ”Jag tror helt enkelt ingenting. Man brukar känna på sig vartåt saker och ting lutar, men inte i det här fallet. Fast jag har förstås aldrig stött på en sådan här historia tidigare.”

Marianne rynkade pannan. ”Det där med att de var utländska turister i en husbil är väl ändå en möjlighet? Det stod på ett par ställen att både flickan och farmodern bröt på ett annat språk, var det inte så?”

”Åtminstone farmodern. Jovisst, det kan vara så. Fast det är liksom själva mördaren som är så... ja, vad ska man säga? Osannolik?”

”Du menar att han skriver och redovisar alltihop?”

”Bland annat.”

Marianne funderade. ”Men tycker du inte att det finns en viss logik i det? Att han blev någon sorts syndabock och att han fick ta på sig ansvaret för alltihop... fast det egentligen bara var en olyckshändelse som satte igång det. Jag tycker inte det är så konstigt om han blir orolig i själen av det som hände.”

Gunnar Barbarotti log hastigt. ”Orolig i själen? Låter lite gammaldags, men det ringar antagligen in honom rätt så bra.”

”Man kanske kan se den här redogörelsen som ett sundhetstecken”, föreslog Marianne. ”Trots allt. Att han ändå har ett behov av att förklara sig?”

”Jovisst”, sa Barbarotti. ”Jag har också tänkt på det viset. Men de här breven, då? Det är lite svårare att betrakta dom som sundhetstecken, eller vad säger du?”

”Jo, det förstås.”

Hon satt tyst en halv minut och han såg att hon grubblade. Sedan drog hon fingrarna genom håret och skakade på huvudet, som om hon ville bli av med dessa bisarra spekulationer och ersätta dem med någonting ljusare och normalare. ”Det är en fruktansvärd historia, hursomhelst”, sa hon. ”Tror du ni kommer att lösa det här? Jag menar, kommer ni att få fatt i honom?”

Gunnar Barbarotti skrattade till.

”Jag stack fingret i bibeln och sökte lite vägledning när jag var därnere”, sa han. ”Vet du vad som kom upp?”

”Nej.”

”Ordspråksboken 20:5. Klarar du det?”

Hon funderade ett par sekunder. ”Någonting om mannens hjärta och djupt vatten, är det inte så?”

”Herregud, hur kan du veta det?”

”Jag läser den då och då, det vet du ju. Och Ordspråksboken läser jag ofta. Hur låter det ordagrant?”

”Planerna i en mans hjärta är som djupt vatten”, sa Gunnar Barbarotti, ”En man med förstånd hämtar upp dem.”

”Ja, men gör det då”, skrattade Marianne. ”Tydligare kan det väl inte bli. Hämta upp planerna!”

De skildes åt på söndagseftermiddagen. Kom överens om att informera samtliga inblandade barn, liksom ex-makar och andra eventuellt berörda, och lovade varandra att fira jul tillsammans som man och hustru. Det var fyra månader dit, och så mycket förberedelser kunde det väl ändå inte behövas för ett ganska litet bröllop i en ganska liten kyrka med en ganska liten präst.

När Marianne givit sig av tänkte han att det varit dumt av honom att inte berätta om läget med Lars och Martin – fast å andra sidan kunde han ju alltid låtsas att han just fått informationen när han ringde henne i veckan. Inte heller hade han nämnt någonting om sina tankar på att byta jobb, men han hade ju själv inte alls funderat i de banorna den sista veckan, så det var antagligen lika bra, det också.

Klockan var fyra när han satte på telefonerna, som varit avstängda sedan i fredags kväll. Där fanns fyra meddelanden. Två från journalister som ville intervjua honom, ett från Helena, ett från Eva Backman.

Han tog journalisterna först – med löftet till Marianne i gott minne: att vårda sitt förhållande till pressen. Förklarade vänligt men bestämt för båda två – den ene från Dagens Nyheter, den andre från Vår Bostad – att han gärna ställde upp för intervjuer, men först efter att den pågående utredningen var avslutad.

Därefter ringde han upp sin före detta hustru. Han insåg att det fortfarande var i just de termerna han föredrog att tänka på henne. Inte *Helena*. Inte *Mina barns mor*. Tyvärr.

”Lars ringde mig”, sa han. ”Han sa att han och Martin är beredda att bo under samma tak som sin gamle far.”

”Haha”, sa Helena. ”Ja, jag tror de kommer att klara det.”

”Så bra att du tror det”, sa Barbarotti och drog ett djupt andetag. ”Ni har bestämt er för Budapest, alltså?”

”Javisst”, sa hon. ”Ulrich åker redan på onsdag, jag kommer efter så fort vi har ordnat för pojkarna.”

”Är det så bråttom?” frågade Barbarotti.

”Vad menar du med det?” kontrade hon. ”Om de nu ska börja i en ny skola, är det väl bättre om det inte gått så långt av terminen. Eller hur?”

”När hade du tänkt?” sa Barbarotti.

”Kan du försöka ordna det till nästa måndag?”

”Nästa måndag? Det är ju bara en vecka.”

”Jag vet, men det blir bäst för alla parter om vi inte drar ut på det. Jag pratar med skolan här imorgon, så kan väl du göra det i Kymlinge? Så hörs vi av imorgon kväll, okej?”

Konstigt att hon inte bara ringde på dörren och lämnade dem med var sin resväska, tänkte han. Men så erinrade han sig sin nyligen vunna mognad, blundade, räknade till tre, och sa att han tyckte det lät som en alldeles utmärkt plan.

När han lagt på luren funderade han en stund på hur de skulle disponera de tre rummen. Krävde pojkarna var sitt, eller kunde de bo i Saras rum tillsammans, som de brukade göra när han hade hand om dem under några dagar? Sara hade tagit för vana att sova i soffan i vardagsrummet vid dessa tillfällen, eller hos någon väninna.

Nåja, det skulle lösa sig. Och han skulle ringa till Kymlingeviksskolan imorgon förmiddag. Om en vecka skulle han ha ansvaret för en tioåring och en tolvåring igen; säga vad man ville om livet, det var omväxlande i varje fall.

Han slog numret till Eva Backman. Hon var upptagen av middagsbestyr och bad att få återkomma om två timmar.

Det gjorde hon också.

”Jag hörde om den franska polisen”, sa hon.

”Jag förstår att du gjorde det”, sa Barbarotti.

”Vad betyder det här?”

”Jag vet inte”, sa Barbarotti. ”Jag begriper det inte.”

”Inte jag heller”, sa Eva Backman. ”Och jag tycker inte om saker jag inte begriper.”

”Jag känner till det”, sa Barbarotti. ”För mig är det vardagsmat.”

”Det kan jag föreställa mig”, sa Eva Backman.

Hon verkar på bettet, tänkte Barbarotti. ”Men ni har inte firat några triumfer på hemmaplan heller, har jag förstått”, sa han. ”Eller vad säger du?”

”Det är en jävla soppa”, tillstod Backman. ”Jag förstår inte vad vi skulle publicera den här bilden för. Hundratals stackars oskyldiga kreti och pleti är misstänkta för att vara massmördare, det är det enda vi har åstadkommit. Om vi inte hittar den rätte kommer allihop att fortsätta att vara misstänkta i hela sitt liv.”

”Men de flesta fixar väl alibi hur lätt som helst?”

”Javisst. Men tror du tidningarna går ut med namn och bilder på dom som är avförda? Kenneth Johansson i Alvesta har inte mördat fem människor, ej heller Gustaf Olsson eller Kalle Kula i Stockholm. Skadeståndsmålen efter det här kommer att pågå i tio år, tro mig.”

”Du låter lite förbannad.”

”Kan du hoppa upp och sätta dig på. Jag har suttit och glott på sex innebandymatcher och tänkt på det här.”

”Aha? Säsongen har rullat igång?”

”Försäsongen”, sa Backman. ”Men skit i det. Den här flickan och hennes farmor, det är det jag är intresserad av. Någonting måste ni väl ha kommit fram till?”

”Inte mycket”, sa Barbarotti. ”Jo, en sak, förresten. Jag tror flickans namn är ett påhitt.”

”Av vem?”

”Antingen av flickan själv eller av mördaren.”

”Varför tror du det?”

”Därför att kommissarie Leblanc aldrig hört talas om ett sådant namn. Och dessutom...”

”Dessutom?”

”Dessutom den här bokstavsleken. The Root Of All Evil. Det är för konstruerat, helt enkelt.”

Backman funderade ett ögonblick. ”Om det är en konstruktion, så är det väl knappast flickan som är konstruktören.”

”Nej, knappast”, sa Barbarotti. ”Men det är något i hela historien som inte stämmer. Jag har också funderat på vad som hände mellan Erik och flickan när de tog den där promenaden på ön."

"Det är väl inte svårt att räkna ut", sa Backman. "Han satte på henne, helt enkelt. Hon var kanske inte alldeles ovillig heller."

"En tolvåring?" sa Barbarotti.

"Det kanske inte heller stämmer", sa Backman. "Men tro inte att jag försvarar honom."

Barbarotti hade ingen kommentar.

"Men varför har dom inte hittat dom i arkiven, alltså?" fortsatte Backman. "Oavsett om inte alla detaljer stämmer."

"Det finns några tänkbara förklaringar på den frågan", sa Barbarotti. "Vi får ett efterlysningsmaterial om några dagar, och om vi inte hittar dom där, ja, då måste vi leta efter andra lösningar."

"Andra lösningar?"

"Ja."

"Som?"

"Kan vi ta det här imorgon?" sa Barbarotti. "Men jag har en tanke jag gärna skulle vilja diskutera med dig."

"Det är bra att du fortfarande har tankar i skallen", sa Eva Backman.

"Tycker du?" sa Barbarotti.

"Ja. För det är imorgon förmiddag du ska lösa det här fallet. Du ska gå igenom alla Sjätte mannen vi har fått in och minnas en av dem från ditt förflutna. Det är så generalplanen ser ut."

"Jaså minsann?" sa Barbarotti. "Med tanke på brevskrivandet, alltså?"

"Precis. Och när du är klar kan jag äntligen ta ut min semester."

”Jag lovar att göra mitt bästa”, sa Barbarotti och sedan lade de på.

Klockan halv tio på kvällen drack han en liten whisky. Det brukade han nästan aldrig göra, i synnerhet inte om söndagskvällarna. Men syftet var medicinskt. Det var för många järn i elden i huvudet på honom, helt enkelt, och han behövde någonting för att få bukt med det.

Behövde ett järn i kroppen också. Medan han satt och läppjade försökte han sortera det viktigaste.

Marianne? Om bara någon månad skulle de vara gifta och bo tillsammans. Var han verkligen redo för ett sådant steg?

Dum fråga, klart som fan han var redo.

Pojkarna? Nästa söndag, om en vecka, skulle han natta dem inför deras första skoldag i Kymlinge. Det kändes märkligt. Men samma sak här, om det fanns någonting han inte var betjänt av, så var det tvekan och tvivel.

Sara, då? Här brände det till ordentligt. Vad i hela friden skulle hon med femtusen kronor till? Vad var det som hade hänt? Han gjorde en kraftansträngning och tryckte ner henne i sitt undermedvetna.

Och *Johan* och *Jenny*? Han kände dem knappt, hade inte träffat dem mer än fem-sex gånger, ändå skulle han bli föräldraansvarig för dem. Snuten som slogs med journalister, hur såg dom på att få en sådan plastfarsa egentligen?

Nåja, tänkte Gunnar Barbarotti. Man kan bara göra sitt bästa, sedan får man hoppas och förtrösta. Han drack lite whisky och blundade.

Slutligen *fallet*? Hela det här förbannade fallet som det inte gick att få någon rätsida på. Troaë, en drunknad flicka, hon kändes alltmer undflyende och svåråtkomlig – och hennes farmor, en gammal kvinna som dyker upp en kväll utanför ett hus i Finistère och blir ihjälslagen med en svensk skiftnyckel. Var kom de ifrån? Skulle de någonsin få fatt i deras rätta identitet?

Eller, som Marianne frågat: skulle de någonsin lösa det här?

När whiskyn var slut bad han en existensbön.

O, Herre, sänd en stråle ren och klar ner i en omtöcknad snuthjärna. Vad är det för snack om planer och djupt vatten? Du får tjugofyra timmar på dig att reda ut det här, men om jag inte fått klarhet imorgon kväll, tappar du en poäng. Men om du hjälper till får du tre. Hör du det, det är viktigt det här. Tre poäng!

Vår Herre, som för tillfället låg på åtta plus, svarade att detta visserligen var i högsta grad regelvidrigt – eftersom det rörde sig om en pågående polisutredning och sådant inte ingick i dealen – men att han ändå skulle överväga saken.

Det tackade Gunnar Barbarotti för. Sedan hittade han en gammal engelsk film med Michael Caine på en av kabelkanalerna. Den började klockan tio och kvart över hade han redan somnat i soffan.

38

”Hur ska jag kunna känna igen honom idag, när jag inte kände igen honom på fotona från Bretagne?” sa Barbarotti.

”Det är inte ansiktet du ska känna igen”, förklarade intendent Jonnerblad tålmodigt. ”Det är namnet. Dessutom har vi inte bilder på mer än ett par stycken.”

”Jag förstår”, sa Barbarotti. ”Hur är det med din fru?”

”Min fru?”

”Tallin sa att hon skulle opereras i onsdags.”

”Tack för att du frågar”, sa Jonnerblad och fick plötsligt ett nytt, mjukare uttryck över ögon och mun. ”Jo, operationen gick bra, men dom vet inte om dom fick bort alltihop.”

”Jag förstår”, sa Barbarotti. ”Man får hoppas och förtrösta. Nåja, jag sätter mig med listorna på mitt rum, då. Ska jag börja med första prioriteringsgruppen?”

Jonnerblad såg för ett ögonblick ut som om han inte riktigt kom ihåg var han befann sig.

”Nej”, sa han sedan. ”Och du får inte reda på vilka som redan har alibi heller. Bättre att du får arbeta förutsättningslöst.”

Han räckte över en bunt papper i en genomskinlig, mjuk plastmapp.

”Tror du verkligen fortfarande att det finns en koppling mellan mig och mördaren?” frågade Barbarotti när han stod i dörröppningen.

”Vi kan i varje fall inte utesluta möjligheten.”

”Hur många rör det sig om?”

”Bara femhundrafemton”, sa Jonnerblad. ”Vi gallrade bort hundrafemtio galningar, så det inte skulle bli för mycket för dig.”

”Tack”, sa Barbarotti.

Han satt vid sitt skrivbord och gick igenom namnen i två och en halv timme. Jonnerblad hade sagt åt honom att arbeta lugnt och metodiskt, och det gjorde han. Tittade på uppgifterna om namn, födelseår, hemort och yrke, hela tiden med fotografierna på Sjätte mannen framför sig, och när han äntligen var klar kunde han konstatera att han visste vilka tre stycken var.

Alla tre var hemmahörande i Kymlinge. En av dem jobbade på gymmet där han brukade gå och träna med alldeles för långa mellanrum, en bodde i samma trappuppgång som han själv på Baldersgatan och en var polis.

Han kunde inte undgå att haja till inför de bägge sistnämnda. En granne och en kollega? Vad betydde det? Deras namn var Tomas Jörnevik respektive Joakim Möller. Han försökte framkalla deras utseenden och jämförde med restaurangen i Bénodet, men tyckte inte att det stämde särskilt väl. Jörnevik var kraftigare, hade han för sig, med ett betydligt rundare ansikte, och Möller var mörkare, mycket mörkare; hade inte alls samma ögon heller, nej, Barbarotti hade svårt att uppfatta likheterna.

Så att han reagerade en smula hade mer att göra med de här bägge personernas koppling till honom själv, och det var ju det som varit avsikten. Det var det Jonnerblad bett honom om. Han undrade vem som hade rapporterat in dem. Säkert fanns också dessa uppgifter någonstans, men inte på de listor han fått. Han försökte komma på vad han visste om Jörnevik och Möller, men insåg snart att det var nära nog ingenting. Båda var 36 år, det stod bredvid deras namn; han trodde att Jörnevik arbetade som taxichaufför, de brukade hälsa på varandra när de stötte ihop i trapphuset, det var i stort sett allt. Kanske pluggade han någonting också, och Barbarotti hade för sig att han bodde ensam. Möller jobbade inom ungdomsgruppen, med kartläggning och bekämpning av narkotikaflödet huvudsakligen. Gift med en kommunpolitiker, var det inte så? Socialdemokrat, blond och rätt snygg, faktiskt.

Om man nu fick tänka så om en politiker. Men det fick man kanske. Hade inte någon kvinnlig minister gått ut och sagt att politik var det sexigaste hon visste för något år sedan?

Han blundade bort tankarna. Ringade in de tre namnen en gång till och försökte komma på om han hade någonting otalt med någon av dem, men hittade ingenting. Samlade ihop papperen och stoppade tillbaka dem i plastfickan. Såg på klockan. Tjugo över elva. Han hade gjort upp med Jonnerblad om att ses efter lunch, klockan ett.

Dags att ikläda sig föräldrarollen en stund, tänkte han och slog numret till Kymlingeviksskolan.

Det mötte inga som helst hinder. Det fanns gott om platser både hos fyrorna och hos sexorna. Barbarotti brydde sig inte om att gå in på orsakerna bakom den plötsliga flytten, förklarade bara att oväntade omständigheter gjorde att Lars och Martin skulle bo hos honom från och med nu.

Studierektorn, som hette Varpalo, frågade inte heller. Kanske var det vanligt att ungarna for omkring lite hipp som happ nuförtiden? tänkte Barbarotti. Och naturligtvis blev man väl glad på skolan om det kom två nya elever, om inte annat måste det ju innebära att man fick hundratusen extra i budgeten.

Om han nu förstått det där med skolpengen rätt. I alla händelser lovade Varpalo att leta fram lämpliga klasser och klassföreståndare och höra av sig under morgondagen.

När han lagt på luren efter samtalet knackade inspektör Backman på dörren och stack in huvudet.

”Jag bjuder på lunch på Kungsgrillen”, sa hon. ”Om du berättar vad mördaren heter, vill säga.”

”Kungsgrillen låter bra”, sa Barbarotti. ”Men jag betalar det jag äter själv.”

Jag har faktiskt sextiotvå kronor på mitt konto, tänkte han men han sa det inte.

”Negativt, alltså?” sa Backman.

”Skulle tro det”, sa Barbarotti. ”Vet du vilka som redan har alibi?”

”Har det inte i huvudet”, sa Backman. ”Men i princip. Får jag gissa vilka det är du plockat ut?”

”Jag ska redovisa för Jonnerblad klockan ett. Ska inte du vara med då?”

”Beror på om du har nånting intressant att säga. Ska jag gissa, då?”

”Varsågod”, sa Barbarotti.

”Tre stycken”, sa Backman. ”Din granne, han på gymmet och Möller.”

Barbarotti slutade tugga. ”Fy fan”, sa han. ”Här har jag suttit och jobbat hela förmiddan, och så kommer du och bara...”

”Förlåt”, sa Backman. ”Jag hade rätt, alltså?”

”Ja”, sa Barbarotti surt. ”Du hade rätt. Och jag antar att du kollat upp de här tre också?”

Backman nickade. ”Jonnerblad vet inte om det, men jag gjorde det faktiskt igår. Möller var förstås redan checkad, men de andra två fixade jag under innebandymatcherna. Bara på mobilen förstås, men jag kan nog ganska säkert avfärda dem… fast jag vill inte göra rikskrimmarna besvikna, så låt dom göra det en gång till, det är mitt råd.”

”Men du kommer inte på mötet?”

”Nej”, sa Backman. ”Jag skiter i det. Har lite andra gamla trådar som jag tänkte dra i istället.”

”Vilka då?” sa Barbarotti.

”Kalopsen var inte så dum i alla fall”, sa Eva Backman.

”Där strök jag dig ur mitt testamente”, sa Barbarotti.

”Folk är inte kloka”, sa Astor Nilsson. ”Imorse var det en som ringde och anmälde sin brorsa som tänkbar gärningsman.”

”Det är inget fel med att anmäla sin bror”, sa Tallin. ”Är man en mördare så är man.”

”Kanske det”, sa Astor Nilsson. Men den här brodern råkar vara 75 år och bosatt i Los Angeles. Blind sedan födseln dessutom.”

”Jag föreslår att vi stryker honom”, sa Sorgsen.

”Allright”, sa Jonnerblad och såg på nytt en smula förvirrad ut. Han harklade sig och vände sig till Barbarotti. ”Men de här tre personerna vet du vilka de är, således?”

Barbarotti nickade.

”Möller är förstås redan clearad”, sa Jonnerblad. ”Hur är det med den här grannen?”

Han tittade på Tallin. Tallin tittade på Sorgsen. Sorgsen tittade på ett papper han höll i handen. ”Det lär inte vara han”, sa han. ”Han var i Grekland de två sista veckorna i juli.”

”Han på gymmet?” sa Jonnerblad.

”Är nog inte kontrollerad”, sa Sorgsen. ”Jag gör det i eftermiddag.”

”Vem var det som anmälde honom?” frågade Barbarotti.

Sorgsen tittade efter. ”Det var hans fru. De ligger visst i skilsmässa, tror jag.”

”Herregud”, stönade Astor Nilsson.

Inspektör Barbarotti lämnade Kymlinge polishus strax efter klockan fem på måndagen, och han gjorde det i en sinnesstämning som påminde om... ja, vad då? tänkte han. Den nedslagenhet som gärna infinner sig när man kört i samma tentamen för sjätte gången? Eller misslyckats med att ta körkort också vid det tionde försöket?

Eller friat och blivit utskrattad?

Trots att man gjort allt som stått i ens makt för att få till det. Vi kommer aldrig att lösa det här, tänkte han. Aldrig någonsin. Vi är... han letade efter orden medan han låste upp cykeln och började trampa iväg... vi är i händerna på en mördare som är så mycket smartare än vi, som ligger så många steg före, att det egentligen är lönlöst att fortsätta. Han leker med oss. Han skickar brev och hela berättelser till oss, han ljuger och talar sanning som det passar honom och vi dansar efter hans pipa som viljelösa, tankeförlamade marionetter. Han har mördat fem människor på en månad och han kommer att komma undan med det. Minst fem människor. Kanske sju, kanske åtta. Fan också.

Och nu var han klar. Om det var någonting som verkade uppenbart, så var det detta. Det sista livstecknet ifrån honom hade kommit för två veckor sedan, när han postade Mousterlindokumentet från Kairo. Barbarotti hade läst någonstans, att om man ville gå upp i rök, försvinna diskret från jordens yta, så fanns det en stad i världen som var bättre lämpad för en sådan föreställning än någon annan. Kairo.

Sedan förrförra tisdagen hade det varit tyst. Case closed. Mördaren hade mördat färdigt och hade inte mer att säga i saken. Fy satan, tänkte Barbarotti, jag önskar nästan att det låg ett nytt brev och väntade på mig på hallmattan. Även om det innebar att det fanns ett nytt namn i det.

Bara för att få en ledtråd till. En ny öppning, en möjlighet att börja från ett annat håll. Leblancs utlovade rapport hade inte kommit under dagen, men Gunnar Barbarotti kände, att när den i sinom tid gjorde det, skulle den ändå bara innebära ett nytt streck i räkningen. Och det där hugskottet om att flickan och hennes farmor i själva verket varit utländska turister i en husbil... ja, hur skulle det gå till att undersöka en sådan sak? Eller tänk om de var rumänska zigenare som inte fanns i något register i hela världen? Varför inte? Det var inte svårt att föreställa sig hur hela fallet bredde ut sig nästan hur långt som helst över tid och rum – och inte heller att för sitt inre öga se hur han själv och hans kolleger satt och petade i samma papper och samma listor och dokumentationer om fem och tio och femton år. Fy satan, som sagt.

Å andra sidan gav jag Vår Herre tjugofyra timmar, påminde han sig. Fast det fanns nog en del som talade för att det var i minsta laget.

I hörnet av Skolgatan och Munkgatan hade ett nytt espressocafé öppnat. Han insåg att ingen väntade på honom därhemma, bromsade in, ställde cykeln mot väggen och gick in. Beställde en cortado, hälften kaffe, hälften mjölk, tog fatt i en nöjestidning och började lojt bläddra bland bioannonserna. Måste göra någonting helt annat, tänkte han. Måste göra som Leblanc, lämna jobbet kvar på jobbet. Han hade lyckats med det under två dagar, när Marianne varit hos honom, men nu var det samma historia igen. Alltihop bubblade i huvudet på honom som en gammal ragu som ingen någonsin skulle få någon glädje av, och om han inte gjorde någonting åt det, skulle det antagligen fortsätta att bubbla hela kvällen ända fram tills han äntligen lyckades somna. Någon gång långt bortom midnatt med största säkerhet.

Sedan skulle han fortsätta att drömma om det också. Fallet och utredningen och den gäckande mördaren i en nygammal diabolisk kompott – eller ragu, som sagt – tillsammans med de övriga ingredienserna i hans förvirrade liv.

Marianne. Pojkarna. Sara. Göran Persson.

Göran Persson? tänkte han. Nej, fy fan, inte Göran Persson.

Hans mobil ringde.

Det var Asunander.

Vad i helvete? tänkte Barbarotti. Asunander? Han brukade verkligen inte ringa.

”Ursäkta”, sa han.

Det var inte mindre ovanligt.

”Ingen fara”, sa Barbarotti.

”Var befinner du dig?”

”Tar en kopp kaffe på stan, bara.”

”När är du hemma? Vill helst prata med dig i lugn och ro.”

Barbarotti insåg att det var ganska högljutt runtomkring honom. Och att han själv förmodligen var dubbelt så gammal som den näst äldste cafébesökaren.

”Vad gäller det?”

”Jag tar det sen. Om jag kan ringa hem till dig istället, alltså?”

”Javisst”, sa Barbarotti. ”Självfallet. Jag är hemma om en kvart.”

”Då säger vi så”, sa Asunander och lade på.

Gunnar Barbarotti tömde i sig kaffet och lämnade caféet.

”Jag skulle vilja samtala med dig om en sak.”

”Jaha?” sa Barbarotti.

”Om fallet.”

”Ja?”

”Jag var inte på jobbet idag. Satt hemma och läste och funderade istället. Jag har en teori.”

Gunnar Barbarotti nöp sig i armen. Jodå, han var vaken. Det var Asunander han talade med. Han tänkte hastigt efter och insåg att han inte sett till kommissarien under hela dagen.

Men *en teori*? Asunander?

”Jag föreslår att du kommer hem till mig. Så får vi diskutera saken. Om du inte är upptagen, förstås?”

”Nej, javisst”, sa Barbarotti. ”Nej, jag är inte upptagen. När ska…?”

”Ska vi säga klockan åtta? Jag bjuder på en grogg. Storgatan 14, portkoden är 1958. Fotbolls-VM i Sverige.”

”Allright”, sa Barbarotti. ”Jag kommer.”

När han lagt på luren kom han att tänka på att han inte hört ett enda klickande från löständer under hela samtalet.

39

En grogg? tänkte Gunnar Barbarotti medan han promenerade bort mot Storgatan. Det var inte mer än tio minuter från hans eget hem, en ganska liten gata, faktiskt, men kanske hade den verkat större en gång i tiden. Varför i hela världen ska Asunander bjuda mig på grogg? Och presentera en teori?

Om fallet.

Han hade aldrig tidigare varit hemma hos Asunander. Han tvivlade på att någon av de andra hade varit det. Backman eller Sorgsen eller Toivonen. Kanske någon av cheferna för de andra avdelningarna, men egentligen trodde han inte det heller. Asunander var inte den som bjöd hem folk. I varje fall inte som det hade blivit. Efter olyckan. Baseballträet och de nya, misslyckade tänderna.

Barbarotti tänkte efter. Det var elva år sedan nu. 1996. Asunander hade just tillträtt som chef; kom från Halmstad och hade inte suttit mer än ett halvår på sin nya post när det hände.

Bellas gränd bakom järnvägsstationen. En kväll i november, fyra ligister och ett slag med full sving. Han hade varit i tjänst men civilklädd, och förövarna påstod under rättegången att det ingalunda varit någon tillfällighet att offret var en högt uppsatt polisofficer.

Sedan hade han varit sjukskriven i fyra månader. Sedan hade hans fru lämnat honom. De hade haft ett hus borta på Pampas, efter skilsmässan hade Asunander köpt den här våningen på Storgatan. För att göra en lång och trist historia lite kortare.

Behållit sin post som chef för Span och blivit alltmer isolerad för varje år som gick. Men han satt kvar. Begav sig aldrig ut på fältet. Hade man fått tänderna utslagna i tjänsten kunde man i varje fall vara säker på en sak. Man blev inte kickad.

Vilket jävla öde, tänkte Barbarotti. Varför har jag aldrig tänkt på det här förut? Är det överhuvudtaget någon som brytt sig om Asunander?

Men det fanns en annan sida också. Asunander var inte lätt att ha att göra med. Hade inte varit det under den korta tiden före baseballträet, och blev inte bättre efteråt. Barbarotti erinrade sig att Backman nog försökt närma sig honom, kanske fanns det andra som prövat också. Det hade liksom inte varit lönt.

Summerade Barbarotti samtidigt som han kom upp ur järnvägstunneln och svängde till höger in på Storgatan. Och om han hade trott att det var slut på alla egendomliga inslag i den här utredningen, så fanns det i varje fall en underlighet kvar.

Grogg och teori hemma hos Asunander.

Han tog i hand och sa välkommen.

”Tack”, sa Barbarotti. ”Ja, jag tror faktiskt det är första gången jag ser hur du bor.”

”Jag vet”, sa Asunander. ”Ja, jag är ju något av en ensling, tyvärr. Det har blivit så.”

Det var det mest personliga Barbarotti någonsin hört kommissarien säga. Och det fortsatte.

”Jag hade ju hunden, men i våras var det dags att avliva henne. Blev inte mer än åtta.”

”Aj då”, sa Barbarotti.

”Höftlederna, hon kunde nästan inte gå längre. Fick lite för många valpar. Ja, jag förstår ju att ni betraktar mig som en smula udda. Och jag vet att jag har mina sidor.”

Gunnar Barbarotti nickade och följde efter Asunander in i ett stort vardagsrum. Bokhyllor gick från golv till tak längs tre väggar. En enda tavla. En stor olja mellan de bägge fönstren, den föreställde ett ensamt, vindpinat träd ute på en ödslig, gultonad slätt.

”Men jag har tre år kvar tills jag kan ta ut en hyfsad pension, så innan dess blir ni inte av med mig.”

”Jag har väl aldrig...” började Barbarotti men kommissarien viftade med handen och avbröt honom.

”Du behöver inte göra dig till. Jag vet hur landet ligger och det gör du också. Det är inte det saken gäller ikväll. Vill du ha whisky eller konjak?”

”Whisky”, sa Barbarotti. ”Och en skvätt kranvatten, bara.”

”Utmärkt”, sa Asunander. ”Där är vi på samma linje. Jag är ledsen att jag kallade det grogg.”

”Det gör ingenting”, försäkrade Barbarotti.

De slog sig ner i var sin väl insutten skinnfåtölj med ett litet bord i något nästan svart träslag emellan. Ebenholts kanske. Hur har båda fåtöljerna kunnat bli insuttna? tänkte Barbarotti ofrivilligt. Sitter han i dom varannan kväll? Eller brukade hans fru sitta i den ena... ja, det låg nog närmare till hands, de hade några år på nacken. Asunander hade redan plockat fram flaskor, glas och en karaff vatten. Två små skålar dessutom, en med oliver, en med nötter. En askkopp med pipa och tändstickor. Han hällde upp ett par centimeter i glasen, tecknade åt Barbarotti att själv dosera sitt vatten.

”Du sa att du hade en teori”, sa Barbarotti.

”Stämmer”, sa Asunander. ”Märker du förresten att mina tänder inte klickar idag?”

”Jo, jag tänkte på det”, sa Barbarotti.

”Provar ett nytt kitt. Verkar fungera riktigt bra, men peppar, peppar.”

”Varför tar du inte upp den med Jonnerblad och de andra?” sa Barbarotti. ”Teorin, alltså.”

Asunander satt tyst några sekunder. ”Två skäl”, sa han sedan. ”Jag gillar inte Jonnerblad. Jag gillar både dig och Backman bättre. Men man kan ju inte bjuda hem ett fruntimmer på whisky.”

”Hm”, sa Barbarotti.

”Och jag kände på mig att det behövdes lite starkt.”

”Backman tål nog en whisky”, sa Barbarotti.

”Säger du det? Nåja, det andra skälet är att jag inte vågar lita på den. Min teori. Och jag har ingen lust att bli utskrattad av dom där jävla pajsarna från Stockholm. Vill höra med dig vad du tycker först.”

”Du gör mig lite nyfiken”, sa Barbarotti.

”Bra”, sa Asunander. ”Du vore en förbannat dålig polisman om du inte blev nyfiken. Skål på dig.”

”Skål”, sa Barbarotti.

De drack. Kommissarien drog ut munnen till ett bistert leende och ställde ner glaset. Barbarotti betraktade det vindpinade trädet och väntade tyst medan Asunander tände pipan. Han drog ett par njutningsfyllda drag och blåste ut ett rökmoln upp mot taket. Barbarotti visste plötsligt inte om han var vaken eller om han låg och sov. Hela situationen hade ett tydligt stråk av inledningen till en mardröm.

”Jag har gjort ett par försiktiga kontroller under dagen också”, förklarade Asunander. ”Till min glädje kan jag konstatera att de pekar i rätt riktning.”

”Nu får du sätta igång”, sa Barbarotti.

”Gärna det”, sa Asunander. ”Min utgångspunkt är alltså att det här fallet innehåller en förbannad massa underligheter.”

”Håller jag med om”, sa Barbarotti.

Asunander lutade sig framåt med armbågarna på knäna. ”Hör på här, låt mig rekapitulera lite. Mördaren skriver brev till dig. Han meddelar sig med tidningarna. Han talar om vilka personer han ska döda, fast i de flesta fallen är de redan döda när du får breven. Han låter bli att mörda en namngiven person. Han skriver ett tjockt dokument där han redogör för märkliga händelser i Finistère för fem år sedan. Han postar det till dig från Kairo. Frågan är alltså: varför gör han allt det här?”

”Han dödar fem personer också”, påpekade Barbarotti.

”Förvisso. Men varför gör han allt det andra? Vilket är hans skäl?”

”Jag vet inte”, sa Barbarotti.

”Du vet inte?”

”Nej.”

”Ändå har vi letat efter ett sådant skäl ända sedan det började”, konstaterade Asunander och lade ifrån sig pipan på bordet. Kastade in två oliver i munnen istället. ”Och vi har också nämnt rätt skäl åtskilliga gånger.”

”Har vi?” sa Barbarotti och började plötsligt ana att kommissarien satt och drev med honom. Eller att han möjligen hade fått ett nytt baseballträ i huvudet.

”Åtskilliga gånger”, upprepade Asunander. ”Varje dag har vi slängt ur oss det.”

”Kom till sak”, sa Barbarotti.

”Förvilla”, sa kommissarien och spottade ut olivkärnorna i handen. ”Han gör det för att förvilla oss. Trassla till vårt arbete. Förvända synen på oss och få oss att titta åt fel håll. Eller hur? Har vi inte sagt så?”

”Jovisst”, sa Barbarotti. ”Jag är med, jag har haft dom tankarna hela tiden.”

”Jag också”, sa Asunander. ”Problemet är att vi haft så svårt för att hålla fast vid den linjen. Så fort det har kommit ett nytt utspel, har vi genast börjat analysera hit och dit och vidtagit åtgärder.”

Barbarotti tänkte efter.

”Istället för att inse att alltihop faktiskt är helt meningslöst”, fortsatte Asunander. ”Det finns ingen logik, det finns inget skäl bakom alla de här breven. Och inte att just du fick dem. Han tänkte aldrig mörda någon Hans Andersson. Han tappade aldrig någon flicka från någon båt och det finns ingen nergrävd farmor någonstans runt Mousterlin.”

”Va?” sa Barbarotti.

”Alltihop är ett påhitt.”

Han plockade upp pipan igen men tände den inte. Barbarotti skakade på huvudet och försökte förstå vad det var Asunander faktiskt satt och påstod.

”Men han mördade de andra…”

”Javisst. Och där har han ett skäl. Åtminstone när det gäller ett par av dom.”

”Ett par av dom? Nu… nu förstår jag inte riktigt”, sa Barbarotti och drack en klunk whisky. När han satte ner glaset märkte han till sin förvåning att handen darrade.

”Men du är med på resonemanget så här långt?” frågade Asunander och betraktade honom med en lätt kisande, värderande blick som Barbarotti aldrig sett hos honom förr.

”Ja”, sa han. ”Jag tror det.”

”Bra”, sa Asunander. ”Då tar vi lite mer whisky, och så ska jag berätta för dig hur jag tror allt det här hänger ihop.”

När han lämnade kommissarie Asunanders våning på Storgatan, var klockan kvart över elva och det hade börjat regna. Ett riktigt kallt och genomträngande höstregn var det, men han märkte det inte. Den teori som Asunander fört fram – och som de sedan suttit och diskuterat fram och tillbaka i två timmar medan de avslutade whiskyflaskan, en tio år gammal Glenmorangie Single Highland Malt – uppfyllde hans tankar och hans medvetande så till den grad, att han förmodligen inte skulle ha reagerat om det hade kommit två meter snö och stadshuset stått i ljusan låga.

Det är inte möjligt, tänkte han. Det är ta mig fan inte möjligt.

Ändå förstod han att det var det. Att det var precis så allting hängde ihop, och att det nu bara återstod att knyta ihop säcken så att inte mördaren trillade ut.

Underliga äro Herrens vägar, tänkte inspektör Barbarotti och sköt upp porten till Baldersgatan 12. Sannerligen. Var det tre poäng de hade kommit överens om?

VII.

29–31 augusti 2007

40

Barbarotti och Backman skötte förhöret. Jonnerblad, Tallin och Sorgsen satt på andra sidan spegelfönstret och iakttog. Asunander hade bestämt att det skulle vara på det viset.

Man spelade in också. Både på ljudband och DVD för säkerhets skull. Asunander hade bestämt det också, och för egen del satt han i ett annat rum och tittade på en tevemonitor.

Kvinnan hette Ulrika Hearst. Hon var 37 år gammal, född Lindquist, gift med en engelsman. De hade hittat henne föregående dag.

”Hoss & Boss?” sa Barbarotti.

”De kallade sig så”, sa Ulrika Hearst. ”Redan när de var små. Kanske var det någon annan som hittade på namnen, jag vet inte.”

”Du har alltid kallat dem så?”

”Ja. Hoss och Boss. Jag använder aldrig deras riktiga namn.”

”Och du har känt dem i hela ditt liv?”

”Ja. Vi är ju kusiner. Deras mor och min mor är systrar. De bodde i Varberg, vi i Kungsbacka. Vi umgicks rätt mycket, jag är enda barnet. Hoss och Boss är mina enda kusiner.”

Hon placerade en slinga av sitt blonda hår bakom ett öra. Vandrade med blå ögon mellan de bägge kriminalinspektörerna, som om hon försökte avgöra vem av dem det egentligen var hon skulle vända sig till.

”Det är framförallt Hoss vi är intresserade av”, tog Backman över.

”Jag har förstått det”, sa Ulrika Hearst.

”Kan du berätta lite om honom för oss?”

Hon tänkte efter.

”Han var... svår”, sa hon. ”De var svåra bägge två.”

”Svåra?” sa Eva Backman.

”Jag vet inte riktigt hur jag ska beskriva dem”, sa Ulrika Hearst. ”Jag hade inte så många vänner när jag var barn. Ensam i skolan och sådär. Hoss och Boss ingick på något vis i min världsbild och där förutsätter man ju att allt är normalt. Eller hur? När man är barn i alla fall. Det är väl det som menas med att bli vuxen? Att göra upp med barndomens vanföreställningar och myter.”

Backman nickade. ”Jag förstår vad du säger”, sa hon. ”Och när upptäckte du att de var svåra, alltså?”

”Vi flyttade till Stockholm när jag var sexton”, förklarade Ulrika Hearst. ”Jag började på ett bra gymnasium och fick nya kompisar. Mina kusiner kom lite på avstånd, så att säga. Ja, det var nog då jag insåg att de var rätt speciella.”

”På vilket sätt var de speciella?” frågade Barbarotti.

”Besserwissrar för det första”, sa Ulrika Hearst och påbörjade ett leende som hon genast avbröt. ”De tävlade antagligen med varandra om att vara den som hade bäst koll på allting, men när jag kom på besök gaddade de liksom ihop sig och angrep mig istället. Jag var deras korkade kusin, hon som inte fattade ett smack... jag var ju tio månader yngre också, jag är född i december, de i februari. Ibland tävlade de om att kunna lura mig.”

”Tävlade om att lura dig?” sa Backman. ”Det låter inte särskilt trevligt.”

”Det var det inte heller”, sa Ulrika Hearst. ”En gång, jag

tror jag var åtta år, påstod Hoss att han tappat en plånbok full med pengar ner i en brunn, men att varken han eller Boss kunde klättra ner och hämta den eftersom de led av en egendomlig sjukdom i öronen som förbjöd dem att klättra ner i trånga utrymmen. Men om jag fixade det, skulle jag få hälften av pengarna. Det var stegpinnar av järn inslagna i brunnsväggen, där fanns förstås ingen plånbok och så snart jag kommit ner la de på locket. Jag fick sitta därnere i mörkret i över en timme. Jag minns att jag kissade på mig, men jag vågade aldrig berätta orsaken för min mamma."

"Vilka små skitstövlar", sa Backman.

"Dom är enäggstvillingar, alltså?" sa Barbarotti.

"O, ja", sa Ulrika Hearst. "Det har aldrig gått att skilja dem åt, om man inte vet att Hoss har ett litet födelsemärke under vänster öra. Han är en centimeter längre och tjugo minuter äldre också, men annars är de identiska."

"Och inga andra syskon?" frågade Backman.

"Nej, det var bara dom. Och de var fruktansvärt tajta. Jag vet att Maud och Yngve, deras föräldrar, försökte motarbeta det. Prövade att skilja dem åt på olika sätt, men det gick helt enkelt inte. De hade aldrig var sitt rum, till exempel, trots att de bodde i en sjurumsvilla. Och i skolan placerade man dem i skilda klasser, men då vägrade de visst att arbeta överhuvudtaget. De hade nog aldrig några andra kompisar, heller, bara varandra."

"Vad hände sedan?" frågade Barbarotti. "När de blev äldre?"

Ulrika Hearst skakade långsamt på huvudet och det kom någonting i hennes blick. Hon rättade till håret igen och drack lite vatten.

"Jag är inte riktigt säker", sa hon. "Men någonting var ju fel. De gick ut gymnasiet bägge två 1989. Samma klass, samma betyg, jag var på deras studentskiva. Det var lite märkligt, det var liksom bara släkten. Tio-tolv personer. Jag hade haft min egen skiva uppe i Stockholm två veckor innan och vi var åtminstone femtio stycken. Ja, det var nog första gången jag insåg att det var någonting riktigt galet med dem. Båda två hade toppbetyg från gymnasiet, båda två hade sökt in på läkarutbildningen i Göteborg och de kom förstås in utan vidare. Och så köpte deras föräldrar en tvårumslägenhet åt dem på Aschebergsgatan, de tyckte antagligen att det var skönt att bli av med dem, pojkarna hade aldrig haft någonting till övers för dem heller. Ja, och så flyttade de in och började plugga medicin."

"Fortsätt", bad Barbarotti. "Det här är hösten 1989, alltså?"

"Ja", sa Ulrika Hearst. "De första tre-fyra terminerna gick väl allt som på räls, skulle jag tro. De klarade alla tentor och duggor och allt vad det heter. Jag hälsade på dem ett par gånger när jag var i Göteborg i andra ärenden. De var verkligen ett par riktigt inkrökta medicinare, med skelett och anatomiska planscher högt och lågt. Naturligtvis behandlade de mig med lite större respekt när vi blivit vuxna, de lurade inte ner mig i brunnar och sådär, men jag var ändå alltid glad när jag kunde lämna deras lägenhet. Jag minns att jag..."

"Ja?" sa Barbarotti.

Hon skrattade till. "Jo, jag minns att jag brukade stanna upp och bara stå och andas på trottoaren utanför huset. Insupa den normala världen därute, det var... ja, det var en rent fysisk upplevelse. Jag läste själv ekonomi i Uppsala, det förekom en massa prat om vilka som egentligen var tråkigast, ekonomer eller medicinare, och jag vet att jag tänkte att om man bara fick träffa mina kusiner i Göteborg, skulle man inte ha svårt att avgöra frågan."

Eva Backman log hastigt. "Men sedan inträffade någonting, alltså?"

"Ja." Ulrika Hearst rätade på ryggen och blev allvarlig. "Boss träffade en flicka. Det var i maj –91. Jag var och hälsade på min mor i Nacka eftersom det var hennes födelsedag, och då berättade hon nyheten. Det skulle förstås ha varit alldeles normalt i vilken familj som helst, men hos oss var det närmast att betrakta som en sensation. Och det blev inte mindre sensationellt när det under sommaren meddelades att de skulle gifta sig och flytta till Australien. Hon var utbytesstudent och hade sitt hem utanför Brisbane."

"Och det blev så också?" frågade Backman.

"Ja, det blev så. Boss och Bessie, hon hette faktiskt så, de gifte sig och flyttade till Australien någon gång runt jul 1991, och de har bott i en förort till Sydney sedan dess."

"Har du hälsat på dem?"

"Ja, faktiskt. Jag var i Australien en månad med min pojkvän för... ja, det blir väl tolv år sedan vid det här laget, och då passade vi på. De hade en liten dotter och allt verkade frid och fröjd. Boss hade blivit mjukare, inte lika laid-back som en vanlig australiensare, förstås, men ändå. Det var rätt stor skillnad."

"Men du har bara träffat dem den enda gången?"

"Ja. Och det var inte särskilt länge heller. Vi övernattade en natt hos dem, bara, så jag vet egentligen inte. Men Gustaf, min dåvarande pojkvän, tyckte också de var trevliga, det minns jag."

Barbarotti nickade. "Och Hoss? Hur reagerade han när brodern plötsligt försvann?"

Ulrika Hearst drack lite vatten innan hon svarade. Drog ett varv med tungspetsen över läpparna.

”Det är just det”, sa hon. ”Man vet liksom inte. Hoss har ju aldrig anförtrott något om sina känslor för någon. Min mor visste inte om någonting. Hans föräldrar rapporterade bara att Boss gift sig och flyttat till Sydney; när jag träffade Hoss i juni 1992, vi gick och drack kaffe på ett fik i Haga, bara, så sa han att allt var lugnt. Men till hösten lämnade han medicinstudierna och började läsa filosofi istället. Han förklarade aldrig varför för någon. Jag hade nästan ingen kontakt med honom under ett par år, jag bodde själv i England den här tiden, men när jag kom tillbaka till Sverige, det var 1997, hade han gift sig och höll på att doktorera. Jag tror han gjorde någon sorts raketkarriär som logiker. Han disputerade 1999 och fick tjänst på universitetet samma år.

”Träffade du hans hustru?”

”Ja. Ett par gånger. Första gången alldeles efter millennieskiftet. Hon var gravid och de hade just köpt ett hus i Mölndal. Hon arbetade på Sahlgrenska, jag antar att de träffades redan när han läste medicin. Hon fick missfall några månader senare... ja, de fick ju aldrig några barn överhuvudtaget.”

”Vad fick du för intryck av deras förhållande?” frågade Eva Backman.

Hon funderade, men bara ett ögonblick.

”Att han var ganska dominerande”, sa hon. ”Jag tyckte hon verkade väldigt blyg, jag fick senare reda på att hon var uppfostrad i ett strängt religiöst hem, och att Hoss mer eller mindre ryckte upp henne med rötterna därifrån.”

”Ryckte upp med rötterna?” sa Backman. ”Ja, jag tror jag förstår.”

”Sedan träffade jag henne en gång några år senare”, sa Ulrika Hearst. ”Bara henne, vi stötte ihop i Stockholm av en händelse, och nu kände jag nästan inte igen henne.

Hon hade... ja, vuxit på något vis. Blivit en självständig kvinna, skulle man kunna säga, om det inte var ett så slitet uttryck."

"Det finns goda skäl till att vissa uttryck blir slitna", sa Eva Backman.

"Ja, det gör väl det."

"När?" sa Barbarotti. "När var det du träffade henne i Stockholm?"

"Jag har funderat", sa Ulrika Hearst, "och kommit fram till att det måste ha varit i januari eller februari 2006."

"Ett och ett halvt år sedan, alltså?"

"Ja."

"Och Hoss? Har du träffat honom någon gång de senaste åren?"

"Bara en gång", förklarade Ulrika Hearst och ryckte urskuldande på axlarna. "Bokmässan i Göteborg förra året. Eller jag träffade honom inte egentligen... han satt i en panel på ett seminarium. Jag minns inte vad ämnet var, men jag såg hans namn och gick dit för att jag var lite nyfiken. Han gjorde ett ganska slätstruket intryck. Vi hälsade aldrig, jag såg att han upptäckt mig i publiken, men när det var klart försvann han ut åt ett annat håll."

"Vet du någonting mer om deras förhållande?" frågade Eva Backman.

"Egentligen inte", sa Ulrika Hearst. "Men jag minns att min mor sa för ett par år sedan, att hon inte skulle vilja vara i hennes kläder."

"I Hoss frus kläder?"

"Ja."

"Sa hon varför?"

Ulrika Hearst drog på munnen. "Min mor tyckte om att analysera förhållanden", sa hon. "Hon skilde sig från min far när jag var femton, sedan dess var det den viktigaste beståndsdelen i hennes liv, kan man nog säga."

"När dog din mor?"

"Förra året. Cancer, det gick på några månader, bara."

"Men hon arbetade som familjeterapeut?"

"Ja. Hon brukade säga att hon gifte sig med sitt yrke istället för min far, och den här gången var det fråga om äkta kärlek."

Eva Backman nickade. "Så när hon påstod att hon inte skulle vilja vara i Katarina Malmgrens kläder, så visste hon vad hon talade om?"

"Jag skulle tro det", sa Ulrika Hearst.

"Ursäkta mig så mycket", sa Astor Nilsson. "Men jag skulle vara förbannat tacksam för att få veta hur det här hänger ihop egentligen. Och hur vi kom fram till det."

Astor Nilsson hade inte närvarat vid förhöret av Ulrika Hearst. Hade förhört ett par andra personer på Göteborgs universitet istället.

Men nu hade han anlänt till Kymlinge polishus. Klockan var tre på eftermiddagen, alla inblandade var församlade i Jonnerblads och Tallins rum.

"Ja, det har gått lite fort på slutet", medgav Jonnerblad. "Men det tycks inte råda någon tvekan. Det är Henrik Malmgren som är vår man. Vi måste nog också lyfta på hatten för kommissarie Asunander, utan hans insiktsfulla analys hade vi fortfarande stått och stampat."

"Föralldel", sa Asunander.

"Kan vi börja med metoden", bad Astor Nilsson. "Hur fan bar han sig åt? Om vi skiter i allt skrivande och bara tittar på själva modus operandi, alltså?"

"Låt oss vänta lite med motivet också i så fall", sa Tallin.

”Allright”, sa Eva Backman. ”När man ser det med facit i hand är det faktiskt inte särskilt komplicerat.”

”Säger du det?” muttrade Astor Nilsson.

”Ja, faktiskt”, sa Backman och slog upp sitt anteckningsblock. ”Han åker upp hit från Göteborg och dödar Erik Bergman och Anna Eriksson. Det är den 31 juli. Han måste ha haft lite kännedom om Bergmans joggingvanor, men det kan inte ha varit särskilt svårt att skaffa sig. Han står på lur i det där buskaget och överraskar honom när han kommer förbiknatande, helt enkelt. Sticker kniven i honom några gånger och lämnar honom där.”

”Några timmar senare åker han hem till Anna Eriksson som han stämt möte med”, fortsatte Barbarotti. ”Vi kan anta att han gjort det i alla fall. De träffades ju därnere i Bretagne, kanske säger han att han har någonting till henne.”

”Hur kan du veta det här?” frågade Sorgsen.

”Jag bara gissar”, sa Barbarotti. ”Hursomhelst släpper hon in honom och han dödar henne, kanske faktiskt med en sådan där skiftnyckel han skriver om, men det kan få vara osagt. Plastar in henne med tanke på lukten, han vill att det ska dröja några dagar innan hon upptäcks, och går därifrån.”

”Jag är med”, sa Astor Nilsson. ”Fy fan. Sedan då?”

”Sedan skriver han en del brev och ligger lågt under några dygn… tar kontakt med pressen, hittar på det här med Hans Andersson bland annat, dels för att förvilla oss, men kanske också för att de två kvarvarande offren inte ska upptäcka någon koppling till de där Frankrikeveckorna. De umgicks ju verkligen en smula därnere för fem år sedan, men kom ihåg att Mousterlindokumentet är fiktion från början till slut. I synnerhet vad gäller flickan och farmodern.”

”I synnerhet det, ja”, sa Eva Backman.

”Men hur fan kunde han…?” började Astor Nilsson men Asunander avbröt honom.

”Vi tar det sedan. Fortsätt, Barbarotti.”

”Ja, och så efter en vecka ungefär åker han upp till Hallsberg. Nu har han med sig ett vapen, för han vet inte riktigt var han har Gunnar Öhrnberg. Det är ju Öhrnberg och hans egen hustru som är de viktiga offren, Anna Eriksson och Erik Bergman dödar han för att Mousterlinanteckningarna skall stämma. För att slå i oss hela den här historien, kan man väl säga.”

”Herregud”, sa Astor Nilsson. ”Och Gunnar Öhrnberg ska han alltså döda för att…?”

”För att han har ett förhållande med Katarina, ja”, sa Barbarotti. ”Tänk att jag fick en liten ledtråd när jag snackade med den där dykarkompisen. Han sa att det fanns en gift kvinna i Västsverige som Öhrnberg besökte i hemlighet. Men hur fan skulle jag kunna veta att hon hette Katarina Malmgren?”

”Ja, hur?” sa Tallin. ”Gå vidare.”

”Han tar säkert tid på sig när han dödar Gunnar Öhrnberg, kanske går det till precis som han skriver i anteckningarna. I varje fall får jag intrycket att han njuter av det här dödandet. Men det är förstås en sak för rättspsyk att sätta tänderna i.”

Han drack en klunk vatten. Backman bläddrade fram en ny sida i sitt block och tog över.

”Efter att ha placerat sitt tredje offer i den berömda veteåkern, åker han hem till Göteborg och packar bilen tillsammans med sin hustru inför den förestående semesterveckan i Danmark. De tar nattfärjan mellan söndag och måndag, som planerat, de går ut på däck en stund, han stryper henne och kastar henne över bord. Går iland som fotpassagerare i Fredrikshavn, tar sig till Köpenhamn och sätter sig på ett plan på Kastrup. Ett dygn senare befinner han sig i Kairo och postar sina anteckningar från Mousterlin."

Det blev tyst i fem sekunder.

"Otroligt", sa Astor Nilsson sedan. "Fullkomligt otroligt."

"Ursäkta", sa Sorgsen. "Hur är det med pass och sådant?"

"Vi har kontrollerat det", sa Backman. "Det finns en passagerare Malmgren från Köpenhamn till Aten den 14 augusti. Bertil Malmgren. Vi kan nog anta att brodern skickat sitt pass från Australien. Åtminstone om vi har Ulrika Hearsts vittnesmål i gott minne. Eller hur?"

"Det verkar så, ja", sa Jonnerblad.

"Allright", suckade Astor Nilsson. "Smart. Ja, jag antar att det här fungerar rent tekniskt. Men att alltihop rör sig om att hans fru hittat en annan... ja, det känns lite futtigt, om ni ursäktar att jag säger det."

"Han måste ha tyckt om att planera", sa Eva Backman. "Göra upp en plan och följa den. Jag var ihop med en sån kille en gång när jag var ung. Vi åkte bil genom hela Europa, kartan var mycket viktigare än Europa."

Det blev tyst igen, sedan harklade sig Asunander. "Vi måste komma ihåg en sak", sa han, "och det är att motiven sällan står i proportion till brotten."

"Utveckla", bad Jonerblad.

"Utom i gärningsmännens huvuden, vill säga", preciserade Asunander. "Utifrån ter sig bevekelsegrunderna nästan alltid små och obetydliga, och de är oftast desamma. Svartsjuka, hämndbegär, girighet. Fast de tar sig rätt olika uttryck."

”Jo, det vill jag lova”, sa Tallin. ”Hur kom du på lösningen, egentligen?”

Asunander satt med huvudet sänkt och tycktes betrakta sina knäppta händer en stund innan han svarade.

”Reducering”, sa han. ”Det var det enda som återstod. Den enda möjligheten.”

”Jag har också försökt reducera”, sa Astor Nilsson. ”Hela tiden. Problemet är bara att det aldrig blivit någonting kvar. Ingenting alls.”

”Det finns en detalj också”, sa Asunander efter en kort paus.

”En detalj?” sa Tallin.

”Ja. I anteckningarna.”

”Vad då för detalj?” sa Jonnerblad. ”Jag har läst dem... ja, jag vet inte hur många gånger. Åtminstone fyra.”

”Jag tror jag behåller det för mig själv”, sa Asunander.

”Vad i...?” började Astor Nilsson, men Asunander avbröt honom genom att höja ett pekfinger.

”Det är min ensak”, sa han. Sedan lade han armarna i kors över bröstet, vandrade runt med blicken i hela sällskapet och det kom ett svagt vibrerande ljud ut ur honom som fick Barbarotti att tänka på en katt som spann. Han är inte klok, tänkte han. Tamejfan inte klok.

Men han löste fallet. En detalj? Vad då för förbannad detalj?

”Och du gjorde en sorts... kontroll?” frågade Tallin försiktigt.

Asunander nickade. ”Ingenting märkvärdigt. Men jag har en gammal god vän med insyn i bankvärlden. Malmgren sålde alla sina aktier i slutet av maj. Nästan en och en halv miljon, inga nya köp. Ja, han behövde väl ett litet startkapital därnere. Backman har alldeles rätt, det låg planering bakom det här. En hel del planering.”

”Han kunde ha gjort det enklare för sig”, påpekade Astor Nilsson.

”Kanske”, sa Asunander. ”Hans mål var att döda hustrun och älskaren, men jag tror det fanns andra mål också.”

”Vilka då?” sa Sorgsen. ”Närmare bestämt.”

”Någonting hände därnere i Bretagne”, sa Eva Backman efter att först ha fått en nick av Asunander. ”Anna Eriksson och Erik Bergman spelar någon sorts roll, men vi vet inte vilken. Vi får väl se om han kommer att berätta det.”

”Sjätte mannen?” sa Astor Nilsson.

”Vi vet inte vem det är”, sa Barbarotti. ”En kille som bodde ihop med Erik Bergman en vecka eller så, men kanske spelar han ingen roll i historien.”

”Men han finns ju med på fotografierna.”

”Och var hittade vi fotografierna?” sa Eva Backman. ”Har du glömt det? I Malmgrenarnas album.”

”Fy fan”, sa Astor Nilsson. ”Dom också?”

”Ja”, sa Barbarotti. ”Dom också.”

Två timmar senare stod han med Backman ute vid polishusets cykelparkering. Regnet hängde i luften, han märkte till sin förvåning att han frös och han hoppades att himlen skulle strunta i att öppna sig.

”Det var nog ingen överdrift du kom med där”, sa han.

”Vilket då?” sa Backman.

”Att någonting hände därnere i Bretagne. Åtminstone i Henrik Malmgrens ögon måste det ju ha varit något fullständigt avgörande, eller hur?”

Backman funderade. ”Ja”, sa hon, ”men det var i varje fall ingen flicka och hennes farmor som miste livet. Vad tror du det var, alltså?”

”Har du läst Mousterlinanteckningarna efter att du fick reda på att det är Henrik Malmgren som skrivit dem?”

”Nej”, sa Eva Backman. ”Jag har inte hunnit med det. Och jag har ingen aning om vad det var för detalj Asunander surrade om.”

”Inte jag heller”, erkände Barbarotti. ”Men jag läste om alltihop inatt. Det finns massor med egendomliga nycklar i den där texten, när man vet att det är Henrik Malmgren som sitter bakom pennan. Och att han tänker mörda dom allihop… ja, det blir liksom en helt annan historia.”

”En helt annan historia?” sa Backman. ”Ja, det är klart att det blir. Vet du vad jag längtar efter?”

”Semester?”

”Det också. Men framförallt längtar jag efter att få sätta mig ner och förhöra honom. Gör inte du det?”

Gunnar Barbarotti tänkte efter. ”Kanske det”, sa han. ”Men de har inte fått tag på honom därnere än. Jag är inte så säker på att du kommer att få nöjet att sitta öga mot öga med honom.”

”Glädjedödare”, sa Backman. ”De har inte haft mer än åtta timmar på sig, och jag tror det bara är morgon i Sydney, förresten.”

”Stämmer nog”, sa Barbarotti och såg på sitt uråldriga men fullt fungerande armbandsur. ”Men om det finns någon tid på dygnet när det borde gå att hitta folk, så är det väl på natten? Nej, jag tror han slinker undan, du får nog nöja dig med att prata med Boss.”

”Hoss och Boss”, fnös Backman. ”Vissa män går det snett för från början. Och sedan håller det i sig. Men du menar att det finns en annan sorts sanning i Mousterlindokumentet, alltså? Förutom Asunanders detalj, vill säga.”

”Läs själv, så får du se”, sa Barbarotti.

Backman ryckte på axlarna och klämde ner sin portfölj i cykelkorgen. ”Jag ska fråga honom om hans kontrollbehov om jag får snacka med honom”, sa hon. ”Det är den skruven som är lösast.”

”Jaså?” sa Barbarotti.

”Javisst. Först blir han övergiven av sin bror, förmodligen den enda människa i världen som betyder någonting för honom. Det måste ju ha känts som rena amputeringen. Han lyckas ändå skaffa sig en kvinna, men så småningom har hon vuxit om honom och tänker lämna honom. Det är antagligen det han börjar ana den där sommaren. Och när det verkligen är ett faktum, drar han igång hela den här svarta cirkusen för att hämnas, försvinna och börja ett nytt liv i Australien. Det måste ha gett honom en helvetes kick och det otäcka är ju att det finns en sorts logik i det.”

”Logik, ja”, sa Barbarotti och mindes plötsligt vad Marianne hade sagt. Han drog ut sin cykel ur stället. ”Han är ju docent i filosofi, alla vetenskapers moder. Man tycker lite synd om vetenskaperna.”

Backman log. ”Men vet du?” sa hon. ”Vet du vad som nästan är det märkligaste i hela den här märkliga historien?”

”Nej”, sa Barbarotti.

”Att du börjat dricka whisky med Asunander.”

”Jag tror det är övergående”, sa Barbarotti.

”Det hoppas jag inte”, sa Backman. ”För jag skulle vilja att du frågar honom en sak nästa gång ni sitter och groggar.”

”Vad då?” sa Barbarotti.

”Varför han kör med löständer överhuvudtaget. Jag har undrat över det i tio år men aldrig vågat fråga. Alla pensionärer får gaddarna instiftade i käkbenet nuförtiden. Lösgaddar är stenåldern.”

Barbarotti funderade.

”Jag känner honom inte så väl än”, sa han. ”Så det får nog vänta, är jag rädd.”

”Fegis”, sa Eva Backman. ”Men allright, vi ses imorgon. Jag ska läsa dokumentet en gång till ikväll. Åker vi samma väg?”

”Jag tror inte det”, sa Barbarotti. ”Jag ska en sväng om skolan först.”

”Skolan?” sa Backman. ”Varför då?”

”Vi tar det en annan dag”, sa Barbarotti.

41

”Kan du tala högre?” sa Barbarotti. ”Det hörs lite dåligt.”

Det var torsdag morgon. Klockan var tio minuter över nio. Vad den var i Australien hade han inte riktigt klart för sig.

”Sure, mate!” ropade Detective Inspector Crumley, och plötsligt lät han så nära som om han suttit på Barbarottis axel. ”We got’em! Got’em both in fact!”

”Ni har dom båda två?” frågade Barbarotti på sin bästa skolengelska. Detective Inspector Crumleys skolengelska lämnade en del övrigt att önska, tyckte han. ”Är det det du säger? Att ni har bägge bröderna Malmgren i tryggt förvar?”

”Javisst!” ropade Crumley. ”Hoss och Boss Malmgren. Han bodde hos sin bror, det var som du trodde. Vill ni ha dom båda två eller bara en? Vi har lite svårt att skilja dom åt, faktiskt.”

”Jag tror vi behöver båda”, sa Barbarotti. ”Du kan sluta skrika nu, det hörs mycket bättre. Ja, vår gärningsman möter det väl inga hinder att få över, men jag ska genast undersöka hur vi gör med…”

”Boss Malmgren kommer att följa med frivilligt”, avbröt Crumley. ”Det har han upprepat sjuttio gånger sedan vi plockade in dom. Han vill följa med till Sweden och vara vid sin broders sida. Come what may.”

”Har han inte familj?” undrade Barbarotti. ”Boss Malmgren?”

”Inte längre”, sa Crumley. ”Frånskild sedan tre år. De verkar ha saknat varandra en del, de här bröderna. Beter sig nästan som sådana här apungar man glömt skilja åt när de var små, om du vet vad jag talar om?"

Det var Barbarotti inte säker på att han gjorde, men han trodde han begrep andemeningen.

"Jag förstår", sa han. "Då ser vi till att få över bägge två. Jag ordnar med alla papper och skickar ner det. Se till att de inte rymmer eller tar livet av sig, bara. Hoss har faktiskt fyra människors liv på sitt samvete."

"Han ser inte ut som om han har något samvete", sa Detective Inspector Crumley. "Men det kanske är det som är problemet?"

"Antagligen", sa Barbarotti. "Har du ställt den där frågan jag bad dig om?"

"Sjätte mannen?"

"Ja."

"Yes mate", sa Crumley och harklade sig omständligt. "Frågade utan att veta vad jag frågade efter, men det är jag van vid. Han satt först tyst en lång stund, som om han inte kunde bestämma sig för om han skulle svara eller inte. Men sedan nickade han liksom för sig själv och sa att han hette Stephen."

"Stephen?"

"Ja. Och att det var en liftare som var på semester i Europa. Bodde i Johannesburg i Sydafrika. Does that make sense?"

Barbarotti tänkte efter. Antog att svenska kriminalfall ägnades rätt lite utrymme i sydafrikanska tidningar, och sa att det gjorde det. Made sense.

"Någonting annat?" undrade Crumley.

"Jag mailar ner det till dig", sa Barbarotti och sedan tog de farväl.

”Så du fick fatt i den där väninnan också?”

”Jo”, sa Astor Nilsson. ”Hon var en smula angelägen att få tala med polisen, faktiskt.”

”Varför då?”

”Därför att hon fick en chock när hon fick veta att de hade blivit mördade. Men hon hade ju ingen anledning att tro att det hängde ihop med vad Katarina hade anförtrott henne om den här älskaren.”

”Och vad hade hon anförtrott, närmare bestämt?”

”Att han hette Gunnar och att hon älskade honom. Ja, det var väl det hela. Plus att hon ville lämna Henrik men inte visste hur hon skulle ta mod till sig.”

”Var hon rädd för honom?”

”Jag skulle tro det”, sa Astor Nilsson. ”Jessica, den här väninnan, påstod att hon hållit på i över ett år och peppat henne för att hon skulle våga ta steget.”

”Men det var inte allmänt känt, alltså? Att Katarina Malmgren hade en älskare.”

Astor Nilsson skakade på huvudet. ”Nej, jag pressade henne rätt hårt på den punkten, och hon var rätt säker på att det bara var hon som kände till det. Katarina Malmgren hade ingen stor bekantskapskrets. Ingen sådan där flock av väninnor som vissa kvinnor omger sig med. Han hade henne under lupp, om du vet vad jag menar?”

”Jag förstår”, sa Barbarotti.

Skulle inte ha något emot att jobba med Astor Nilsson flera gånger, tänkte han plötsligt. Det gick att samtala konstruktivt med honom. Saker och ting drevs framåt på något vis; med vissa människor var det tvärtom, måste man tyvärr konstatera. Man var tvungen att sitta isolerad i tystnad en timme efter att man pratat med dem, för att överhuvudtaget få igång hjärnan igen.

Fast kanske fanns det folk som ville gå och gömma sig efter att ha träffat Barbarotti också. Man skulle inte förhäva sig.

”Katarina Malmgren och den här Jessica var arbetskamrater, eller hur?”

”Stämmer”, sa Astor Nilsson. ”Och någonting hände verkligen den där sommaren i Bretagne, Katarina hade berättat att det var då hon och Gunnar sågs första gången. Inte så att de hade ihop det på något vis, men det var den sommaren hon förstod, påstod hon.”

”Förstod vad då, alltså?”

Astor Nilsson ryckte på axlarna. ”Tja, inte vet jag. Men det är väl inte svårt att spekulera i. Vilket förkrympt liv hon levde, kanske. Och vem hon var gift med. Där i Bretagne fick hon en aning om hur det skulle kunna vara, det var i varje fall så hon beskrev det för väninnan. De var fem i det där svenska sällskapet, fyra som hade roligt och så Henrik Malmgren.”

”Men hon visste inte att hennes man kommit på henne? Nuförtiden, menar jag.”

”Jessica trodde inte det. Och Henrik hade absolut inte sagt någonting. Men han är en knepig typ, det intygade hon. Hade bara träffat honom en gång, men det Katarina berättade fick henne nästan att bli rädd. Han ville kontrollera henne fullständigt, men samtidigt växte hon liksom ifrån honom för varje dag som gick. Ja, hon uttryckte det så. *Växte ifrån honom.* Det är inte klokt vilka liv människor lever, när man kikar in bakom fasaden litegrann.”

Gunnar Barbarotti blev sittande med hakan i handen en stund och begrundade. ”När träffade hon Katarina Malmgren sista gången?”

”Någon vecka innan de skulle åka till Danmark. Katarina

hade varit med Gunnar en natt, det var väl medan han var på sitt dykläger, och...ja, väninnan trodde att Katarina hade bestämt sig."

"För att förklara läget för sin man? Att hon tänkte lämna honom?"

"Ja. Hon sa det inte rakt ut, men Jessica fick det intrycket."

"Och vid det laget hade han redan börjat mörda de andra?"

"Japp. Men hon anade ingenting. Hon hade sin plan, hennes make hade sin."

"Herregud. Det låter ju nästan regisserat."

"En viss timing i alla fall. Hon åkte på en semestervecka till Jylland för att berätta för honom att hon ville ta ut skilsmässa. Han åkte dit för att mörda henne och dumpa henne i havet. Man kan väl säga att han låg några steg före. Och Jessica Lund säger bestämt att Katarina måste ha varit helt ovetande om vad han höll på med. Hon visste naturligtvis att han var galen, men inte att han var *så* galen."

"Nej", sa Barbarotti. "Hur skulle hon ha kunnat göra det?

"Var antagligen lite hemmablind också", sa Astor Nilsson och såg dyster ut. "Det är svårt att få syn på vansinnet när man bor mitt i det. Jag hade det faktiskt så en period av mitt liv. Fast en av Malmgrens kolleger sa en intressant sak. Han skulle frivilligt förkorta sitt liv med trettio år om han fick ära och berömmelse istället."

"Henrik Malmgren?"

"Ja."

"Vilken jävla köpslagan."

"Man kan tycka det", sa Astor Nilsson. "Men det finns förstås den sortens människor. Du får nobelpriset om du går med på att dö vid 52. Utan pris blir du 82... fast jag vet ju inte om han hade rätt, den där kollegan. De liv Malmgren förkortade var ju inte hans egna."

"Han kommer i mitten av nästa vecka", började Barbarotti avrunda. "Vi får väl se vad vi har att säga om honom när vi suttit öga mot öga med honom en stund."

"Vi får väl det", sa Astor Nilsson. "Ja, jag tänker då fan se till att jag får vara med i alla fall. Visst är det bedrövligt att man blir sugen på att skärskåda sådana här monster? Att få träffa dom åtminstone."

"Det är en lust du delar med resten av mänskligheten", sa Gunnar Barbarotti.

"Jo, jag känner till det", sa Astor Nilsson. "Och det gör ju inte saken bättre. Att dom andra är precis lika perverterade som jag själv. Fast typer som Henrik Malmgren är ändå rätt sällsynta, som tur är."

"Hurdan tror du hans brorsa är?" frågade Barbarotti.

"Hans fru tycks ju ha lämnat honom med livet i behåll, så det är nog en fin kille", sa Astor Nilsson. "Nej, nu vill jag inte prata om det här längre."

"Inte jag heller", sa Barbarotti. "Man börjar få nog, liksom."

Efter samtalet med Astor Nilsson ställde sig Gunnar Barbarotti och såg ut genom fönstret. Det brukade alltid de smarta snutarna i böckerna göra. Blicka ut mellan persiennribborna mot ett regngrått Paris eller en cinnoberpatinerad himmel med bud om snö i Göteborg. Låta det yttre rummet (staden, brottets spelplats) korrespondera med det inre (snutens hjärna) på något sublimt litterärt vis. Barbarottis problem var att fyra femtedelar av hans utsikt upptogs av långsidan på Lundholm & söners nedlagda skofabrik. Den hade stått tom och oanvänd i mer än tjugo år, alla fönsterrutorna var sönderslagna och han önskade att stadens beslutsfattare någon gång skulle bestämma sig för att riva kåken. Helst för att anlägga en park eller någon annan sorts lågväxande bebyggelse, så att han äntligen kunde få lite vyer.

Men om han gick fram till fönstret och riktade blicken snett upp åt höger kunde han faktiskt se både en bit av en trädkrona och en flik av himlen. Fast nog hade Backman rätt, när hon påstod att hans balkong var en mycket bättre plats för analys och eftertanke. Fan så mycket bättre.

Å andra sidan var det kanske inte vyer som behövdes för att begripa sig på Henrik Malmgren. Motsatsen snarare; förmågan att tränga in i ett mycket trångt utrymme, ett slags förkrympt eller till och med inverterat universum. Varför inte en sådan där brunn som Ulrika Hearst berättat om? Men det är klart, tänkte Barbarotti, hade man byggt upp sin världsbild av så få klossar, så ville det antagligen till att allihop låg på plats. Om en så stor kloss som en bror eller en hustru försvann, var det förstås stor risk att hela bygget rasade.

Gick det att förstå honom i sådana termer? Astor Nilsson hade sagt att han i filosofikretsar ansågs som ett rätt stort namn. Stora filosofer hade normalt sin blomning efter femtio – och framförallt efter sin död – men Henrik Malmgren hade varit ett löfte. I synnerhet när det gällde flervärdeslogik och deduktiva matematisk-logiska system. När det gällde hans lite mer mänskliga kvalitéer hade det blivit lite tyst, hade Astor Nilsson förklarat. Lite pinsamt tyst.

Men att konstruera en sådan historia? En drunknad flicka och hennes farmor? Och flickans namn? The Root Of All Evil.

Och hur han beskrivit sig själv genom sin fiktive mördares ögon. Var det här han hade avslöjat sig? undrade Barbarotti. Var det här Asunander anat att någonting var fel? Han visste inte. Själv hade Barbarotti aldrig misstänkt något. Asunander hade inte sagt mer än att han förstått att någonting var galet när han läste Mousterlindokumentet för tredje eller fjärde gången. Det var då han hittat den där detaljen. Kanske skulle han vidareutveckla det hela om det blev någon ny whiskysittning – eller kanske tänkte han faktiskt behålla det för sig själv. Asunander var en knepig jävel, och kanske var det just en sådan som behövdes för att förstå sig på andra knepiga jävlar. Som Henrik Malmgren.

Under gårdagskvällen hade en annan märklighet inträffat. När Barbarotti gått ut till närbutiken hade han stött ihop med Axel Wallman, som för ovanlighetens skull befann sig i stan i något ärende. Tydligen hade han läst Henrik Malmgrens namn i någon tidning – i egenskap av offer, inte i egenskap av gärningsman; han hade hejdat Barbarotti och omtalat detta. ”Den där döde filosofen skulle ni nog behöva fiska upp ur havet”, hade han sagt. ”Han hör till den typen som behöver en träpåle genom hjärtat för att bli riktigt död.”

När Barbarotti – utan att avslöja något om den senaste utvecklingen av fallet – frågat vad han menade med det, hade Wallman bara slagit ut med händerna och förklarat att han en gång deltagit i ett seminarium tillsammans med Malmgren och att denne i samband därmed avslöjat vilket uselt virke han var gjord av.

Men Wallman hade aldrig påpekat att Malmgren faktiskt var hallänning; det hade Barbarotti erinrat sig själv.

Det knackade på dörren. Han vände bort blicken från Lundholm & söners skofabrik och avbröt sin analys.

”Jonnerblad har köpt två smörgåstårtor”, förklarade Backman. ”Det ska visst hållas någon sorts gravöl över fallet.”

”Jag kommer”, sa Barbarotti.

Men den viktiga summeringen kom inte under tårtkalaset.

Den gjorde han med Eva Backman strax innan de skulle gå hem för dagen. Det brukade vara så.

"Jaha, vad har vi lärt oss av det här, då?"

Hon hade suttit tyst en god stund i hans besöksfåtölj innan hon sa det.

"Jag vet inte", sa Barbarotti utan att se upp från pappe-ren. "Men jag antar att du har svaret eftersom du frågar. Så berätta för mig, vad har vi lärt oss?"

"Bara för att du låter så där, har jag nästan lust att inte säga någonting alls", sa Backman. "Men okej, jag ser att du är lite mottaglig i alla fall."

Barbarotti betraktade henne. "Du vet att jag aldrig glömmer ett ord av vad du säger", sa han. "De allra klokaste sakerna skriver jag upp i en anteckningsbok som jag skaffat särskilt för det ändamålet."

"Bra", sa Eva Backman. "Jo, jag tänker så här, att även om tio snutar jobbar i hundra dagar och genomför tusen förhör, så är det inte alltid det hjälper."

"Fin inledning", sa Barbarotti.

"Jag vet, avbryt mig inte. När vi alltså jagar en enda perverterad hjärna, så kan det vara viktigare att vi också har en hjärna som fungerar på samma sätt. Som har förutsättningar att begripa sig på mördaren. Om inte Asunander satt sig ner och tänkt en dag istället för att gå till jobbet, så hade vi inte löst det här."

Det var ju precis det jag tänkte för en timme sedan, konstaterade Barbarotti tyst för sig själv. "Du menar att vi behöver Asunander för att han har en perverterad hjärna?" sa han. "Var det inte det *När lammen tystnar* handlade om? Jag ska fråga Asunander nästa gång vi dricker whisky om han möjligen heter Hannibal i förnamn."

”Han heter Leif”, sa Eva Backman. ”Jag har kollat det. Nej, det jag menar är att det finns fall som kräver lite andra insatser än bred spaning.”

”Sitta på en balkong och filosofera i solnedgången?” föreslog Barbarotti och tänkte att det var då ett jävla tjat om hans balkong i huvudet på honom.

”Hade jag haft din balkong, skulle jag ha löst det här fallet på tre dagar”, sa Backman.

”Jag kommer nog inte att ha den så länge till”, sa Barbarotti.

”Va? Varför då?”

”Jag… jag tror jag väntar tillökning.”

Eva Backman såg först inte ut att begripa vad han talade om. Sedan log hon snett och hävde sig upp ur fåtöljen. ”Grattis”, sa hon. ”Hur många blir det?”

”Jag vet inte riktigt”, sa Barbarotti. ”Men min trea blir nog lite för trång i vilket fall som helst.”

”Då så”, sa Backman. ”Du får berätta mer om ditt nya liv om tre veckor. Nu går jag på semester. Fast jag kanske kikar in som hastigast och tar mig en titt på Malmgren.”

”Gör det”, sa Barbarotti. ”Och ha det så skönt. Men vad var det jag skulle skriva i anteckningsboken, alltså?”

”Lita aldrig på en författare”, sa Eva Backman. ”Det trodde jag hade framgått med all önskvärd tydlighet.”

42

Han kom ut från doktor Olltmans mottagning strax efter klockan fem på fredagseftermiddagen. De hade samtalat i nästan tre timmar, fast det egentligen bara varit avtalat om fyrtiofem minuter. Något nytt möte var inte bestämt, men Barbarotti hade fått löfte om att han kunde ringa upp henne när som helst, om behovet skulle uppstå. När han tackat henne, hade han också haft på tungan att säga att han skulle ha velat vara gift med en kvinna som hon, men han höll inne med det. Kanske, tänkte han, kanske är Marianne en sådan kvinna.

Och han trodde inte behovet skulle uppstå. Någonting har hänt med mig de här veckorna, tänkte Gunnar Barbarotti när han passerade förbi espressocaféet på Skolgatan utan att gå in.

Oklart vad, men någonting var det.

Att fallet var löst spelade naturligtvis in. Båda bröderna Malmgren skulle komma till Kastrup på tisdag; enligt Crumley hade det gjorts vissa medgivanden, så förmodligen var resten av historien en sak för åklagare, advokater och rättspsykiatriker – men den där galne filosofen hade satt igång någon sorts mekanismer inuti honom själv också, var det inte så?

En sorts korrespondens som inte var så lätt att klä i ord, men som kunde kännas och vägas. Vad då, närmare bestämt? Kanske var det bara mentalt snömos, men om man ändå gjorde ett försök.

Jo, att man inte fick uppfatta livet på det sätt Henrik Malmgren gjort, möjligen var det bara detta enkla. Om tillvaron var ett spel, och det var den antagligen – åtminstone ur vissa aspekter – så hade människan att ikläda sig rollen som ödmjuk spelpjäs, inte spelförare. Därmed inte sagt att hon måste vika ner sig för andra pjäser, eller acceptera regler och påbud och dumheter som kringskar hennes egen existens.

Den gamla AA-bönen, kort sagt. De hade talat om de här sakerna, han och Olltman, inte alls i de ordalag som nu efteråt valsade runt i huvudet på honom, men ändå; det var det här det gällde. Friheten och ansvaret, dessa slitna hörnstenar. Jaget och omvärlden och nästan och närvaron; framförallt det sistnämnda, att vara närvarande i varje ögonblick, åtminstone så mycket man förmådde; här hade han slarvat, mycket ofta hade han slarvat i det avseendet. Han gick in i ICA-butiken på Frejagatan och bad en hastig existensbön.

O, Herre, tack för en lärorik sommar. Se nu till att hålla mig i gott skick och låt saker och ting gå i lås – du vet vad jag menar – så har du tre poäng som i en liten ask. För övrigt har du faktiskt existerat i mer än elva månader i sträck vid det här laget, vilket är rekord och förbaskat strongt gjort med tanke på både yttre och inre omständigheter, det erkännandet vill jag ge dig. Färskpasta, oliver med kapris och parmesanost får duga en sådan här dag, eller vad säger du? Det är en rent himmelsk kombination, men det behöver jag kanske inte tala om för dig?

Vår Herre svarade inte, inte mer än genom ett lågt och oartikulerat mummel, som tog sig ut från en frysdisk i obalans – men det lät vänligt och betryggande och inspektör Barbarotti började fylla sin korg inte utan en viss tillförsikt.

Mitt i pastan ringde Sara.

Hon bad honom inte ens ringa tillbaka. Istället började hon gråta.

”Hur i hela friden är det fatt, Sara?” frågade han. ”Vad är det som har hänt?”

Hon hulkade en stund och han upprepade sin fråga i varierade ordalag några gånger. Herregud, tänkte han. Hon är gravid. Minst. Hon har aids, jag visste det. Hon ligger för döden.

”Jag skulle vilja komma hem, pappa”, sa hon när det äntligen började komma ord istället för gråt ur henne.

”Javisst”, sa Gunnar Barbarotti. ”Gör det. Sätt dig på ett plan imorgon bitti.”

”Får jag det?”

”Va?”

”Får jag bo hos dig igen?”

”Är du inte klok, Sara? Det är väl klart att du får komma hem. Jag önskar ingenting hellre.”

”Tack.”

”Men vad är det som har hänt, min flicka? Du måste berätta det för mig. Är du sjuk?”

Hon skrattade till. Ett ynkligt litet skratt. ”Nej, pappa, jag är inte sjuk. Och jag är inte gravid heller, det var väl det som var nästa fråga. Men jag vill inte stanna här längre. Kan vi vänta med förklaringar tills vi ses igen?”

”Naturligtvis”, sa Barbarotti. ”Vill du att jag ska kolla flygtider och sånt åt dig? Har du pengar till biljetten?”

”Jag fixar det själv. Och jag tror jag har pengar så det

räcker. Kan jag låna lite till av dig om det fattas?"

"Alla gånger", sa Gunnar Barbarotti. "Jag har fortfarande sextio spänn på kontot. Sätt igång och packa och så ringer du mig igen när du vet hur dags du kommer."

"Tack, pappa", sa Sara. "Jag är ledsen för att det blev på det här viset, det var inte meningen."

"Strunt i det", sa Gunnar Barbarotti. "Shit happens. Eh... det är lite förändringar här på hemmaplan också, förresten, men vi tar det när du kommer."

"Förändringar?" sa Sara. "Vad då för förändringar?"

Gunnar Barbarotti övervägde ett ögonblick. Över vad det kostade att tala i mobil från utlandet, till exempel.

"Nej, vi tar det öga mot öga istället. Det också."

Sara satt tyst några sekunder, sedan accepterade hon läget, sedan lade de på.

Han tuggade i sig återstoden av pastan medan han funderade. Och räknade.

Sju, kom han fram till. De skulle bli sju stycken. Marianne med två barn, han själv med tre.

Sju? Herregud.

Han diskade undan, tog med tidningen och gick ut och satte sig på balkongen. Eftersom det var fredag fanns där en extra bostadsbilaga. Han började bläddra.

Sju? Om man samlades på den här balkongen skulle var och en få en halv kvadratmeter. Det var inte mycket, och förmodligen skulle hela konkarongen rasa, förresten.

Hus, tänkte han. Det kommer att behövas ett hus.

Sju-åtta rum sådär.

Efter ungefär femton sekunder hade han hittat det. En gammal grosshandlarvilla ute vid Kymmens udde. Tio rum och kök, stod det. Visst behov av renovering. Stor trädgård och egen brygga. En och en halv miljon, bara.

Som hittat. De sextio kronorna skulle komma till användning.

Han slog numret, talade med en vänlig gammal man i tio minuter och bjöds in till visning på söndag klockan ett.

Hade just flyttat in till datorn vid skrivbordet för att få se sin framtid i bilder, när Marianne ringde.

Hon lät glad.

Det gjorde hon i och för sig nästan alltid, men det var någonting extra den här gången.

”Vet du”, sa hon och skrattade. ”Jag har faktiskt tagit itu med saker och ting.”

”Jaså?” sa Gunnar Barbarotti. Hon har skaffat en liten präst, tänkte han. ”Vad då för någonting?”

”Jag har pratat med sjukhuset i Kymlinge. Jag kan få en fast tjänst där från och med första november. Vad säger du om det?”

”Första november?”

”Ja.”

”Det visste jag hela tiden”, sa Barbarotti. ”Finns ingen som kan tacka nej till dig.”

”Tss”, sa Marianne. ”Och Johan och Jenny är fortfarande villiga att flytta, så jag ringer egentligen för att säga att nu får vi ta och bestämma oss.”

”Det har vi väl redan gjort”, sa Barbarotti. ”Fast vi måste nog skaffa någonting lite större än vad vi pratade om.”

”Större? Varför då?”

”Hrrm”, sa Gunnar Barbarotti. ”Det har hänt en del med mina barn. Det verkar... ja, det verkar faktiskt som om jag kommer att ha hand om dom alla tre framöver.”

”Va?” sa Marianne.

”Jo, just det”, sa Gunnar Barbarotti och kände en plötslig

andnöd. Eller också var det någonting annat, en sorts segt, hindrande membran som vägrade släppa igenom de ord som måste fram. ”Det har blivit på det viset”, lyckades han få ur sig. ”Lars och Martin kommer redan imorgon, och alldeles nyss ringde Sara från London och sa att hon var på väg hem, så… ja, med dina barn inräknade blir vi faktiskt sju stycken.”

”Sju?”

”Sju, ja. Men jag ska titta på ett hus på söndag och…”

Det var tyst i luren. Han höjde blicken och såg en kajsvärm landa i en av almarna utanför Katedralskolan.

Nu, tänkte inspektör Barbarotti. Nu avgörs det. Kyrkogården, korna, rapsen, skogen. Om tre sekunder vet jag.